How to Win
Friends
&
Influence
People

데일카네기 인간관계론
(영한대역 주석판)

How to Win Friends
& Influence People

데일카네기 인간관계론 (영한대역 주석판)

1판 1쇄 발행 2011년 1월 1일

지은이 | Dale Carnegie
옮긴이 | 강성복
펴낸이 | 박찬영
기획편집 | 송인환, 봉하연, 김진아
마케팅 | 이진규, 장민영

발행처 | 리베르
주소 | 서울시 용산구 용산동5가 24번지 용산파크타워 103동 505호
등록번호 | 제2003-43호
전화 | 02-790-0587, 0588
팩스 | 02-790-0589
홈페이지 | www.리베르.kr | www.liberbooks.co.kr

커뮤니티 | blog.naver.com/liber_book(블로그)
        cafe.naver.com/talkinbook(카페)

e-mail | skyblue7410@hanmail.net

ISBN | 978-89-6582-000-0 (13740)

리베르(LIBER)는 디오니소스 신에 해당하며 책과 전원의 신을 의미합니다.
또한 liberty(자유), library(도서관)의 어원으로서 자유와 지성을 상징합니다.

How to Win Friends & Influence People

데일카네기 인간관계론
(영한대역 주석판)

데일 카네기 지음 | 강성복 옮김

리베르

자기계발서의 원전

: 원희룡 (한나라당 국회의원)

세상일이 정치가 아닌 게 있을까? 이 책에도 '정치적(political)' 혹은 '외교적(diplomatic)'이란 단어가 자주 나온다. 여기서 political이나 diplomatic은 어떻게 해석될까? 우리는 흔히 정치나 외교를 부정적인 개념으로 본다. 일부 정치인들이 부정적인 이미지를 심어놓았기 때문일 것이다.

그러나 이 책에서 쓰인 political과 diplomatic에는 '원초적 갈등을 조정하는'이란 함의가 있다. 인간은 원초적으로 갈등 관계에 있을 수밖에 없다. 어차피 인간은 오해와 편견 덩어리다. 세상사는 갈등 그 자체다.

이 책은 그 갈등을 정치적, 외교적으로 해결하는 공생 코드인 '배려, 칭찬, 관심'의 지혜를 실증적으로 보여주고 있다. 카네기는 왜 상대를 비난하면 효과가 없는지, 왜 토론을 통해서 상대를 설득하는 것은 불가능한지, 왜 상대는 내 말대로 하지 않으려 하는지 등을 풍부한 사례를 통해 알려준다. 이 사례들이 데일 카네기의 말에 생명을 불어넣는다.

데일 카네기의 『인간관계론(How to Win Friends & Influence People)』은 대학 시절에 감명 깊게 읽은 적이 있다. 다만 당시에 읽은 책은 발췌하고 개작한 것이었다. 원본의 생생한 숨결이 그대로 살아 있는 카네기는 이 책을 통해 비로소 접하게 됐다. 좋은 작품의 원전을 만나는 것은 마치 좋은 사람을 만나는 것과 마찬가지로 인생의 행운이다.

IN ORDER TO GET
THE MOST OUT OF THIS BOOK

1. Develop a deep, driving desire to master the principles of human relations.
2. Read each chapter twice before going on to the next one.
3. As you read, stop frequently to ask yourself how you can apply each suggestion.
4. Underscore each important idea.
5. Review this book each month.
6. Apply these principles at every opportunity. Use this volume as a working handbook to help you solve your daily problems.
7. Make a lively game out of your learning by offering some friend a dime or a dollar every time he catches you violating one of these principles.
8. Check up each week on the progress you are making. Ask yourself what mistakes you have made, what improvement, what lessons you have learned for the future.

이 책으로 최대의 효과를 얻기 위한
8가지 제안

1. 인간관계의 원칙을 익히겠다는 진지하고 적극적인 욕구를 가져라.

2. 다음 Chapter로 넘어가기 전에 각 Chapter를 두 번씩 읽어라.

3. 읽는 도중에 제시해놓은 각 제안을 어떻게 적용할 것인지에 대해 스스로에게 자주 물어보라.

4. 중요한 구절에 밑줄을 그어두라.

5. 매달 이 책을 다시 읽어라.

6. 기회가 생길 때마다 여기에 나온 원칙들을 적용하라. 이 책을 일상의 문제들을 해결하는 실행 지침서로 활용하라.

7. 여러분이 여기에 나온 원칙을 어길 때마다 친구들에게 스스로 벌금을 물겠다고 함으로써 게임을 하듯 즐겁게 배워라.

8. 매주 여러분 자신의 진전을 체크해보라. 여러분이 어떤 잘못을 했는지, 어떤 진전이 있었는지, 그리고 미래를 위해 어떤 교훈을 깨달았는지 확인하라.

CONTENTS

PART 1
FUNDAMENTAL TECHNIQUES IN HANDLING PEOPLE
사람을 다루는 기본 테크닉

PART 2

SIX WAYS
TO MAKE PEOPLE LIKE YOU
사람의 호감을 얻는 6가지 방법

PART 3

TWELVE WAYS TO WIN PEOPLE TO YOUR WAY OF THINKING
상대방을 설득하는 12가지 방법

PART 4

NINE WAYS TO CHANGE PEOPLE WITHOUT GIVING OFFENSE OR AROUSING RESENTMENT

반감이나 반발 없이 상대를 변화시키는 9가지 방법

PART 1

FUNDAMENTAL TECHNIQUES IN HANDLING PEOPLE

사람을 다루는
기본 테크닉

1 IF YOU WANT TO GATHER HONEY, DON'T KICK OVER THE BEEHIVE

ON May 7, 1931, New York City witnessed the most **sensational**[1] man-hunt the old town had ever known. After weeks of search, "Two Gun" Crowley—the killer, the gunman who didn't smoke or drink—was at **bay**[2], trapped in his sweetheart's apartment on West End Avenue.

One hundred and fifty policemen and detectives laid **siege**[3] to his top-floor hideaway. Chopping holes in the roof, they tried to smoke out Crowley, the "cop killer," with tear gas. Then they mounted their machine guns on surrounding buildings, and for more than an hour one of New York's fine residential sections reverberated with the crack of pistol fire and the rat-tat-tat of machine guns. Crowley, crouching behind an overstuffed chair, fired incessantly at the police. Ten thousand excited people watched the battle. Nothing like it had ever been seen before on the sidewalks of New York.

When Crowley was captured, Police Commissioner Mulrooney declared that the two-gun **desperado**[4] was one of the most dangerous criminals ever encountered in the history of New York. "He will kill," said the Commissioner, "at the drop of a feather."

But how did "Two Gun" Crowley regard himself? We know, because while the police were firing into his apartment, he wrote a letter addressed "To whom it may concern." And, as he wrote, the blood flowing from his wounds left a crimson **trail**[5] on the paper. In this letter Crowley said: "Under my coat is a weary heart, but a kind one—one that would do nobody any harm."

A short time before this, Crowley had been having a **necking**[6]

1 꿀을 얻으려면 벌집을 건드리지 말라

1931년 5월 7일, 뉴욕 시가 탄생한 이래 가장 관심을 모은(**세상을 놀라게 하는, 선풍적인**[1]) 범인 검거 작전이 한창 벌어지고 있었다. 수주 동안 경찰의 추적을 피해 도망치던 일명 '쌍권총 크로울리'가 웨스트 앤드 애버뉴에 있는 자기 애인의 아파트에 숨어 있다가 발각되어 체포되기 직전(**궁지**[2])이었다. 그는 술도 마시지 않고 담배도 피우지 않는 사람이지만, 총으로 사람을 죽인 살인범이었다.

150명이나 되는 경찰과 형사들이 그가 숨어 있는 꼭대기 층을 **포위**[3]했다. 경찰은 지붕에 구멍을 내고 최루가스를 투입해 '경찰 살해범'인 크로울리를 집 밖으로 끌어내는 작전을 펼치고 있었다. 주변 빌딩에는 기관총이 설치되었다. 뉴욕 시에서 가장 멋진 주거지역인 이 거리에는 권총과 기관총이 총알을 뿜어내는 시끄러운 소리가 한 시간 이상이나 계속되었다. 크로울리는 두툼한 의자를 방패로 삼아 끊임없이 경찰을 향해 총을 쏴댔다. 1만여 명의 시민들이 잔뜩 긴장한 표정으로 이 총격전을 지켜보았다. 지금과 같은 거리의 광경은 이전에는 전혀 볼 수 없었다.

마침내 크로울리가 체포되었다. 뉴욕 경찰국장 멀루니는 이 쌍권총의 악당(**무법자**[4])이 뉴욕 시 역사상 가장 위험한 범죄자에 속한다고 발표했다. 경찰국장의 표현에 따르면 '그는 닥치는 대로 살인을 저지르는 놈'이었다.

그런데 '쌍권총 크로울리'는 스스로를 어떻게 생각하고 있었을까? 경찰이 크로울리가 숨어 있는 아파트에 사격을 가하고 있었을 때 그는 '관계자 여러분께'로 시작하는 편지를 썼다. 그가 편지를 쓰고 있는 동안에도 총에 맞은 상처에서는 피가 흘러나와 편지지에 붉은 핏**자국**[5]을 남기고 있었다. 크로울리는 편지에 이렇게 썼다. '내 마음은 지치고 피곤하긴 하지만 착한 마음이다. 그 누구도 해치고 싶어하지 않는 착한 마음이다.'

이 일의 발단은 이랬다. 이 총격전이 벌어지기 얼마 전, 크로울리는 롱아

party on a country road out on Long Island. Suddenly a policemen walked up to the parked car and said: "Let me see your license."

Without saying a word, Crowley drew his gun, and cut the policemen down with a shower of lead. As the dying officer fell Crowley leaped out of the car, grabbed the officer's revolver, and fired another bullet into the **prostrate**[7] body. And that was the killer who said: "Under my coat is a weary heart, but a kind one— one that would do nobody any harm."

Crowley was sentenced to the electric chair. When he arrived at the death house at Sing Sing, did he say, "This is what I get for killing people?" No, he said: "This is what I get for defending myself."

The point of the story is this: "Two Gun" Crowley didn't blame himself for anything. Is that an unusual attitude among criminals? If you think so, listen to this:

"I have spent the best years of my life giving people the lighter pleasures, helping them have a good time, and all I get is abuse, the existence of a hunted man."

That's Al Capone speaking. Yes, America's erstwhile Public Enemy Number One—the most sinister gangleader who ever shot up Chicago. Capone doesn't condemn himself. He actually regards himself as a **public benefactor**[8]—an unappreciated and misunderstood public benefactor.

And so did Dutch Schultz before he **crumpled**[9] up under gangster bullets in Newark. Dutch Schultz, one of New York's most notorious rats, said in a newspaper interview that he was a public benefactor. And he believed it.

I have had some interesting correspondence with Warden Lawes of Sing Sing on this subject, and he declares that "few of the criminals in Sing Sing regard themselves as bad men. They are just

일랜드에 있는 한적한 시골 길에 차를 세워놓고 애인의 **목을 애무**[6]하며 즐거운 시간을 보내고 있었다. 그때 갑자기 경찰 한 명이 나타나 차로 오더니 이렇게 말했다. "면허증 좀 보여주시겠습니까?"

대답 대신에 크로울리는 총을 뽑아 들고 경찰의 몸에 총알 세례를 퍼부었다. 경찰이 중상을 입고 쓰러지자 크로울리는 차에서 내려 경찰의 권총을 주워들고 **쓰러진**[7]경찰의 몸에 다시 한 발의 총을 쏘아 확인 사살까지 했다. 이런 흉악한 범죄를 저지른 살인범이 자신을 두고 이렇게 말을 했다. "내 마음은 지치고 피곤하긴 하지만 착한 마음이다. 그 누구도 해치고 싶어 하지 않는 착한 마음이다."

크로울리는 사형을 선고받았다. 사형이 집행되던 날 그가 전기의자에 앉았을 때 "살인을 했으니, 이렇게 되는 게 당연하지"라고 말했을까? 전혀 그렇지 않다. 그는 이렇게 말했다. "나는 정당방위를 했을 뿐인데, 어떻게 이럴 수가 있나?"

이 얘기의 요점은 이것이다. '쌍권총 크로울리'는 결코 자기가 잘못했다고 생각하지 않았다는 것이다. 이런 태도는 범죄자들에게 흔치 않은 것일까? 만일 그렇게 생각된다면, 이 말을 들어보아야 한다.

"나는 다른 사람들에게 많은 즐거움을 주고, 좋은 시간을 갖도록 도우면서 내 인생의 황금기를 보냈다. 하지만 내게 돌아온 건 비난과 전과자라는 낙인뿐이다."

이것은 알 카포네가 한 말이다. 바로 그 사람, 미국 역사상 가장 악명 높은 공공의 적, 시카고의 암흑가를 장악했던 가장 냉혹한 갱단 두목인 그 알 카포네 말이다. 알 카포네는 자신이 잘못했다고 생각하지 않았다. 그는 오히려 자신이 자선사업을 하고 있는 **사회의 은인**[8]이라고 생각했다. 다만 사람들이 인정해주지 않고 자신을 오해하고 있을 뿐이라고 생각했다.

이 점은 뉴어크에서 벌어진 폭력 조직 간의 총격전에서 목숨을 잃은(**찌부러뜨리다**[9]) 더치 슐츠의 경우도 마찬가지였다. 뉴욕에서 가장 악명 높은 조직폭력배의 두목이었지만, 그는 언론과의 인터뷰에서 자신은 자선사업가라고 밝혔다. 그리고 스스로도 실제로 그렇다고 믿고 있었다.

나는 뉴욕에서도 악명 높은 싱싱 교도소의 소장으로 오랫동안 재직한 워든 로즈와 서신을 주고받으면서 이 주제에 대해 아주 흥미로운 대화를 나누었다. 로즈 소장은 이렇게 말했다. "싱싱 교도소에서 복역 중인 죄수들 가

as human as you and I. So they rationalize, they explain. They can tell you why they had to crack a safe or be quick on the trigger finger. Most of them attempt by a form of reasoning, **fallacious**[10] or logical, to justify their anti-social acts even to themselves, consequently stoutly maintaining that they should never have been imprisoned at all."

If Al Capone, "Two Gun" Crowley, Dutch Schultz, the desperate men behind prison walls don't blame themselves for anything— what about the people with whom you and I come in contact?

The late John Wanamaker once confessed: "I learned thirty years ago that it is foolish to scold. I have enough trouble overcoming my own limitations without fretting over the fact that God has not seen fit to distribute evenly the gift of intelligence."

Wanamaker learned this lesson early; but I personally had to **blunder**[11] through this old world for a third of a century before it even began to dawn upon me that ninety-nine times out of a hundred, no man ever criticizes himself for anything, no matter how wrong he may be.

Criticism is futile because it puts a man on the defensive, and usually makes him strive to justify himself. Criticism is dangerous, because it wounds a man's precious pride, hurts his sense of importance, and arouses his resentment.

The German army won't let a soldier file a complaint and make a criticism immediately after a thing has happened. He has to sleep on his **grudge**[12] first and cool off. If he files his complaint immediately, he is punished. By the eternals, there ought to be a law like that in civil life too—a law for whining parents and

운데 자신이 나쁜 사람이라고 여기는 죄수는 거의 없습니다. 그들도 당신이나 나처럼 인간이기는 마찬가지입니다. 그렇기 때문에 그들도 스스로를 합리화하고, 변명거리를 만들어냅니다. 그들은 왜 자신이 금고를 털지 않으면 안 되었는지, 왜 총을 쏘지 않으면 안 되었는지 너무 많은 이유를 댈 수 있습니다. 논리적이냐 오류가 있느냐를(**오류가 있는**[10]) 떠나 그들은 그럴듯한 이유로 스스로를 합리화하고, 자신들의 반사회적 행동이 정당했다고 여기며, 감옥에 갇힐 이유도 없다는 생각을 버리려 하지 않습니다."

알 카포네가, '쌍권총 크로울리'가, 더치 슐츠가, 그리고 교도소 담장 안의 범죄자들이 자신들에게는 아무런 잘못이 없다고 믿는 것은 그렇다 치고, 여러분이나 내 주변에 있는 사람들의 경우는 어떠할까?

자신의 이름을 딴 백화점을 설립할 정도로 성공한 사업가 존 워너메이커는 언젠가 이렇게 고백했다. "나는 30년 전에 다른 사람을 비난하는 것은 어리석은 일이라는 사실을 배웠다. 나는 왜 하느님이 지적인 능력을 공평하게 나누어주지 않았을까 하고 개탄하기보다는 내 자신의 부족함을 극복하기 위해 많은 노력을 기울였다."

워너메이커는 이 교훈을 일찍 깨달았다. 하지만 내 경우는 30년 이상이나 미몽의 세계에서 실수를(**실수하다**[11]) 거듭하고 나서야 비로소 사람들은 자신이 비록 아무리 큰 잘못을 저질렀다 하더라도 100명 중 99명은 자신의 잘못을 전혀 인정하지 않는다는 점을 깨닫게 되었다.

비판은 쓸데없는 짓이다. 왜냐하면 비판은 다른 사람으로 하여금 스스로를 방어하도록 만들고, 일반적으로 자신을 정당화하기 위해 안간힘을 쓰게 만들기 때문이다. 또한 비판은 위험한 일이다. 왜냐하면 비판은 사람들의 소중한 자존심에 상처를 입히고, 자신의 가치에 대해 회의를 갖게 하며, 원한만 불러일으키기 때문이다.

독일 군대는 불만스러운 일이 생기더라도 병사들이 곧바로 그 불만을 보고해서는 안 된다고 규정하고 있다. 병사는 **원한**[12]이 있더라도 반드시 하룻밤 동안 열을 가라앉혀야 한다. 즉시 불만을 보고하는 병사는 처벌을 받는다. 문명사회라면 이와 같은 법률이 반드시 있어야 한다고 믿어 의심치 않는다. 야단치는 부모들이나 잔소리하는 아내들 혹은 질책하는 고용주들처

nagging wives and scolding employers and the whole **obnoxious**[13] parade of fault-finders.

You will find examples of the futility of criticism bristling on a thousand pages of history. Take, for example, the famous quarrel between Theodore Roosevelt and President Taft—a quarrel that split the Republican Party, put Woodrow Wilson in the White House, and wrote bold, luminous lines across the World War and altered the flow of history.

Let's review the facts quickly: When Theodore Roosevelt stepped out of the White House in 1908, he made Taft President, and then went off to Africa to shoot lions. When he returned, he exploded. He denounced Taft for his conservatism, tried to secure the nomination for a third term himself, formed the Bull Moose Party, and all but **demolish**ed[14] the G.O.P. In the election that followed, William Howard Taft and the Republican Party carried only two states—Vermont and Utah. The most disastrous defeat the old party had ever known.

Theodore Roosevelt blamed Taft; but did President Taft blame himself? Of course not. With tears in his eyes, Taft said: "I don't see how I could have done any differently from what I have."

Who was to blame? Roosevelt or Taft? Frankly, I don't know, and I don't care. The point I am trying to make is that all of Theodore Roosevelt's criticism didn't persuade Taft that he was wrong. It merely made Taft strive to justify himself and to **reiterate**[15] with tears in his eyes: "I don't see how I could have done any differently from what I have."

Or, take the Teapot Dome Oil scandal. Remember it? It kept the newspapers ringing with **indignation**[16] for years. It rocked the nation! Nothing like it had ever happened before in American public life within the memory of living men.

림, 다른 사람의 잘못을 지적하는 **역겨운**[13] 짓을 하는 모든 사람들을 위한 법 말이다.

역사를 살펴보면 다른 사람의 허물을 들춰내 비난하는 것이 무익하다는 사실을 보여주는 사례가 여기저기서 발견된다. 그중에서도 루스벨트 대통령과 그의 후계자인 태프트 대통령 사이의 논쟁은 매우 유명하다. 이 논쟁으로 말미암아 공화당은 분열되었고, 그 결과 민주당의 우드로 윌슨이 대통령에 당선됨으로써 제1차 세계대전에 참전하게 되는 등 세계 역사의 흐름에 매우 큰 변화가 일어나게 되었다.

우선 역사적 사실을 확인해보자. 1908년 시어도어 루스벨트 대통령은 대통령직에서 물러나면서 태프트를 지지했고, 태프트는 대통령에 당선되었다. 선거가 끝난 뒤 루스벨트는 아프리카로 사자 사냥을 떠났다. 하지만 루스벨트는 여행에서 돌아온 후 보수적인 정책을 펴고 있는 태프트 정부를 맹비난했다. 그가 차기 대통령 후보 지명권을 확보하기 위해 진보적인 정당인 불 무스당을 조직하면서 공화당은 와해되다시피 했다(**무너뜨리다**[14]). 이러한 상황에서 선거를 치른 태프트 대통령과 그가 속한 공화당은 버몬트와 유타, 2개 주에서만 지지를 받았을 뿐 전례 없는 참패를 당하고 말았다. 공화당 창당 이후 최악의 정치적 패배였다.

루스벨트는 참패의 원인이 태프트라고 비난했다. 그러면 태프트 대통령은 자신의 잘못을 인정했을까? 물론, 그렇지 않다. 눈물을 글썽이면서 태프트 대통령은 이렇게 말했다. "그때는 그럴 수밖에 없었다."

그렇다면 누구의 잘못인가? 루스벨트인가, 태프트인가? 솔직히 말해, 알 수도 없을 뿐더러, 알고 싶지도 않다. 내가 말하고자 하는 요지는 루스벨트가 태프트를 아무리 심하게 질책했다 하더라도 태프트로 하여금 스스로의 잘못을 인정하도록 만들 수 없었을 것이라는 점이다. 루스벨트의 질책의 결과는 태프트가 스스로를 합리화하면서 눈물을 글썽이며 "그때는 그럴 수밖에 없었다"라는 말을 되풀이하게(**되풀이하다**[15]) 만드는 것뿐이었다.

또 다른 사례로 티포트 돔 유전 스캔들을 들어보자. 아직도 여러분의 기억 속에 남아 있을지 모르겠다. 이 사건은 1920년대 초 발생하여 미국 전역을 발칵 뒤집어놓은 커다란 부정사건으로, 그 후 수년 동안이나 신문 지상에 오르내리며 사회적으로 엄청난 **분개**[16]를 불러일으켰다. 세인들의 기억 속에서 미국 역사상 이처럼 커다란 사건은 거의 없었다고 해도 과언이 아니었다.

Here are the bare facts of the scandal: Albert Fall, Secretary of the Interior in Harding's cabinet, was entrusted with the leasing of government oil reserves at Elk Hill and Teapot Dome—**oil reserves**[17] that had been set aside for the future use of the Navy. Did Secretary Fall permit competitive **bidding**[18]? No sir. He handed the fat, **juicy contract**[19] outright to his friend, Edward L. Doheny.

And what did Doheny do? He gave Secretary Fall what he was pleased to call a "loan" of one hundred thousand dollars. Then, in a high-handed manner, Secretary Fall ordered United States Marines into the district to drive off competitors whose **adjacent**[20] wells were sapping oil out of the Elk Hill reserves. These competitors, driven off their ground at the ends of guns and bayonets, rushed into court—and blew the lid off the hundred million dollar Teapot Dome scandal.

A **stench**[21] arose so vile that it ruined the Harding administration, nauseated an entire nation, threatened to wreck the Republican party, and put Albert B. Fall behind prison bars.

Fall was condemned viciously—condemned as few men in public life have ever been. Did he repent? Never! Years later Herbert Hoover **intimated**[22] in a public speech that President Harding's death had been due to mental anxiety and worry because a friend had **betray**ed[23] him. When Mrs. Fall heard that, she sprang from her chair, she wept, she shook her fists at fate, and screamed: "What! Harding betrayed by Fall? No! My husband never betrayed anyone. This whole house full of gold would not **tempt**[24] my husband to do wrong. He is the one who has been betrayed and led to **the slaughter**[25] and **crucified**[26]."

There you are: human nature in action, the wrong-doer blaming everybody but himself. We are all like that. So when you and I are tempted to criticize someone tomorrow, let's remember Al Capone,

사실 관계를 중심으로 그 스캔들의 전말을 살펴보기로 하자. 하딩 행정부에서 내무장관을 맡고 있던 앨버트 B. 펄은 당시 정부 소유였던 엘크 힐과 티포트 돔 유전지대(**석유 매장량[17]**)의 임대에 대한 실권을 쥐고 있었다. 이 유전지대는 향후 해군용으로 활용하기 위해 특별히 보존되어 있었는데, 펄은 이것을 대여하면서 공개 **입찰[18]** 절차도 거치지 않고 자기 친구인 에드워드 L. 도헤니에게 **수의계약[19]**을 통해 대여해주었다. 물론 계약 조건은 도헤니에게 상당히 유리한 것이었다.

그럼 도헤니는 그 대가로 어떻게 했을까? 도헤니는 펄 장관에게 '대여금' 명목으로 10만 달러를 제공했다. 그 후 펄 장관은 해병대에 명령하여 엘크 힐 **주변의[20]** 군소 유전업자들을 몰아내도록 했다. 그들 유전의 석유 채굴로 인해 엘크 힐의 석유 매장량이 감소할 것을 우려한 조치였다. 총검에 의해 강제로 자신의 사업장에서 쫓겨난 군소 유선업사들이 억울함을 법정에 호소함으로써 이 사건은 만천하에 드러나게 되었고, 이렇게 해서 티포트 스캔들이 터지게 되었던 것이다.

이 스캔들의 경우 온 국민이 메스꺼움을 느낄 정도로 지독한 **악취[21]**가 풍겼고, 전국적인 공분을 자아내기에 충분했다. 그 결과 하딩 행정부뿐만 아니라 공화당까지 위기에 빠지게 되었고, 결국 앨버트 B. 펄은 투옥되고 말았다.

펄은 현직 관리로서는 전례가 없을 정도로 무거운 형을 받았다. 그러면 펄은 자신의 죄를 뉘우쳤을까? 천만의 말씀이다. 그로부터 몇 년 뒤 허버트 후버 대통령은 어느 강연회에서 하딩 대통령의 죽음은 측근에게 배신을 당한(**배반하다[23]**) 정신적 충격 때문이었다고 술회했다(**넌지시 알리다[22]**). 그 이야기를 들었을 때 펄 부인은 자리에서 벌떡 일어서더니 눈물을 흘리면서 주먹을 불끈 쥐고 소리쳤다. "아니, 뭐라고? 하딩이 펄에게 배신을 당했다고? 천만에! 남편은 그 누구도 배신한 적이 없어. 이 집을 황금으로 도배해준다고 해도 남편은 나쁜 짓을(**유혹하다[24]**) 할 사람이 아니야. 배신을 당하고 **도살장[25]**으로 끌려가고 **박해당한 사람[26]**은 오히려 남편이란 말이야."

바로 이런 게 인간 본성이다. 잘못을 저질러놓고도 남을 탓하고 결코 자신의 잘못은 인정하지 않는 게 인간이다. 그것은 누구나 마찬가지다. 그러므로 만일 여러분이나 내가 다른 사람을 비난하고 싶어질 때는 알 카포네와

"Two Gun" Crowley, and Albert Fall. Let's realize that criticisms are like **homing**[27] pigeons. They always return home. Let's realize that the person we are going to correct and condemn will probably **justify**[28] himself, and condemn us in return; or, like the gentle Taft, he will say: "I don't see how I could have done any differently from what I have."

On Saturday morning, April 15, 1865, Abraham Lincoln lay dying in a **hall bedroom**[29] of a cheap lodging house directly across t he street from Ford's Theatre, where Booth had shot him. Lincoln's long body lay stretched diagonally across a sagging bed that was too short for him. A cheap reproduction of Rosa Bonheur's famous painting, "The Horse Fair," hung above the bed, and a dismal gas jet flickered yellow light.

As Lincoln lay dying, Secretary of War Stanton said, "There lies the most perfect ruler of men that the world has ever seen."

What was the secret of Lincoln's success in dealing with men? I studied the life of Abraham Lincoln for ten years, and devoted all of three years to writing and rewriting a book entitled *Lincoln the Unknown*. I believe I have made as detailed and **exhaustive**[30] a study of Lincoln's personality and home life as it is possible for any human being to make. I made a special study of Lincoln's method of dealing with men. Did he **indulge**[31] in criticism? Oh, yes. As a young man in the Pigeon Creek Valley of Indiana, he not only criticized but he wrote letters and poems ridiculing people and dropped these letters on the country roads where they were sure to be found. One of these letters aroused resentments that burned for a lifetime.

Even after Lincoln had become a practicing lawyer in Springfield, Illinois, he attacked his opponents openly in letters published in the newspapers. But he did this just **once too often**[32].

'쌍권총 크로울리'와 앨버트 펄을 떠올리면 된다. 비난이란 **귀소본능을 지닌**[27] 비둘기와 같다는 점을 명심해야 한다. 비난은 언제나 다시 돌아온다. 우리가 바로잡아 주고 싶거나 비난하려는 사람은 스스로를 정당화할(**정당화하다**[28]) 뿐만 아니라, 오히려 거꾸로 우리에게 비난을 퍼부을 것이라는 점을 명심해야 한다. 우리를 비난하지 않는 경우라 하더라도 태프트처럼 이렇게 말하게 만들 뿐이다. "그때는 그럴 수밖에 없었다"

1865년 4월 15일 토요일 아침, 에이브러햄 링컨 대통령은 포드 극장 앞에서 존 윌크스 부스로부터 저격을 당한 뒤, 길 건너편에 있는 싸구려 하숙집의 **문간방**[29]으로 옮겨져 죽음을 기다리고 있었다. 그 방 침대는 가운데가 푹 꺼진 아주 낡은 것이었고, 링컨의 키에 비해 너무 작았다. 그래서 링컨은 침대 위에 대각선으로 뉘어져 있었다. 침대 머리맡에는 로자 보뇌르의 유명한 그림 '마시장'의 싸구려 복사판이 걸려 있었고, 노란 빛을 뿌리는 가스등불이 희미하게 흔들리고 있었다.

링컨 대통령의 임종을 지켜보면서 스탠턴 국방장관은 이렇게 말했다. "인류 역사상 인간의 마음을 가장 잘 움직인 사람이 여기 누워 있다."

사람들을 움직이는 데 있어서 링컨이 거둔 성공의 비결은 무엇일까? 나는 10년간이나 에이브러햄 링컨의 생애를 연구했으며, 『세상에 알려지지 않은 나의 멘토 링컨』이라는 책을 저술하고 수정하는 데 꼬박 3년을 들였기 때문에, 링컨의 인간성과 가정생활에 대해서는 어느 누구 못지않게 자세하고 철저하게(**철저한**[30]) 연구했다고 믿고 있다. 그중에서도 링컨이 사람을 다루는 방법에 대해서는 특별한 관심을 기울였다. 링컨도 비난하기를 좋아했느냐고(**빠지다**[31]) 묻는다면, 그렇다고 답할 수 있다. 적어도 그가 어떤 깨달음을 얻기 전까지는 그랬다. 예를 들면, 인디애나 주의 피전 크리크 밸리에서 살던 젊은 시절에 링컨은 곧잘 다른 사람을 비판했을 뿐만 아니라, 그 사람을 조롱하는 편지나 시를 지어 사람들 눈에 잘 띄는 길가에 놓아두곤 했다. 이런 편지 때문에 일생 동안 링컨에 대한 반감을 가지게 된 경우도 있었을 정도였다.

그리고 일리노이 주의 스프링필드에서 변호사로 개업한 이후에도 링컨은 신문 투고를 통해 상대방을 공개적으로 공격하곤 했는데, **또다시**[32] 큰 말썽을 일으켰다.

In the autumn of 1842, he ridiculed a vain, **pugnacious**[33] Irish politician by the name of James Shields. Lincoln **lampoon**ed[34] him through an anonymous letter published in the *Springfield Journal*. The town roared with laughter. Shields, sensitive and proud, boiled with indignation. He found out who wrote the letter, leaped on his horse, started after Lincoln, and challenged him to fight a duel. Lincoln didn't want to fight. He was opposed to dueling; but he couldn't get out of it and save his honor.

He was given the choice of weapons. Since he had very long arms, he chose cavalry broad swords, took lessons in sword fighting from a West Point graduate; and, on the appointed day, he and Shields met on a **sandbar**[35] in the Mississippi River, prepared to fight to the death; but at the last minute, their **seconds**[36] interrupted and stopped the duel.

That was the most **lurid**[37] personal incident in Lincoln's life. It taught him an invaluable lesson in the art of dealing with people. Never again did he write an insulting letter. Never again did he ridicule anyone. And from that time on, he almost never criticized anybody for anything.

Time after time, during the Civil War, Lincoln put a new general at the head of the Army of the Potomac, and each one in turn— McClellan, Pope, Burnside, Hooker, Meade—blundered tragically, and drove Lincoln to pacing the floor in despair. Half the nation savagely condemned these incompetent generals, but Lincoln, "with **malice**[38] towards none, with charity for all," held his peace. One of his favorite quotations was "Judge not, that ye be not judged."

And when Mrs. Lincoln and others spoke harshly of the Southern people, Lincoln replied: "Don't criticize them; they are just what we would be under similar circumstances."

Yet, if any man ever had occasion to criticize, surely it was

1842년 가을, 링컨은 허세를 잘 부리고 **싸우기 좋아하는**[33] 제임스 쉴즈라는 아일랜드 출신의 정치인을 조롱하는(**풍자하다**[34]) 익명의 투고를 〈스프링필드 저널〉에 보냈다. 그 글이 신문에 실리자 사람들은 온통 쉴즈를 비웃었다. 자존심이 강하고 성격이 예민한 쉴즈는 화가 머리끝까지 났다. 링컨이 그 편지를 썼다는 사실을 알아내고는 곧장 말을 타고 달려가 링컨에게 결투를 신청했다. 싸우고 싶은 마음도 없고, 원래 '결투'라는 것을 반대하는 링컨이었지만, 당시로서는 결투를 하지 않을 수 없었다. 자신의 명예가 걸린 문제였기 때문이다.

링컨에게 결투 도구의 선택권이 주어졌다. 팔이 길었던 링컨은 기병대용 장검을 택했다. 그리고 육군사관학교를 졸업한 사람에게서 장검을 사용한 결투에 대한 교습도 받았다. 드디어 결투를 하기로 약속한 날, 두 사람은 미시시피 강변의 **모래사장**[35]에서 만났다. 그리고 목숨을 건 결투를 시작하려는 순간, 쌍방 **입회인**[36]의 적극적인 중재로 결투는 중지되었다.

이 사건은 링컨의 개인사에서 가장 **끔찍한**[37] 사건이었다. 이 사건으로 인해 링컨은 사람을 다루는 방법에 대해 소중한 교훈을 얻었고, 그 후 다시는 남을 조롱하는 편지를 쓰지 않았다. 또한 그때부터 결코 어떤 일로도 다른 사람을 비난하지 않게 되었다.

남북전쟁이 한창인 때의 일이었다. 당시 링컨은 포토맥 지구의 전투사령관으로 몇 번씩이나 새로운 장군을 임명하지 않으면 안 되었는데, 매클래런, 포프, 번사이드, 후커, 미드 등 새로이 임명된 장군마다 거듭해서 비참하게 패배해 링컨은 참담한 심정을 금할 수 없었다. 북부에 속한 모든 사람들이 이 장군들을 무능하다고 비난했지만, 링컨은 '누구에게도 **악의**[38]를 품지 말고, 모든 사람을 사랑으로 대하자'라고 굳게 마음먹고 있었기에 침묵을 지켰다. "남의 비판을 받고 싶지 않으면, 남을 비판하지 말라." 링컨이 가장 좋아하는 문구 중 하나가 이것이었다.

또한 자기 부인과 주변 사람들이 대치 중이던 남부 사람들에 대해 나쁘게 얘기할 때도 링컨은 이렇게 말했다. "그 사람들 비난할 것 없습니다. 우리가 그들의 처지였다면 우리도 역시 그렇게 했을지 모르니까요."

링컨에게 비난할 만한 상황이 드물었느냐 하면 전혀 그렇지 않다. 오히

Lincoln. Let's take just one illustration:

The Battle of Gettysburg was fought during the first three days of July, 1863. During the night of July 4, Lee began to retreat southward while storm clouds **deluge**d[39] the country with rain. When Lee reached the Potomac with his defeated army, he found a swollen, impassable river in front of him, and a victorious Union army behind him. Lee was in a trap. He couldn't escape.

Lincoln saw that. Here was a golden, heaven-sent opportunity— the opportunity to capture Lee's army and end the war immediately. So, with a surge of high hope, Lincoln ordered Meade not to call a council of war but to attack Lee immediately. Lincoln telegraphed his orders and then sent a special messenger to Meade demanding immediate action.

And what did General Meade do? He did the very opposite of what he was told to do. He called a council of war in direct **violation**[40] of Lincoln's orders. He **hesitate**d[41]. He **procrastinate**d[42]. He telegraphed all manner of excuses. He refused **point blank**[43] to attack Lee. Finally the waters receded and Lee escaped over the Potomac with his forces.

Lincoln was furious. "What does this mean?" Lincoln cried to his son Robert. "Great God! What does this mean? We had them within our grasp, and had only to stretch forth our hands and they were ours; yet nothing that I could say or do could make the army move. Under the circumstances, almost any general could have **defeat**ed[44] Lee. If I had gone up there, I could have whipped him myself." In bitter disappointment, Lincoln sat down and wrote Meade this letter. And remember, at this period of his life he was extremely **conservative**[45] and **restrain**ed[46] in his **phraseology**[47]. So this letter coming from Lincoln in 1863 was **tantamount to**[48] the severest rebuke.

려 링컨이야말로 비난하지 않을 수 없는 상황에 무척 많이 부닥쳤다. 하나 더 예를 들어보자.

1863년 7월 1일 시작한 게티즈버그 전투는 3일간이나 계속되고 있었다. 7월 4일 밤, 남부군의 리 장군은 그 지역에 폭풍우가 몰려오자(**쇄도하다**[39]) 남쪽으로 후퇴하기 시작했다. 리 장군이 패잔병이나 다름없는 군대를 이끌고 포토맥 강에 이르렀다. 그는 불어난 물로 도저히 건널 수 없는 강을 앞에 두고, 뒤로는 기세가 오를 대로 오른 북부의 군대가 쫓아오는 위급한 상황을 맞게 되었다. 리 장군은 독 안에 든 쥐의 형세였다. 달아날 길이 없었다.

링컨 대통령도 그 사실을 알았다. 그때야말로 리 장군을 사로잡음으로써 전쟁을 단숨에 끝낼 수 있도록 하늘이 준 절호의 기회였다. 링컨은 희망에 부풀어 미드 장군에게 작전회의로 시간을 끌지 말고 즉각 리 장군을 공격하라는 명령을 내렸다. 링컨은 자신의 명령을 전문으로 전송하고 나서 즉각적인 전투 개시를 요구하는 특사까지 파견했다.

그럼 미드 장군은 어떻게 했는가? 그는 자신에게 내려온 명령과는 정반대의 행동을 취했다. 그는 작전회의를 소집하지 말라는 링컨의 명령을 정면으로 **위반**[40]하여 작전회의를 소집했다. 그는 망설였다(**망설이다**[41]). 그는 지체했다(**지체하다**[42]). 이런 저런 핑계를 전문으로 전송했다. 리 장군을 공격하라는 명령을 **정면으로**[43] 거부했던 것이다. 결국 강물은 줄어들었고, 리 장군은 병력과 함께 포토맥 강을 건너 무사히 퇴각할 수 있었다.

링컨은 격노하여 마침 곁에 있던 아들 로버트에게 도대체 어떻게 이럴 수가 있느냐고 소리질렀다. "도대체 어떻게 이럴 수가 있나. 다 잡아놓았는데, 손만 뻗으면 우리 손에 들어오는데. 내가 할 수 있는 것을 다해도 정작 군대를 움직이지 못하다니. 그 상황이라면 어떤 장군을 갖다놓아도 리 장군을 꺾었을 것(**~를 꺾다**[44]) 아닌가? 내가 거기 있었어도 리 장군을 혼내줄 수 있었을 거야." 극심한 실망으로 마음이 쓰라린 링컨은 책상에 앉아 미드 장군에게 아래와 같은 편지를 썼다. 편지를 읽기 전에 이 시기의 링컨은 **언사**[47]에 극도로 조심스러웠고(**조심스러운**[45]) 억제하고 있었음을(**억제하다**[46]) 기억해야 한다. 링컨이 1863년에 쓴 이 편지는 사실 매우 엄중한 질책과 같았다(**~에 상당하는**[48]).

"My dear General,

I do not believe you appreciate the **magnitude**⁴⁹ of the misfortune involved in Lee's escape. He was within our easy grasp, and to have closed upon him would, in connection with our other late successes, have ended the war. As it is, the war will be prolonged indefinitely. If you could not safely attack Lee last Monday, how can you possibly do so south of the river, when you can take with you very few—no more than two-thirds of the force you then had in hand? It would be unreasonable to expect and I do not expect that you can now effect much. Your golden opportunity is gone, and I am **distress**ed⁵⁰ immeasurably because of it."

What do you suppose Meade did when he read that letter?

Meade never saw that letter. Lincoln never mailed it. It was found among Lincoln's papers after his death. My guess is—and this is only a guess—that after writing that letter, Lincoln looked out of the window and said to himself,

"Just a minute. Maybe I ought not to be so hasty. It is easy enough for me to sit here in the quiet of the White House and order Meade to attack; but if I had been up at Gettysburg, and if I had seen as much blood as Meade has seen during the last week, and if my ears had been pierced with the screams and shrieks of the wounded and dying, maybe I wouldn't be so anxious to attack either. If I had Meade's timid **temperament**⁵¹, perhaps I would have done just what he had done. Anyhow, it is **water under the bridge**⁵² now. If I send this letter, it will relieve my feelings, but it will make Meade try to justify himself. It will make him condemn me. It will arouse hard feelings, impair all his further usefulness as a commander, and perhaps force him to resign from the army."

So, as I have already said, Lincoln put the letter aside, for he had learned by bitter experience that sharp criticisms and rebukes

"친애하는 미드 장군,

이번에 리 장군을 놓친 것이 얼마나 큰(**큰 규모[49]**) 불행인지 장군은 짐작조차 하지 못하고 있는 것 같습니다. 남부군은 궁지에 몰려 있었고, 최근 승리한 기세를 몰아 조금만 더 밀어붙였다면 이번 전쟁은 끝났을지도 모릅니다. 하지만 이제 전쟁은 언제 끝날지 알 수 없게 되었습니다. 장군은 지난 4일 밤 아군에게 유리한 전투도 제대로 수행하지 못했습니다. 그렇다면 어떻게 강 건너 저편에서 작전을 제대로 수행할 수 있겠습니까? 더구나 보유한 병력의 3분의 2밖에 활용하지 못할 텐데 말입니다. 그러기를 기대하기 어려울 듯합니다. 장군이 효율적으로 부대를 통솔할지에 대해서도 자신이 없습니다. 장군은 천재일우의 기회를 살리지 못했습니다. 그로 인해 내가 받는 고통(**괴롭히다[50]**)은 이루 말로 표현할 수 없을 정도입니다."

이 편지를 읽고서 미드 장군은 어떤 생각을 했을 것이라고 보는가?

미드 장군은 그 편지를 보지 못했다. 링컨이 편지를 부치지 않았던 것이다. 그 편지는 링컨 사후 그의 서류함 속에서 발견되었다. 이건 추측에 불과하지만, 링컨은 이 편지를 쓴 뒤 창밖을 한 번 내다본 다음 이렇게 중얼거렸을 것이다.

"잠깐만. 이렇게 서두르는 게 잘하는 일인지 잘 모르겠군. 여기 조용한 백악관에 편히 앉아서 미드 장군에게 공격 명령이나 내리는 것은 쉬운 일이지. 하지만 내가 만일 게티즈버그에 있었다면, 그래서 지난주에 미드 장군이 겪은 것처럼 피를 철철 흘리는 부상자들의 신음소리와 비명소리를 듣고, 전사자들의 참상을 직접 보았다면, 어쩌면 나도 쉽게 공격 결정을 내리지 못했을지도 모르지. 더구나 미드 장군처럼 소심한 **성격[51]**의 소유자라면 더욱 그랬겠지. 어쨌든 이미 엎질러진 물(**지나간 일[52]**). 이 편지를 부치고 나면 내 속이야 다소 후련해지겠지만 미드 장군은 자신을 정당화하기 위해 노력하며 오히려 나를 비난할지도 모르지. 장군이 나에 대한 반감을 가지게 되면 향후 사령관직을 제대로 수행할 수 없을 테고, 그렇게 되면 장군이 퇴역하는 수밖에 없게 될지도 모르겠군."

이런 생각으로 링컨은 이미 얘기한 대로 결국 편지를 보내지 않았다. 쓰라린 경험을 통해 신랄한 질책이나 비난이 **언제나[53] 무의미함[54]**을 이미 깨

almost **invariably**[53] end in **futility**[54].

Theodore Roosevelt said that when he, as President, was confronted by some perplexing problem, he used to lean back and look up at a large painting of Lincoln that hung above his desk in the White House and ask himself, "What would Lincoln do if he were in my shoes? How would he solve this problem?"

The next time we are tempted to give somebody, "**Hail Columbia**[55]," let's pull a five-dollar bill out of our pocket, look at Lincoln's picture on the bill, and ask "How would Lincoln handle this problem if he had it?"

Do you know someone you would like to change and regulate and improve? Good! That is fine. I am all in favor of it. But why not begin on yourself? From a purely selfish standpoint, that is a lot more profitable than trying to improve others—yes, and a lot less dangerous.

"When a man's fight begins within himself," said Browning, "he is worth something." It will probably take from now until Christmas to perfect yourself. You can then have a nice long rest over the holidays and devote the New Year to regulating and criticizing other people. But perfect yourself first.

"Don't complain about the snow on your neighbor's roof," said Confucius, "when your own doorstep is unclean."

When I was still young and trying hard to impress people, I wrote a foolish letter to Richard Harding Davis, an author who once loomed large on the literary horizon of America. I was preparing a magazine article about authors; and I asked Davis to tell me about his method of work.

A few weeks earlier, I had received a letter from someone with this **notation**[56] at the bottom: "Dictated but not read." I was quite impressed. I felt the writer must be very big and busy and important. I wasn't the slightest bit busy; but I was eager to make

닫고 있었던 것이다.

시어도어 루스벨트의 말에 따르면 대통령 재임 시절 어려운 문제에 부닥치면 의자를 뒤로 기대고 벽에 걸린 링컨 대통령의 커다란 초상화를 보면서 이렇게 묻곤 했다고 한다. "이 상황에서 링컨이라면 어떻게 했을까? 그는 이 문제를 어떻게 해결했을까?"

앞으로 누군가를 심하게 질책(**심한 질책**[55])하고 싶은 마음이 생길 때는, 지갑을 열고 링컨의 초상화가 그려져 있는 5달러짜리 지폐 한 장을 꺼내서 그의 얼굴을 보면서 이렇게 물어보자. "이 상황에서 링컨이라면 어떻게 했을까?"

주변에 있는 누군가를 변화시키고 개선시키고 싶은가? 그럼 그렇게 하라. 좋은 생각이다. 나도 적극 찬성이다. 그런데 그것에 앞서 자기 자신을 먼저 개선하는 게 어떤가? 순전히 이기적인 관점에서 보더라도 남을 개선시키는 것보다 자신을 개선시키는 것이 훨씬 더 수지가 맞는 일이다. 또한 훨씬 덜 위험한 일이기도 하다.

브라우닝은 "사람은 자기 자신과의 싸움을 시작할 때 비로소 가치 있는 사람이 된다"고 말했다. 자신을 완성하는 데는 오랜 시간이 걸린다. 어쩌면 크리스마스가 되어야 끝날지도 모른다. 만일 그렇게 된다면 여러분은 연말연휴를 푹 쉬고 나서 새해에 다른 사람들을 훈계하고 비판할 수 있을지도 모른다. 하지만, 모든 것은 자신을 완성한 다음의 일이다.

공자님 말씀에 "내 집 앞이 더러운 주제에 옆집 지붕에 눈 쌓인 것을 탓하지 말라"고 했다.

한때 젊었던 시절, 나는 사람들에게 강한 인상을 남기기 위해 상당히 노력하는 편이었는데, 그러다가 한번은 리처드 하딩 데이비스에게 편지를 쓰면서 주제넘은 짓을 했던 적이 있다. 당시 데이비스는 미국 문학계의 중견 작가였기에 문학잡지의 작가 소개란에 실을 글을 준비하던 나는 그에게 자기소개를 요청하는 편지를 보내게 되었다.

그 몇 주 전에 나는 내게 온 편지 말미에 '말한 후 읽어보지 못함'이라는 **표시**[56]가 들어 있는 것을 본 적이 있었다. 그 구절은 정말 인상적이었다. 보낸 사람이 바쁘고 중요한 거물급 인사라는 느낌이 들게 했다. 나는 바쁜 것과는 거리가 멀었지만 데이비스에게 멋진 인상을 남기고 싶은 생각에 내 짧

an impression on Richard Harding Davis so I ended my short note with the words: "Dictated but not read."

He never troubled to answer the letter. He simply returned it to me with this **scribbled**[57] across the bottom: "Your bad manners are exceeded only by your bad manners." True, I had **blunderer**[58], and perhaps I deserved his rebuke. But, being human, I resented it. I resented it so sharply that when I read of the death of Richard Harding Davis ten years later, the one thought that still persisted in my mind—and I am ashamed to admit—was the hurt he had given me.

If you and I want to stir up a **resentment**[59] tomorrow that may **rankle**[60] across the decades and endure until death, just let us indulge in a little stinging criticism—no matter how certain we are that it is justified. When dealing with people, let us remember we are not dealing with creatures of logic. We are dealing with creatures of emotion, creatures bristling with prejudices and motivated by pride and vanity.

And criticism is a dangerous spark—a spark that is **liable**[61] to cause an explosion in the powder **magazine**[62] of pride—an explosion that sometimes hastens death. For example, General Leonard Wood was criticized and not allowed to go with the army to France. That blow to his pride probably shortened his life.

Bitter[63] criticism caused the sensitive Thomas Hardy, one of the finest novelists that ever enriched English literature, to give up the writing of fiction forever. Criticism drove Thomas Chatterton, the English poet, to suicide.

Benjamin Franklin, tactless in his youth, became so diplomatic, so **adroit**[64] at handling people that he was made American Ambassador to France. The secret of his success? "I will speak ill of no man," he said, "and speak all the good I know of everybody."

은 편지 끝에 그 구절을 넣어보냈다. '말한 후 읽어보지 못함'

데이비스는 답장을 쓰는 것도 번거로웠던 모양이다. 그는 그냥 내 편지 말미에 다음과 같이 몇 자 휘갈겨 쓰고서(**갈겨쓰다**[57]) 되돌려보냈다. '참으로 무례하기 짝이 없는 사람일세.' 맞는 말이었다. 나는 큰 실수(**큰 실수를 저지르는 사람**[58])를 했고, 이런 꾸지람을 들을 만했다. 하지만 나도 인간인지라 분한 마음이 앞섰다. 어찌나 분한 마음이 깊었는지 그로부터 10년 정도 지나 데이비스가 작고했다는 소식을 전해 들었을 때, 가장 먼저 떠오른 생각은 부끄럽게도 그에게서 받은 마음의 상처였다.

크건 작건 간에 누군가의 아픈 곳을(**마음에 사무치다**[60]) 찌르는 비판을 하면 거기서 생긴 **분노**[59]는 수십 년이 지나도 누그러지지 않고 죽을 때까지 이어진다. 그 비판이 정당하냐 아니냐 하는 것은 문제가 되지 않는다. 사람들을 대할 때 상대방을 논리의 동물이라고 생각하면 큰 오산이다. 상대방은 감정의 동물이며 편견으로 가득 차 있고, 자존심과 허영심에 의해 움직인다는 사실을 명심해야 한다.

비판은 위험한 불씨다. 비판은 자존심이란 **화약고**[62]에 폭발을 일으키기 쉬운(**~하기 쉬운**[61]) 그런 불씨다. 이런 폭발은 때로는 수명을 단축시키기도 한다. 예를 들면, 레너드 우드 장군은 때 이른 죽음을 맞이했는데, 그 이유는 그에게 쏟아진 비난과 프랑스 출정에 참가하는 것을 거부당했다는 사실이 그의 자존심에 상처를 입혔기 때문이 아닌가 여겨지고 있다.

그리고 영국 문학을 풍부하게 만든 최고의 소설가 중 한 사람인 토머스 하디는 뜻하지 않은 **냉엄한**[63] 비평을 받고는 다시는 소설을 쓰지 않게 되었다. 영국의 시인 토머스 채터튼을 자살로 몰고 간 것도 그에 대한 비난이었다.

청년 시절 사교술이 없기로 유명했던 벤저민 프랭클린은 훗날 뛰어난 외교적 기교를 배워 사람들을 다루는 데 능수능란했기에(**능숙한**[64]) 프랑스 주재 미국 대사로 임명되었다. 그의 성공 비결은 무엇이었을까? 그는 이렇게 말했다. "다른 사람의 험담은 절대 하지 않습니다. 다만 누구든지 장점을 찾아내 칭찬하지요."

Any fool can criticize, condemn, and complain—and most fools do. But it takes character and self-control to be understanding and forgiving.

"A great man shows his greatness," said Carlyle, "by the way he treats little men."

Instead of condemning people, let's try to understand them. Let's try to **figure out**[65] why they do what they do. That's a lot more profitable and **intriguing**[66] than criticism; and it breeds sympathy, tolerance, and kindness. "To know all is to forgive all."

As Dr. Johnson said: "God Himself, sir, does not propose to judge man until the end of his days."

Why should you and I?

Don't criticize, condemn and complain.

사람을 비판하거나 비난하거나, 불평이나 잔소리를 늘어놓는 건 어떤 바보라도 할 수 있다. 그리고 실제로 바보들은 대부분 그렇게 하고 있다. 하지만 이해하고 용서하는 것은 뛰어난 품성과 자제력을 갖춘 사람만이 할 수 있다.

칼라일은 이렇게 말했다. "위대한 사람의 위대함은 평범한 사람들을 대하는 태도에서 드러난다."

사람들을 비난하기 이전에 그들을 이해하려고 노력하자. 그들이 왜 그런 행동을 하는지 곰곰이 생각해보자(**생각해내다**[65]). 이러는 편이 비판보다 훨씬 더 유익하며, 흥미롭기도(**흥미를 자아내는**[66]) 하기 때문이다. 또한 이렇게 할 때 우리는 사람들에 대해 공감할 수 있고, 관용을 보이고 또 친절을 베풀 수 있다. "모든 것을 알게 되면 모든 것을 용서하게 된다."

영국의 위대한 문호 존슨 박사는 이렇게 말했다. "하느님도 죽기 전까지는 사람을 심판하시지 않는다."

하느님도 이럴진대, 우리야 말해 무엇하겠는가!

사람들에 대한 비판, 비난, 불평을 삼가라.

2 THE BIG SECRET OF DEALING WITH PEOPLE

THERE is only one way under high Heaven to get anybody to do anything. Did you ever stop to think of that? Yes, just one way. And that is by making the other person want to do it.

Remember, there is no other way.

Of course, you can make a man want to give you his watch by sticking a revolver in his ribs. You can make an employee give you co-operation—until your back is turned—by threatening to fire him. You can make a child do what you want it to do by a **whip**[1] or a threat. But these **crude**[2] methods have sharply undesirable **repercussion**s[3]. The only way I can get you to do anything is by giving you what you want. What do you want?

The famous Dr. Sigmund Freud of Vienna, one of the most **distinguished**[4] psychologists of the twentieth century, says that everything you and I do springs from two motives: the sex urge and the desire to be great.

Professor John Dewey, America's most profound philosopher, phrases it a bit differently. Dr. Dewey says the deepest urge in human nature is "the desire to be important." Remember that phrase: "the desire to be important." It is significant. You are going to hear a lot about it in this book.

What do you want? Not many things, but the few things that you do wish, you **crave**[5] with an insistence that will not be denied. Almost every normal adult wants—

1. Health and the preservation of life.
2. Food.
3. Sleep.

2 인간관계의 핵심 비결

누군가에게 어떤 일을 하게 만드는 방법은 이 세상에 단 하나뿐이다. 혹시 그게 무엇인지 생각해본 적이 있는가? 그렇다. 단 한 가지 방법뿐이다. 그것은 바로 그 사람이 그 일을 하고 싶어하도록 만드는 것이다.

이밖에 다른 방법은 없음을 명심해야 한다.

물론 누구든 옆구리에 총을 들이대서 시계를 풀도록 만들 수 있다. 해고라는 무기를 적절히 쓰면, 돌아서서 어쩔지는 모르지만 적어도 보이는 데서는 직원들이 여러분에게 협력하도록 만들 수도 있다. 위협하거나 **채찍**[1]을 들어서 자녀들을 여러분이 원하는 대로 행동하게 만들 수 있다. 하지만 이런 미숙한(**원래 그대로의**[2]) 방법들은 전혀 바람직스럽지 않은 **반발**[3]을 불러일으키게 마련이다. 사람을 움직이려면 상대가 원하는 것을 해주는 게 유일한 방법이다. 여러분이 원하는 것은 무엇인가?

20세기의 가장 **유명한**[4] 심리학자 지그문트 프로이트 박사는 사람들의 모든 행동에는 두 가지 동기가 있다고 말했다. 그것은 성적 충동과 위대한 사람이 되려는 욕망이다.

미국 역사상 가장 심오한 철학자 중 한 사람인 존 듀이는 이것을 약간 다르게 표현했다. 듀이 박사는 인간 본성에 존재하는 가장 깊은 충동은 '인정받는 인물이 되고자 하는 욕망'이라고 말했다. 이 구절을 기억해두기 바란다. '인정받는 인물이 되고자 하는 욕망'. 이것은 의미심장한 말이다. 그리고 이 책에서 여러분이 여러 번 접하게 될 말이기도 하다.

당신이 원하는 것은 무엇인가? 많은 것에 대해서는 아니지만, 사람들은 자신이 원하는 몇 가지에 대해서는 아무도 막을 수 없을 만큼 **갈망한다**[5]. 대부분의 사람들이 원하는 욕구에는 다음과 같은 것들이 있다.

1. 건강과 장수
2. 음식
3. 수면

4. Money and the things money will buy.

5. Life in the hereafter.

6. Sexual **gratification**[6].

7. The well-being of our children.

8. A feeling of importance.

Almost all these wants are gratified—all except one. But there is one longing almost as deep, almost as **imperious**[7], as the desire for food or sleep which is seldom gratified. It is what Dewey calls the "desire to be important."

Lincoln once began a letter by saying: "Everybody likes a compliment." William James said: "The deepest principle in human nature is the craving to be appreciated." He didn't speak, mind you, of the "wish" or the "desire" or the "**longing**[8]" to be appreciated. He said the "*craving*" to be appreciated.

Here is a **gnawing**[9] and **unfaltering**[10] human hunger; and the rare individual who honestly satisfies this heart-hunger will hold people in the palm of his hand and "even the **undertaker**[11] will be sorry when he dies.

The desire for a feeling of importance is one of the chief distinguishing differences between mankind and the animals. To illustrate: When I was a farm boy out in Missouri, my father bred fine Duroc-Jersey hogs and pedigreed white-faced cattle. We used to exhibit our hogs and white-faced cattle at the county fairs and livestock shows throughout the Middle West. We won first prizes by the score. My father pinned his **blue ribbon**s[12] on a sheet of white muslin, and when friends or visitors came to the house, he would get out the long sheet of muslin. He would hold one end and I would hold the other while he exhibited the blue ribbons.

The hogs didn't care about the ribbons they had won. But Father

4. 돈과 돈으로 살 수 있는 것들
5. 내세의 삶
6. 성적 **만족**[6]
7. 자녀들의 행복
8. 인정받고 있다는 느낌

이상의 욕구들 중 대부분은 일반적으로 충족된다. 하지만 예외가 하나 있다. 즉, 음식이나 수면에 대한 욕구만큼이나 기본적이고 긴급하면서도 (**긴급한**[7]) 좀처럼 충족되지 않는 욕구가 하나 있다는 말이다. 듀이의 표현으로는 '인정받는 인물이 되고자 하는 욕구'가 그것이다.

링컨이 보낸 편지 중의 하나는 이렇게 시작한다. '모든 사람은 칭찬을 좋아한다.' 윌리엄 제임스는 "인간 본성에서 가장 기본적인 원리는 인정받고자 하는 갈망이다"라고 말했다. 주목해야 할 것은 그가 인정받고자 하는 '소망'이나 '욕구', '**바람**[8]'이라고 하지 않고, '갈망'이라고 했다는 점이다.

이것이야말로 **마음을 갉아먹는**[9], 그리고 **흔들리지 않는**[10] 인간적인 갈구다. 이러한 심적 갈구를 제대로 충족시켜주는 소수의 사람은 사람들을 자신이 원하는 대로 움직일 수 있으며, 심지어는 **장의사**[11]조차 그의 죽음을 아쉬워할 것이다.

자신의 가치를 인정받고자 하는 욕망은 인간과 동물을 구분해주는 중요한 차이점 중의 하나다. 예를 들기 위해 내 얘기를 하나 하겠다. 나는 어려서 미주리 주 외곽에 있던 농장에서 아버지 일을 도우며 자랐다. 아버지는 당시 괜찮은 두록저지종 돼지들과 혈통이 좋은 흰머리 소를 사육하고 있었다. 우리는 중서부 각지의 축제와 가축 품평회에 우리가 기르는 돼지와 흰머리 소를 출품했고, 1등 상도 수십 차례나 받았다. 아버지는 1등에게 주어지는 파란 리본(**최고의 명예상**[12])을 하얀 모슬린 천에 부착해두었다가 친구나 손님들이 찾아올 때마다 꺼내서 자랑하곤 했다. 아버지가 파란 리본을 내보일 때면 기다란 모슬린 천의 한쪽 끝은 아버지가 잡고 다른 쪽 끝은 내가 잡았다.

돼지들은 1등 상을 받건 말건 상관하지 않았다. 하지만 아버지는 그렇지

did. These prizes gave him a feeling of importance.

If our ancestors hadn't had this flaming urge for a feeling of importance, civilization would have been impossible. Without it, we should have been just about like the animals.

It was this desire for a feeling of importance that led an uneducated, poverty-stricken grocery clerk to study some law books that he found in the bottom of a barrel of household plunder that he had bought for fifty cents. You have probably heard of this grocery clerk. His name was Lincoln.

It was this desire for a feeling of importance that inspired Dickens to write his immortal novels. This desire inspired Sir Christopher Wren to design his symphonies in stone. This desire made Rockefeller amass millions that he never spent! And this same desire made the richest man in your town build a house far too large for his requirements.

This desire makes you want to wear the latest styles, drive the latest car, and talk about your brilliant children.

It is this desire which **lures**[13] many boys into becoming gangsters and gunmen. "The average young criminal of today," says E. P. Mulrooney, former Police Commissioner of New York, "is filled with ego, and his first request after arrest is for those lurid newspapers that make him out a hero. The disagreeable prospect of taking a 'hot squat' in the electric chair seems remote, so long as he can gloat over his likeness sharing space with pictures of Babe Ruth, LaGuardia, Einstein, Lindbergh, Toscanini, or Roosevelt."

If you tell me how you get your feeling of importance, I'll tell you what you are. That determines your character. That is the most significant thing about you. For example, John D. Rockefeller gets his feeling of importance by giving money to **erect**[14] a modern hospital in Peking, China, to care for millions of poor people

않았다. 아버지는 1등상을 통해 인정받는 사람이라는 느낌을 받았다.

우리 선조들이 인정받는 존재가 되고자 하는 뜨거운 욕구가 없었다면 문명이란 불가능했을 것이다. 그런 욕구가 없었다면 우리도 하등동물과 다를 바 없었을 것이다.

가난에 찌들고 교육받지도 못한 야채가게 종업원이 우연히 손에 들어온 법률 책을 가지고 공부에 매달린 것도 인정받는 존재가 되고자 하는 욕망 때문이었다. 이 야채가게 종업원의 이름은 여러분도 아마 들어보았을 것이다. 그의 이름은 링컨이었다.

찰스 디킨스로 하여금 자신의 불멸의 소설을 쓰도록 영감을 불어넣은 것도, 19세기 영국의 건축가 크리스토퍼 랜 경에게 위대한 석조 건축물을 설계하게 만든 것도, 록펠러에게 평생 쓸 수도 없을 만큼의 부를 축적하도록 만든 것도 인정받는 존재가 되고자 하는 바로 이 욕망이었다. 또한 여러분이 사는 동네 최고의 부자가 필요 이상으로 커다란 저택을 짓는 것도 다름 아닌 이 욕망 때문이다.

사람들이 명품을 걸치고, 외제 차를 타고, 침을 튀겨가며 자식 자랑을 하는 것도 바로 이런 욕망에 기인한다.

많은 젊은이들이 갱단에 가입하여 범죄활동을 하도록 유혹하는(**유혹하다**[13]) 것도 바로 이 욕망이다. 뉴욕 시 경찰국장을 지낸 E. P. 멀루니의 말에 따르면 범죄를 저지르는 젊은이들은 일반적으로 자아(Ego)가 과잉인 경우가 많아서 체포되고 나서 가장 먼저 요청하는 게 자신의 범죄행각이 대문짝만 하게 실린 신문을 달라는 것이라고 한다. 그들은 자기 사진이 유명한 운동선수나 배우, 연예인, 정치인들과 나란히 실린 것을 보는 기쁨을 누릴 수만 있다면, 전기의자에 앉을지도 모른다는 두려운 미래 따위는 전혀 안중에 두지도 않는다.

당신이 어떤 경우에 자신의 존재 가치를 느끼는지 내게 말해준다면 나는 당신이 어떤 사람인지 대답해줄 수 있다. 그것이 당신이란 사람을 결정하는 것이며 그것이 당신을 이해하는데 가장 의미심장한 것이다. 예를 들면, 존 D. 록펠러는 중국 베이징에 최신식 병원을 건립하여(**세우다**[14]) 그가 만난 적도 없고 앞으로 만나지도 않을 수백만 명의 가난한 사람들이 치료받을

whom he has never seen and never will see.

Dillinger, on the other hand, got his feeling of importance by being a bandit, a bank robber and killer. When the **G-men**[15] were hunting him, he dashed into a farmhouse up in Minnesota and said, "I'm Dillinger!" He was proud of the fact that he was Public Enemy Number One. "I'm not going to hurt you, but I'm Dillinger!" he said.

Yes, the one significant difference between Dillinger and Rockefeller is how they got their feeling of importance.

History sparkles with amusing examples of famous people struggling for a feeling of importance. Even George Washington wanted to be called "His Mightiness, the President of the United States"; and Columbus pleaded for the title, "Admiral of the Ocean and **Viceroy**[16] of India." Catherine the Great refused to open letters that were not addressed to "Her Imperial Majesty"; and Mrs. Lincoln, in the White House, turned upon Mrs. Grant like a tigress and shouted, "How dare you be seated in my presence until I invite you!"

Our millionaires helped finance Admiral Byrd's **expedition**[17] to the Antarctic with the understanding that **range**s[18] of icy mountains would be named after them; and Victor Hugo aspired to have nothing less than the city of Paris renamed in his honor. Even Shakespeare, mightiest of the mighty, tried to add luster to his name by procuring a **coat of arms**[19] for his family.

People sometimes become **invalid**s[20] in order to win sympathy and attention, and get a feeling of importance.

For example, take Mrs. McKinley. She got a feeling of importance by forcing her husband, the President of the United States, to neglect important affairs of state while he reclined on the bed beside her for hours at a time, his arm about her, soothing her to sleep. She fed her gnawing desire for attention by insisting that

수 있도록 돈을 기부하는 데서 자신의 존재 가치를 느꼈다.

이와는 정반대로 딜린저는 강도짓을 하고 은행을 털고 살인을 하는 데서 자신의 존재 가치를 느꼈다. FBI 수사관[15]들이 그를 추적하자 그는 미네소타 주의 한 농가로 뛰어 들어가 이렇게 외쳤다. "나는 딜린저다!" 그는 자신이 공개수배자 명단 맨 위에 있다는 사실이 자랑스러웠다. "해칠 생각은 없다. 하지만 나는 딜린저다!" 그는 이렇게 외쳤다.

그렇다. 딜린저와 록펠러 사이의 가장 중요한 차이는 그들이 자신의 존재 가치를 어디에서 느꼈느냐 하는 점이다.

이름을 떨친 사람들조차 인정받는 존재가 되기 위해 애를 썼다는 흥미로운 사례들을 역사 곳곳에서 찾아볼 수 있다. 미국 초대 대통령인 조지 워싱턴조차 '미합중국 대통령 각하'라고 불리길 원했으며, 콜럼버스는 '해군 제독 겸 인도 총독[16]'이라는 호칭을 부여해달라고 청원했다. 러시아의 예카테리나 여제는 '여왕 폐하'라는 칭호를 사용하지 않은 편지는 거들떠보지도 않았다. 영부인 시절의 링컨 여사는 그랜트 장군의 부인에게 발끈 화를 내며 이렇게 소리쳤다.

"감히 내 앞에서 허락도 없이 자리에 앉다니!"

1928년 버드 제독이 남극 탐험[17]을 나설 때 미국의 백만장자들은 산맥[18]을 이루는 빙산들에 자신들의 이름을 붙여준다는 조건으로 자금을 지원했다. 빅토르 위고는 파리 시의 이름을 자신의 이름으로 바꾸려는 야심을 품기까지 했다. 위대한 작가 셰익스피어조차 자기 가문이 사용할 수 있는 문장(紋章)[19]을 확보함으로써 자신의 이름에 영광을 더하려 했다.

사람들은 종종 동정심과 주목의 대상이 되고, 자신의 존재 가치를 드러내기 위해 환자[20]를 자처하기도 했다.

매킨리 여사의 예를 보자. 매킨리 여사는 자신이 인정받는다고 느끼기 위해 미국 대통령인 남편이 중요한 국무회의에 참석하는 것도 막고, 침대 곁에 앉아서 자기가 잠들 때까지 몇 시간이고 간호하게 했다. 그녀는 또한 치과 의사에게 치료를 받는 동안에도 남편을 꼼짝 못하게 붙잡아둠으로써 주목받고자 하는 참을 수 없는 욕구를 충족시켰다. 어느 날인가 남편이 국

he remain with her while she was having her teeth fixed, and once created a stormy scene when he had to leave her alone with the dentist while he kept an appointment with John Hay.

Some authorities declare that people may actually go **insane**[21] in order to find, in the dreamland of insanity, the feeling of importance that has been denied them in the **harsh**[22] world of reality. There are more patients suffering from mental diseases in the hospitals in the United States than from all other diseases combined. If you are over fifteen years of age and residing in New York State, the chances are one out of twenty that you will be confined to an insane asylum for seven years of your life.

What is the cause of insanity?

Nobody can answer such a sweeping question as that, but we know that certain diseases, such as **syphilis**[23], break down and destroy the brain cells and result in insanity. In fact, about one-half of all mental diseases can be attributed to such physical causes as brain **lesion**s[24], alcohol, toxins, and injuries. But the other half—and this is the appalling part of the story—the other half of the people who go insane apparently have nothing organically wrong with their brain cells. In **postmortem**[25] examinations, when their brain tissues are studied under the highest-powered microscopes, they are found to be apparently just as healthy as yours and mine.

Why do these people go insane?

I recently put that question to the head physician of one of our most important hospitals for the insane. This doctor, who has received the highest honors and the most **covet**ed[26] awards for his knowledge of insanity, told me frankly that he didn't know why people went insane. Nobody knows for sure. But he did say that many people who go insane find in insanity a feeling of importance that they were unable to achieve in the world of reality. Then he told me this story:

무장관 존 헤이와 만날 약속을 지키기 위해 자신을 병원에 남기고 가자 한바탕 소동을 벌이기도 했다.

전문가들 의견에 따르면, 사람들은 **각박한**[22] 현실에서 자신의 존재 가치가 부인되면, 광기의 환상세계에서라도 인정받는 존재가 되기 위해 실제로 미칠(**미친**[21]) 수도 있다고 한다. 미국에서는 다른 모든 질병으로 아픈 환자를 합친 것보다 정신 질환으로 고통받는 환자의 수가 훨씬 많다. 만일 여러분이 열다섯 살을 넘겼고 뉴욕에 살고 있다면 앞으로 여러분이 정신 병원에 7년 동안 들어가 있을 가능성은 5퍼센트에 이른다.

정신이상의 이유는 무엇일까?

이렇게 포괄적인 질문에 대답할 수 있는 사람은 아무도 없지만, 우리는 특정한 질병, 예를 들면 **매독**[23]과 같은 질병은 뇌세포를 파괴하여 정신이상을 일으킨다는 것을 알고 있다. 실제로 모든 정신 질환의 절반 가량은 뇌 **조직 장애**[24], 알코올, 약물, 외상과 같은 신체적인 원인에 의해 발생한다고 할 수 있다. 그러나 나머지 절반, 사실 이 점이 무서운 일인데, 나머지 절반의 경우 뇌세포에는 분명히 아무런 조직적 결함이 없는 데도 정신이상에 걸린다. **사후 부검**[25]을 통해 최고 성능의 현미경으로 살펴보아도 그들의 뇌 신경은 정상인의 뇌 신경과 조금도 다름없이 너무나 건강하다는 것을 알 수 있다.

그렇다면 이 사람들이 정신이상이 되는 이유는 도대체 무엇일까?

나는 정신 질환 방면으로 가장 뛰어나다는 병원의 원장에게 이에 대해 물어보았다. 이 방면에서 최고의 권위를 지니고 있고, 가장 갈망하는(**갈망하다**[26]) 상을 수상한 의사였지만, 그의 솔직한 대답은 자신도 사람들이 왜 정신이상이 되는지 알 수 없다는 것이었다. 아무도 확실히 알지 못한다. 하지만 그의 말에 따르면 정신이상이 되는 많은 사람들이 현실생활에서 얻지 못한 자신의 존재 가치에 대한 느낌을 정신이상 상태에서는 느낀다고 한다. 그러면서 그 의사는 내게 다음과 같은 얘기를 들려주었다.

"I have a patient right now whose marriage proved to be a tragedy. She wanted love, sexual gratification, children, and social prestige; but life blasted all her hopes. Her husband didn't love her. He refused even to eat with her, and forced her to serve his meals in his room upstairs. She had no children, no social standing. She went insane; and, in her imagination, she divorced her husband and resumed her maiden name. She now believes she has married into the English aristocracy, and she insists on being called Lady Smith.

And as for children, she imagines now that she has a new child every night. Each time I call on her she says: 'Doctor, I had a baby last night.' "

Life once wrecked all her dream ships on the sharp rocks of reality; but in the sunny, fantastic isles of insanity, all her **barkentine**s[27] race into port with canvas **billow**ing[28] and with winds singing through the masts.

Tragic? Oh, I don't know. Her physician said to me: "If I could stretch out my hand and restore her sanity, I wouldn't do it. She's much happier as she is."

As a group, insane people are happier than you and I. Many enjoy being insane. Why shouldn't they? They have solved their problems. They will write you a check for a million dollars, or give you a letter of introduction to the Aga Khan. They have found in a dream world of their own creation the feeling of importance which they so deeply desired. If some people are so hungry for a feeling of importance that they actually go insane to get it, imagine what miracles you and I can achieve by giving people honest appreciation this side of insanity.

There have been, so far as I know, only two people in history who were paid a salary of a million dollars a year: Walter Chrysler and Charles Schwab. Why did Andrew Carnegie pay Schwab a

"제가 지금 돌보고 있는 환자 중 결혼생활에 실패한 사람이 있습니다. 그녀는 사랑과 성적 만족, 자녀, 그리고 사회적 지위를 원했는데, 실제 삶에선 모든 희망이 깨어지고 말았습니다. 남편은 그녀를 사랑하지 않았습니다. 심지어 식탁에서 함께 식사하는 것도 거부하고 그녀에게 2층에 있는 자기 방으로 식사를 가지고 오게 하고는 식사하는 동안 시중을 들게 했습니다. 그녀는 자녀도 없었고 사회적 지위도 누릴 수 없었습니다. 그녀는 정신이상에 걸렸습니다. 그리고 상상 속에서 그녀는 이혼을 하고는 처녀 적 이름을 되찾았습니다. 지금은 영국 귀족과 재혼을 했다고 믿고 있어서 언제나 자신을 스미스 백작 부인이라고 불러달라고 합니다.

자녀에 관한 얘기를 하자면, 지금 그녀는 매일 자신이 아기를 낳는다고 생각하고 있습니다. 내가 갈 때마다 그녀는 '의사 선생님, 어젯밤에 제가 아기를 낳았어요'라고 얘기합니다."

실제 인생에서는 그녀의 꿈을 실은 모든 배가 현실이란 날카로운 암초에 부딪쳐 좌초하고 말았지만, 정신이상에 걸린 후의 따뜻한 상상의 섬에서는 그녀의 모든 **범선**[27]들이 노래하듯 돛대를 스치는 바람에 돛이 부풀며(**부풀어 오르다**[28]) 꼬리에 꼬리를 물고 항구로 들어오고 있는 것이다.

비극적이라고 해야 할까? 나는 잘 모르겠다. 그녀를 담당 의사는 말했다. "가령 제가 능력이 뛰어나서 그녀의 정신이 돌아오게 할 수 있다 해도 저는 그렇게 하지 않겠습니다. 그녀는 지금 그대로가 훨씬 더 행복하니까요."

집단으로 볼 때 정신이상에 걸린 사람들이 여러분이나 나보다 더 행복하다. 많은 사람들이 정신이상에 걸린 상태에 만족해 한다. 왜 그럴까? 그들은 자신들의 문제를 해결했기 때문이다. 그들은 여러분에게 1백만 달러짜리 수표를 끊어줄 수도 있고, 이슬람교 시아파 교주인 아가 칸에게 추천장을 써줄 수도 있다. 그들은 자신들이 만든 몽환의 세계에서 절실하게 원하던 인정받는 존재로서의 자신을 발견한 것이다. 인정받고 있다는 느낌에 대한 갈망이 너무 커서 그 느낌을 얻으려고 실제로 정신이상이 되는 사람들이 있을 정도라면, 제정신을 가진 사람들을 솔직하게 칭찬할 경우 어떤 기적을 이룰 수 있을지 상상이 되는가?

내가 아는 한 역사상 1백만 달러의 연봉을 받은 사람은 단 두 명뿐이다. 월터 크라이슬러와 찰스 슈워브가 그들이다. 앤드루 카네기가 찰스 슈워브에게 연봉 1백만 달러, 하루 3천 달러 이상의 임금을 지급한 이유는 무엇일

million dollars a year or more than three thousand dollars a day? Why?

Andrew Carnegie paid Charles Schwab a million dollars a year. Because Schwab is a genius? No. Because he knew more about the manufacture of steel than other people? Nonsense. Charles Schwab told me himself that he had many men working for him who knew more about the **manufacture**[29] of steel than he did.

Schwab says that he was paid this salary largely because of his ability to deal with people. I asked him how he did it. Here is his secret set down in his own words—words that ought to be cast in eternal bronze and hung in every home and school, every shop and office in the land—words that children ought to memorize instead of wasting their time memorizing the **conjugation**[30] of Latin verbs or the amount of the annual rainfall in Brazil—words that will all but transform your life and mine if we will only live them:

"I consider my ability to arouse enthusiasm among the men," said Schwab, *"the greatest asset I possess, and the way to develop the best that is in a man is by appreciation and encouragement.*

There is nothing else that so kills the ambitions of a man as criticisms from his superiors. I never criticize anyone. I believe in giving a man incentive to work. So I am anxious to praise but loath to find fault. If I like anything, I am **hearty**[31] *in my* **approbation**[32] *and* **lavish**[33] *in my praise."*

That is what Schwab does. But what does the average man do? The exact opposite. If he doesn't like a thing, he raises the Old Harry; if he does like it, he says nothing.

"In my wide association in life, meeting with many and great men in various parts of the world," Schwab declared, "I have yet to find the man, however great or exalted his station, who did not do better work and put forth greater effort under a spirit of approval than he would ever do under a spirit of criticism."

까? 그 이유가 무엇일까?

카네기는 찰스 슈워브에게 연봉 1백만 달러를 주었다. 슈워브가 천재였기 때문에? 슈워브가 제철의 최고 권위자였기 때문에? 천만의 말씀이다. 그는 내게 자기보다 강철 **제작**²⁹을 더 잘 아는 사람들이 회사에 많이 있다고 실토한 적이 있다.

슈워브는 그렇게 높은 연봉을 받는 이유는 다름 아닌 자신이 사람을 다루는 능력을 갖고 있기 때문이라고 말했다. 나는 그에게 그런 능력의 비결이 무엇이냐고 물어보았다. 그는 자신의 비결을 아래와 같이 얘기해주었다. 그의 이 말이야말로 동판에 새겨 모든 학교와 가정, 모든 가게와 사무실에 걸어두어야 한다. 학생들은 라틴어의 **동사 변화**³⁰나 브라질의 연간 평균 강우량을 기억하는 데 시간을 낭비하는 대신 이 말을 기억해야 한다. 이 말대로 실천하기만 하면 여러분과 나의 삶이 통째로 변화할 것이기 때문이다. 그는 이렇게 말했다.

"제가 소유한 최고의 자산은 사람들로부터 열정을 불러일으키는 능력이라고 여기고 있습니다. 그리고 사람들이 최대의 능력을 발휘할 수 있도록 하는 방법은 칭찬과 격려입니다.

윗사람의 질책만큼 사람들의 의욕을 심하게 꺾어놓는 것도 없습니다. 나는 결코 누구도 질책하지 않습니다. 그보다는 사람들에게 일할 동기를 부여하는 것이 낫다고 믿습니다. 그래서 항상 칭찬하려고 노력하며, 결점을 들추어내기를 싫어합니다. 누군가 한 일이 마음에 들면, 열렬히(**열렬한**³¹) 인정해주고(**승인**³²) 아낌없이(**아낌없는**³³) 칭찬합니다."

슈워브는 바로 이렇게 했다. 그러면 보통 사람들은 어떻게 하는가? 정확히 그 반대로 한다. 어떤 일이 마음에 들지 않으면 부하들을 몰아붙이지만 마음에 드는 일에 대해서는 아무런 칭찬도 하지 않는다.

슈워브는 이렇게 단언한다. "세계 각국의 뛰어난 사람들을 많이 만나 보았지만, 인정받을 때보다 비난받을 때 더 열심히 일하고 더 좋은 실적을 내는 사람은 만나본 적이 없습니다. 이 점은 아무리 훌륭하고 지위가 높은 사람도 마찬가지였습니다."

That he said, frankly, was one of the outstanding reasons for the **phenomenal**[34] success of Andrew Carnegie. Carnegie praised his associates publicly as well as privately. Carnegie wanted to praise his assistants even on his tombstone. He wrote an epitaph for himself which read: "Here lies one who knew how to get around him men who were cleverer than himself."

Sincere appreciation was one of the secrets of Rockefeller's success in handling men. For example, when one of his partners, Edward T. Bedford, pulled a **boner**[35] and lost the firm a million dollars by a bad buy in South America, John D. might have criticized; but he knew Bedford had done his best—and the incident was closed. So Rockefeller found something to praise; he congratulated Bedford because he had been able to save sixty percent of the money he had invested. "That's splendid," said Rockefeller. "We don't always do as well as that upstairs."

Ziegfeld, the most spectacular *entrepreneur* who ever **dazzled**[36] Broadway, gained his reputation by his **subtle**[37] ability to "glorify the American girl." He repeatedly took some drab little creature that no one ever looked at twice and transformed her on the stage into a glamorous vision of mystery and **seduction**[38].

Knowing the value of appreciation and confidence, he made women *feel* beautiful by the sheer power of his **gallantry**[39] and consideration. He was practical: he raised the salary of chorus girls from thirty dollars a week to as high as one hundred and seventy-five. And he was also chivalrous: on opening night at the Follies, he sent a telegram to the stars in the cast, and he deluged every chorus girl in the show with American Beauty roses.

I once succumbed to the **fad**[40] of fasting and went for six days and nights without eating. It wasn't difficult. I was less hungry at the end of the sixth day than I was at the end of the second. Yet I

사실 앤드루 카네기의 **놀라운**[34] 성공 비결도 바로 여기에 있었다. 카네기는 공석에서나 사석에서나 동료들에 대한 칭찬을 아끼지 않았다. 카네기는 심지어 자신의 묘비에다가도 부하들에 대한 칭찬을 새기고 싶어했다. 그가 직접 작성한 묘비명은 이렇게 되어 있다. '자기보다 현명한 사람들을 주변에 모이게 하는 법을 터득한 자, 이곳에 잠들다.'

진심으로 칭찬하는 것은 존 D. 록펠러가 사람들을 다루는 데 성공한 비결이기도 했다. 예를 들어보자. 한번은 그의 사업상 동료인 에드워드 T. 베드포드가 남미에서 물건을 잘못 구매하는 **얼빠진 실수**[35]를 하여 회사에 1백만 달러의 손실을 입혔다. 록펠러가 비난을 해도 할 말이 없는 상황이었다. 하지만 그는 베드포드가 나름대로 최선을 다했다는 사실을 알고 있었고, 이미 사건은 끝나 있었다. 그래서 록펠러는 거꾸로 상대를 칭찬할 방법을 생각해냈다. 그는 베드포드가 투자한 돈 가운데 60퍼센트를 회수한 것을 축하해주었다. "굉장하군. 우리는 그만큼 회수할 정도로 잘하지 못하거든."

플로렌즈 지그펠트는 브로드웨이에서 빛나던(**빛나다**[36]) 수많은 *제작자*들 중 가장 유명한 사람에 속했다. 그의 명성은 주로 '평범한 소녀를 스타로 만드는' **절묘한**[37] 능력에서 기인했다. 아무도 두 번 볼 것 같지 않은 볼품 없는 소녀가 그의 손길을 거쳐 무대에 서기만 하면 신비롭고 **유혹**[38]적인 여인의 모습으로 돌변했다.

칭찬과 자신감의 가치를 알고 있던 그는, 그의 **정중한 말**[39]과 배려의 힘만 가지고도 여자들이 스스로 아름답다고 느끼도록 만들었다. 그는 현실적인 사람이기도 했다. 그는 주당 30달러에 불과하던 코러스 걸들의 급여를 175달러로 인상했다. 또한 그는 기사도적인 멋을 아는 사람이라 공연이 시작되는 날이면 주연 배우들에게 축전을 보내고, 모든 코러스 걸들에게도 값비싼 장미를 선사했다.

언젠가 단식이 유행이던 시절 나도 **유행**[40]에 휩쓸려 꼬박 6일 동안 물 한 모금 마시지 않았던 적이 있다. 그리 어렵지는 않았다. 6일이 지날 무렵 느껴지는 배고픔은 단식을 시작한 다음 날보다도 약했다. 여러분이나 나는

know, and you know, people who would think they had committed a crime if they let their families or employees go for six days without food; but they will let them go for six days, and six weeks, and sometimes sixty years without giving them the hearty appreciation that they crave almost as much as they crave food.

When Alfred Lunt played the **stellar**[41] role in *Reunion in Vienna*, he said, "There is nothing I need so much as nourishment for my self-esteem."

We nourish the bodies of our children and friends and employees; but how seldom do we nourish their self-esteem. We provide them with roast beef and potatoes to build energy; but we neglect to give them kind words of appreciation that would sing in their memories for years like the music of the morning stars.

Some readers are saying right now as they read these lines: "Old stuff! Soft soap! Bear oil! Flattery! I've tried that stuff. It doesn't work—not with intelligent people."

Of course, flattery seldom works with **discerning**[42] people. It is shallow, selfish, and insincere. It ought to fail and it usually does. True, some people are so hungry, so thirsty, for **appreciation**[43] that they will swallow anything, just as a starving man will eat grass and fish worms.

Why, for example, were the much-married Mdivani brothers such flaming successes in the **matrimonial**[44] market? Why were these so-called "Princes" able to marry two beautiful and famous screen stars and a world-famous prima donna and Barbara Hutton with her five-and-ten-cent-store millions? Why? How did they do it?

"The Mdivani charm for women," said Adela Rogers St. John, in an article in the magazine *Liberty*, "has been among the mysteries of the ages to many.

사람들이 자기 가족이나 직원에게 6일 동안 음식을 주지 못할 경우 심한 죄책감에 시달리리라는 것을 알고 있다. 그런데 사람들은 음식만큼이나 사람들에게 필요한 진심 어린 칭찬은 6일이나 6주, 심지어는 60년 이상이나 해주지 않고도 아무런 죄책감을 갖지 않는다.

뛰어난[41] 역할을 했던 배우 알프레드 런트는 〈빈에서의 재회〉라는 유명한 연극에서 주연을 맡았을 때 이런 말을 남겼다. "나에게 가장 필요한 것은 나 스스로를 높이 평가할 수 있도록 격려해주는 말이다."

우리는 아이들과 친구들, 직원들의 육체에 영양분을 제공하지만 그들의 자부심은 얼마나 채워주고 있는가? 그들에게 쇠고기와 감자를 주어 에너지를 비축하게 만들지만, 앞으로 수년 동안이나 샛별들이 불러주는 노래처럼 그들의 기억 속에 남아 있을 따뜻한 칭찬의 말은 너무 부족하게 하고 있다.

여기까지 읽은 독자들 중에는 지금쯤 이렇게 말하는 사람도 있을 것이다. "이렇게 낡아빠진 얘기를 하다니. 결국 아첨밖에 더 되겠어? 이미 다해봤는데, 하나도 소용없어. 적어도 똑똑한 사람들에게는 말이야."

물론 아첨은 웬만큼 **분별력이 있는**[42] 사람들에게는 통하지 않는다. 아첨은 얄팍하고 이기적이며 진심이 담겨 있지 않다. 그것은 실패해야 하고 실제로 대개 실패한다. 몇몇 사람은 너무나 굶주리고 목마른 나머지, 아무거나 삼키며 **감탄**[43]한다. 마치 풀이건 지렁이건 구별하지 않고 먹는 배고픈 사람처럼 말이다.

예를 들어보자. 수많은 결혼 전력이 있는 엠디바니 형제가 결혼(**결혼 생활의**[44]) 시장에서 그렇게 인기가 있었던 이유가 무엇이었을까? 이른바 '왕자'라고 불리던 이들은 어떻게 해서 두 명의 미인과 유명 여배우들, 세계적인 성악 가수, 그리고 저가 물건을 파는 것으로 유명한 '파이브 앤 텐 센트' 체인점의 백만장자 바버라 허튼 같은 여자들과 결혼할 수 있었을까? 어떤 이유가 있었을까? 그들은 어떻게 했던 것일까?

〈리버티〉지에 기고한 글에서 유명한 여성 기자 아델라 로저스 세인트 존은 이렇게 말하고 있다. "여자들이 엠디바니 형제에게 매력을 느끼는 이유가 무엇인지는 오랫동안 많은 사람들에게 수수께끼였다.

Pola Negri, a woman of the world, a connoisseur of men, and a great artist, once explained it to me. She said, 'They understand the art of flattery as do no other men I have ever met. And the art of flattery is almost a lost one in this realistic and humorous age. That, I assure you, is the secret of the Mdivani charm for women, I know.' "

Even Queen Victoria was **susceptible**[45] to flattery. Disraeli confessed that he put it on thick in dealing with the Queen. To use his exact words, he said he "spread it on with a trowel." But Discaeli was one of the most polished, deft, and adroit men who ever ruled the far-flung British Empire. He was a genius in his line. What would work for him wouldn't necessarily work for you and me. In the long run, **flattery**[46] will do you more harm than good. Flattery is counterfeit, and like counterfeit money, it will eventually get you into trouble if you try to pass it.

The difference between appreciation and flattery? That is simple. One is sincere and the other insincere. One comes from the heart out; the other from the teeth out. One is unselfish; the other selfish. One is universally admired; the other is universally condemned.

I recently saw a bust of General Obregon in the Chapultepec palace in Mexico City. Below the bust are carved these wise words from General Obregon's philosophy: "Don't be afraid of the enemies who attack you. Be afraid of the friends who flatter you."

No! No! No! I am not suggesting flattery! Far from it. I'm talking about a new way of life. Let me repeat. *I am talking about a new way of life.*

King George V had a set of six **maxim**s[47] displayed on the walls of his study at Buckingham Palace. One of these maxims said: "Teach me neither to **proffer**[48] nor receive cheap praise." That's all flattery is: cheap praise. I once read a definition of flattery that

뛰어난 예술가이면서 사교계에 정통하고 남자들을 잘 이해하는 여성인 폴라 네그리가 언젠가 내게 이렇게 설명해주었다. '그들은 내가 아는 어떤 남자보다도 아부하는 기술을 잘 이해하고 있더군요. 아부하는 기술은 요즘처럼 현실적이면서도 유머가 넘치는 세상에서는 거의 사라진 기술이지요. 내가 보기에는 그게 여자들이 엠디바니에게서 느끼는 매력임이 확실해요.'"

심지어 빅토리아 여왕도 아첨에 상당히 약했다(**민감한**[45]). 당시 총리인 벤저민 디즈레일리는 여왕을 알현할 때 아첨을 상당히 많이 사용했다고 고백했다. 그의 말을 그대로 옮기자면, 그는 '흙손으로 벽을 바르듯' 아첨으로 자신의 말을 감쌌다. 하지만 디즈레일리는 대영제국을 다스렸던 총리들 가운데 가장 세련되고 능숙하며 빈틈이 없는 사람이었다. 그는 자기 방식을 활용하는 데는 천재였다. 그에게 유용했던 방법이 우리에게도 유용하다는 법은 없다. 길게 보면 **아첨**[46]을 하면 득보다 실이 많다. 아첨은 가짜이기 때문에 마치 위조지폐를 사용했을 때와 마찬가지로 다른 사람에게 건넸을 경우 언젠가는 문제가 생기고 만다.

그러면 칭찬과 아첨의 차이는 어디에 있을까? 그것은 간단하다. 칭찬에는 진심이 담겨 있지만, 아첨에는 진심이 담겨 있지 않다. 칭찬은 가슴으로부터 우러나오지만, 아첨은 입술로부터 나올 뿐이다. 칭찬은 이기적이지 않지만, 아첨은 이기적이다. 칭찬은 모든 사람이 환영하지만, 아첨은 모든 사람이 비난한다.

나는 최근 멕시코시티에 있는 차풀테펙 궁에서 오브레곤 장군의 흉상을 보았다. 흉상 밑에는 오브레곤 장군의 철학이 담겨 있는 경구가 새겨져 있었다. '너를 공격하는 적을 두려워하지 말라. 네게 아첨하는 친구를 두려워하라.'

그러니 절대 안심하라. 나는 아첨을 권장하는 것이 아니다. 오히려 정반대다. 나는 새로운 삶의 방식에 대해 말하고 있다. 다시 한 번 말하거니와, *나는 새로운 삶의 방식에 대해 말하고 있는 것이다.*

조지 5세는 버킹엄 궁전에 있는 자신의 서재 벽에 6개의 **격언**[47]을 걸어놓았다. 그중 하나는 이것이다. '값싼 칭찬을 하지도(~을 내놓다[48]) 말고 받지도 말게 하소서.' 아첨이란 값싼 칭찬, 바로 이것일 뿐이다. 예전에 아첨에 대해 기억할 만한 정의를 본 적이 있는데, 그것을 여기에 적어보겠다.

may be worth repeating: "Flattery is telling the other man precisely what he thinks about himself."

"Use what language you will," said Ralph Waldo Emerson, "you can never say anything but what you are."

If all we had to do was to use flattery, everybody would catch on to it and we should all be experts in human relations.

When we are not engaged in thinking about some definite problem, we usually spend about 95 per cent of our time thinking about ourselves. Now, if we stop thinking about ourselves for awhile and begin to think of the other man's good points, we won't have to resort to flattery so cheap and false that it can be spotted almost before it is out of the mouth.

Emerson said: "Every man I meet is my superior in some way. In that, I learn of him."

If that was true of Emerson, isn't it likely to be a thousand times more true of you and me? Let's **cease**[49] thinking of our accomplishments, our wants. Let's try to figure out the other man's good points. Then forget flattery. Give honest, sincere appreciation.

Be "hearty in your approbation and **lavish**[50] in your praise," and people will **cherish**[51] your words and treasure them and repeat them over a lifetime—repeat them years after you have forgotten them.

Give honest, sincere appreciation.

'아첨이란 상대방의 자기 평가와 일치하는 말을 해주는 것이다.'

또한 미국의 사상가인 랠프 왈도 에머슨은 이렇게 말했다. "당신이 무슨 말을 하든지 간에 그 말에는 당신의 모습이 그대로 담겨 있다."

아첨을 하는'것으로 모든 것이 해결된다면, 누구나 아첨꾼이 될 것이고, 우리 모두가 대인 관계의 달인이 될 것이다.

어떤 특정한 일에 대해 생각하는 상황이 아닌 경우, 사람들은 대개 시간의 95퍼센트를 자기 자신에 관한 생각을 하며 보낸다고 한다. 이제 자신에 대한 생각을 잠시 멈추고 상대방의 장점에 대해 생각해보자. 이렇게 한다면 입에서 나오는 순간 거짓이라는 게 너무도 뻔하게 드러나는 값싼 아첨은 더 이상 하지 않아도 될 것이다.

에머슨은 이렇게 말했다. "모든 사람은 나보다 나은 점을 갖고 있다. 그런 의미에서 나는 모든 사람에게서 배울 수 있다."

에머슨처럼 대단한 사상가가 이렇다면 여러분이나 나 같은 경우야 무슨 말이 필요하겠는가? 우리들 자신의 장점이나 단점에 대해 생각하는 것을 멈추고(**그만두다**[49]), 다른 사람들의 장점을 찾아내려고 노력하자. 아첨은 잊어버려라. 솔직하고 진지하게 칭찬을 하자.

"진심으로 인정하고 아낌없이(**풍성한**[50]) 칭찬하자." 그러면 사람들은 당신의 말을 가슴속 깊이 소중히 간직하고(**~를 소중히 하다**[51]) 아끼며 평생을 두고 되풀이할 것이다. 당신이 그 말을 잊어버린 뒤에도 오랫동안 두고 두고 그 말을 되풀이할 것이다.

솔직하고 진지하게 칭찬하라.

3 HE WHO CAN DO THIS HAS THE WHOLE WORLD WITH HIM. HE WHO CANNOT WALKS A LONELY WAY.

I go fishing up in Maine every summer. Personally I am very fond of **strawberries and cream**[1]; but I find that for some strange reason fish prefer worms. So when I go fishing, I don't think about what I want. I think about what they want. I don't bait the hook with strawberries and cream. Rather, I dangle a worm or a grasshopper in front of the fish and say:

"Wouldn't you like to have that?"

Why not use the same common sense when fishing for men?

That is what Lloyd George did. When someone asked him how he managed to stay in power after all the other war-time leaders— Wilson, Orlando, and Clemenceau—had been **oust**ed[2] and forgotten, he replied that if his staying on top might be attributed to any one thing, it was probably to the fact that he had learned it was necessary to **bait**[3] the hook to suit the fish.

Why talk about what we want? That is childish. Absurd. Of course, you are interested in what you want. You are eternally interested in it. But no one else is. The rest of us are just like you: we are interested in what we want. So the only way on earth to influence the other fellow is to talk about what he wants and show him how to get it.

Remember that tomorrow when you are trying to get somebody to do something. If, for example, you don't want your son to smoke, don't preach at him, and don't talk about what you want; but show him that cigarettes may keep him from making the

3 상대방의 관점에서 사물을 보지 못하면 외로운 길을 가리라

매년 여름 나는 메인 주로 낚시 여행을 간다. 개인적인 얘기를 하자면 나는 **딸기를 넣은 빙수[1]**를 매우 좋아한다. 그런데 어느 날 물고기들은 참 이상하게도 나와는 달리 지렁이를 좋아한다는 것을 알게 되었다. 그 이후 나는 낚시를 하러 갈 때 내가 원하는 것에 대해 생각하지 않는다. 물고기가 원하는 것에 대해 생각한다. 낚싯바늘에 딸기빙수를 매달지 않는다. 물고기 앞에 지렁이나 메뚜기를 매달아놓고 이렇게 말한다.

"한번 먹어보지 그래?"

사람을 낚는 경우에도 바로 이런 상식을 활용하지 못할 게 무엇인가?

제1차 세계대전 당시 영국 총리이던 로이드 조지가 바로 이 방법을 활용한 사람이다. 누군가 그에게 "당신은 미국의 월슨, 이탈리아의 올랜도, 프랑스의 클레망소 등 제1차 세계대전 당시의 쟁쟁한 지도자들이 다 실각하거나(**내쫓다[2]**) 잊혀진 뒤에도 어떻게 권력을 잃지 않을 수 있었느냐"고 물었다. 그러자 그는 자신이 최고 권력을 유지한 비결을 하나만 대면, 그건 자신이 물고기에 맞춰 바늘에 미끼를 다는(**미끼를 달다[3]**) 게 필요하다는 점을 알고 있었기 때문일 거라고 대답했다.

왜 우리는 자신이 원하는 것에 대해 얘기하고 있는가? 그것은 철부지 같은 짓이다. 물론 여러분은 여러분이 원하는 것에 관심을 기울인다. 영원히 그럴 것이다. 하지만 다른 사람은 아무도 여러분이 원하는 것에 관심을 기울이지 않는다. 모든 사람이 다 똑같이 그렇다. 그들은 자신이 원하는 것에만 관심을 기울인다. 그러므로 다른 사람을 움직일 수 있는 유일한 방법은 그가 원하는 것에 대해 대화하고, 그것을 어떻게 얻을 수 있는지 보여주는 것이다.

지금이라도 누군가를 움직여 어떤 일을 하게 만들고 싶다면 이 점을 명심해야 한다. 가령 여러분의 자녀가 담배를 피우지 않도록 만들고 싶다면, 자녀에게 설교를 늘어놓거나 여러분이 원하는 것에 대해 얘기해봐도 소용이 없다. 그보다는 자녀에게 담배를 피우면 그들이 원하는 야구팀에 들어갈

baseball team or winning the hundred-yard dash.

This is a good thing to remember regardless of whether you are dealing with children or calves or chimpanzees. For example: Ralph Waldo Emerson and his son one day tried to get a calf into the barn. But they made the common mistake of thinking only of what they wanted: Emerson pushed and his son pulled. But the calf did just what they did: he thought only of what he wanted; so he stiffened his legs and stubbornly refused to leave the pasture. The Irish housemaid saw their **predicament**[4]. She couldn't write essays and books; but, on this occasion at least, she had more **horse sense**[5], or calf sense, than Emerson had. She thought of what the calf wanted; so she put her maternal finger in the calf's mouth, and let the calf suck her finger as she gently led him into the barn.

Every act you ever performed since the day you were born is because you wanted something. How about the time you gave a hundred dollars to the Red Cross? Yes, that is no exception to the rule. You gave the Red Cross a hundred dollars because you wanted to lend a helping hand, because you wanted to do a beautiful, unselfish, divine act. "Inasmuch as ye have done it unto one of the least of these my brethren, ye have done it unto me."

If you hadn't wanted that feeling more than you wanted your hundred dollars, you would not have made the contribution. Of course, you may have made the contribution because you were ashamed to refuse or because a customer asked you to do it. But one thing is certain. You made the contribution because you wanted something.

Professor Harry A. Overstreet in his illuminating book, *Influencing Human Behavior,* says: "Action springs out of what we fundamentally desire — and the best piece of advice which can be given to would-be persuaders, whether in business, in the

수 없다든지, 달리기에서 꼴찌할 수도 있다는 것을 말해주는 편이 낫다.

　이 방법은 자녀를 대할 때뿐 아니라 송아지나 침팬지와 같은 동물을 다룰 때에도 똑같이 유용하다. 예를 들면, 랠프 왈도 에머슨은 어느 날 아들과 함께 송아지를 외양간에 들이려고 하고 있었다. 그런데 에머슨 역시 다른 사람들처럼 자신이 원하는 것만 생각하는 실수를 저지르고 있었다. 즉, 에머슨은 뒤에서 송아지를 힘껏 밀었고, 아들은 앞에서 힘껏 잡아당겼다. 하지만 문제는 송아지 역시 그들과 똑같았다는 점이다. 송아지도 자기가 원하는 것만 생각하였다. 송아지는 완강히 버티고 서서 도무지 풀밭을 떠나려 하지 않았다. 아일랜드 출신의 한 하녀가 오도 가도 못하는 상황(**곤경**⁴)을 보았다. 그녀는 글을 쓰거나 책을 낼 만큼 많이 배운 사람이 아니었다. 하지만 적어도 지금의 상황에서는 그녀가 에머슨보다 더 지혜롭게(**지혜**⁵) 행동했다. 그녀는 송아지가 무엇을 원하는지 생각해보았다. 그리고는 자신의 부드러운 손가락을 송아지 입에 물려 빨게 했다. 그녀의 손에 이끌려 송아지는 쉽게 외양간으로 들어갔다.

　이 세상에 태어난 뒤 여러분이 하는 모든 행위는 여러분이 무언가를 원했기 때문이다. 적십자사에 100달러를 기부하는 것도 그런지 묻고 싶은가? 물론이다. 여기에 예외란 없다. 여러분이 100달러를 기부하는 건 누군가를 도와주고 싶거나, 아무런 사심 없이 아름다운 선행을 하고 싶기 때문이다. 성경에 이런 가르침이 있음을 여러분도 알고 있을 것이다. '너희가 여기 내 형제 중 지극히 작은 자 하나에게 한 것이 곧 나에게 한 것이니라(마태복음 25 : 40).'

　선행을 하고 싶은 마음보다 100달러가 아깝다는 생각이 더 크다면 여러분은 결코 그 돈을 기부하지 않을 것이다. 물론 거절하기 어려워서 기부할 수도 있고, 고객이 기부를 요청하기 때문에 어쩔 수 없이 기부할 수도 있다. 하지만 그런 경우에도 한 가지는 분명하다. 여러분은 무언가 원하는 것이 있기 때문에 기부를 한다는 것이다.

　해리 A. 오버스트릿 교수는 그의 혜안이 들어 있는 『인간 행동에 영향을 미치는 법』이라는 책에서 다음과 같이 말했다. "행위란 인간에게 근본적으로 욕망이 있기 때문에 일어난다. …… 그러므로 회사에서, 가정에서, 학교에서, 정치판에서, 그 어디에서건 남을 설득하고자 하는 사람들에게 가장

home, in the school, in politics, is: first, arouse in the other person an **eager**[6] want. He who can do this has the whole world with him. He who cannot walks a lonely way!"

Andrew Carnegie, the poverty-stricken Scotch lad who started to work at two cents an hour and finally gave away three hundred and sixty-five million dollars—he learned early in life that the only way to influence people is to talk in terms of what the other person wants. He attended school only four years, yet he learned how to handle people.

To illustrate: His sister-in-law was worried sick over her two boys. They were at Yale, and they were so busy with their own affairs that they neglected to write home and paid no attention whatever to their mother's frantic letters.

Then Carnegie offered to wager a hundred dollars that he could get an answer by return mail, without even asking for it. Someone called his bet; so he wrote his nephews a chatty letter, mentioning casually in a postscript that he was sending each one a five-dollar bill. He **neglect**ed[7], however, to enclose the money.

Back came replies by return mail thanking "Dear Uncle Andrew" for his kind note and—you can finish the sentence yourself.

Tomorrow you will want to persuade somebody to go something. Before you speak, pause and ask: "How can I make him *want* to do it?" That question will stop us from rushing in heedlessly to see people with futile chatter about our desires.

I rent the grand ballroom of a certain New York hotel for twenty nights in each season in order to hold a series of lectures. At the beginning of one season, I was suddenly informed that I should

유용한 충고는 '우선 상대방의 가슴속에 **간절한**[6] 욕구를 불러일으켜라'는 것이다. 이렇게 할 수 있는 사람은 세상을 얻을 것이고, 그렇지 않은 사람은 외로운 길을 갈 수밖에 없다!"

앤드루 카네기는 처음에는 시간당 2센트의 급여를 받고 일하던 스코틀랜드 출신의 가난한 아이였을 뿐이었지만 결국은 3억 6천5백만 달러라는 거금을 기부할 정도로 성공한 사람이 되었다. 이런 그의 성공은, 그가 다른 사람을 움직일 수 있는 유일한 방법은 그 사람이 원하는 것에 대해 얘기하는 것임을 일찍 깨달았기 때문에 가능했다. 그가 학교에 다닌 기간은 4년에 불과하지만 그는 사람 다루는 법을 깨닫고 있었다.

한 가지 예를 보자. 카네기의 형수는 두 아들 때문에 골치가 아팠다. 둘 다 예일대에 다니고 있었는데 제 앞가림하느라 바쁜지 안부 편지 한 장 써 보내는 일이 없었고, 참다못한 엄마가 편지를 보내도 신경을 쓰는 둥 마는 둥 했다.

카네기는 자신이 답장을 달라고 하지 않아도 답장을, 그것도 곧바로 받을 수 있다고 장담했다. 과연 그렇게 할 수 있느냐를 놓고 100달러 내기가 걸렸다. 그래서 카네기는 조카들에게 이런저런 허물없는 내용의 편지를 보냈다. 물론 추신에는 5달러 지폐 2장을 동봉하니 나눠서 유용하게 쓰라는 말도 빼놓지 않았다. 다만, 실제로 돈을 넣는 것은 '깜빡'했다(~를 잊다[7]).

답장이 왔다. 그것도 곧바로 말이다. '보고 싶은 삼촌에게'라고 시작하는 편지에는 연락주셔서 고맙다는 말이 들어 있었다. 나머지 내용이 무엇인지는 여러분도 짐작할 수 있을 것이다.

지금이라도 여러분은 누군가에게 어떤 일을 하도록 설득해야 할 상황을 맞이할 수도 있다. 그러면 말을 꺼내기 전에 잠시만 멈추고 생각해보라. '어떻게 하면 저 사람이 그 일을 하고 *싶도록* 만들 수 있을까?' 이 질문은 여러분이 무작정 사람을 만나 여러분의 욕망에 대해서만 열심히 얘기하다가 아무런 소득도 없이 끝내고 마는 상황을 피할 수 있도록 해줄 것이다.

나는 매 시즌 강연을 위해 뉴욕에 있는 한 호텔 연회장의 저녁시간을 20일간 예약한다. 한번은 강연 날짜가 며칠 남지 않았는데 갑자기 이전에 비해 세 배에 가까운 임대료를 내야 한다는 통보를 받았다. 나는 이미 강연 입

have to pay almost three times as much rent as formerly. This news reached me after the tickets had been printed and **distribute**d[8] and all announcements had been made.

Naturally, I didn't want to pay the increase, but what was the use of talking to the hotel about what I wanted? They were interested only in what they wanted. So a couple of days later I went in to see the manager.

"I was a bit shocked when I got your letter," I said, "but I don't blame you at all. If I had been in your position, I should probably have written a similar letter myself. Your duty as the manager of this hotel is to make all the profit possible. If you don't do that, you will be fired and you ought to be fired. Now, let's take a piece of paper and write down the advantages and the disadvantages that will **accrue**[9] to you, if you insist on this increase in rent."

Then I took a **letterhead**[10] and ran a line through the center and headed one column "Advantages" and the other column "Disadvantages." I wrote down under the head of "Advantages" these words: "Ballroom free." Then I went on to say:

"You will have the advantage of having the ballroom free to rent for dances and conventions. That is a big advantage, for affairs like that will pay you much more than you can get for a series of lectures. If I tie your ballroom up for twenty nights during the course of the season, it is sure to mean a loss of some very profitable business to you.

Now, let's consider the disadvantages. First, instead of increasing your income from me, you are going to decrease it. In fact, you are going to wipe it out because I cannot pay the rent you are asking. I shall be forced to hold these lectures at some other place. There's another disadvantage to you also. These lectures attract crowds of educated and cultured people to your hotel. That is good advertising for you, isn't it?

장권을 제작하여 배포한(**분배하다**[8]) 상태였고, 최종 공지가 나간 이후라서 임대료 인상을 반영할 수 없는 상황이었다.

당연히 나는 인상된 가격으로 지불하고 싶은 생각이 없었다. 하지만 내 바람에 대해 얘기하는 게 무슨 소용이 있겠는가? 그들은 오로지 그들이 원하는 것에만 관심이 있을 뿐일 텐데 말이다. 그래서 이틀 정도 지난 뒤 지배인을 찾아가서 나는 이렇게 얘기했다.

"편지 받고 사실 적잖이 놀랐습니다. 하지만 당신 탓을 할 생각은 조금도 없습니다. 제가 지배인님 처지였어도 비슷한 편지를 보냈을지 모른다고 생각합니다. 이 호텔 지배인으로서 당신의 임무는 가능한 많은 이익을 내야 하는 것이니까요. 그렇게 하지 않는 지배인이라면 해고되어야 마땅하겠죠. 그럼 이제 호텔 측에서 대여료를 올리겠다는 생각을 바꾸지 않을 경우, 호텔에 어떤 이익과 손해가 생기는지(**누적되다**[9]) 좀 구분해서 종이 위에 적어 볼까요?"

그런 뒤 나는 편지지(**편지 윗부분**[10])를 한 장 꺼내서 가운데에 줄을 긋고 왼편에는 '이익', 오른편에는 '손해'라고 제목을 적었다. 나는 '이익'이란 제목이 있는 쪽에 또 이렇게 적었다. '연회장 예약 없음'. 그러고는 이렇게 말을 이었다.

"연회장에 예약이 없으니까 무도회나 회의를 유치해 대여료를 받을 수 있을 것입니다. 이건 큰 이익이죠. 왜냐하면 그런 모임은 강연에 빌려주는 경우보다 더 많은 대여료를 받을 수 있을 테니까요. 제가 이번 시즌에 20일 정도 저녁시간을 장기 예약해버리면 당신의 처지에선 상당히 수지가 맞는 기회를 놓칠 게 분명하죠.

이제 어떤 손해가 발생하는지도 볼까요? 우선 나로 인해 발생하는 수입이 많아지는 게 아니라 줄어들 겁니다. 솔직히 말하면 올린 임대료를 지불할 생각이 없기 때문에 수입이 아예 없어지겠지요. 나는 어디 다른 곳을 찾아 강연을 해야 하고요. 손해가 그것만이 아닙니다. 이 강연을 듣기 위해 교양 있고 세련된 사람들이 이 호텔로 많이 몰려들게 되어 있습니다. 광고 효과가 꽤 나지 않을까요?

In fact, if you spent $5,000 advertising in the newspapers, you couldn't bring as many people to look at your hotel as I can bring by these lectures. That is worth a lot to a hotel, isn't it?"

As I talked, I wrote these two "disadvantages" under the proper heading, and handed the sheet of paper to the manager, saying: "I wish you would carefully consider both the advantages and disadvantages that are going to accrue to you and then give me your final decision."

I received a letter the next day, informing me that my rent would be increased only 50 per cent instead of 300 per cent.

Mind you, I got this reduction without saying a word about what I wanted. I talked all the time about what the other person wanted, and how he could get it.

Suppose I had done the human, natural thing: suppose I had stormed into his office and said, "What do you mean by raising my rent 300 per cent when you know the tickets have been printed and the announcements made? Three hundred per cent! Ridiculous! Absurd! I won't pay it!"

What would have happened then? An argument would have begun to steam and boil and **sputter**[11]—and you know how arguments end. Even if I had convinced him that he was wrong, his pride would have made it difficult for him to back down and give in.

Here is one of the best bits of advice ever given about the fine art of human relationships. "If there is any one secret of success," said Henry Ford, "it lies in the ability to get the other person's point of view and see things from his angle as well as from your own."

That is so good, I want to repeat it: "If there is any one secret of success, it lies in the ability to get the other person's point of view and see things from his angle as well as from your own."

That is so simple, so obvious, that anyone ought to see the truth

사실 신문에 5천 달러짜리 광고를 실어도 제 강연에 오는 사람들만큼 많은 사람들을 모으진 못할 겁니다. 그러면 호텔로서도 상당한 가치가 있는 것 아닌가요?"

이 말을 하면서 나는 이 두 가지 '손해'를 오른쪽 칸에 적어넣었다. 그러고는 종이를 지배인에게 건네며 이렇게 말했다. "앞으로 발생할 이익과 손해를 모두 잘 살펴보시고 마지막 통보를 해주시기 바랍니다."

바로 그 다음 날 편지가 왔는데, 거기에는 임대료를 세 배 인상하는 대신에 50퍼센트만 인상하겠다는 내용이 들어 있었다.

여기서 주목할 것은 나는 내가 무엇을 원하는지 한마디도 말하지 않고도 원하는 것을 얻어냈다는 점이다. 나는 계속 상대방이 무엇을 원하는지, 그리고 그것을 어떻게 얻을 수 있는지에 관해서만 얘기를 했다.

이에 반해 내가 인간적인, 자연스런 반응을 보였다고 생각해보라. 지배인 사무실로 쳐들어가서는 이렇게 말했다고 생각해보라. "입장권은 이미 팔렸고 최종 공지까지 나간 상황인데 갑자기 임대료를 세 배나 올린다니 대체 이게 어떤 경우입니까? 세 배라고요? 웃기네요. 말도 안 되는 소립니다. 그렇게는 절대 내지 못합니다!"

이랬다면 어떤 일이 벌어졌겠는가? 논쟁이 계속되면서 점차 뜨거워지고 흥분하면(**식식거리며 말하다**[11]) …… 이런 논쟁이 어떻게 끝나는지 여러분도 다 알 것이다. 혹시라도 지배인이 자신이 틀렸다고 생각하게 되더라도 자존심이 있어서 그는 결코 굽히고 들어오지 않았을 것이다.

인간관계라는 고도의 기술에 관해 금과옥조로 삼을 만한 말이 있어 들려드리겠다. 헨리 포드가 한 말이다. "성공을 위한 비결이 하나 있다면 그것은 상대방의 관점을 이해하고, 내 관점뿐 아니라 상대방의 관점에서 사물을 보는 능력이다."

참으로 소중한 말이라 한 번 더 되풀이하겠다. "성공을 위한 비결이 하나 있다면 그것은 상대방의 관점을 이해하고, 내 관점뿐 아니라 상대방의 관점에서 사물을 보는 능력이다."

이 말은 단순하고 명쾌하기 때문에 누구든 **한눈에**[12] 그 안에 담긴 진리를

of it **at a glance**[12]; yet 90 per cent of the people on this earth ignore it 90 per cent of the time.

An example? Look at the letters that come across your desk tomorrow morning, and you will find that most of them **violate**[13] this high canon of common sense. Take this one, a letter written by the head of the radio department of an advertising agency with offices scattered across the continent. This letter was sent to the managers of local radio stations throughout the country. (I have set down, in parentheses, my reactions to each paragraph.)

Dr. Mr. Blank:

The—company desires to retain its position in advertising agency leadership in the radio field.

(Who cares what your company desires? I am worried about my own problems. The bank is foreclosing the mortgage on my house, the bugs are destroying the **hollyhock**s[14], the stock market tumbled yesterday, I missed the 8:15 this morning, I wasn't invited to the Jone's dance last night, the doctor tells me I have high blood pressure and **neuritis**[15] and **dandruff**[16]. And then what happens? I come down to he office this morning worried, open my mail, and here is some little **whippersnapper**[17] off in New York **yap**ping[18] about what his company wants. Bah! If he only realized what sort of impression his letter makes, he would get out of the advertising business and start manufacturing sheep dip.)

This agency's national advertising accounts were the bulwark of the first network. Our subsequent clearances of station time have kept us at the top of agencies year after year.

(You are big and rich and right at the top, are you? So what? I don't give two whoops in Hades if you are as big as General Motors and

알아볼 수 있다. 하지만 세상 사람들 열 명 중 아홉 명은 열 번 중 아홉 번 이 진리를 무시하고 만다.

실제 사례로 어떤 게 있을까? 멀리 갈 것도 없다. 내일 아침 회사에 가서 당신 앞으로 온 편지를 살펴보라. 대부분의 편지가 상식적이라 할 만한 이 최고의 원칙을 위반하고(**위반하다**[13]) 있음을 알게 될 것이다. 실제 사례를 보자. 아래의 편지는 전국적인 영업망을 갖춘 광고대행사의 라디오 광고 국장이 보낸 편지다. 수신자는 전국의 지역 라디오 방송국의 국장들이다. (괄호 안에는 편지의 각 구절에 대한 내 반응을 적어놓았다.)

블랭크 국장 귀하

당사는 라디오 광고 분야에서 선도 광고대행사로서의 위치를 공고히 하고 자 합니다.

(당신네 회사가 무얼 바라는지 내가 알게 뭐야. 내 문제도 골치 아파 죽겠구 먼. 은행에선 집 살 때 받은 대출 갚으라고 난리지, 화단에 있는 **접시꽃**[14]에는 벌레가 바글바글거리지, 어제도 주식은 떨어지고, 아침엔 버스 놓쳐서 지각하고, 엊저녁엔 날 빼놓고 회식을 할 않나, 병원에서는 고혈압에, **신경통**[15]에 **비듬**[16]까지 있다고 하고. 그런데 지금 이게 뭐야. 아침 출근길부터 그렇잖아 도 심란했는데, 뉴욕에 있다는 **건방진 놈**[17] 하나가 자기네 회사가 뭘 어떻게 하겠다느니 하고 시끄럽게 지껄여대며(**짖어대다**[18]) 보낸 편지나 보고 앉아 있고. 에잇, 짜증나! 자기 편지가 어떤 인상을 주고 있는지 안다면, 이 친구 광 고회사 때려 치고 나와서 짜증날 때 씹는 껌이나 만들어 파는 게 훨씬 낫겠다.)

당사는 전국에 수많은 광고주를 고객으로 갖고 있어 최고의 네트워크를 자 랑합니다. 그 결과 각 네트워크 방송사의 방송 스케줄에 대해서도 철저하게 조사하고 있기 때문에, 당사는 매년 최고 광고대행사의 자리를 놓치지 않고 있습니다.

(당신네 회사가 대기업이고, 돈도 많고, 실적도 좋다고? 그래서 뭐? 그 회사 가 GM이나 GE, 미육군**참모본부**[19]를 다 합친 것만큼 크다고 해도 눈 하나 깜

General Electric and the **General Staff**[19] of the U. S. Army all combined. If you had as much sense as a **half-witted**[20] **hummingbird**[21], you would realize that I am interested in how big *I* am—not how big you are. All this talk about your enormous success makes me feel small and unimportant.)

We desire to service our accounts with the last word on radio station information.

(*You* desire! *You* desire. You **unmitigated**[22] ass. I'm not interested in what you desire or what Mussolini desires, or what Bing Crosby desires. Let me tell you once and for all that I am interested in what *I* desire—and you haven't said a word about that yet in this absurd letter of yours.)

Will you, therefore, put the—company on your preferred list for weekly station information—every single detail that will be useful to an agency in intelligently booking time.

("Preferred list." You have your nerve! You make me feel **insignificant**[23] by your big talk about your company—and then you ask me to put you on a "preferred" list, and you don't even say "please" when you ask it.)

A prompt acknowledgment of this letter, giving us your latest 'doings', will be mutually helpful.

(You fool! You mail me a cheap multigraphed letter—a form letter scattered far and wide like autumn leaves; and you have the gall to ask me when I am worried about the **mortgage**[24] and the hollyhocks and my blood pressure, to sit down and dictate a personal note acknowledging your multigraphed form letter—and you ask me to do it "promptly" What do you mean, "promptly"? Do you know I am just as busy as you are—or, at least, I like to *think* I am. And

짝할줄 알아? 당신이 이 **얼빠진**[20] **벌새**[21]만큼이라도 눈치가 있다면 말이야, 당신네 회사가 얼마나 큰지가 아니라 *내가* 얼마나 크냐라는 게 중요하다는 것을 알아야 할 거 아냐. 당신네 회사가 엄청난 성공을 했다는 얘기를 자꾸 들으니까 내가 점점 작고 하찮게 여겨지잖아.)

당사는 광고주들에게 라디오 방송 편성과 관련한 최신 정보를 제공하기를 원하고 있습니다.

(*너희*들 바람이지, *너희*들 바람. 진짜(**완전한**[22]) 고집불통이군. 나는 너희들이 뭘 원하는지, 아니면 무솔리니가 뭘 원하는지, 아니면 빙 크로스비가 뭘 원하는지는 관심 없다니까. 마지막으로 딱 한 번만 더 얘기해주지. 나는 내가 원하는 것에 관심이 있어. 근데 너희가 보낸 이 웃기는 편지에는 *내가* 원하는 것에 대한 얘기는 한마디도 없군.)

따라서 당사를 귀사의 특별관리 대상에 포함시켜 당사가 주간 편성표와 함께, 광고대행사가 광고 시간을 현명하게 예약하는 데 도움이 될 만한 상세한 사항을 하나도 빠짐없이 받을 수 있도록 조치해주시기 바랍니다.

('특별관리 대상!' 정말 뻔뻔스럽기도 하군. 자기네 회사가 얼마나 큰 회사인지 자랑해서 나를 하찮아(**사소한**[23]) 보이게 하더니, 이제는 '특별관리' 대상에 넣어달라고 요청을 해? 더구나 요청하는 주제에 '부탁합니다'라든가 뭐 그런 정중한 말 한마디 없이!)

편지 수신 후 즉각적인 답장과 함께 귀사의 최신 정보를 제공해주시면 양사 간에 유익한 일이 되리라 믿습니다.

(바보 아냐? 나한테는 아무 문방구에서나 구할 수 있는 싸구려 편지지에 대량 발송용 기계를 이용해서 편지를 보내고서, 나보고는 자리에 앉아서 잘 받았다는 답장을 쓰라고? 그것도 '즉각적으로? 더군다나 은행 **대출**[24]이며, 화단이며, 고혈압이며, 그렇잖아도 심란한 상황인데. '즉각적으로'라니, 도대체 정신이 있는 거야? 나도 그쪽만큼이나 바쁜 사람이라는 거 모르나 보지? 적어도 바쁜 척이라도 하고 싶은 사람이야. 그리고 일에 대해서도 말이야, 도대체 누가 그쪽에게 나를 이래라저래라 할 수 있는 권리를 주시던가? 마지막을 보

while we are on that subject, who gave you the lordly right to order me around? You say it will be "mutually helpful." At last, at last, you have begun to see my viewpoint. But you are vague about how it will be to my advantage.)

Yours very truly
John Blank
Manager Radio Department

P. S. The enclosed reprint from the *Blankville Journal* will be of interest to you and you may want to broadcast it over your station.

(Finally, down here in the postscript, you mention something that may help me solve one of my problems. Why didn't you begin your letter with—but what's the use? Any advertising man who is guilty of perpetrating such **drivel**[25] as you have sent me has something wrong with his **medulla oblongata**[26]. You don't need a letter giving our latest doings. What you need is a quart of **iodine**[27] in your **thyroid gland**[28].)

Now if a man who **devote**s[29] his life to advertising and who poses as an expert in the art of influencing people to buy—if he writes a letter like that, what can we expect from the butcher and baker and carpet-tack maker?

Here is another letter, written by the **superintendent**[30] of a large freight terminal to a student of this course, Mr. Edward Vermylen. What effect did this letter have on the man to whom it was addressed? Read it and then I'll tell you.

A. Zerega's Sons, corp.,
28 Front Street,
Brooklyn, N. Y.
Attention: Mr. Edward Vermylen Gentlemen:

니 '양사 간에 유익'할 것이라고 했더군. 마침내, 마침내 내 생각도 조금 해주려나 보네. 그래도 내게 생기는 이득이 뭔지 뚜렷하게 얘기를 못하고 있잖아.)

라디오 광고 국장
존 블랭크 올림

추신. 관심 있으실 것 같아서 〈블랭크빌 저널〉을 복사해 동봉합니다. 필요하시면 방송에 활용하시기 바랍니다.

(이제야, 편지 맨 끝에서야 내 골칫거리를 해결하는 데 도움이 될 만한 얘기를 하는군. 맨 처음 이 얘기부터 할 것이지! 말해 봐야 입만 아프지. 당신처럼 **허튼 소리**[25]를 늘어놓는 광고장이들은 숨골(**연수**[26])에 문제가 있는 게 분명해. 당신이 필요한 건 우리 회사의 최근 정보가 아니야. 정말 필요한 건 당신의 **갑상선**[28] 치료에 좋은 **요오드**[27] 한 통이라니까.)

광고업에 평생을 바치고(**바치다**[29]) 사람들을 움직여 구매하게 만드는 기술의 전문가로 자처하는 사람이 이런 편지를 썼다면 정육점이나 제과점, 인테리어 가게에서 일하는 사람들의 경우는 어떠하겠는가?

다른 편지를 한 통 더 보자. 이 편지는 대형 화물 터미널 소장(**관리자**[30])이 카네기 강좌 수강생인 에드워드 버밀렌 씨에게 보낸 편지다. 이 편지가 편지를 받은 사람에게 어떤 영향을 끼쳤겠는가? 일단 편지를 읽은 다음 내 얘기를 들어보기 바란다.

뉴욕 시 브루클린
프론트가 28번지
A. 제레가즈 선즈 주식회사
참조: 에드워드 버밀렌 부장

The operations at our outbound-rail-receiving station are handicapped because a material percentage of the total business is delivered us in the late afternoon. This condition results in **congestion**[31], overtime on the part of our forces, delays to trucks, and in some cases delays to freight. On November 10th, we received from your company a lot of 510 pieces, which reached here at 4:20 P. M.

We solicit your co-operation toward overcoming the undesirable effects arising from late receipt of freight. May we ask that, on days on which you ship the volume which was received on the above date, effort be made either to get the truck here earlier or to deliver us part of the freight during the **forenoon**[32]?

The advantage that would accrue to you under such an arrangement would be that of more expeditious discharge of your trucks and the assurance that your business would go forward on the date of its receipt.

Very truly yours,

J—B—

After reading this letter, Mr. Vermylen, sales manager for A. Zerega's Sons, corp., sent it to me with the following comment:

"This letter had the reverse effect from that which was intended. The letter begins by describing the Terminal's difficulties, in which we are not interested, generally speaking. Our co-operation is then requested without any thought as to whether it would **inconvenience**[33] us, and then, finally, in the last paragraph, the fact is mentioned that if we do co-operate it will mean more expeditious discharge of our trucks with the assurance that our freight will go forward on the date of its receipt. In other words, that in which we are most interested is mentioned last and the whole effect is one of raising a spirit of **antagonism**[34] rather than of co-operation."

Let's see if we can't rewrite and improve this letter. Let's not

대부분의 물량이 오후 늦게야 폐사에 도착하고 있어 폐사 수출용 화물 터미널의 작업이 지체되고 있습니다. 그 결과 화물 체증(**정체**[31]), 연장근무, 배차 지연 등이 발생하고 있으며, 심한 경우에는 배송 지연으로까지 이어지고 있습니다. 지난 11월 10일 귀사에서 보내주신 510개나 되는 화물이 터미널에 도착한 시간은 오후 4시 20분이었습니다.

화물의 접수 지연으로 인해 발생하는 바람직하지 못한 결과를 방지하는 데 귀사의 협조를 희망하는 바입니다. 그러기 위해 지난번과 같이 대량의 화물을 선적하는 날에는 트럭이 터미널에 조금 일찍 도착하도록 조치해주십시오. 화물 일부를 **오전**[32] 중에 미리 터미널로 운반하는 것도 방법이라 여겨집니다.

이런 조치를 취하실 경우, 귀사 트럭의 대기 시간이 단축되고 귀사 화물이 접수 당일 발송되는 등의 이익이 발생할 것으로 여겨집니다.

그럼 이만 줄이겠습니다.

J. B. 올림

이 편지를 받고 A. 제레가즈 선즈사의 영업부장인 버밀렌 씨는 다음과 같은 코멘트를 나에게 보내왔다.

"이 편지는 의도와는 정반대의 효과를 가져왔습니다. 이 편지는 터미널의 어려움을 설명하는 것으로 시작합니다. 하지만 일반적으로 말해 그 점은 우리의 관심사가 아닙니다. 그리고 그런 다음 우리의 협조를 요청했는데, 그럼으로써 우리가 얼마나 **불편**[33]해질지에 대해서는 전혀 고려하지도 않고 있습니다. 결국 마지막 문단에 가서야 우리가 협조하면 우리 트럭의 대기 시간이 줄어들고, 접수된 우리 화물에 대한 딩일 발송이 보장된다는 사실을 얘기합니다. 달리 얘기하자면 우리가 가장 관심을 가지는 내용이 맨 끝에 나오기 때문에 결과적으로 협조하고 싶은 생각보다는 **반감**[34]만을 불러일으킨 셈이죠."

이 편지를 고쳐 써서 개선할 수 있는지 한 번 보자. 우리의 문제를 얘기하

waste any time talking about our problems. As Henry Ford admonishes, let's "get the other person's point of view and see things from his angle as well as from our own."

Here is one way of revising it. It may not be the best way; but isn't it an improvement?

Mr. Edward Vermylen

c/o A. Zerega's Sons, corp.,

28 Front Street,

Brooklyn, N. Y.

Dear Mr. Vermylen:

Your company has been one of our good customers for fourteen years. Naturally, we are very grateful for your **patronage**[35] and are eager to give you the speedy, efficient service you deserve. However, we regret to say that it isn't possible for us to do that when your trucks bring us a large shipment late in the afternoon, as they did on November 10th. Why? Because many other customers make late afternoon deliveries also. Naturally, that causes congestion. That means your trucks are held up unavoidably at the pier and sometimes even your freight is delayed.

That's bad. Very bad. How can it be avoided? By making your deliveries at the pier in the forenoon when possible. That will enable your trucks to keep moving, your freight will get immediate attention, and our workmen will get home early at night to enjoy a dinner of the delicious macaroni and noodles that you manufacture.

Please don't take this as a complaint, and please don't feel I am assuming to tell you how to run your business. This letter is **prompt**ed[36] solely by a desire to serve you more effectively.

Regardless of when your **shipment**s[37] arrive, we shall always cheerfully do all in our power to serve you promptly.

면서 시간 낭비하지 말고, 헨리 포드의 충고대로 '다른 사람의 관점을 이해 하고, 내 관점뿐만 아니라 상대방의 관점에서 사물을 보도록' 해보자.

아래는 편지를 고쳐 쓴 한 예다. 최선이 아닐지는 모르지만, 분명히 훨씬 나은 편지로 보이지 않는가?

뉴욕 시 브루클린
프론트가 28번지
A. 제레가즈 선즈 주식회사
에드워드 버밀렌 씨 귀하

친애하는 버밀렌 씨,
지난 14년 동안 변함없는 귀사의 성원에 깊은 감사를 드립니다. **후원**[35]에 보답하고자 언제나 신속하고 효율적인 서비스를 제공하기 위해 노력하고 있습니다. 하지만 지난 11월 10일의 경우처럼 귀사의 대량 화물을 실은 트럭이 오후 늦게 터미널에 도착하는 경우, 만족스러운 서비스를 제공하지 못하는 것에 대해서는 안타까운 마음을 금할 수 없습니다. 이유는 많은 타사 화물들 또한 오후 늦게야 접수되기 때문입니다. 자연히 화물 체증이 발생하고 되고, 그러면 귀사의 트럭이 부두에서 대기하는 시간이 연장되고, 심한 경우 화물 배송이 지연되는 경우도 발생합니다.

이런 일은 무척 유감스러운 경우로서, 미리 예방 조치를 취하는 편이 현명할 것입니다. 한 가지 방법은 가능하면 오전에 귀사의 화물을 부두로 이동시키는 것입니다. 이럴 경우 트럭 대기 시간이 단축되고, 귀사의 화물은 즉각 처리되며, 저희 직원들도 일찍 퇴근해 귀사에서 생산하는 파스타로 요리해서 맛있는 저녁을 즐길 수 있게 될 것입니다.
이 의견을 불평이나 귀사의 운영방침에 대한 간섭으로 여기지 않아주시면 고맙겠습니다. 이 편지는 전적으로 귀사에게 더 효율적인 서비스를 제공하려는 의도에서 작성되었습니다(**촉발하다**[36]).
화물[37]이 언제 도착하더라도 기꺼이 전력을 다해 귀사에게 즉각적인 서비스를 제공할 것입니다.

You are busy. Please don't trouble to answer this note.

Yours truly,

J—B—

Thousands of salesmen are **pound**ing[38] the pavements today, tired, discouraged, and underpaid. Why? Because they are always thinking only of what they want. They don't realize that neither you nor I want to buy anything. If we did, we would go out and buy it. But both of us are eternally interested in solving our problems. And if a salesman can show us how his services or his merchandise will help us solve our problems, he won't need to sell us. We'll buy. And a customer likes to feel that he is buying—not being sold.

Yet many men spend a lifetime in selling without seeing things from the customer's angle. For example, I live in Forest Hills, a little community of private homes in the center of greater New York. One day as I was rushing to the station, I chanced to meet a real estate operator who had bought and sold property on Long Island for many years. He knew Forest Hills well so I hurriedly asked him whether or not my stucco house was built with metal lath or hollow tile. He said he didn't know and told me what I already knew: that I could find out by calling the Forest Hills Gardens Association.

The following morning, I received a letter from him. Did he give me the information I wanted? He could have gotten it in sixty seconds by a telephone call. But he didn't. He told me again that I could get it by telephoning myself, and then asked me to let him handle my insurance. He was not interested in helping me. He was interested only in helping himself.

I ought to have given him copies of Vash Young's excellent little books, *The Go-Giver* and *A Fortune to Share*. If he read those

바쁜 시간 내서 읽어주셔서 감사합니다. 답장은 주지 않으셔도 무방합니다.
그럼 이만 줄입니다.

J. B. 올림

오늘도 수천의 세일즈맨들이 박봉에 시달리면서 별다른 의욕도 없이 피곤하게 거리를 누비며 다니고(**마구 치다**[38]) 있다. 왜 그럴까? 그들은 언제나 자신들이 원하는 것만 생각하고 있기 때문이다. 그들은 여러분이나 내가 아무것도 사고 싶지 않다는 것을 깨닫지 못한다. 사고 싶은 게 있으면 쇼핑하러 가서 사오면 그만이다. 하지만 고객인 우리는 우리에게 닥친 문제를 해결하는 데는 언제나 관심을 쏟는다. 만일 어떤 세일즈맨이 자신이 제공하는 서비스나 제품이 우리의 문제를 어떤 식으로든 해결해준다는 것을 우리에게 보여줄 수 있다면, 그는 굳이 팔려고 애쓰지 않아도 될 것이다. 우리가 그것을 살 것이기 때문이다. 고객은 자신이 판매의 대상이 아니라 구매의 주체라고 느끼고 싶어한다.

그럼에도 불구하고 많은 사람들이 고객의 시각에서 사물을 보는 법을 깨닫지 못하고 평생을 보내고 만다. 예를 들어보자. 나는 포리스트 힐즈라고 하는 뉴욕 시 한가운데 있는 아담한 단독주택 단지에 살고 있다. 하루는 지하철로 급히 가다가 길에서 롱아일랜드에서 오랫동안 부동산업에 종사해온 부동산 중개인을 만났다. 그는 포리스트 힐즈를 잘 알고 있었다. 그래서 나는 재빨리 그에게 내가 사는 집의 벽이 안에 철망을 넣고 마감한 것인지 아닌지 물어보았다. 그는 잘 모르겠다고 대답하면서 내가 이미 알고 있는 사실을 다시 들려주었다. 포리스트 힐즈 조경협회에 전화하면 알 수 있다는 것이다.

그 다음날 아침 나는 그가 보낸 편지를 받았다. 그는 내가 필요한 정보를 주었을까? 전화하면 1분 안에 알 수 있었을 텐데도 그는 그러지 않았다. 내가 전화하면 단지 정보를 얻을 수 있다는 사실을 다시 한 번 말했을 뿐이다. 그러고는 내 보험을 자신에게 맡겨달라고 부탁했다. 그는 내게 도움이 되는 것이 아니라, 자신에게 도움이 되는 것에만 관심이 있었다.

나는 그에게 『나누는 기쁨』과 『함께 나누는 행운』이라는 책을 주었다. 바쉬 영이 쓴 짧으면서도 훌륭한 책들이다. 만일 그가 그 책들을 읽고 그 안에

books and practiced their philosophy, they would make him a thousand times as much profit as handling my insurance.

Professional men make the same mistake. Several years ago, I walked into the office of a well-known nose and throat specialist in Philadelphia. Before he even looked at my **tonsils**[39], he asked me what my business was. He wasn't interested in the size of my tonsils. He was interested in the size of my **exchequer**[40]. His chief concern was not in how much he could help me. His chief concern was in how much he could get out of me. The result was he got nothing. I walked out of his office with contempt for his lack of character.

The world is full of people like that: grabbing, self-seeking. So the rare individual who unselfishly tries to serve others has an enormous advantage. He has little competition. Owen D. Young said: "The man who can put himself in the place of other men, who can understand the workings of their minds, need never worry about what the future has in store for him."

If out of reading this book you get just one thing: an increased **tendency**[41] to think always in terms of the other person's point of view, and see things from his angle—if you get that one thing out of this book, it may easily prove to be one of the milestones of your career.

Most men go through college and learn to read Virgil and master the mysteries of calculus without ever discovering how their own minds function. For instance: I once gave a course in "Effective Speaking" for the young college men who were entering the employ of the Carrier Corporation, Newark, New Jersey, the organization that cools office buildings and air-conditions theatres. One of the men wanted to persuade the others to play basket ball and this is about what he said:

"I want you men to come out and play basket ball. I like to play basket ball but the last few times I have been to the gymnasium there haven't been enough men there to get up a game. Two or three of us got to throwing the ball around the other night—and I got a black eye. I wish

담긴 철학대로 실천했다면, 내 보험을 가져가는 것보다 수천 배 많은 이익을 챙길 수 있었을 것이다.

전문가라는 사람들도 이와 똑같은 실수를 저지른다. 나는 몇 년 전 필라델피아에서 유명한 이비인후과 의사에게 진료를 받으러 간 적이 있다. 입 안을 살펴보기도 전에 그는 우선 내 직업이 뭐냐고 물었다. 그는 내 **편도선**[39] 상태가 어떤지는 관심이 없고 내 수입(**국고, 재원**[40])에만 관심이 있었다. 그의 주된 관심은 나를 어떻게 도와줄 것인지에 있지 않았다. 오로지 내게서 얼마나 뜯어낼 수 있는지가 그의 주된 관심사였다. 그 결과 그는 한 푼도 벌지 못했다. 그의 인간성을 경멸하며 나는 그의 병원 문을 박차고 나와버렸다.

세상은 이처럼 욕심에 눈이 멀어 자기 잇속만 챙기려는 사람들로 가득 차 있다. 그러므로 드물게도 사심 없이 다른 사람을 도와주려 애쓰는 사람들은 대단히 유리한 처지에 있다. 경쟁자가 거의 없는 것이다. 오웬 D. 영은 이렇게 말했다. "다른 사람의 사고방식을 이해하고, 그 사람의 처지에서 사물을 볼 줄 아는 사람은 미래를 걱정할 필요가 전혀 없다."

이 책을 읽고 한 가지 달성해야 할 것이 있다. 만약 이 책을 통해 항상 상대방의 처지에서 생각하고 그의 시각으로 사물을 보려는 **성향**[41]이 강해진다면, 그것은 아마도 분명 여러분의 인생에 있어서 커다란 이정표가 될 것임에 틀림없다.

대부분의 사람들은 대학에 가서 버질을 읽고 수학의 비밀을 탐구하지만, 정작 자신의 마음이 어떻게 움직이는지는 깨닫지 못한다. 예를 들어 보겠다. 언젠가 캐리어사에 입사 예정인 대학 졸업생들을 대상으로 '효과적인 화술'이라는 강의를 한 적이 있다. 캐리어사는 뉴저지 주의 뉴어크에 있는 회사로, 오피스 빌딩과 극장용 공기 냉방장치를 생산했다. 수강생 중 한 명이 다른 사람들에게 같이 농구 하자고 설득하면서 이렇게 말하였다.

"나랑 같이 농구 하러 가지 않을래? 난 농구를 좋아해서 농구장에 자주 가는데, 최근에는 사람들이 별로 없어 게임을 할 수 없었거든. 얼마 전에는 밤에 서너 명이 공을 돌리다가 공에 맞아 눈에 멍이 들었지 뭐야. 내일 밤에 몇 명 나와주면 좋겠다. 농구가 정말 하고 싶거든."

you boys would come down tomorrow night. I want to play basket ball."

Did he talk about anything you want? You don't want to go to a gymnasium that no one else goes to, do you? You don't care about what he wants. You don't want to get a black eye.

Could he have shown you how to get the things you want by using the gymnasium? Surely. More **pep**[42]. Keener edge to the appetite. Clearer brain. Fun. Games. Basket ball.

To repeat Professor Overstreet's wise advice: "First arouse in the other person an eager want. He who can do this has the whole world with him. He who cannot walks a lonely way."

One of the students in the author's training course was worried about his little boy. The child was underweight and refused to eat properly. His parents used the usual method. They scolded and **nag**ged[43]. "Mother wants you to eat this and that." "Father wants you to grow up to be a big man."

Did the boy pay any attention to these pleas? Just about as much as you pay to the feast days of the Mohammedan religion. No man with a trace of horse sense would expect a child three years old to react to the viewpoint of a father thirty years old. Yet that was precisely what that father had been expecting. It was absurd. He finally saw that. So he said to himself: "What does that boy want? How can I tie up what I want to what he wants?"

It was easy when he started thinking about it. His boy had a tricycle which he loved to ride up and down the sidewalk in front of the house in Brooklyn. A few doors down the street lived a "**menace**[44]," as they say out in Hollywood—a bigger boy who would pull the little boy off his tricycle and ride it himself.

Naturally, the little boy would run screaming to his mother, and she would have to come out and take the "menace" off the tricycle and put her little boy on again. This happened almost every day.

What did the little boy want? It didn't take a Sherlock Holmes to

그의 얘기 속에 여러분이 원하는 게 들어 있는가? 여러분은 다른 사람들이 가지 않는데 혼자 농구장에 가고 싶지는 않을 것이다. 그 친구가 무얼 원하는지는 알 바 아니다. 눈에 멍이 들고 싶지도 않을 것이다.

그는 농구장을 이용해 여러분이 원하는 것을 얻을 수 있는 방법을 제시할 수 있었을까? 물론이다. **활력**[42]이 생긴다, 식욕이 왕성해진다, 머리가 맑아진다, 재미가 있다, 승부를 즐긴다, 농구를 한다 등을 제시할 수 있다.

오버스트릿 교수의 현명한 조언을 다시 한 번 들어보자. "우선 상대방의 가슴속에 강한 욕구를 불러일으켜라. 이렇게 할 수 있는 사람은 세상을 얻을 것이고, 그렇지 않은 사람은 외로운 길을 갈 수밖에 없다!"

카네기 강좌에서 내 강의를 듣는 사람 가운데 아들 때문에 고민을 하는 사람이 있었다. 그 사람의 아이는 저체중인 데다 편식 습관이 있었다. 아이의 부모는 사람들이 흔히 하는 대로 야단치고 잔소리했다(**성가시게 잔소리하다**[43]). "엄마는 네가 이것도 먹고 저것도 먹었으면 좋겠는데." "아빠는 네가 쑥쑥 자랐으면 좋겠다."

아이가 이런 애원에 눈길이라도 주었을까? 눈곱만치도 신경 쓰지 않았다. 상식적인 사람이라면 아무도 세 살배기 어린애가 서른 살인 아빠의 생각을 이해하고 따를 수 있다고 기대하지 않을 것이다. 하지만 아빠는 바로 그것을 기대하고 있었다. 말이 안 되는 얘기였다. 결국 아빠도 그걸 깨닫게 되었다. 그래서 그는 이렇게 생각해보았다. '아이가 원하는 게 뭘까? 내가 원하는 것과 아이가 원하는 것을 어떻게 결합시킬 수 있을까?'

이렇게 생각하기 시작하자 문제는 쉽게 해결되었다. 브루클린에 살던 그 아이는 세발자전거를 타고 자기 집 앞길에서 왔다 갔다 하는 것을 좋아했다. 그런데 그 근처에 사는 덩치 큰 '악동(**위협적인 존재, 협박**[44])'이 종종 아이의 세발자전거를 빼앗아 타곤 했다.

당연히 아이는 엉엉 울면서 엄마에게 달려왔고, 그러면 엄마는 '악동'에게서 자전거를 되찾아 자신의 아이를 또다시 태웠다. 이런 일이 거의 매일 일어났다.

아이가 원하는 게 무엇일까? 셜록 홈스가 아니더라도 이 질문에 쉽게 답

answer that one. His pride, his anger, his desire for a feeling of importance—all the strongest emotions in his **make-up**[45]—goaded him on to get revenge, to smash the "menace" in the nose.

And when his father told him he could **wallop**[46] the daylights out of the bigger kid someday if he would only eat the things his mother wanted him to eat—when his father promised him that, there was no longer any problem of **dietetics**[47]. That boy would have eaten spinach, **sauerkraut**[48], salt **mackerel**[49], anything in order to be big enough to whip the bully who had humiliated him so often.

After solving that problem, the father tackled another: the little boy had the unholy habit of wetting his bed. He slept with his grandmother. In the morning, his grandmother would wake up and feel the sheet and say: "Look, Johnny, what you did again last night." He would say: "No, I didn't. You did it."

Scolding, spanking, shaming him, reiterating that mother didn't want him to do it—none of these things kept the bed dry. So the parents asked: "How can we make this boy *want* to stop wetting his bed?"

What were his wants? First, he wanted to wear pajamas like daddy instead of wearing a nightgown like grandmother. Grandmother was getting fed up with his **nocturnal**[50] **iniquities**[51] so she gladly offered to buy him a pair of pajamas if he would reform. Second, he wanted a bed of his own. Grandma didn't object.

His mother took him down to Loeser's department store in Brooklyn, winked at the sales girl, and said: "Here is a little gentleman who would like to do some shopping."

The sales girl made him feel important by saying: "Young man, what can I show you?"

He stood a couple of inches taller and said: "I want to buy a bed for myself."

When he was shown the one his mother wanted him to buy, she

을 할 수 있을 것이다. 자존심, 분노, 인정받고 싶은 욕망 등 그의 **기질**[45] 가운데 가장 강력한 감정들이, 복수하라고 그 '악동'의 콧대를 납작하게 해주라고 아이를 충동질하고 있었다.

그래서 아빠는 이렇게 말했다. "엄마가 먹으라는 걸 잘 먹기만 하면 언젠가는 저 덩치 큰 녀석보다 더 크게 자라서 호되게 때려줄 수 있어(**호되게 때리다**[46])." 아빠는 아이에게 약속했다. 그러자 편식(**영양학**[47]) 문제는 깨끗이 해결되었다. 아이는 자기를 그렇게나 괴롭히는 그 나쁜 녀석을 혼내줄 정도로 덩치가 커질 수만 있다면 시금치, 김치(**발효시킨 독일의 김치**[48]), 소금에 절인 **고등어**[49] 가리지 않고 뭐든 먹어 치웠을 것이다.

이 문제를 해결하고 나서 아빠는 또 다른 문제에 도전했다. 그 아이에게는 밤에 오줌을 싸는 버릇이 있었다. 아이는 할머니와 함께 잤는데, 아침에 할머니가 침대가 젖어 있는 걸 보고 "이런, 이런. 존, 간밤에 또 실수했구나?" 하면, 아이는 "아뇨, 제가 안 그랬어요. 할머니가 그랬잖아요"라고 대꾸하곤 했다.

엄마가 아이에게 야단을 치고, 매를 들고, 창피를 주면서 다시는 그러지 말라고 했다. 하지만 그 어떤 방법으로도 아이의 버릇을 고칠 수 없었다. 그래서 아이의 부모는 이렇게 생각해보았다. '어떻게 하면 아이가 침대를 적시고 *싶지* 않게 만들 수 있을까?'

아이가 바라는 것은 무엇이었을까? 우선 아이는 할머니처럼 나이트가운을 입는 대신, 아빠처럼 파자마를 입고 싶었다. 할머니가 밤마다(**밤의**[50]) 이부자리에 실수하는(**부정행위**[51]) 손자에게 질린 나머지, 버릇을 고치기만 한다면 기꺼이 파자마를 사주겠다고 나섰다. 둘째로 아이가 원한 건 자기 침대였는데, 할머니도 섭섭하신 눈치는 보였지만 반대하진 않으셨다.

엄마가 아이를 데리고 브루클린에 있는 백화점으로 가서 침대 매장의 아가씨에게 슬쩍 윙크를 하며, "이 어린 신사께서 쇼핑하실 게 있답니다" 하고 말을 건넸다.

점원도 아이의 어깨가 으쓱할 수 있도록 말을 받았다. "어서 오십시오, 꼬마 신사님. 어떤 걸 보여드릴까요?"

아이가 조금이라도 키가 커 보이려고 애를 쓰며 얘기했다. "내가 쓸 침대를 사러왔어요."

엄마가 원하는 침대를 보여줄 때, 엄마는 점원에게 눈짓을 보냈다. 그 뜻을 알

winked at the sales girl and the boy was **persuaded**[52] to buy it.

The bed was delivered the next day; and that night, when father came home, the little boy ran to the door shouting; "Daddy! Daddy! Come upstairs and see *my* bed that *I* bought!"

The father, looking at the bed, obeyed Charles Schwab's **injunction**[53]; he was "hearty in his approbation and lavish in his praise." "You are not going to wet this bed, are you?" the father asked. "Oh, no, no! I am not going to wet this bed." The boy kept his promise, for his pride was involved.

That was *his* bed. *He* and *he* alone had bought it. And he was wearing pajamas now like a little man. He wanted to act like a man. And he did.

Another father, K. T. Dutschmann, a telephone engineer, a student of this course, couldn't get his three-year-old daughter to eat breakfast food. The usual scolding, pleading, **coax**ing[54] methods had all ended in futility. So the parents asked themselves: "How can we make her *want* to do it?"

The little girl loved to imitate her mother, to feel big and grown up; so one morning they put her on a chair and let her make the breakfast food. At just the **psychological moment**[55], father drifted into the kitchen while she was stirring the breakfast food and she said: "Oh, look, daddy, I am making the **Maltex**[56] this morning."

She ate two helpings of the cereal that morning without any coaxing because she was interested in it. She had achieved a feeling of importance; she had found in making the breakfast food an avenue of self-expression.

William Winter once remarked that "self-expression is the dominant necessity of human nature." Why can't we use that same psychology in business? When we have a brilliant idea, instead of making the other person think it is ours, why not let him cook and stir the idea himself? He will then regard it as his own; he will like

아챈 점원이 아이를 설득하자(**설득하다**[52]) 아이는 그 침대를 사기로 결정했다.

침대는 다음 날 배달되었다. 그리고 그날 밤 아빠가 집으로 돌아오자 아이는 문으로 달려가며 소리쳤다. "아빠, 아빠, 올라와서 '내'가 고른 '내' 침대를 보세요."

침대를 보고 난 아빠는 찰스 슈워브의 **권고**[53]를 따라서 진정으로 인정해주고 아낌없이 칭찬했다. "이 침대를 적실 생각은 아니겠지?" 아빠가 이렇게 물었다. "아뇨, 절대 이 침대를 적시지 않을 거예요." 아이는 약속을 지켰다. 자신의 자존심이 걸려 있었기 때문이다.

그것은 '*자신의*' 침대였던 것이다. '*자기가*' 그리고 '*자기*' 혼자서 그 침대를 샀다. 그리고 어른처럼 파자마도 입고 있었다. 그러니 어른처럼 행동하고 싶었다. 그리고 실제 그렇게 했다.

내 강좌의 수강자 가운데 또 다른 아빠인 K. T. 더치만은 세 살 난 딸이 아침을 먹지 않아서 고민이었다. 남들 하는 대로 야단도 치고 애원도 하고, 살살 달래기도(**달래다**[54]) 해보았지만 소용이 없었다. 그래서 아이의 부모는 이런 질문을 해보았다. "어떻게 하면 얘가 아침을 먹고 *싶어하도록* 만들수 있을까?"

그 꼬마는 엄마 흉내를 내서 어른이 된 것처럼 느끼는 것을 좋아했다. 그래서 어느 날 아침 엄마는 아이를 부엌으로 데리고 가 아침에 먹을 음식을 만들게 했다. 그리고 아이의 기분이 절정에 달한 **절호의 순간**[55], 아빠가 부엌에 나타났다. 아이는 아침 음식 준비를 하다가 아빠를 보고는 이렇게 말했다. "앗, 아빠! 보세요. 제가 오늘 아침 시리얼(**시리얼 제조회사**[56])을 만들고 있어요."

먹으라는 얘기를 하지 않았는 데도 아이는 그날 아침 자기가 만든 시리얼을 두 접시나 먹어치웠다. 아침 식사에 관심을 가지게 되었기 때문이다. 아이는 자기가 인정받았다고 느꼈다. 아침 음식을 준비하는 데서 자기를 표현할 방법을 발견했던 것이다.

윌리엄 윈터는 언젠가 이런 말을 했다. "자기 표현의 욕구는 인간 본성의 중요한 필수요소다." 같은 심리를 사업에 활용하지 못할 이유가 무엇인가? 정말 멋진 아이디어가 떠올랐을 때, 내가 생각해냈다고 하지 말고 다른 사람이 그 아이디어를 지지고 볶고 할 수 있도록 하는 게 어떤가? 그러면 그는 자신이 그 아이디어를 내었다고 생각할 것이고, 그 결과 그 아이디어를

it and maybe eat a couple of helpings of it.

Remember: "First arouse in the other person an eager want. He who can do this has the world with him. He who cannot walks a lonely way."

Arouse in the other person an eager want.

FUNDAMENTAL TECHNIQUES IN HANDLING PEOPLE

RULE 1 : Don't criticize, condemn or complain.

RULE 2 : Give honest, sincere appreciation.

RULE 3 : Arouse in the other person an eager wan.

좋아하게 되고 어쩌면 꿀떡 삼킬지도 모르는 일이다.

명심하자. "우선 상대방의 가슴속에 강한 욕구를 불러일으켜라. 이렇게 할 수 있는 사람은 세상을 얻을 것이고, 그렇지 않은 사람은 외로운 길을 갈 수밖에 없다!"

상대방의 가슴속에 강한 욕구를 불러일으켜라.

사람을 다루는 기본 테크닉

1 사람들에 대한 비판, 비난, 불평을 삼가라.

2 솔직하고 진지하게 칭찬하라.

3 상대방의 가슴속에 강한 욕구를 불러일으켜라.

PART 2

SIX WAYS
TO MAKE PEOPLE LIKE YOU

사람의 호감을 얻는 6가지 방법

1 DO THIS AND YOU'LL BE WELCOME ANYWHERE

WHY read this book to find out how to win friends? Why not study the technique of the greatest winner of friends the world has ever known? Who is he? You may meet him tomorrow coming down the street. When you get within ten feet of him, he will begin to wag his tail. If you stop and pat him, he will almost **jump out of his skin**[1] to show you how much he likes you. And you know that behind this show of affection on his part, there are no ulterior motives: he doesn't want to sell you any real estate, and he doesn't want to marry you.

Did you ever stop to think that a dog is the only animal that doesn't have to work for a living? A hen has to lay eggs; a cow has to give milk; and a canary has to sing. But a dog makes his living by giving you nothing but love.

When I was five years old, my father bought a little yellow-haired pup for fifty cents. He was the light and joy of my childhood. Every afternoon about four-thirty, he would sit in the front yard with his beautiful eyes staring steadfastly at the path, and as soon as he heard my voice or saw me swinging my dinner pail through the **buck brush**[2], he was off like a shot, racing breathlessly up the hill to greet me with leaps of joy and barks of sheer ecstasy.

Tippy was my **constant**[3] companion for five years. Then one tragic night—I shall never forget it—he was killed within ten feet of my head, killed by lightning. Tippy's death was the tragedy of my boyhood.

You never read a book on psychology, Tippy. You didn't need to. You knew by some **divine**[4] **instinct**[5] that one can make more friends in two months by becoming **genuinely**[6] interested in other

1 어디서나
환영받는 사람이 되는 비결

친구를 사귀는 방법을 알기 위해 이 책을 읽고 있는가? 왜 세상에서 친구를 가장 잘 사귀는 그의 기술을 연구하지 않는가? 그가 누구일까? 여러분은 지금이라도 길을 가다 그를 만날 수도 있다. 그와 어느 정도 가까운 거리에 가기만 하면 그는 꼬리를 살랑거리기 시작할 것이다. 여러분이 멈춰 서서 등을 두드려주기라도 한다면, 그는 여러분을 얼마나 좋아하는지 보여주기 위해 펄쩍펄쩍 뛰며(**기뻐서 펄쩍 뛰다**[1]) 좋아할 것이다. 그리고 여러분은 그의 이런 애정 표현 뒤에 아무런 속셈도 없음을 알고 있다. 그는 여러분에게 부동산을 팔고 싶은 것도 아니고, 결혼하자 그러는 건 더욱 아니다.

혹시 한 번이라도 먹고살기 위해 일하지 않아도 되는 유일한 동물이 개라는 것을 멈춰서서 생각해본 적이 있는가? 암탉은 알을 낳아야 한다. 그리고 젖소는 우유를 만들어야 한다. 또 카나리아는 노래를 불러야 한다. 하지만 개는 단지 사람들에게 사랑을 주는 것만으로 먹고 산다.

내가 다섯 살이었을 때, 아버지는 50센트를 주고 노란 털북숭이 강아지 한 마리를 사왔다. 어린 시절 그 강아지는 내 빛이었고, 내 즐거움이었다. 매일 오후 4시 반이면 그 강아지는 앞마당에 나와 앉아 예쁜 눈으로 거리를 지켜보다가, 내 목소리가 들리거나 나무(**갈매나무과의 관목**[2]) 사이로 도시락 가방을 흔들며 오는 내 모습이 보이기만 하면, 마치 총알같이 단숨에 언덕 위로 달려와서 나를 반기며 펄쩍펄쩍 뛰고 너무나 기쁜 듯 멍멍거리곤 했다.

강아지 티피는 5년 동안 나의 **변함없는**[3] 단짝 친구였다. 그러던 어느 비극적인 그 날 밤, 그 밤을 나는 영원히 잊지 못할 것이다. 티피는 내 주위에서 놀다가 벼락을 맞아 죽고 말았다. 티피의 죽음은 내 유년 시절의 비극이었다.

'티피야, 너는 심리학과 관련된 책을 읽은 적도 없지. 너는 그렇게 할 필요가 없었어. 너는 **신이 주신**[4] 본능[5]으로 다른 사람에게 **진심으로**[6] 관심을 가지면, 다른 사람의 관심을 끌려고 노력하는 사람들이 2년 동안 사

people than one can in two years by trying to get other people interested in him.

Let me repeat that. *You can make more friends in two months by becoming interested in other people than you can in two years by trying to get other people interested in you.*

Yet I know and you know people who **blunder**[7] through life trying to **wigwag**[8] other people into becoming interested in them. Of course, it doesn't work. People are not interested in you. They are not interested in me. They are interested in themselves— morning, noon, and after dinner.

The New York Telephone Company made a detailed study of telephone conversations to find out which word is the most frequently used. You have guessed it: it is the personal **pronoun**[9] "I." "I." "I." It was used 3,990 times in 500 telephone conversations. "I." "I." "I." "I." "I."

When you see a group photograph that you are in, whose picture do you look for first? If you think people are interested in you, answer this question: If you died tonight, how many people would come to your **funeral**[10]?

Why should people be interested in you unless you are first interested in them? Reach for your pencil now and write your reply here:

(   )

If we merely try to **impress**[11] people and get people interested in us, we will never have many true, sincere friends. Friends, real friends, are not made that way.

Napoleon tried it, and in his last meeting with Josephine he said: "Josephine, I have been as fortunate as any man ever was on this earth; and yet, at this hour, you are the only person in the world on whom I can **rely**[12]." And historians doubt whether he could rely

궐 수 있는 것보다 더 많은 사람을 두 달 안에도 사귈 수 있다는 것을 알고 있었어.'

한 번 더 얘기해보자. 다른 사람에게 진심으로 관심을 가지면, 다른 사람의 관심을 끌려고 2년 동안 노력한 것보다 더 많은 친구를 두 달 안에도 사귈 수 있다.

하지만 다른 사람들의 관심을 끌기 위해 이리저리 흔들며(**흔들다[8]**) 일생 동안 실수를 거듭하는(**실수하다[7]**) 사람들이 있음을 나도 알고 여러분도 안다. 물론, 그런 방법은 통하지 않는다. 다른 사람들은 여러분이나 내게 관심이 없다. 그들은 아침에도, 점심에도, 저녁에도 자기 자신에게만 관심이 있다.

뉴욕 전화 회사에서 자세한 연구를 통해 전화 통화에서 가장 빈번하게 사용되는 단어를 찾아보았더니, 여러분이 짐작한 대로 그것은 1인칭 **대명사[9]** '나'였다. '나', '나'. '나'라는 말은 500번의 통화에서 3,990번 사용되었다. '나'. '나'. '나'. '나'. '나'.

여러분은 여러분이 들어 있는 단체사진을 볼 때 가장 먼저 누구의 얼굴을 찾는가? 만일 다른 사람이 여러분에게 관심 있다고 생각한다면, 다음 질문에 한번 대답해보라. 오늘 밤 여러분이 죽는다면, **장례식[10]**에 몇 명이나 올 것 같은가?

당신이 먼저 다른 사람에게 관심을 갖지 않는데, 그 사람이 당신에게 관심을 가져야 할 이유가 무엇인가? 연필을 들고, 아래에 답을 적어보라.

(   )

만일 내게 관심을 갖도록 하기 위해 다른 사람에게 깊은 인상을 남길(**깊은 인상을 주다[11]**) 궁리만 하고 있다면 결코 진정한 친구를 사귈 수 없다. 친구는, 그것도 진정한 친구는 결코 그런 식으로 생기지 않는다.

나폴레옹이 그러려고 했다. 조세핀을 마지막으로 만난 자리에서 그는 이렇게 얘기했다. "조세핀, 나는 이 세상 그 누구보다도 운이 좋은 사람이었소. 하지만 지금 이 순간 내가 의지할 수 있는(**의지하다[12]**) 사람은 오로지 당신밖에 없소." 하지만 역사가들은 과연 나폴레옹이 조세핀이라도 믿을

even on her.

The late Alfred Adler, the famous Viennese psychologist, wrote a book entitled *What life Should Mean to You*. In that book he says: "It is the individual who is not interested in his fellow men who has the greatest difficulties in life and provides the greatest injury to others. It is from among such individuals that all human failures spring."

You may read scores of **erudite**[13] **tome**s[14] on psychology without coming across a statement more significant for you and for me. I dislike **repetition**[15] but Adler's statement is so rich with meaning that I am going to repeat it in italics:

> *It is the individual who is not interested in his fellow men who has the greatest difficulties in life and provides the greatest injury to others. It is from among such individuals that all human failures spring.*

I once took a course in short-story writing at New York University and during that course the editor of *Collier's* talked to our class. He said he could pick up any one of the dozens of stories that drifted across his desk every day, and after reading a few paragraphs he could feel whether or not the author liked people. "If the author doesn't like people," he said, "people won't like his stories."

This **hard-boiled**[16] editor stopped twice in the course of his talk on fiction writing, and apologized for preaching a sermon. "I am telling you," he said, "the same things your preacher would tell you. But remember, you have to be interested in people if you want to be a successful writer of stories."

If that is true of writing fiction, you can be sure it is **trebly**[17] true of dealing with people face to face.

I spent an evening in the dressing room of Howard Thurston the last time he appeared on Broadway—Thurston, the acknowledged **dean**[18] of magicians, Thurston the king of **legerdemain**[19].

수 있었는지에 대해 의문을 제기한다.

빈 출신의 저명한 심리학자 알프레드 아들러는 자신이 쓴 『당신 인생의 의미는 무엇인가』라고 제목 붙여진 책에서 이렇게 말한다. "다른 사람에게 관심을 갖지 않는 사람들이 인생에서 가장 큰 고난을 당하며, 다른 사람에게 가장 큰 상처를 입힌다. 인간이 겪는 모든 실패는 이런 유형의 사람들로부터 발생한다."

심리학에 관한 **현학적인**[13] **방대한 책**[14]들을 수십 권 읽더라도 여러분이나 내게 이만큼 의미 있는 구절을 찾는 것은 쉽지 않다. **반복**[15]을 좋아하진 않지만, 아들러의 말은 풍부한 의미를 담고 있으므로 다시 한 번 특별히 강조해 말하고자 한다.

다른 사람에게 관심을 갖지 않는 사람들이 인생에서 가장 큰 고난을 당하며, 다른 사람에게 가장 큰 상처를 입힌다. 인간이 겪는 모든 실패는 이런 유형의 사람들로부터 발생한다.

예전에 뉴욕대에서 단편소설 창작에 관한 강의를 들었는데, 초청 강사로 〈콜리어스〉지의 편집장이 온 적이 있다. 그는 자신의 책상 위에 매일 굴러다니는 수십 편의 소설 중에 어떤 것이든 집어들고 처음 몇 구절만 읽어보면, 작가가 사람들에 대해 애정을 갖고 있는지 아닌지 알 수 있다고 말했다. 그러고는 이렇게 얘기했다. "작가가 사람들에 대해 애정을 갖고 있지 않으면 사람들도 그 사람의 작품을 좋아하지 않습니다."

이 **냉철한**[16] 편집장은 소설 작법에 관해 강의를 하다가 두 번이나 중간에 멈추고는 너무 설교하는 듯한 얘기를 해서 미안하다고 하면서 이렇게 얘기했다. "제가 하는 얘기는 설교 시간에 듣는 얘기와 똑같은 얘기입니다. 하지만 명심하십시오. 성공적인 소설 작가가 되고 싶다면 사람들에게 관심을 가져야만 합니다."

소설을 쓰는 데 이 말이 맞다면, 얼굴을 맞대고 만나는 사람들을 다루는 데 있어서는 세 배는(세 배로[17]) 더 맞다고 해도 과언이 아니다.

나는 하워드 서스턴이 브로드웨이에서 마지막 공연을 하는 날 저녁, 그의 분장실에서 시간을 보냈다. 서스턴은 누구나 인정하는 마술의 **대가**[18]이며 특히 **손 마술**[19]의 제왕이다.

For forty years he traveled all over the world, time and again, creating **illusions**[20], mystifying audiences, and making people **gasp**[21] with astonishment. More than sixty million people paid admission to his show, and he made almost two million dollars in profit.

I asked Mr. Thurston to tell me the secret of his success. His schooling certainly had nothing to do with it, for he ran away from home as a small boy, became a **hobo**[22], rode in box cars, slept in **haystacks**[23], begged his food from door to door, and learned to read by looking out of box cars at signs along the railway.

Did he have a superior knowledge of magic? No, he told me hundreds of books had been written about legerdemain, and **scores of**[24] people knew as much about it as he did. But he had two things that the others didn't have. First, he had the ability to put his personality across **the footlights**[25]. He was a master showman. He knew human nature. Everything he did, every gesture, every **intonation**[26] of his voice, every lifting of an eyebrow had been carefully rehearsed in advance, and his actions were timed to split seconds.

But, in addition to that, Thurston had a genuine interest in people. He told me that many magicians would look at the audience and say to themselves, "Well, there is a bunch of suckers out there, a bunch of hicks; I'll fool them all right." But Thurston's *method* was totally different. He told me every time he entered the stage he said to himself: "I am grateful because these people come to see me. They make it possible for me to make my living in a very **agreeable**[27] way. I'm going to give them the very best I possibly can."

He declared he never stepped in front of the footlights without first saying to himself **over and over**[28]: "I love my audience. I love my audience." Ridiculous? Absurd? You are privileged to think about it anything you like. I am merely passing it on to you without comment as a recipe used by one of the most famous

그는 40년 동안 몇 차례나 지구를 순회하며 **환상**²⁰을 불러일으키고 관중을 현혹시키며, 숨이 막힐 정도로(**헐떡거리다, 숨이 막히다**²¹) 놀라운 장면을 보여주었다. 돈을 내고 그의 쇼를 보러온 사람이 6천만 명이 넘었으며, 그가 벌어들인 돈만 해도 거의 2백만 달러에 이르렀다.

나는 서스턴 씨에게 성공의 비밀이 무엇이냐고 물었다. 확실히 학교 교육은 아무런 상관도 없었다. 그는 어릴 때 가출해서 **부랑아**²²가 되었다. 화차에 몰래 숨어들어 **건초더미**²³에서 자기도 하고 이집 저집 다니며 얻어먹기도 하면서, 철길을 따라 서 있는 기차역 표지판을 보고 간신히 글 읽는 법을 배웠을 뿐이다.

그에게 마술에 대한 뛰어난 지식이 있었을까? 그렇지 않다. 그는 내게 마술에 대해 수백 권의 책이 있으며, 자기만큼 손 마술을 잘 아는 사람도 **수십**²⁴명은 될 것이라고 얘기했다. 하지만 그는 다른 사람이 갖지 못한 자질 두 가지를 갖고 있었다. 첫째로 그는 **무대**²⁵ 위에서 자신의 개성을 펼칠 수 있는 능력을 갖고 있었다. 그는 쇼의 대가였다. 둘째로 그는 인간의 본성을 알고 있었다. 동작, **억양**²⁶, 심지어는 눈썹의 움직임 하나에 이르기까지 그가 하는 모든 것은 미리 치밀하게 연습한 것들이었고, 그의 움직임들은 몇 분의 1초까지 계획된 것이었다.

하지만 여기에 더해 서스턴은 사람들에게 진정한 관심을 가지고 있었다. 서스턴의 말에 따르면 많은 마술사들이 관객을 보고 이렇게 생각한다고 한다. '좋아. 오늘도 얼뜨기, 촌뜨기들이 많이 왔군. 이런 녀석들 속이기야 누워서 떡 먹기지.' 하지만 서스턴의 *방법*은 전혀 달랐다. 그는 무대에 올라갈 때마다 속으로 이렇게 얘기한다고 내게 말했다. '나를 보기 위해 와주다니 이 사람들은 정말 고마운 사람들이다. 이 사람들이 있어서 내가 이렇게 편안하게(**기분 좋은, 마음에 드는**²⁷) 살 수 있는 것이다. 이 사람들에게 내가 할 수 있는 최고의 것을 보여주겠다.'

그는 **몇 번이고**²⁸ 스스로 이렇게 되뇌지 않고는 무대 조명 앞으로 나가지 않는다고 얘기했다. '나는 나의 관객을 사랑한다. 나는 나의 관객을 사랑한다.' 우스운가? 이상한가? 여러분이 어떤 식으로 생각하든 상관없다. 나는 다만 역대 최고로 유명했던 마술사가 사용하던 비법을 아무 설명도 없이 여러분에게 제시하고 있을 뿐이다.

magicians of all time.

Madame Schumann-Heink told me much the same thing. In spite of hunger and heartbreak, in spite of a life filled with so much tragedy that she once attempted to kill herself and her bodies—in spite of all that, she sang her way up to the top until she became perhaps the most **distinguished**[29] Wagnerian singer who ever thrilled an audience; and she, too, confessed that one of the secrets of her success was the fact that she was **intensely**[30] interested in people.

That, too, was one of the secrets of Theodore Roosevelt's astonishing popularity. Even his servants loved him. His colored **Valet**[31], James E. Amos, wrote a book about him entitled *Theodore Roosevelt, Hero to His Valet.* In that book, Amos relates this illuminating incident:

> My wife one time asked the President about a bobwhite. She had never seen one and he described it to her fully. Some time later, the telephone at our cottage rang. Amos and his wife lived in a little cottage on the Roosevelt estate at Oyster Bay. My wife answered it and it was Mr. Roosevelt himself. He had called her, he said, to tell her that there was a bobwhite outside her window and that if she would look out she might see it. Little things like that were so characteristic of him. Whenever he went by our cottage, even though we were out of sight, we would hear him call out: 'Oo-oo-oo Annie!' or 'Oo-oo-oo, James!' It was just a friendly greeting as he went by.

How could employees keep from liking a man like that? How could anyone keep from liking him?

Roosevelt called at the White House one day when the President and Mrs. Taft were away. His honest liking for **humble**[32] people was shown by the fact that he greeted all the old White House **servant**[33]s by name, even the **scullery maid**[34]s.

슈만 하인크 부인도 이와 비슷한 얘기를 해주었다. 배고픔과 슬픔, 아이들과 동반 자살하려고 했을 정도로 비극으로 가득 찼던 인생, 이 모든 것에도 불구하고 그녀는 노래를 계속했고, 마침내 청중에게 감동을 선사하는 **저명한**[29] 바그너 가수가 되었다. 그녀 또한 자신의 성공에 비결이 있다면, 그것은 사람들에게 강렬한(**강렬하게**[30]) 관심을 가지고 있었다는 사실을 고백하며 털어놓았다.

그것은 또한 시어도어 루스벨트 대통령이 엄청난 인기를 누린 비결이기도 하다. 하인에게는 존경할 만한 위인이 없다지만, 그의 경우에는 하인들조차 그를 사랑했다. 그의 **하인**[31]이었던 제임스 E. 아모스는 『시종의 영웅인 루스벨트 대통령』이라는 책에서 다음과 같은 감동적인 일화를 전하고 있다.

언젠가 내 아내가 대통령께 메추라기에 대해 여쭈어보았다. 내 아내는 한 번도 메추라기를 본 적이 없었기에 대통령께서는 아주 상세히 설명해주셨다. 얼마 지나지 않아 우리가 사는 오두막으로 전화가 왔다(아모스와 그의 부인은 오이스터 베이에 있는 대통령 관저 안의 조그만 집에 살고 있었다). 아내가 전화를 받는데, 대통령께서 직접 거신 전화였다. 대통령께서 말씀하시길, 지금 우리가 사는 집 창밖에 메추라기가 있으니 메추라기를 보고 싶으면 창밖을 보라는 얘기를 하기 위해 전화를 주셨다는 것이다. 대통령은 이렇게 세심하게 챙겨주시는 분이셨다. 대통령께서 우리 집 근처를 지나가실 때면 우리가 눈에 띄지 않더라도 이렇게 우리를 부르곤 하셨다. "여어, 애니!" "여어, 제임스!" 지날 때마다 이렇게 친근하게 우리 이름을 불러주셨다.

고용인들이 이런 사람을 어떻게 좋아하지 않을 수 있겠는가? 이런 사람을 좋아하지 않을 사람이 어디 있겠는가?

어느 날 루스벨트가 백악관에 들렀는데, 마침 태프트 대통령 내외는 자리에 없었다. **평범한**[32] 사람들을 향한 그의 진실한 애정은 예전에 자기를 모시던 백악관의 모든 **하인**[33]들에게 이름을 불러가며 인사말을 건넨 사실에서 볼 수 있다. 그중에는 부엌에서 **식기를 닦는 하녀**[34]까지 포함되어 있었다.

"When he saw Alice, the kitchen maid," writes Archie Butt, "he asked her if she still made corn bread. Alice told him that she sometimes made it for the servants, but no one ate it upstairs.

'They show bad taste,' Roosevelt boomed, 'and I'll tell the President so when I see him.'

Alice brought a piece to him on a plate, and he went over to the office eating it as he went and greeting gardeners and **laborers**[35] as he passed.

He addressed each person just as he was wont to address him in the past. They still whisper about it to each other, and Ike Hoover said with tears in his eyes: 'It is the only happy day we have had in nearly two years, and not one of us would exchange it for a hundred-dollar bill.' "

It was this same intense interest in the problems of other people that made Dr. Charles W. Eliot one of the most successful presidents who ever directed a university—and you will recall that he presided over the destinies of Harvard from four years after the close of the Civil War until five years before the outbreak of the World War. Here is an example of the way Dr. Eliot worked. One day a freshman, L. R. G. Crandon, went to the president's office to borrow fifty dollars from the Students' Loan fund. The loan was **granted**[36].

"Then I made my heartfelt thanks and started to leave"—I am quoting Crandon's own words now—"when President Eliot said, 'Pray be seated.' Then he proceeded, to my amazement, to say in effect: 'I am told that you cook and eat in your room. Now I don't think that is at all bad for you if you get the right food and enough of it. When I was in college, I did the same. Did you ever make veal loaf? That, if made from sufficiently mature and sufficiently cooked **veal**[37], is one of the best things you could have, because there is no waste. This is the way I used to make it.' He then told me how to pick the veal, how to cook it slowly, with such

이때의 일을 아치 버트는 이렇게 적고 있다. "루스벨트는 부엌에서 일하는 하녀 앨리스를 보자 아직도 옥수수빵을 만드느냐고 물었다. 앨리스가 아직도 빵을 만들기는 하는데 시종들만 먹지 다른 분들은 드시지 않는다고 대답했다.

그랬더니 루스벨트가 큰 소리로 이렇게 얘기했다. '그 사람들 맛있는 게 뭔지 모르는 사람들이로군. 대통령을 만나면 그렇게 얘기하겠네.'

루스벨트가 사무실로 가려고 하자 앨리스가 쟁반에 빵 한 조각을 담아왔다. 루스벨트는 그 빵을 먹으며 사무실로 걸어갔다. 가는 길에 정원사와 **일꾼**[35]들을 만나면 그들에게 인사를 건넸다.

루스벨트는 사람들에게 전에 하던 것과 조금도 다름없이 말을 건넸다. 그들은 아직도 그 일에 대해 서로서로 이야기를 한다. 아이크 후버 같은 친구는 눈물을 글썽이며 이렇게 말했다. '최근 2년 사이 그날이 유일하게 행복한 날이었습니다. 수백만 달러를 준다 해도 그날과 바꿀 사람은 아무도 없을 것입니다.'"

찰스 W. 엘리엇 박사를 역사상 가장 성공적인 대학 총장으로 만든 것도 바로 이와 같은, 다른 사람의 문제에 대한 깊은 관심이었다. 박사는 남북전쟁이 끝난 지 4년째 되는 해(1869년)부터 제1차 세계대전이 일어나기 5년 전(1909년)까지 하버드 대학의 총장을 지냈다. 엘리엇 박사가 사용하던 방식을 보여주는 예를 보자. 하루는 L. R. G. 크랜던이라는 신입생이 학자금 50달러를 대출 받기 위해 총장실을 찾아왔다. 대출은 승인되었다(**승인하다**[36]).

저는 진심으로 감사하다고 말씀 드리고 일어서려 했습니다. 그때 총장님이 "잠깐 앉아보게" 하시더군요. 그러시더니 놀랍게도 이런 요지의 말씀을 해주셨습니다. "자네가 혼자 자취한다고 들었네. 음식을 제때 잘 먹기만 하면 그것도 나쁜 건 아니야. 대학 다닐 적에 나도 자취를 했네. 혹시 쇠고기로 요리해본 적 있나? 충분히 숙성된 **송아지 고기**[37]를 사다가 제대로 요리만 잘하면 그게 자네에게 최고의 요리가 될 거야. 하나도 버릴 게 없거든. 내가 요리하던 방법을 가르쳐주지." 그러시더니 총장님은 쇠고기를 잘 골라야 한다, 국물을 조려서 젤리가 될 정도로 천천히 요리해야 한다, 잘게 자르려면 이렇게 해라, 누를 때는 냄비 안에 작은 냄비를 넣고 눌러라, 그리고 식혀서 먹어라 등등의 얘기를 해주셨습니다.

evaporation that the soup would turn into jelly later, then how to cut it up and press it with one pan inside another and eat it cold."

I have discovered from personal experience that one can win the attention and time and co-operation of even the most **sought after**[38] people in America by becoming genuinely interested in them.

Let me illustrate:

Years ago I conducted a course in fiction writing at the Brooklyn Institute of Arts and Sciences, and we wanted Kathlccn Norris, Fannie Hurst, Ida Tarbell, Albert Payson Terhune, Rupert Hughes, and other distinguished and busy authors to come over to Brooklyn and give us the benefit of their experiences. So we wrote them, saying we admired their work and were deeply interested in getting their advice and learning the secrets of their success.

Each of these letters was signed by about a hundred and fifty students. We said we realized that they were busy—too busy to prepare a lecture. So we enclosed a list of questions for them to answer about themselves and their methods of work. They liked that. Who wouldn't like it? So they left their homes and traveled over to Brooklyn to give us a helping hand.

By using the same method, I persuaded Leslie M. Shaw, Secretary of the Treasury in Theodore Roosevelt's cabinet, George W. Wickersham, Attorney General in Taft's cabinet, William Jennings Bryan, Franklin D. Roosevelt, and many other **prominent**[39] men to come and talk to the students of my courses in public speaking.

All of us, be we butcher or baker or the king upon his throne, all of us like people who admire us. Take the German Kaiser, for example. At the close of the World War, he was probably the most savagely and universally despised man on this earth. Even his own nation turned against him when he fled over into Holland to save his neck. The **hatred**[40] against him was so intense that millions of people would have loved to have torn him limb from limb or burned him at the

세상에서 제일 바쁜(**인기 있는**[38]) 사람이라 하더라도 진정으로 그 사람에게 관심을 기울이면, 그 사람으로부터 관심과 시간과 협력을 이끌어낼 수 있다는 것을 나는 개인적인 경험을 통해 깨달았다.

그 경험에 관해 얘기해보겠다.

몇 해 전 나는 브루클린 예술과학재단에서 소설 작법 강의를 진행했다. 나와 학생들은 작가들의 경험에서 교훈을 얻고자 캐서린 노리스, 페니 허스트, 아이다 타벨, 앨버트 페이슨 터훈, 루퍼트 휴스 등 많은 저명 작가들을 브루클린으로 모셔오기로 했다. 그래서 우리는 작가들에게 당신의 작품을 좋아하며, 당신의 충고를 듣고 성공의 비결을 배우기를 간절히 원하고 있다는 내용이 담긴 편지를 썼다.

편지마다 150명의 학생들이 서명을 했다. 그리고 당신이 바빠서 강의를 준비할 시간이 없으리라는 것을 알고 있으므로, 당신과 당신의 창작 방식에 대한 설문지를 동봉하니 답변해주시기 바란다고 적었다. 그들은 이 점을 마음에 들어 했다. 누가 싫어하겠는가? 이렇게 해서 그들은 시간을 내어 브루클린으로 와 강의에 응해주었다.

대중연설에 관한 강의시간에도 같은 방법으로, 시어도어 루스벨트 대통령 아래서 재무장관을 지낸 레슬리 M. 쇼, 태프트 대통령 시절 법무장관이던 조지 W. 위커샴, 윌리엄 제닝스 브라이언, 프랭클린 D. 루스벨트 등 많은 **저명한**[39]인사들을 초청하여 강의를 하도록 했다.

사람들은 정육점에서 일하건 빵집에서 일하건 아니면 왕좌에 앉아 있건 간에 누구나 자신을 존경해주는 사람을 좋아하기 마련이다. 독일 황제 빌헬름을 예로 들어보자. 제1차 세계대전이 끝날 무렵 그는 이 세상 모든 사람들이 가장 경멸해 마지않는 인물이었을 것이다. 그가 목숨을 부지하기 위해 네덜란드로 도망치자 국민들까지도 그에게 등을 돌렸다. 그에 대한 **증오심**[40]이 불타올라 수많은 사람들이 그를 갈기갈기 찢어 죽이거나 화형시키고 싶어할 정도였다. 온 세상이 온통 분노로 미쳐 날뛰는 가운데 한

stake. In the midst of all this forest fire of fury, one little boy wrote the Kaiser a simple, sincere letter glowing with kindliness and admiration.

This little boy said that no matter what the others thought, he would always love Wilhelm as his Emperor. The Kaiser was deeply touched by his letter and invited the little boy to come and see him. The boy came, and so did his mother—and the Kaiser married her. That little boy didn't need to read a book on "How to Win Friends and Influence People." He knew how instinctively.

If we want to make friends, let's put ourselves out to do things for other people—things that require time, energy, unselfishness, and thoughtfulness. When the Duke of Windsor was Prince of Wales, he was scheduled to tour South America, and before he started out on that tour he spent months studying Spanish so that he could make public talks in the language of the country; and the South Americans loved him for it.

For years I have made it a point to find out the birthdays of my friends, How? Although I **haven't the foggiest bit of**[41] faith in astrology, I begin by asking the other party whether he believes the date of one's birth has anything to do with character and **disposition**[42]. I then ask him to tell me the month and day of his birth. If he says November 24, for example, I keep repeating to myself, "November 24, November 24." The minute his back is turned, I write down his name and birthday and later transfer it to a birthday book. At the beginning of each year, I have these birthday dates scheduled in my calendar pad, so they come to my attention automatically. When the **natal**[43] day arrives, there is my letter or telegram. What a hit it makes! I am frequently the only person on earth who remembers.

If we want to make friends, let's greet people with animation and enthusiasm. When somebody calls you on the telephone, use the same psychology. Say "Hello" in tones that **bespeak**[44] how pleased you are to have the person call. The New York Telephone Company

소년이 황제에게 친근함과 존경심이 담뿍 담긴 짧지만 정성 어린 편지를 보냈다.

소년은 다른 사람들이 황제에 대해 무슨 말을 할지라도 자신은 언제나 당신을 황제로 여기고 사랑하겠노라고 말했다. 황제는 그 편지에 깊은 감동을 받고 소년을 자기 집으로 초청했다. 소년은 자기 어머니와 함께 황제를 알현했는데, 후에 황제는 그 소년의 어머니와 결혼했다. 그 소년은 친구를 사귀고 사람들을 움직이는 법에 관한 책을 읽을 필요가 없었다. 소년은 본능적으로 그 방법을 알고 있었다.

만약 우리가 친구를 원한다면, 우리 스스로 다른 사람을 위해 무엇인가 해주려고 노력해야 한다. 거기에는 시간과 정력, 이타심, 신중함 등이 필요하기 마련이다. 윈저 공이 영국의 왕세자이던 시절 남미를 순방할 계획이 생겼다. 그는 상대방의 언어로 대화를 나누기 위해 몇 달 동안 스페인어를 공부했다. 남미 사람들은 그의 노력에 반해 그를 좋아하게 된 것은 말할 필요도 없다.

나는 친구들의 생일을 알아내기 위해 수년간 노력했다. 어떻게 했을 것 같은가? 비록 나는 점성학에 관해 아는 바가 전혀 없지만(~를 전혀 모르다[41]), 우선 상대에게 생일이 성격이나 기질[42]과 관계가 있다는 걸 믿느냐고 물어본다. 그런 다음 상대방에게 태어난 날을 알려달라고 한다. 예를 들어 상대가 11월 24일이라고 하면 나는 속으로 '11월 24일, 11월 24일' 이렇게 되뇐다. 그리고 상대방이 자리를 뜨는 순간 수첩을 꺼내 상대의 이름과 생일을 기록해놓았다가 나중에 생일 기록장으로 옮겨적는다. 그리고 매년 초 이 생일을 달력에 표시해놓기 때문에 때가 되면 자동적으로 그들의 생일을 알게 된다. 생일(출생의[43])이 다가오고, 상대방은 내 축하편지나 전보를 받는다. 효과 만점이지 않겠는가? 세상에서 그 사람의 생일을 기억하고 축하해주는 유일한 사람이 나인 경우가 적지 않으니 말이다.

만약 우리가 친구를 만들고 싶다면, 활기 넘치고 적극적인 태도로 사람들을 맞이하라. 누군가가 당신에게 전화를 할 때도 같은 심리 작전을 사용해라. "여보세요" 한마디에 상대방의 전화를 받게 되어 당신이 얼마나 기뻐하는지가 나타나야 한다(나타내다[44]). 뉴욕전화회사는 교환원들이 "번호

conducts a school to train its operators to say "Number please" in a tone that means "Good morning, I am happy to be of service to you." Let's remember that when we answer the telephone tomorrow.

Does this philosophy work in business? Does it? I could cite scores of illustrations; but we have time for only two.

Charles R. Walters, one of the large banks in New York City, was assigned to prepare a **confidential**[45] report on a certain corporation. He knew of only one man who possessed the facts he needed so urgently. Mr. Walters went to see that man, the president of a large industrial company. As Mr. Walters was ushered into the president's office, a young woman stuck her head through a door and told the president that she didn't have any stamps for him that day.

"I am collecting stamps for my twelve-year-old son," the president explained to Mr. Walters.

Mr. Walters stated his mission, and began asking questions. The president was **vague**[46], general, **nebulous**[47]. He didn't want to talk, and apparently nothing could persuade him to talk. The interview was brief and barren.

"Frankly, I didn't know what to do," Mr. Walters said as he related the story to the class. "Then I remembered what his secretary had said to him—stamps, twelve-year-old son ······ And I also recalled that the foreign department of our bank collected stamps—stamps taken from letters pouring in from every continent washed by the seven seas.

The next afternoon I called on this man and sent in word that I had some stamps for his boy. Was I ushered in with enthusiasm? Yes, sir. He couldn't have shaken my hand with more enthusiasm if he had been running for Congress. He radiated smiles and good will. 'My George will love this one,' he kept saying as he

를 말씀해주세요"라는 말을 할 때 "안녕하세요? 전화 주셔서 감사합니다"라는 어감을 전달할 수 있도록 하는 훈련과정을 운영하고 있다. 앞으로 전화를 받을 때 우리도 그렇게 하려고 기억하고 노력해보자.

이런 원리가 사업에서도 적용될까? 수십 개의 사례가 있지만 지면 관계상 다음의 2가지만 소개하기로 하겠다.

뉴욕 시에 있는 대형 은행에 근무하는 찰스 R. 월터스에게 어떤 회사에 대한 비밀(**기밀의**[45]) 보고서를 작성하라는 임무가 맡겨졌다. 그가 알기로 그 당시 긴급하게 필요한 정보를 가지고 있는 사람은 단 한 사람밖에 없었다. 월터스 씨는 제조업을 경영하는 대기업 사장인 그 사람을 찾아갔다. 월터스 씨가 막 사장실로 들어가는 참에 젊은 여비서가 문틈으로 머리를 들이밀고 오늘은 갖다 드릴 우표가 없다고 보고했다.

"열두 살 난 아들을 위해 우표를 수집하고 있습니다." 사장이 월터스 씨에게 애기했다.

월터스 씨는 찾아온 용건을 설명하고 몇 가지 질문을 했다. 하지만 사장은 모호하며(**애매한**[46]) 구체적인 내용이 없는 두루뭉술한(**불명료한**[47]) 대답만 했다. 사장은 답변해 줄 마음이 없었고, 대답을 끌어낼 만한 방법 또한 하나도 없어 보였다. 면담은 아무런 소득도 없이 짧게 끝났다.

나중에 카네기 강좌에서 그는 이렇게 애기했다.

"사실 어떻게 해야 할지 막막했습니다. 그런데 그때 비서가 한 말이 떠오르더군요. 우표, 열두 살 난 아들…… 그리고 우리 은행 외환 파트에서 우표를 수집한다는 사실이 떠올랐습니다. 전 세계 각국에서 날아오는 편지에 붙어 있는 우표들이죠.

다음 날 오후 그 사람을 다시 찾아갔습니다. 그러고는 아드님에게 드릴 우표를 조금 가지고 왔다는 메모를 넣었습니다. 당장 면담이 이루어졌냐고요? 그야 물론이죠. 그는 국회의원 선거에 출마하는 사람보다도 더 열렬히 내 손을 꼭 쥐고 흔들어댔습니다. 얼굴에 웃음이 넘치고, 무엇이든 해주려 하더군요. 우표를 보물 다루듯 애지중지하며(**애지중지하다**[48]) 그

fondled[48] the stamps. 'And look at this! This is a treasure.'

We spent half an hour talking stamps and looking at a picture of his boy, and he then devoted more than an hour of his time to giving me every bit of information I wanted—without my even suggesting that he do it. He told me all he knew, and then called in his subordinates and questioned them. He telephoned some of his associates. He loaded me down with facts, figures, reports, and correspondence. In the **parlance**[49] of newspaper men, I had a **scoop**[50]."

Here is another illustration:

C. M. Knaphle, Jr., of Philadelphia, had tried for years to sell coal to a large chain-store organization. But the chain-store company continued to purchase its fuel from an out-of-town dealer and continued to haul it right past the door of Knaphle's office. Mr. Knaphle made a speech one night before one of my classes, pouring out his hot wrath upon chain stores, branding them as a curse to the nation. And still he wondered why he couldn't sell them.

I suggested that he try different **tactics**[51]. To put it briefly, this is what happened. We staged a debate between members of the course on "Resolved that the spread of the chain store is doing the country more harm than good."

Knaphle, at my suggestion, took the negative side; he agreed to defend the chain stores, and then went straight to an executive of the chain-store organization that he despised and said: "I am not here to try to sell coal. I have come to ask you to do me a favor." He then told about his debate and said, "I have come to you for help because I can't think of anyone else who would be more capable of giving me the facts I want. I am anxious to win this debate; and I'll deeply appreciate whatever help you can give me."

Here is the rest of the story in Mr. Knaphle's own words:

가 말했습니다. '우리 아들 조지가 너무 좋아하겠는걸. 이것 좀 봐. 이건 정말 보물이야.'

우리는 우표 얘기도 하고 그의 아들 사진도 보면서 30분 정도의 시간을 보냈습니다. 그런 후 그는 한 시간 이상을 들여 제가 필요한 모든 정보를 세세하게 제공해주었습니다. 그래 달라고 요청하지도 않았는데 그는 그렇게 해 주었습니다. 그는 자신이 아는 것을 모든 것을 얘기해주고는 부하 직원을 불러서 물어보았습니다. 자기 동료들에게 전화해서 물어보기도 하고요. 그는 내게 사실들, 숫자, 보고서, 공문 등을 잔뜩 안겨주었습니다. 언론계에서 쓰는 **용어**[49]로 말하면 **특종**[50]을 잡은 셈이죠."

이제 다른 예를 보자.

필라델피아에 사는 C. M. 크나플 주니어는 대형 체인점에 연료를 공급하기 위해 수년 동안 애를 썼다. 하지만 그 체인점은 계속 다른 지역 공급업자로부터 연료를 구입했고, 연료 트럭들은 보란 듯이 그의 사무실 앞을 지나다녔다. 카네기 강좌에 다니던 그는 어느 날 저녁, 수강생들 앞에 나서서 체인점에 대한 악담을 퍼부으며 체인점은 국가적인 재앙이라고 낙인찍어 말했다. 하지만 여전히 자신이 왜 연료를 공급하지 못하는지에 대한 의문은 풀리지 않았다.

나는 그에게 다른 **전략**[51]을 써보라고 권했다. 간략하게 얘기하자면 다음과 같다. 강좌 수강생들을 둘로 나누어 '체인점의 확장은 국가적으로 이익보다는 손실이 크다'는 주제로 찬반 토론을 하게 만들었다.

그리고 나는 크나플 씨에게 이 주제에 반대하는 편에서 토론하도록 권유했다. 체인점을 옹호하는 편에 서기로 동의한 크나플 씨는 곧장 자신이 그동안 그토록 경멸하던 체인점의 임원을 찾아가 이렇게 얘기했다. "오늘은 연료를 구매해달라고 온 게 아닙니다. 부탁드릴 일이 있어서 왔습니다." 그러고는 토론에 관해 설명한 후 "내가 필요한 사실에 대해 당신만큼 알고 있는 사람이 없다고 생각하기 때문에 도움을 요청하러 왔습니다. 이번 토론에서 정말 이기고 싶습니다. 약간이라도 도움을 주시면 정말 감사하겠습니다"라고 말했다.

그 이후에 대해서는 크나플 씨가 직접 하는 얘기를 들어보자.

I had asked this man for precisely one minute of his time. It was with that understanding that he consented to see me. After I had stated my case, he motioned me to a chair and talked to me for exactly one hour and forty-seven minutes. He called in another executive who had written a book on chain stores. He wrote to the National Chain Store Association and secured for me a copy of a debate on the subject. He feels that the chain store is rendering a real service to humanity. He is proud of what he is doing for hundreds of communities. His eyes fairly glowed as he talked; and I must confess that he opened my eyes to things I had never even dreamed of. He changed my whole mental attitude.

As I was leaving, he walked with me to the door, put his arm around my shoulder, wished me well in my debate, and asked me to stop in and see him again and let him know how I made out. The last words he said to me were: "Please see me again later in the spring. I should like to place an order with you for coal."

To me that was almost a miracle. Here he was offering to buy coal without my even suggesting it. I had made more **headway**[52] in two hours by becoming genuinely interested in him and his problems than I could have made in ten years by trying to get him interested in me and my coal.

"You didn't discover a new truth, Mr. Knaphle, for a long time ago, a hundred years before Christ was born, a famous old Roman poet, Publilius Syrus, remarked: 'We are interested in others when they are interested in us.' "

If you want to develop a more pleasing personality, a more effective skill in human relations, let me urge you to read *The Return to Religion* by Dr. Henry Link. Don't let the title frighten you. It isn't a **goody-goody**[53] book. It was written by a well-

저는 그에게 딱 1분만 내달라고 요청했습니다. 그가 저를 만나준 것도 그런 조건 때문이었습니다. 제가 상황을 설명하자 그는 저를 자리에 앉게 하고는 정확히 1시간 47분 동안 얘기를 하더군요. 그는 체인점에 관한 책을 쓴 다른 임원을 오게 했습니다. 또한 전국체인점협회에 공문을 보내 같은 주제로 벌였던 토론에 대한 자료를 구할 수 있도록 해주었습니다. 그는 체인점이 사람들에게 참다운 봉사를 하고 있다고 믿고 있었으며, 수백 개의 공동체를 위해 자신이 하는 일에 대해 자부심을 갖고 있더군요. 얘기하는 동안 그의 눈은 반짝반짝 빛이 났습니다. 그로 인해 그동안 제가 꿈도 꾸지 못하던 것에 대해 눈을 뜨게 되었다고 고백하지 않을 수 없습니다. 그는 제 정신과 태도 전부를 바꿔 놓았습니다.

용건을 마치고 제가 떠나려고 일어서자, 그는 문까지 저를 따라나와 제 어깨에 팔을 두르고는 토론 잘하고, 다시 한 번 들러서 어떻게 되었는지 알려달라고 하더군요. 그러고는 이렇게 말을 맺었습니다. "봄이 되면 한번 들르세요. 연료를 구매하게 될지도 모르겠습니다."

그것은 저에게 기적과 같았습니다. 제가 요청하지도 않았는데 그가 연료를 구매하겠다고 나선 겁니다. 그와 그의 문제에 관심을 기울인 두 시간이 나와 연료에 대해 그의 관심을 끌려고 한 10년보다 더 나은 결과(**진전**[52])를 만들어 낸 것입니다.

"당신이 새로운 진리를 발견한 게 아닙니다, 크나플 씨. 아주 오래전에, 즉 예수가 태어나기 100여 년 전에 로마의 유명한 시인 푸블릴리우스 시루스는 이렇게 말했습니다. '우리는 우리에게 관심을 갖는 사람들에게 관심을 갖는다.'"

더 호감이 가는 성격을 갖고 싶고 인간관계에서 더 뛰어난 기술을 갖고 싶다면, 헨리 링크 박사의 『종교에의 귀의』라는 책을 읽기를 권한다. 제목에 겁먹지 말라. 이 책은 **착한 사람**[53]이 되라고 설파하는 그저 그런 종교 서적이 아니다. 이 책의 저자는 매우 유명한 심리학자로, 3천 명 이상의 사람

known psychologist who has personally interviewed and advised more than three thousand people who have come to him with personality problems. Dr. Link told me that he could easily have called his book *How To Develop Your Personality*. It deals with that subject. You will find it interesting, illuminating. If you read it, and act upon its suggestions, you are almost sure to increase your skill in dealing with people.

So if you want people to like you, Rule 1 is:

Become genuinely interested in other people.

들에게 성격 문제에 관해 상담을 진행한 경험을 갖고 있는 사람이다. 링크 박사는 자신의 책 제목을 '성격 개선의 방법'이라고 하는 것도 어려운 일은 아니었을 것이라고 말했다. 주제가 그것이기 때문이다. 이 책은 흥미로우면서도 깨우침을 준다. 이 책을 읽고 그 제안대로 한다면 여러분의 사람을 다루는 기술은 틀림없이 나아질 것이다.

그러므로 사람들의 호감을 사고 싶다면, 다음 방법과 같이 해보라!

다른 사람들에게 진정한 관심을 가져라.

2 A SIMPLE WAY TO MAKE A GOOD IMPRESSION

I RECENTLY attended a dinner party in New York. One of the guests, a woman who had inherited money, was eager to make a pleasing impression on everyone. She had **squander**ed[1] a modest fortune on **sable**s[2], diamonds, and pearls. But she hadn't done anything whatever about her face. It radiated sourness and selfishness. She didn't realize what every man knows: namely, that the expression a woman wears on her face is far more important that the clothes she wears on her back. (By the way, that is a good line to remember when your wife wants to buy a fur coat.)

Charles Schwab told me his smile had been worth a million dollars. And he was probably understating the truth. For Schwab's personality, his charm, his ability to make people like him were almost wholly responsible for his extraordinary success; and one of the most delightful factors in his personality was his captivating smile.

I once spent an afternoon with Maurice Chevalier—and, frankly, I was disappointed. **Glum**[3], **taciturn**[4], he was sharply different from what I expected—until he smiled. Then it seemed as if the sun had broken through a cloud. If it hadn't been for his smile, Maurice Chevalier would probably still be a cabinet-maker, back in Paris, following the trade of his father and brothers.

Actions speak louder than words, and a smile says, "I like you. You make me happy. I am glad to see you."

That is why dogs make such a hit. They are so glad to see us that they almost jump out of their skins. So, naturally, we are glad to see them.

An insincere grin? No. That doesn't fool anybody. We know it is

2 좋은 인상을 주는 간단한 방법

최근 나는 뉴욕에서 열린 한 저녁 모임에 참석했다. 손님 중에는 꽤 많은 재산을 물려받은 상속녀가 한 명 있었는데, 그녀는 모든 사람들에게 좋은 인상을 주려고 애쓰고 있었다. 그녀는 검은 모피 코트(**검은담비 모피 옷²**)와 다이아몬드, 진주 등으로 온몸을 휘감고 있었다(**낭비하다¹**). 하지만 얼굴에는 전혀 신경을 쓰지 않은 것 같았다. 얼굴은 심술과 이기심으로 가득 차 있었다. 그녀는 다른 사람들이 다 아는 사실, 즉 여인의 표정은 몸에 걸치고 있는 옷이나 패물보다 백배는 더 중요하다는 사실을 모르고 있는 것 같았다(우스갯소리지만, 이 말은 여러분의 아내가 모피 코트를 사달라고 할 때 써먹을 수도 있을 것 같다).

찰스 슈워브는 내게 자신의 미소는 백만 불짜리라고 얘기했다. 그것은 정말이었다. 왜냐하면 그가 그렇게 어마어마한 성공을 거둔 것은 전적으로 슈워브의 인격, 매력, 자신을 좋아하게 만드는 능력 덕분이었기 때문이다. 그리고 그가 가진 개성 중에서도 가장 매력적인 부분은 매혹적인 그의 미소였다.

언젠가 인기 가수이자 배우인 모리스 슈발리에와 함께 오후를 보낸 적이 있는데, 처음엔 솔직히 실망했다. 무뚝뚝하고(**무뚝뚝한³**) 말도 없던(**말 없는⁴**) 그의 모습은 내가 기대했던 것과는 너무나 달랐기 때문이다. 하지만 그가 미소를 짓자 모든 게 달라졌다. 그건 마치 구름이 걷히고 햇살이 비치는 것 같았다. 이 미소가 아니었다면 모리스 슈발리에는 파리에서 아버지와 형제들처럼 가구 만드는 신세를 벗어나지 못했을 것이다.

행동이 말보다 더 많은 것을 전한다. 그중에서도 미소는 다음과 같은 뜻을 전달한다. '당신을 좋아한다. 당신은 나를 행복하게 만든다. 당신을 만나게 되어 기쁘다.'

이것이 바로 개들이 그토록 사랑받는 이유다. 개들은 우리를 보면 반가워 어쩔 줄 몰라 이리 뛰고 저리 뛰고 난리를 친다. 그러니 자연스럽게 우리도 개들을 보면 반가운 마음이 들게 된다.

거짓 웃음? 이걸로는 안 된다. 거기에 넘어갈 사람은 하나도 없다. 우리

mechanical and we resent it. I am talking about a real smile, a heart-warming smile, a smile that comes from within, the kind of a smile that will bring a good price in the market place.

The employment manager of a large New York department store told me he would rather hire a sales girl who hadn't finished grade school, if she had a lovely smile, than to hire a doctor of philosophy with a sober face.

The chairman of the board of directors of one of the largest rubber companies in the United States told me that, according to his observations, a man rarely succeeds at anything unless he has fun doing it. This industrial leader doesn't put much faith in the old **adage**[5] that hard work alone is the magic key that will unlock the door to our desires. "I have known men," he said, "who succeeded because they had a **rip-roaring**[6] good time conducting their business. Later, I saw those men begin to work at the job. It grew dull. They lost all joy in it, and they failed."

You must have a good time meeting people if you expect them to have a good time meeting you.

I have asked thousands of business men to smile at someone every hour of the day for a week and then come to class and talk about the results. How has it worked? Let's see. Here is a letter from William B. Steinhardt, a member of the New York Curb Exchange. His case isn't isolated. In fact, it is typical of hundreds of others.

"I have been married for over eighteen years, and in all that time I seldom smiled at my wife or spoke two dozen words to her from the time I got up until I was ready to leave for business. I was one of the worst grouches who ever walked down Broadway.

Since you asked me to make a talk about my experience with smiles, I thought I would try it for a week. So the next morning, while combing my hair, I looked at my glum **mug**[7] in the mirror

는 그것이 기계적이라는 것을 알기에 조금도 반갑게 느끼지 않는다. 지금 얘기하는 건 진짜 미소, 마음을 따뜻하게 하는 미소, 마음속에서 우러나오는 미소, 시장에서 좋은 값을 받을 만큼 순도가 높은 그런 종류의 미소다.

뉴욕의 대형 백화점에서 인사를 담당하는 어떤 사람이 내게 말하기를, 무뚝뚝한 표정의 철학박사보다는 비록 초등학교도 못 나온 판매직 여사원이라도 아름다운 미소를 지녔다면 그녀를 채용하겠다고 했다.

미국 굴지의 고무 제조회사 회장은 언젠가 자신이 계속 관찰해온 경험담을 내게 털어놨다. 그에 따르면 자기가 하는 일에서 재미를 느끼지 못하는 사람은 결코 성공하지 못한다는 것이었다. 이 산업계 지도자는 열심히 일하는 것만이 우리가 가진 욕망의 문을 여는 만능열쇠라는 오랜 **격언**[5]을 그다지 신뢰하지 않는 모양이었다. 그는 이렇게 말했다. "마치 파도를 타듯 신나게(**떠들썩한**[6]) 사업을 즐겼기 때문에 성공한 사람을 몇 명 알고 있네. 나중에 보니 그 사람들도 직업적으로 '일'을 시작하게 되더구먼. 단조로워진 거지. 사업에 재미를 못 느끼니까 실패하고 말더군."

다른 사람들이 여러분을 만나서 좋은 시간을 보내기를 원한다면, 여러분 스스로가 사람들을 만나서 좋은 시간을 가져야 한다.

나는 수천 명의 사업가들에게 한 사람을 정해서 그 사람에게 1주일 내내 미소를 지은 후 강의에 와서 결과를 말해달라고 요청했다. 결과가 어땠을까? 한번 살펴보자. 뉴욕에 사는 증권 중개인 윌리엄 B. 스타인하트의 편지를 소개하겠다. 그의 사례는 예외적인 것이 아니다. 오히려 수많은 사람들에게서 전형적으로 보이는 사례라고 할 수 있다.

"제가 결혼한 지 이제 18년이 넘었습니다. 그 사이 아내에게 미소를 지은 적이 별로 없고, 아침에 일어나서 출근할 때까지 아내에게 건네는 말도 몇 마디 되지 않았습니다. 뉴욕 사람들 중에서 가장 무뚝뚝한 남자였다고나 할까요.

이 강의에서 미소를 지은 후 결과를 발표하라는 요구를 받고 한 1주일 노력해봐야지 하고 생각했습니다. 그래서 그 다음 날 아침 머리를 빗으면서 거울 속에 비친 무뚝뚝한 제 **얼굴**[7]을 보고는 속으로 이렇게 얘기했습니다.

and said to myself, 'Bill, you are going to wipe the **scowl**[8] off that sour puss of yours today. You are going to smile. And you are going to begin right now.' As I sat down to breakfast, I greeted my wife with a 'Good morning, my dear,' and smiled as I said it.

You warned me that she might be surprised. Well, you under-estimated her reaction. She was **bewilder**ed[9]. She was shocked. I told her that in the future she could expect this as a regular occurrence and I have kept it up every morning now for two months.

This changed attitude of mine has brought more happiness in our home during these two months than there was during the last year. As I leave for my office now, I greet the elevator boy in the apartment house with a 'Good Morning' and a smile. I greet the doorman with a smile. I smile at the cashier in the subway booth when I ask for change. As I stand on the floor on the **Curb Exchange**[10], I smile at men who never saw me smile until recently.

I soon found that everybody was smiling back at me. I treat those who come to me with complaints or **grievance**s[11] in a cheerful manner. I smile as I listen to them and I find that adjustments are accomplished much easier. I find that smiles are bringing me dollars, many dollars every day.

I make my office with another broker. One of his clerks is a likable young chap, and I was so **elated**[12] about the results I was getting that I told him recently about my new philosophy of human relations. He then confessed that when I first came to make my office with his firm he thought me a terrible **grouch**[13]—and only recently changed his mind. He said I was really human when I smiled. I have also eliminated criticism from my system. I give appreciation and praise now instead of **condemnation**[14]. I have stopped talking about what I want. I am now trying to see the other person's viewpoint. And these things have literally revolutionized my life. I am a totally different man, a happier man, a richer man,

'빌, 오늘은 저 짜증스런 얼굴(**찌푸린 얼굴**[8]) 좀 지워버리자고. 넌 이제 웃을 거야. 자, 바로 지금부터 그럴 수 있어.' 그러고는 아침 식탁에 앉으면서 아내에게 '잘 잤어, 여보' 하고 말을 건네고는 미소를 지어보였습니다.

아내가 놀랄지 모른다고 경고해주셨죠? 그런데 그 정도가 아니었습니다. 아내가 거의 기절을 하더라고요(**당황하게 하다**[9]). 충격을 받은 것 같았어요. 아내에게 앞으로는 계속 이럴 거라고 얘기해주었습니다. 그리고 이제 두 달째 계속하고 있습니다.

제 태도가 이렇게 변하고 나니까 지난 한 해 느낀 행복보다 더 많은 행복을 지난 두 달간 느낄 수 있었습니다. 지금은 출근하면서 아파트 엘리베이터를 작동하는 소년에게도 웃으며 '안녕!' 하며 인사하고, 도어맨에게도 미소를 보냅니다. 지하철에서 표를 살 때는 매표 직원에게도 미소를 짓습니다. 객장(**미국 증권거래소**[10])에서 일할 때는 최근까지 한 번도 제가 웃는 걸 보지 못했던 사람들에게도 미소를 보냅니다.

저는 곧 제가 웃음을 보낸 모든 사람들이 웃음으로 저를 맞아준다는 사실을 알게 되었습니다. 불평을 하거나 **고충**[11]을 털어놓기 위해 저를 찾아오는 모든 사람들을 밝은 얼굴로 대했습니다. 웃으며 얘기를 들어주면 해결 방안이 훨씬 쉽게 나온다는 걸 알게 되었습니다. 웃음이 매일 더 많은 돈을 벌어준다는 점도 깨달았습니다.

저는 사무실을 다른 중개인과 공동으로 쓰고 있는데, 그 중개인의 직원 중에 호감이 가는 젊은 친구가 하나 있습니다. 제가 거둔 성과에 기분이 우쭐해져서(**의기양양하게 하다**[12]) 얼마 전에 그 젊은 친구에게 인간관계에 대한 제 새로운 철학을 들려주었습니다. 그랬더니 그 친구는 제가 이쪽 사무실로 처음 왔을 때는 나를 지독한 **불평꾼**[13]이라고 생각했었는데 최근에야 생각을 바꿨다고 털어놓았습니다. 제가 미소를 지을 때는 정말 인간적으로 보인다고 하더군요. 또 저는 남을 비판하던 버릇도 없애버렸습니다. 다른 사람을 **험담**[14]하는 대신 인정해주고 칭찬하기로 했습니다. 제가 원하는 것에 대해서 얘기하는 것도 그만두었습니다. 이제 다른 사람의 관점을 이해하려고 노력하고 있습니다. 이런 일들은 말 그대로 제 삶에 혁명을 일으켰습니다. 저는 전혀 다른 사람이 되었습니다. 더 행복해지고, 더 부유해

richer in friendships and happiness—the only things that matter much after all."

Remember this letter was written by a sophisticated, worldly-wise stockbroker who makes his living buying and selling stocks for his own account on the New York Curb Exchange—a business so difficult that 99 out of every 100 who attempt it fail.

You don't feel like smiling? Then what? Two things. First, force yourself to smile. If you are alone, force yourself to whistle or **hum**[15] a tune or sing. Act as if you were already happy, and that will tend to make you happy. Here is the way the late Professor William James of Harvard put it:

"Action seems to follow feeling, but really action and feeling go together; and by regulating the action, which is under the more direct control of the will, we can indirectly regulate the feeling, which is not. Thus the sovereign voluntary path to cheerfulness, if our cheerfulness be lost, is to **sit up**[16] cheerfully and to act and speak as if cheerfulness were already there."

Everybody in the world is seeking happiness—and there is one sure way to find it. That is by controlling your thoughts. Happiness doesn't depend on outward conditions. It depends on inner conditions.

It isn't what you have or who you are or where you are or what you are doing that makes you happy or unhappy. It is what you think about it. For example, two people may be in the same place, doing the same thing; both may have about an equal amount of money and prestige—and yet one may be miserable and the other happy. Why? Because of a different mental attitude. I saw just as many happy faces among the Chinese **coolies**[17] sweating and toiling in the devastating heat of China for seven cents a day as I see on Park Avenue.

지고, 친구들도 더 많아졌습니다. 삶을 사는 데 가장 중요한 부분에서 성공했다고나 할까요?"

이 편지를 쓴 사람이 뉴욕 증권시장에서 주식을 사고파는, 안식이 높고 세상 물정에 밝은 주식 중개인이라는 점에 유의해주시기 바란다. 주식 중개업은 100명 중 99명은 시도했다가도 실패하는 어려운 직업에 속한다.

웃고 싶은 생각이 들 때가 있다. 그럴 땐 어떻게 해야 할까? 두 가지가 있다. 첫째, 억지로라도 웃으려고 노력하라. 만약 당신 주위에 아무도 없다면 스스로 콧노래를 흥얼거리든가(**콧노래를 부르다**[15]) 휘파람이라도 불어보라. 둘째, 여러분이 이미 행복한 사람인 것처럼 행동하라. 그러면 저절로 행복해질 것이다. 하버드 대학 교수였던 윌리엄 제임스는 이렇게 표현했다.

"행동이 감정을 따라오는 것 같지만, 실제로는 행동과 감정은 동시에 일어난다. 그러므로 더 직접적으로 의지의 통제를 받는 행동을 조절하면, 의지가 통제할 수 없는 감정을 간접적으로 조절할 수 있다. 그러므로 유쾌함이 사라졌을 때 유쾌해지기 위한 최고의 자발적인 방법은 유쾌한 마음을 갖도록 노력하여(**분발하다**[16]) 이미 유쾌한 것처럼 행동하고 얘기하는 것이다."

세상 모든 사람들이 행복을 추구하는데, 행복을 발견하는 확실한 방법이 하나 있다. 그것은 바로 자신의 사고를 통제하는 것이다. 행복은 외적 조건에 달려 있는 게 아니라 내적 조건에 달려 있다.

인간을 행복하게 또는 불행하게 만드는 것은 가진 재산이나 지위, 직업이 아니다. 인간의 행복과 불행은 행복에 대해 어떤 생각을 갖고 있느냐에 따라 결정된다. 예를 들어 같은 회사에서 같은 일을 하는 두 사람이 있다고 하자. 둘의 급여나 사회적 신분은 비슷할 것이다. 하지만 한 사람은 불행해 보이는데, 다른 사람은 행복해 보일 경우가 있다. 왜일까? 그것은 서로 정신적인 자세가 다르기 때문이다. 나는 중국에서 하루에 7센트를 벌기 위해 뙤약볕 아래서 땀을 뻘뻘 흘리는 **노동자들**[17]도 뉴욕 중심가인 파크 애버뉴에 있는 사람들만큼이나 행복할 수 있다는 것을 보았다.

"Nothing is good or bad," said Shakespeare, "but thinking makes it so."

Abe Lincoln once remarked that "most folks are about as happy as they make up their minds to be." He was right. I recently saw a vivid illustration of that truth. I was walking up the stairs of the Long Island station in New York. Directly in front of me thirty or forth crippled boys on canes and **crutch**es[18] were struggling up the stairs. One boy had to be carried up. I was astonished at their laughter and gaiety. I spoke about it to one of the men in charge of the boys. "Oh, yes," he said, "when a boy realizes that he is going to be a cripple for life, he is shocked at first; but, after he gets over the shock, he usually resigns himself to his fate and then becomes happier than normal boys."

I felt like taking my hat off to those boys. They taught me a lesson I hope I shall never forget.

I spent an afternoon with Mary Pickford during the time when she was preparing to get a divorce from Douglas Fairbanks. The world probably imagined at the time that she was **distraught**[19] and unhappy; but I found her to be one of the most **serene**[20] and **triumphant**[21] persons I had ever met. She radiated happiness. Her secret? She has revealed it in a little book of thirty-five pages, a book you might enjoy. Go to your public library and ask for a copy of *Why Not Try God?* by Mary Pickford.

Franklin Bettger, former third baseman for the St. Louis Cardinals, and now one of the most successful insurance men in America, told me that he figured out years ago that a man with a smile is always welcome. So, before entering a man's office, he always pauses for an instant and thinks of the many things he has to be thankful for, works up a great big **honest-to-goodness**[22] smile, and then enters the room with the smile just vanishing from his face.

셰익스피어는 "사물에는 선악이 없다. 다만 우리들의 생각 여하에 따라 선과 악으로 구분될 뿐이다"라고 일갈했다.

에이브러햄 링컨은 "대부분의 사람들은 자신이 행복하고자 마음먹는 만큼 행복하다"고 했다. 그의 말이 옳다. 나는 최근에 그 말이 옳았음을 보여주는 확실한 사례를 보았다. 내가 뉴욕 롱아일랜드 역에서 계단을 오르고 있을 때의 일이다. 내 바로 앞에서 30~40명의 지체 장애 소년들이 지팡이와 **목발**[18]에 의지해 계단을 오르려 애쓰고 있었다. 어떤 아이는 업혀가고 있었다. 나는 그 아이들이 웃고 떠들며 즐거워하는 모습에 놀랐다. 그래서 아이들을 인솔하는 사람에게 내 놀라움을 얘기했다. 그러자 그는 이렇게 대답했다. "맞습니다. 이런 아이들은 앞으로 이렇게 평생을 불구로 살아야 한다는 사실을 알게 되면 처음에는 무척 충격을 받습니다. 하지만 충격에서 벗어나고 나면 대개 운명을 받아들이고 다른 보통의 아이들보다 오히려 더 쾌활해집니다."

나는 모자를 벗어 들고 아이들에게 경의를 표하고 싶은 생각이 들었다. 아이들은 평생 잊지 못할 교훈을 내게 가르쳐주었던 것이다.

전에 메리 픽포드와 함께 한나절을 보낸 적이 있다. 그녀는 당시 더글러스 페어뱅크스와의 이혼을 준비하는 중이었다. 사람들은 그녀가 슬픔으로 마음이 산란해져(**마음이 산란해진**[19]) 불행한 나날을 보낼 것이라고 생각했다. 하지만 그녀는 내가 만나본 그 누구보다도 차분하고(**차분한**[20]) 당당해 보였다(**당당한**[21]). 무척 행복해 보였다. 비결이 무엇이었을까? 그녀는 자신이 쓴 35페이지짜리 짧은 책에 그 비결을 털어놓았다. 도서관에 가서 저자가 메리 픽포드로 되어 있는 『신에 의지하여』를 찾아보기를 권한다. 읽을 만한 책이다.

프랭클린 배트거는 세인트루이스 카디널스의 3루수였다가 지금은 미국에서 가장 성공한 보험 판매원이 된 사람이다. 그는 웃는 사람이 항상 환영받는다는 사실을 오래전에 깨달았다고 내게 말했다. 그래서 그는 다른 사람의 사무실을 찾아갈 때면 언제나 문 앞에 잠깐 멈춰서 감사를 표할 많은 사실들을 떠올리며 **진심 어린**[22] 웃음을 크게 지은 다음, 웃음이 사라지기 전에 사무실 문을 밀고 들어갔다.

This simple technique, he believes, has had much to do with his **extraordinary**[23] success in selling insurance.

Frank Irving Fletcher, in one of his advertisements for Oppenheim, Collins & Co., gave us this bit of homely philosophy.

THE VALUE OF A SMILE AT CHRISTMAS

It costs nothing, but creates much.

It enriches those who receive, without impoverishing those who give.

It happens in a flash and the memory of it sometimes lasts forever.

None are so rich they can get along without it, and none so poor but are richer for its benefits.

It creates happiness in the home, fosters good will in a business, and is the countersign of friends.

It is rest to the weary, daylight to the discouraged, sunshine to the sad, and Nature's best antidote for trouble.

Yet it cannot be bought, begged, borrowed, or stolen, for it is something that is no earthly good to anybody till it is given away!

And if in the last-minute rush of Christmas buying some of our salespeople should be too tired to give you a smile, may we ask you to leave one of yours?

For nobody needs a smile so much as those who have none left to give!

So if you want people to like you, Rule 2 is:

Smile.

이런 간단한 테크닉이 보험 판매 분야에서 **대단한**[23] 성공을 거두는 데 큰 도움이 되었다고 그는 생각하고 있다.

프랭크 어빙 플레처는 오펜하임 콜린스사의 광고에서 다음과 같은 소박한 철학이 담긴 문구를 선보였다.

크리스마스에 보내는 미소의 가치

미소는 돈이 들지 않지만, 많은 일을 합니다.

미소는 받아서 부유해지지만, 준다고 가난해지지 않습니다.

미소는 순식간의 일이지만, 영원히 기억에 남습니다.

미소가 없어도 될 만큼 부유한 사람도 없고, 그 혜택을 누리지 못할 만큼 가난한 사람도 없습니다.

미소는 가정에서는 행복을 만들어내고, 사업에서는 호의를 불러일으키며, 친구 간에는 우정의 징표가 됩니다.

미소는 피곤한 사람에게는 안식이고, 실망한 사람에게는 새날이며, 슬픈 사람에게는 햇살이며, 곤경에 처한 사람에게는 자연이 주는 최상의 처방입니다.

하지만 미소는 주기 전까지는 아무런 쓸모도 없는 것이기 때문에 살 수도 없고, 구걸할 수도 없으며, 빌릴 수도 없고, 훔칠 수도 없습니다.

그러므로 만일 크리스마스 선물을 사시다가 저희 직원이 너무나 피곤하여 미소조차 짓지 않는다면 여러분께서 먼저 미소를 지어주시지 않으시겠습니까?

왜냐하면 이제는 더 이상 지을 미소가 남아 있지 않은 사람이야말로 미소가 가장 필요한 사람이기 때문입니다.

그러므로 사람들의 호감을 사고 싶다면, 다음 방법과 같이 해보라!

웃어라.

3 IF YOU DON'T DO THIS, YOU ARE HEADED FOR TROUBLE

BACK in 1898, a tragic thing happened in Rockland County, New York. A child had died and on this particular day the neighbors were preparing to go to the funeral. Jim Farley went out to the barn to **hitch up**[1] his horse. The ground was covered with snow, the air was cold and **snappy**[2]; the horse hadn't been exercised for days; and as he was led out to the watering **trough**[3], he wheeled playfully, kicked both his heels high into the air, and killed Jim Farley. So the little village of Stony Point had two funerals that week instead of one. Jim Farley left behind him a widow and three boys, and a few hundred dollars in insurance.

His oldest boy, Jim, was ten, and he went to work in a **brickyard**[4], wheeling sand and pouring it into the molds and turning the brick on edge to be dried by the sun. This boy Jim never had a chance to get much education. But with his Irish **geniality**[5], he had a flair for making people like him, so he went into politics and, as the years went by, he developed an **uncanny**[6] ability for remembering people's names.

He never saw the inside of a high school; but before he was forty-six years of age, four colleges had honored him with degrees, he had become chairman of the Democratic National Committee, and **Postmaster General**[7] of the United States.

I once interviewed Jim Farley and asked him the secret of his success. He said, "Hard work," and I said, "Don't be funny."

He then asked me what I thought was the reason for his success. I replied: "I understand you can call ten thousand people by their first names."

"No. You are wrong," he said. "I can call fifty thousand people

3 상대의 이름을 기억 못 하면 문제가 생긴다

1898년 뉴욕주의 로클랜드에서 비극적인 일이 일어났다. 한 아이의 장례식이 있는 날이라 마을 사람들은 저마다 장례식에 갈 준비를 하고 있었다. 짐 팔리는 마구간으로 가서 말을 끌어내 마차에 매려고(**마차에 매다**[1]) 하고 있었다. 땅은 눈으로 덮여 있었고 차가운 공기가 감싸고(**기운찬, 활기 있는**[2]) 있었다. 며칠째 마구간에 갇혀 있어 답답했던지 물통(**구유**[3]) 쪽으로 가던 말이 갑자기 펄쩍펄쩍 뛰면서 뒷발을 하늘 높이 차올렸다. 짐 팔리가 그 발에 맞아 그만 죽고 말았다. 스토니 포인트라는 그 작은 마을은 그 주에 한 건이 아닌 두 건의 장례식을 치르게 되었다. 짐 팔리가 죽으면서 미망인과 세 아이에게 남긴 것은 보험금 몇 백 달러가 전부였다.

아버지의 이름을 물려받은 큰 아들 짐은 당시 열 살이었는데 **벽돌 공장**[4]에서 일했다. 짐은 모래를 이겨 틀에 넣어 벽돌을 만들고, 이렇게 나온 벽돌을 쉴 새 없이 이리저리 돌려서 햇볕에 말리는 일을 했다. 이 짐이라는 아이에게는 교육 받을 기회가 없었다. 하지만 아일랜드인 특유의 **싹싹함**[5]에 사람들이 자기를 좋아하도록 만드는 재능을 갖고 있던 이 소년은 나중에 정치에 입문을 했고, 세월이 흐르며 사람들의 이름을 외우는 데 **초인적인**[6] 재능을 나타내기 시작했다.

그는 고등학교 문턱에도 가본 적이 없었다. 그러나 46세가 되기 이전에 4개 대학교에서 주는 명예박사 학위를 받았고, 민주당 전국 위원회 의장과 미국 **우정 공사 총재**[7]를 지냈다.

한번은 짐 팔리를 인터뷰하면서 성공의 비결이 무엇이냐고 물었더니 "열심히 일한 것"이라고 하길래 "농담하지 마시고요" 하고 대꾸해주었다.

그랬더니 그는 내게 자신의 성공 비결이 뭐라고 생각하느냐고 물었다. "당신은 1만 명 정도의 이름을 외우고 있다고 들었습니다만" 하고 내가 대답했다.

"아닙니다. 잘못 알고 계시군요. 5만 명의 이름을 외우고 있습니다" 하고

by their first names."

Make no mistake about it. That ability helped Mr. Farley put Franklin D. Roosevelt in the White House. During the years that Jim Farley traveled as a salesman for a **gypsum**[8] concern, and during the years that he held office as **town clerk**[9] in Stony Point, he built up a system for remembering names.

In the beginning, it was a very simple one. Whenever he met a new **acquaintance**[10], he found out his complete name, the size of his family, the nature of his business, and the color of his political opinions. He got all these facts well in mind as part of the picture, and the next time he met that man, even if it was a year later, he was able to slap him on the back, inquire after the wife and kids, and ask him about the hollyhocks in the backyard. No wonder he developed **a following**[11]!

For months before Roosevelt's campaign for President began, Jim Farley wrote hundreds of letters a day to people all over the western and northwestern states. Then he hopped onto a train and in nineteen days covered twenty states and twelve thousand miles, traveling by **buggy**[12], train, automobile, and **skiff**[13]. He would drop into town, meet his people at lunch or breakfast, tea or dinner, and give them a "heart-to-heart talk." Then he'd dash off again on another leg of his journey.

As soon as he arrived back East, he wrote to one man in each town he had visited, asking for a list of all the guests to whom he had talked. The final list contained thousands and thousands of names; yet each person on that list was paid the subtle flattery of getting a personal letter from James Farley. These letters began "Dear Bill" or "Dear Joe" and they were always signed "Jim."

Jim Farley discovered early in life that the average man is more interested in his own name than he is in all the other names on earth put together. Remember that name and call it easily and you have

그가 대답했다.

이 점을 꼭 명심하기 바란다. 프랭클린 D. 루스벨트가 대통령이 되어 백악관에 입성할 수 있었던 데는 짐 팔리가 가진 이런 능력이 도움이 되었다. **석고**[8] 제품 판매를 위해 돌아다니던 시절과 스토니 포인트에서 **관공서 직원**[9]으로 일하던 시절에, 짐 팔리는 사람들의 이름을 기억하기 위한 방법을 하나 고안해냈다.

처음에는 무척 간단한 방법이었다. 그는 누군가 새로운 사람(**지인**[10])을 만나면 그의 이름과 가족 관계, 그의 직업, 정치적 성향 등을 파악했다. 그리고 이러한 모든 사실들을 그의 얼굴과 함께 잘 기억해놓았다. 이렇게 함으로써 비록 1년이 지난 후라 할지라도 그 사람을 다시 만나면 등을 툭 치며 부인과 아이들은 잘 지내는지, 뒷마당에 있는 접시꽃이 시들지는 않았는지 등을 물어볼 수 있었다. 그의 **지지자**[11]가 늘어나는 것은 이상한 일이 아니었다.

루스벨트가 대통령 선거 유세를 시작하기 전 수개월 동안 짐 팔리는 미국 서부 및 북서부에 있는 사람들에게 하루에도 수백 통의 편지를 보냈다. 그런 후 유세를 위해 마차(**4륜 경마차, 고물차**[12])와 기차, 자동차, 배(**한 사람이 노로 젓는 작은 보트**[13]) 등 모든 교통수단을 이용해가며 19일간 20개 주, 1만 2천 마일을 순회했다. 가는 길에 이 마을 저 마을 들러 아는 사람들과 함께 차나 식사를 하면서 '솔직한 대화'를 나눴다. 그러고는 다음 여정을 위해 급히 달려갔다.

순회를 마치고 동부로 돌아온 그는 자신이 방문했던 마을마다 한 명씩 편지를 보내, 만났던 사람 전부의 명단을 보내주기를 부탁했다. 최종 명부에는 수천 명의 이름이 들어 있었다. 하지만 짐 팔리는 명부에 들어 있는 사람 모두에게 친근한 호칭이 들어 있는 편지를 보냈다. 편지는 '친애하는 빌'이나 '친애하는 조'로 시작되었고, 언제나 '짐'이라고 서명이 되어 있었다.

짐 팔리는 사람들은 대개 이 세상 모든 사람의 이름을 합친 것보다 더 자신의 이름에 관심을 기울인다는 사실을 일찍이 간파했다. 그래서 다른 사람의 이름을 기억하고 편안하게 불러주는 것은 그에게 은근하면서도 매우

paid him a subtle and very effective compliment. But forget it or misspell it—and you have placed yourself at a sharp disadvantage.

For example, I once organized a public speaking course in Paris and sent multigraphed letters to all the American residents in the city. French typists with apparently little knowledge of English filled in the names and naturally they made blunders. One man, the manager of a large American bank in Paris, wrote me a **scathing**[14] rebuke because his name had been **misspell**ed[15].

What was the reason for Andrew Carnegie's success?

He was called the Steel King; yet he himself knew little about the manufacture of steel. He had hundreds of men working for him who knew far more about steel than he did.

But he knew how to handle men—and that is what made him rich. Early in life, he showed a **flair**[16] for organization, a genius for leadership. By the time he was ten, he too had discovered the astonishing importance people place on their own names. And he used that discovery to win co-operation.

To illustrate: When he was a boy back in Scotland, he got hold of a rabbit, a mother rabbit. Presto! He soon had a whole nest of little rabbits—and nothing to feed them. But he had a brilliant idea. He told the boys in the neighborhood that if they would go out and pull enough clover and **dandelion**s[17] to feed the rabbits, he would name the **bunnies**[18] in their honor. The plan worked like magic; and Carnegie never forgot it.

Years later, he made millions by using that same psychology in business. For example, he wanted to sell steel rails to the Pennsylvania Railroad. J. Edgar Thomson was the president of the Pennsylvania Railroad then. So, Andrew Carnegie built a huge steel **mill**[19] in Pittsburgh and called it the "Edgar Thomson Steel Works."

Here is a riddle. See if you can guess it. When the Pennsylvania

효과적인 찬사를 보내는 것이 되는 것이다. 하지만 이름을 잊어버리거나 잘못 기억하면 정반대의 결과를 가져오게 된다.

예를 들어보겠다. 언젠가 나는 파리에서 대중연설에 관한 강의를 진행하면서 파리에 있는 모든 미국인들에게 같은 내용의 편지를 보낸 적이 있다. 영어에 그리 능통하지 못한 프랑스인 타자수가 이름을 치면서 꽤나 실수를 저질렀다. 결국 파리에 있는 미국계 대형 은행의 지점장으로부터 어떻게 자기 이름의 철자를 틀리게 쓸 수 있느냐는(**철자를 틀리다**[15]) 엄중한(**가차없는**[14]) 항의를 받기까지 했다.

앤드루 카네기가 성공한 이유가 어디에 있었던가?

그는 강철왕이라고 불렸다. 하지만 그는 스스로 제강업에 대해 잘 모른다고 했다. 그의 회사에는 그보다 강철에 대해 많이 아는 사람들이 수백 명이 넘었다.

하지만 그는 사람들을 부릴 줄 알았다. 그것이 바로 그를 부자로 만들어주었다. 어려서부터 그는 사람을 조직하는 데 **천부적인 재능**[16]을 보였고, 사람들을 통솔하는 데 비범한 능력을 보였다. 열 살 무렵 그는 사람들이 이름을 놀라울 정도로 중요하게 여긴다는 사실을 깨닫고, 사람들의 협력을 얻는 데 이를 활용했다.

예를 들어보자. 그가 스코틀랜드에서 살던 어린 시절, 하루는 토끼를 한 마리 잡았는데 새끼를 배고 있는 토끼였다. 그리고 얼마 지나지 않아 그에게는 한 무리의 아기 토끼가 생겼다. 그런데 문제는 먹일 게 없다는 거였다. 하지만 그는 멋진 생각을 해냈다. 그는 동네 친구들에게 앞으로 토끼풀이나 **민들레**[17]를 뜯어다 **토끼**[18]를 먹이면 토끼에게 그 아이 이름을 붙이겠다고 말했다. 그 계획은 어김없이 들어맞았다. 카네기는 결코 그 일을 잊지 못했다.

수년 후 카네기는 같은 심리를 사업에 이용해 수백만 달러를 빌었다. 예를 들면, 펜실베이니아 철도회사에 강철 레일을 납품하려 할 때의 일이었다. 당시 펜실베이니아 철도회사의 사장은 J. 에드가 톰슨이라는 사람이었다. 그래서 카네기는 펜실베이니아 주의 피츠버그에 대형 제철공장(**제조공장**[19])을 세우고는 '에드가 톰슨 철강회사'라고 이름 붙였다.

여기에 수수께끼가 있다. 한번 풀어보시라. 펜실베이니아 철도회사가 강

Railroad needed steel rails, where do you suppose J. Edgar Thomson bought them? From Sears, Roebuck? No. No. You're wrong. Guess again.

When Carnegie and George Pullman were battling each other for supremacy in the sleeping-car business, the Steel King again remembered the lesson of the rabbits.

The Central Transportation Company, which Andrew Carnegie controlled, was fighting with the company Pullman owned. Both were struggling to get the sleeping-car business of the Union Pacific Railroad, bucking each other, **slash**ing[20] prices, and destroying all chance of profit. Both Carnegie and Pullman had gone to New York to see the board of directors of the Union Pacific. Meeting one evening in the St. Nicholas Hotel, Carnegie said: "Good evening, Mr. Pullman, aren't we making a couple of fools of ourselves?"

"What do you mean?" Pullman demanded.

Then Carnegie expressed what he had on his mind—a **merger**[21] of their two interests. He pictured in glowing terms the mutual advantages of working with, instead of against, each other. Pullman listened **attentively**[22], but he was not wholly convinced. Finally he asked, "What would you call the new company?" and Carnegie replied promptly: "Why, the Pullman **Palace Car**[23] Company, of course."

Pullman's face brightened. "Come into my room," he said. "Let's talk it over." That talk made industrial history.

This policy of Andrew Carnegie's of remembering and honoring the names of his friends and business associates was one of the secrets of his leadership. He **was proud of**[24] the fact that he could call many of his laborers by their first names; and he **boast**ed[25] that while he was personally in charge, no strike ever **disturb**ed[26] his flaming steel mills.

Paderewski, on the other hand, made his colored Pullman chef feel important by always addressing him as "Mr. Copper." On

철 레일을 구매할 때, 사장인 J. 에드가 톰슨은 어느 회사를 선택할 것 같은 가? 최대 규모의 유통회사 시어스 로벅을 선택했을까? 아니다. 틀렸다. 다시 한 번 해보시라.

침대 열차 사업의 주도권을 잡기 위해 카네기와 조지 풀먼과 서로 경합을 벌일 때, 이 강철왕은 토끼에 얽힌 교훈을 다시 한 번 떠올렸다.

당시 카네기가 운영하던 센트럴 철도회사는 풀먼이 소유한 회사와 경쟁 관계였다. 두 회사는 유니언 퍼시픽 철도의 침대차 사업권을 따기 위해 노력하는 과정에서 정면충돌했다. 그래서 가격을 깎는(**깎다**[20]) 등 서로 제 살 깎아먹기 경쟁을 벌이고 있었다. 카네기와 풀먼 두 사람 다 유니언 퍼시픽 사의 회장을 만나러 뉴욕으로 갔다. 어느 저녁인가 두 사람이 니콜라스 가 호텔에서 만났는데, 카네기가 풀먼에게 이렇게 얘기했다. "안녕하십니까, 풀먼 씨. 우리 둘 다 미련한 짓하고 있는 거 아닌가요?"

"무슨 말이십니까?" 풀먼이 물었다.

그러자 카네기가 생각해둔 복안을 꺼냈다. 두 회사 공동투자의 **합병**[21]이었다. 대치하며 경쟁하는 대신에 서로 협력할 경우 어떤 이익이 생기는지 열변을 토하며 보여주었다. 풀먼도 열심히(**주의 깊게**[22]) 듣긴 했으나 완전히 확신하는 것 같지는 않았다. 마침내 그가 물었다. "새 회사 이름은 어떻게 하실 생각이십니까?" 그러자 카네기가 즉시 대답했다. "그야 당연히 '풀먼 객차(**호화 특별 철도 차**[23]) 회사'죠."

풀먼은 얼굴이 밝아지더니 이렇게 얘기했다. "제 방으로 가시죠. 좀 더 얘기를 나눕시다." 이 대화로 산업계의 역사가 이루어졌다.

친구와 사업 동료의 이름을 외우고 또 명예롭게 만들어주는 앤드루 카네기의 정책이야말로 카네기의 리더십이 성공할 수 있었던 비결 가운데 하나였다. 그는 자신이 수많은 직원들의 이름을 외우고 있음을 자랑스러워했다(**~를 자랑으로 여기다**[24]). 그리고 그가 경영을 하는 동안 그의 철강회사에서는 파업이 일어나 한 번도 회사가 어지러워진(**어지럽히다**[26]) 적이 없었다는 사실도 그가 자랑스러워할 만했다(**자랑하다**[25]).

한편 폴란드 출신의 피아니스트 파데레프스키는 항상 풀먼 침대차의 흑인 요리사를 '카퍼 씨'라고 부름으로써 요리사의 어깨를 으쓱하게 만든 예

fifteen different occasions,

Paderewski toured America, playing to wildly enthusiastic audiences from coast to coast; and on each occasion he traveled in a private car and the same chef had a midnight meal ready for him after the concert. Never in all those years did Paderewski ever call him "George" after the American manner. With his old-world formality, Paderewski always spoke to him as "Mr. Copper," and Mr. Copper loved it.

Men are so proud of their names that they **strive**[27] to **perpetuate**[28] them at any cost. Even **blustering**[29], hard-boiled old P. T. Barnum, disappointed because he had no sons to carry on his name, offered his grandson, C. H. Seeley, twenty-five thousand dollars if he would call himself "Barnum" Seeley.

Two hundred years ago, rich men used to pay authors to dedicate their books to them.

Libraries and museums owe their richest collections to men who cannot bear to think that their names might perish from the memory of the race. The New York Public Library has its Astor and Lenox collections. The Metropolitan Museum perpetuates the names of Benjamin Altman and J. P. Morgan. And nearly every church is beautified by stained-glass windows commemorating the names of the donors.

Most people don't remember names for the simple reason that they don't take the time and energy necessary to **concentrate**[30] and repeat and fix names indelibly in their minds. They make excuses for themselves; they are too busy.

But they are probably no busier than Franklin D. Roosevelt, and he takes time to remember and recall even the names of mechanics with whom he comes in contact.

To illustrate: The Chrysler organization built a special car for Mr. Roosevelt. W. F. Chamberlain and a mechanic delivered it to the White House. I have in front of me a letter from Mr. Chamberlain

도 있다.

파데레프스키는 15번이나 미국을 방문, 전국 각지에서 연주를 하여 청중들의 열광적인 환호를 받았다. 연주 때마다 그는 전용 침대차를 이용했고, 연주 후에는 언제나 같은 요리사가 야식을 준비해주었다. 파데레프스키는 한 번도 그 요리사를 미국에서 흔히 하듯이 편하게 '조지'라고 부르지 않았다. 유럽 격식대로 그는 언제나 요리사에게 '카퍼 씨'라고 불렀고, 카퍼도 그렇게 불리는 것을 좋아했다.

사람들은 누구나 자신의 이름을 자랑스럽게 여기기 때문에 어떤 값을 치르더라도 자신의 이름을 영원히 남기고자(**영속시키다[28]**) 노력한다(**노력하다[27]**). 심지어 허풍이 심하고(**으스대는[29]**) 고집 센 당대 최고의 쇼맨 P. T. 바넘은 실망스럽게도 자기 이름을 물려줄 아들을 갖지 못하자 외손자 C. H. 실리에게 '바넘' 실리로 개명하면 2만 5천 달러를 물려주겠다고 제안할 정도였다.

2백 년 전의 부자들은 작가들을 후원하고 그들이 책을 자신에게 헌정하도록 했다.

오늘날 도서관과 박물관이 호화 소장품들을 소유하고 있는 것은 사람들의 기억에서 자신의 이름이 지워지는 것을 참을 수 없었던 많은 사람들 덕택이다. 뉴욕 시립 도서관에는 애스터와 레녹스 소장품이 있다. 메트로폴리탄 박물관에는 벤저민 알트먼과 J. P. 모건의 이름이 영원히 새겨져 있다. 그리고 거의 모든 성당을 아름답게 꾸며주고 있는 스테인드글라스에는 기증자의 이름이 새겨져 있다.

사람들이 이름을 기억하지 못하는 이유는 단순히 정신을 집중해(**집중하다[30]**) 이름을 반복함으로써 마음속 깊이 새기는 데 필요한 시간과 정력을 들이지 않기 때문이다. 사람들에게는 변명거리가 있다. 즉, 그들은 너무 바쁘다.

하지만 그들이 아무리 바빠도 프랭클린 D. 루스벨트만큼 바쁘겠는가? 루스벨트는 잠깐 만난 기계공의 이름까지도 기억했다가 다시 생각해낼 정도로 시간을 들였다.

이런 예가 있다. 루스벨트는 다리가 불구여서 보통 차를 운전할 수 없었다. 그래서 크라이슬러사에서는 그를 위해 특별 차량 한 대를 만들었다. W. F. 체임벌린과 기계공 한 사람이 차를 가지고 백악관으로 갔다. 체임벌

relating his experiences.

"I taught President Roosevelt how to handle a car with a lot of unusual **gadget**s[31]; but he taught me a lot about the fine art of handling people."

"When I called at the White House," Mr. Chamberlain writes, "the President was extremely pleasant and cheerful. He called me by name, made me feel very comfortable, and particularly impressed me with the fact that he was *vitally interested* in the things I had to show him and tell him. The car was so designed that it could be operated entirely by hand. A crowd gathered around to look at the car; and he remarked: 'I think it is marvelous. All you have to do is to touch a button and it moves away and you can drive it without effort. I think it is grand—I don't know what makes it go. I'd love to have the time to tear it down and see how it works.'

When Roosevelt's friends and associates admired the machine, he said in their presence: 'Mr. Chamberlain, I certainly appreciate all the time and effort you have spent in developing this car. It is a mighty fine job.' He admired the radiator, the special rear-vision mirror and clock, the special spotlight, the kind of **upholstery**[32], the sitting position of the driver's seat, the special suitcases in the trunk with his monogram on each suitcase.

In other words he took notice of every detail to which he knew I had given considerable thought. He made a point of bringing these various pieces of equipment to the attention of Mrs. Roosevelt, Miss Perkins, the Secretary of Labor, and his secretary. He even brought the old colored porter into the picture by saying, 'George, you want to take **particularly**[33] good care of the suitcases.'

When the driving lesson was finished, the President turned to me and said: 'Well, Mr. Chamberlain, I have been keeping the **Federal Reserve Board**[34] waiting thirty minutes. I guess I had better get

린 씨가 자신의 경험을 기록한 편지를 내게 보내주었다.

"나는 루스벨트 대통령께 여러 가지 특수 **장치**[31]가 되어 있는 그 자동차의 운전법을 가르쳐드렸습니다. 하지만 그분은 내게 사람 대하는 법을 가르쳐주셨습니다.

백악관에 도착했더니 대통령은 기분이 매우 좋아 보이더군요. 그는 내 이름을 친근하게 불렀고, 나를 편하게 만들어주셨습니다. 특히 내가 보여드리고 알려드려야 할 일에 대해 *상당한 관심*을 갖고 있다는 점이 인상적이었습니다. 그 차는 손만 가지고도 운전할 수 있도록 제작된 차였습니다. 많은 사람들이 차를 구경하려고 몰려들었습니다. 대통령이 이렇게 말씀하셨습니다. '이거 정말 놀랍군. 버튼을 누르기만 하면 별 힘 안 들이고도 차가 저절로 굴러가니 말이야. 정말 대단해. 이게 어떻게 앞으로 가는지 궁금하군. 언제 시간 나면 분해해서 작동 방식을 보고 싶구먼.'

대통령의 친구들과 백악관 동료 사람들이 그 차에 경탄하고 있는 자리에서 대통령은 이렇게 말씀하셨습니다. '체임벌린 씨, 이 차를 개발하느라 시간과 노력을 들여주셔서 정말 감사합니다. 정말 대단합니다.' 대통령은 라디에이터와 백미러, 시계, 특수 조명등, **실내 장식품**[32], 운전자석의 의자 위치, 그의 머리글자를 새긴 슈트케이스가 들어 있는 트렁크 등에 칭찬을 아끼지 않으셨습니다.

달리 말하자면 대통령이 생각하시기에 내가 신경을 쓴 부분이라고 보이는 곳은 아무리 사소한 곳이라도 빠뜨리지 않고 언급하셨던 것이죠. 그는 영부인과 노동장관인 프랜시스 퍼킨스, 그리고 비서에게도 그런 장치들을 주목해 보라고 하셨습니다. 심지어 나이 든 흑인 포터를 오라고 하시더니 '조지, 이 가방들은 **특별히**[33] 조심해야 하네' 하시더군요.

운전 교습이 끝나자 대통령은 내게 '체임벌린 씨, **연방준비제도이사회(FRB)**[34]를 벌써 30분이나 기다리게 만들었네요. 이제 가봐야 할 것 같습니다' 하고 말씀하셨습니다.

back to work.'

I took a mechanic with me down to the White House. He was introduced to Roosevelt when he arrived. He didn't talk to the President and Roosevelt heard his name only once. He was a shy chap, and he kept in the background. But before leaving us, the President looked for the mechanic, shook his hand, called him by name, and thanked him for coming down to Washington. And there was nothing **perfunctory**[35] about his thanks. He meant what he said. I could feel that.

A few days after returning to New York, I got an autographed photograph of President Roosevelt and a little note of thanks again expressing his appreciation for my assistance. How he finds time to do it is a mystery to me."

Franklin D. Roosevelt knows that one of the simplest, most **obvious**[36], and most important ways of gaining good will is by remembering names and making people feel important—yet how many of us do it?

Half the time we are introduced to a stranger, chat a few minutes, and can't even remember his name when we say good-by.

One of the first lessons a politician learns is this: "To recall a voter's name is statesmanship. To forget it is **oblivion**[37]."

And the ability to remember names is almost as important in business and social contacts as it is in politics. Napoleon the Third, Emperor of France and nephew of the great Napoleon, boasted that in spite of all his royal duties he could remember the name of every person he met.

His technique? Simple. If he didn't hear the name distinctly, he said, "So sorry. I didn't get the name clearly." Then, if it was an unusual name, he would say, "How is it spelt?"

During the conversation, he took the trouble to repeat the name

저는 백악관에 가면서 기계공 한 명을 대동하고 갔습니다. 그는 대통령과 만난 처음 대통령께 인사드린 후부터는 대통령과 얘기를 나눈 적이 없었기 때문에 대통령은 그의 이름을 단 한 번 들었을 뿐입니다. 그는 약간 수줍어하는 편이라 항상 뒤편에 서 있었습니다. 하지만 떠날 적에 대통령은 기계공을 보시더니 그의 이름을 부르며 악수를 하셨습니다. 그러고는 워싱턴까지 와줘서 고맙다고 하시더군요. 그 인사는 전혀 **형식적인**[35] 것이 아니라 진심에서 우러나온 것이었습니다. 그것이 내게도 느껴졌습니다.

뉴욕으로 돌아오고 나서 며칠 뒤에 나는 우편으로 루스벨트 대통령의 사진을 받았습니다. 거기에는 대통령의 친필 서명과 함께 도움에 진심으로 감사한다는 메모가 들어 있었습니다. 어떻게 그런 시간까지 낼 수 있었는지 정말 놀라울 따름입니다."

프랭클린 D. 루스벨트는 호의를 얻는 가장 단순하고 가장 명백하며(**명백한**[36]), 가장 중요한 방법은 상대방의 이름을 기억하고 그가 인정받는다는 느낌을 가질 수 있게 하는 것이란 점을 잘 알고 있었다. 그런데 우리 중에서는 몇 명이나 그렇게 하고 있을까?

누군가를 만나서 얘기를 나누고도 돌아서서는 이름조차 기억하지 못하는 경우가 태반이다.

정치인이 배워야 할 첫째 교훈은 이것이다. "유권자의 이름을 기억하는 것이 정치인의 조건이다. 이름을 기억하지 못하면 그도 잊혀진다(**망각**[37])."

상대방의 이름을 기억하는 것은 정치에서뿐만 아니라 사업이나 사교에서도 중요하다. 나폴레옹의 조카이며 프랑스의 황제인 나폴레옹 3세는 궁정일로 바쁜 도중에도 자신이 만나는 모든 사람들의 이름을 기억할 수 있다고 자랑했다.

그의 비결은 무엇이었을까? 간단하다. 이름을 분명히 듣지 못하면 그는 이렇게 말했다. "정말 미안하네만, 이름을 다시 한 번 말해주겠나?" 그러고 나서 이름이 독특한 경우에는 "어떻게 쓰지?" 하고 물어보았다.

또 대화를 하는 사이에 그는 그 사람의 이름을 서너 번 반복해보고, 이름

several times, and tried to associate it in his mind with the man's features, expression, and general appearance.

If the man were someone of importance, Napoleon went to even further pains. As soon as His Royal Highness was alone, he wrote the man's name down on a piece of paper, looked at it, **concentrated**[38] on it, fixed it securely in his mind, and then tore up the paper. In this way, he gained an eye impression of the name as well as an ear impression.

All this takes time, but "good manners," said Emerson, "are made up of petty **sacrifice**s[39]."

So if you want people to like you, Rule 3 is:

Remember that a man's name is to him the sweetest and most important sound in the English language.

을 그 사람의 생김새나 말투, 전체적인 인상과 연관시켜 기억하려고 노력했다.

만일 상대방이 중요한 사람이라면 나폴레옹은 조금 더 수고를 들였다. 상대방이 자리를 비워서 혼자 있게 되면, 즉시 종이에 그 사람의 이름을 써놓고 집중해서(**집중하다**38) 그 이름을 바라보며 기억에 새긴 다음 종이를 찢어버렸다. 이러한 방법으로 그는 이름을 귀로 익힐 뿐 아니라 눈으로도 익혔다.

이 모든 게 시간을 필요로 한다. 하지만 에머슨이 말한 대로 "예절은 작은 **희생**39들로 이루어져 있다."

그러므로 사람들의 호감을 사고 싶다면, 다음 방법과 같이 해보라!

상대방에게는 자신의 이름이 사람의 입에서 나오는 가장 달콤하면서도 가장 중요한 말임을 기억하라.

4 AN EASY WAY TO BECOME A GOOD CONVERSATIONALIST

I WAS recently invited to a bridge party. Personally, I don't play bridge—and there was a blonde there who didn't play bridge either. She had discovered that I had once been Lowell Thomas' manager before he went on the radio, that I had traveled in Europe a great deal while helping him prepare the illustrated travel talks he was then **deliver**ing[1]. So she said: "Oh, Mr. Carnegie, I do want you to tell me about all the wonderful places you have visited and the sights you have seen."

As we sat down on the sofa, she remarked that she and her husband had recently returned from a trip to Africa. "Africa!" I exclaimed. "How interesting! I always wanted to see Africa, but I never got there except for a twenty-four-hour stay once in Algiers. Tell me, did you visit the big-game country? Yes? How fortunate! I envy you! Do tell me about Africa."

That was good for forty-five minutes. She never again asked me where I had been or what I had seen. She didn't want to hear me talk about my travels. All she wanted was an interested listener, so she could expand her ego and tell about where she had been.

Was she unusual? No. Many people are like that.

For example, I recently met a distinguished botanist at a dinner party given by J. W. Greenberg, the New York book publisher. I had never talked to a **botanist**[2] before, and I found him fascinating. I literally set on the edge of my chair and listened while he spoke of **hashish**[3] and Luther Burbank and indoor gardens and told me astonishing facts about the humble potato. I have a small indoor garden of my own—and he was good enough to tell me how to solve some of my problems.

4 대화를 잘하는 사람이 되는 쉬운 방법

최근 브리지 파티에 초대를 받은 적이 있다. 개인적으로 나는 브리지 게임을 즐기지 않는다. 그리고 그 자리에는 나처럼 브리지 게임을 즐기지 않는 사람이 한 명 더 있었는데 금발의 부인이었다. 얘기를 하는 도중에 〈아라비아의 로렌스〉로 유명한 로웰 토머스가 라디오로 옮기기 전까지, 내가 그의 매니저였음을 알려주었다. 그리고 그를 도와 그가 당시 진행하던(**배달하다, 잘해내다[1]**) 유명한 여행 만담을 준비하기 위해 유럽 여행을 자주 다녔다는 사실도 알려주었다. "카네기 씨, 당신이 가본 멋진 곳들과 아름다운 경치에 대해 들려주지 않으시겠어요?" 그녀가 물었다.

자리를 잡고 앉자 그녀는 자신과 남편이 최근 아프리카 여행을 마치고 돌아왔다는 얘기를 꺼냈다. "아프리카요!" 내가 감탄했다. "정말 재미있었겠네요. 항상 아프리카에 가보고 싶어했는데, 알제리의 수도 알제에 24시간 머문 것 외에는 한 번도 가보지 못했네요. 커다란 동물들이 사는 곳도 방문해보셨어요? 그래요? 정말 좋았겠군요. 부럽습니다. 아프리카 얘기 좀 더 해주시죠."

부인의 얘기는 45분간 계속되었다. 그녀는 내가 어디 갔었는지, 어떤 걸 보았는지에 대해서는 두 번 다시 묻지 않았다. 그녀는 내가 내 여행담을 듣고 싶었던 것이 아니었다. 그녀는 그녀 자신을 드러낼 수 있도록, 그리고 어디 다녀왔는지 얘기할 수 있도록 잘 들어주는 사람을 원했다.

그녀가 특별한 경우인가? 아니다. 대부분의 사람들이 그렇다.

예를 들어보자. 최근 나는 뉴욕의 출판업자인 J. W. 그린버그가 주최한 만찬에서 저명한 식물학자를 만났다. **식물학자[2]**와 얘기를 나눈 적이 없어서 그런지 나는 그에게 흠뻑 빠져버렸다. 그가 내게 **마취제나 마약으로 쓰이는 해시시[3]**, 유명한 육종학자인 루터 버뱅크, 실내 정원 등에 관한 얘기와 감자 하나에도 얼마나 많은 신기한 사실들이 숨어 있는지에 관한 얘기를 해주는 동안, 나는 말 그대로 넋을 놓고 앉아 있었다. 우리 집에도 조그만 실내 정원이 있었는데, 그의 얘기를 듣다 보니 여러 가지 문제를 해결할 방도를 찾을 수 있었다.

As I said, we were at a dinner party. There must have been a dozen other guests there; but I **violate**d[4] all the **canons**[5] of courtesy, ignored everyone else, and talked for hours to the botanist.

Midnight came. I said good night to everyone and departed. The botanist then turned to our host and paid me several flattering **compliment**s[6]. I was "most stimulating." I was this and I was that; and he ended up by saying I was a "most interesting conversationalist."

An interesting conversationalist? I? Why, I had said hardly anything at all. I couldn't have said anything if I had wanted to without changing the subject, for I don't know any more about **botany**[7] than I know about the **anatomy**[8] of a penguin. But I had done this: I had listened intently. I had listened because I was genuinely interested. And he felt it. Naturally that pleased him.

That kind of listening is one of the highest compliments we can pay to anyone. "Few human beings," wrote Jack Woodford in *Strangers in Love,* "few human beings are proof against the implied flattery of **rapt**[9] attention."

I went even farther than giving him rapt attention. I was "hearty in my **approbation**[10] and **lavish**[11] in my praise." I told him I had been immensely entertained and instructed—and I had. I told him I wished that I had his knowledge—and I do. I told him that I should love to wander the fields with him—and I should. I told him I must see him again—and I must. And so I had him thinking of me as a good conversationalist when, in reality, I had been merely a good listener and encouraged him to talk.

What is the secret, the mystery, of a successful business interview? Well, according to that genial scholar Charles W. Eliot, "there is no mystery about successful business intercourse. Exclusive attention to the person who is speaking to you is very

이미 얘기한 대로 그 자리는 만찬회였다. 우리 말고도 손님이 열 명 정도 더 있었는데, 나는 사교의 **원칙⁴**에 어긋나게 (**어기다⁵**) 다른 모든 손님들에게는 신경도 쓰지 않고 몇 시간 동안 그 식물학자 한 사람과 얘기하고 있었다.

밤이 깊어져 나는 모두에게 인사하고 자리를 떴다. 그러자 그 식물학자는 만찬 주최자에게 가서 나를 **칭찬⁶**하는 말을 쏟아냈다고 한다. 내가 '매우 얘기를 잘 이끈다'라든가, 나를 '이렇다', '저렇다' 칭찬을 하더니, 마지막에는 내가 '매우 재미있게 대화를 잘하는 사람'이라는 말로 끝을 맺었다고 한다.

재미있게 대화를 잘하는 사람? 내가? 나는 거의 아무 말도 하지 않았다. 얘기를 하고 싶어도 화제를 바꾸지 않고서는 얘기할 수가 없었다. **식물학⁷**에 대해서는 펭귄 **해부⁸**하는 것이나 마찬가지로 하나도 아는 게 없기 때문이었다. 하지만 나는 이것 하나는 했다. 즉 열심히 듣고 있었다. 내가 경청한 것은 진정으로 관심이 있었기 때문이었다. 그리고 그도 내가 그렇다는 것을 느꼈다. 그러니 자연히 그는 기분이 좋았다.

이런 방식으로 경청하는 것은 우리가 다른 사람에게 줄 수 있는 최고의 찬사 중 하나라 할 수 있다. 잭 우드포드는 『사랑의 이방인』이라는 책에서 이렇게 썼다. '상대방의 얘기를 열중해서 (**완전히 몰입한⁹**) 들어주는 것은 거의 모든 사람이 좋아할 수밖에 없는 은근한 아부다.'

나는 열중해서 들어주는 것 이상의 일을 했다. 나는 '진심으로 **찬동¹⁰**해 주고 칭찬을 아끼지 않았던 것 (**아낌없는¹¹**)'이다. 나는 그 식물학자에게 너무나 재미있었고, 배운 게 많았다고 얘기했다. 나는 그에게 실제로 많이 배웠다. 그리고 나도 당신만큼 아는 게 많아지기를 원한다고 그에게 말했다. 지금도 나는 그렇게 원하고 있다. 또한 나는 그에게 당신과 함께 들판을 헤매 다니고 싶다고 했다. 지금도 그런 생각을 갖고 있다. 마지막으로 그에게 꼭 다시 만나자고 했다. 나는 앞으로 꼭 그럴 기회를 만들 것이다. 이렇게 해서 그는 나를 대화를 잘하는 사람이라고 여기게 된 것이다. 실상은 잘 들어준 것과 그가 얘기를 하도록 북돋워준 것밖에 없는데 말이다.

사업상의 상담을 성공으로 만드는 비결이나 신비는 무엇일까? 하버드 대전 총장인 찰스 W. 엘리엇 교수는 이렇게 말했다. "성공적인 사업 상담에 비결이란 없다. 당신에게 말하고 있는 사람의 말을 집중해 들어주는 것이 매우 중요하다. 그것이 가장 상대방을 기분 좋게 한다."

important. Nothing else is so flattering as that."

Self-evident, isn't it? You don't have to study for four years in Harvard to discover that. Yet I know and you know merchants who will rent expensive space, buy their goods economically, dress their windows appealingly, spend hundreds of dollars in advertising, and then hire clerks who haven't the sense to be good listeners—clerks who interrupt customers, **contradict**[12] them, irritate them, and all but drive them from the store.

Take, for example, the experience of J. C. Wootton. He related this story in one of my classes: He bought a suit in a department store in the **enterprising**[13] city of Newark, New Jersey, near the sea. The suit proved to be disappointing; the **dye**[14] of the coat rubbed off and darkened the collar of his shirt.

Taking the suit back to the store, he found the sales man he had dealt with and told his story. Did I say he "told" his story? Sorry, that is an **exaggeration**[15]. He *attempted* to tell his story. But he couldn't. He was interrupted.

"We've sold thousands of those suits," the salesman **retort**ed[16], "and this is the first complaint we have ever had."

That was what his words said; and his tones were even worse. His **belligerent**[17] tones said: "You are lying. Think you are going to **put something over on**[18] us, don't you? Well, I'll show you a thing or two."

In the heat of this argument, a second salesman pitched in. "All dark suits rub a little at first," he said. "That can't be helped. Not in suits at that price. It's in the dye."

"By this time, I was fairly **sizzling**[19]." Mr. Wootton remarked as he told his story. "The first salesman questioned my honesty. The second one **intimated**[20] that I had purchased a second-rate article. I boiled. I was on the point of telling them to take their suit and go

뻔하지 않은가! 하버드대에서 4년 동안이나 공부하지 않더라도 이 정도는 충분히 알 수 있다. 하지만 우리는 사람들이 비싼 점포를 얻고 물건을 싸게 공급받으며 창문에는 갖가지 치장을 하고 광고에 돈을 펑펑 쓰면서도, 정작 직원을 뽑을 때는 고객의 말을 잘 들어주지 않는 사람, 즉 고객의 말을 막고 고객의 말에 반박하며(**반박하다**[12]), 고객을 짜증나게 해서 결국은 쫓아버리고 마는 그런 사람을 채용하는 경우를 너무 많이 본다.

J. C. 우튼의 경험을 예로 들어보자. 그는 내가 하는 강의에서 이 얘기를 들려주었다. 그는 급속히 발전하던(**진취적인**[13]) 뉴저지 주 뉴어크 시에 있는 백화점에서 양복 한 벌을 샀다. 집에 와서 보니 양복이 기대 이하였다. 양복에서 물(**염료**[14])이 빠져 와이셔츠 깃에 얼룩이 져 있었던 것이다.

양복을 들고 다시 백화점으로 다시 돌아가서. 물건을 판 직원을 찾아 전후 사정을 얘기했다. 내가 '얘기했다'라고 했는가? 미안하다. 그건 **과장**[15]이다. 그는 얘기하려고 *시도했다*. 하지만 그는 그렇게 하지 못했다. 그는 차단당했다.

직원이 그의 말을 막고 이렇게 대꾸했다(**말대꾸하다**[16]). "이 양복을 수천 벌 팔았지만, 그런 불만 사항은 처음 듣습니다."

이게 그 직원의 말이었고, 말투는 심지어 더 좋지 않았다. 직원의 **도전적인**[17] 그 말투는 이런 뜻이었다. '당신은 거짓말을 하고 있어요. 우리에게 덤터기를 씌워 속일 수 있다고(**~를 속이다**[18]) 생각하나 보죠? 그리 호락호락하지는 않을 겁니다.'

이런 얘기를 나누고 있는데, 다른 직원이 끼어들었다. "진한 색 양복은 모두 처음에는 물이 조금 빠집니다. 그건 어쩔 수가 없습니다. 그 가격대에서는요. 염색 문제니까요."

"이때쯤 되니까, 저도 부글부글 끓더라고요(**지글지글 끓는, 몹시 화난**[19])." 우튼 씨가 말했다. "첫 번째 직원은 제 정직성을 의심하더니, 두 번째 직원은 제가 싸구려를 샀다는 말을 하는 게(**넌지시 말하다**[20]) 아니겠습니까. 화가 머리끝까지 치솟았습니다. 그래서 양복을 집어던지고 한바탕 욕을 퍼붓

to hell, when suddenly the head of the department strolled by. He knew his business. He changed my attitude completely. He turned an angry man into a satisfied customer. How did he do it? By three things:

First, *he listened to my story from beginning to end without saying a word.*

Second, when I had finished and the salesmen again started to **air**[21] their views, he argued with them from *my point of view.* Not only did he point out that my collar obviously was stained from the suit, but he also insisted that nothing should be sold from that store that did not give complete satisfaction.

Third, he admitted he didn't know the cause of the trouble and said to me very simply, 'What would you like me to do with the suit? I'll do anything you say.'

Only a few minutes before I had been ready to tell them to keep their **confound**ed[22] suit. But now I answered, 'I want only your advice. I want to know whether the condition is temporary, and if anything can be done about it.'

He suggested that I try the suit for another week. 'If it isn't satisfactory then,' he promised, 'bring it in and we'll give you one that is. We are so sorry to have caused you this inconvenience.'

I walked out of the store satisfied; the suit was all right at the end of the week; and my confidence in that department store was completely restored."

Small wonder that[23] manager was head of his department; and, as for his subordinates, they will remain—I was about to say they would remain clerks all their lives. No, they will probably be demoted to the wrapping department, where they never will come in contact with customers.

고 돌아서려 했습니다. 그런데 마침 바로 그때 백화점 지배인이 근처를 지나갔습니다. 지배인은 역시 지배인다웠습니다. 그로 인해 내 태도가 완전히 바뀌었습니다. 그는 화가 잔뜩 난 소비자를 만족스런 고객으로 바꾸어 놓았습니다. 어떻게 했냐고요? 세 가지입니다.

우선, *내가 하는 얘기를 처음부터 끝까지 한마디 말도 없이 다 들어주었습니다.*

둘째, 내가 말을 마치고 직원이 자신의 생각을 늘어놓으려고 하자(**불평을 늘어놓다**[21]), 그는 내 처지에 서서 그들과 얘기했습니다. 와이셔츠에 얼룩이 진 것이 그 양복 때문이라는 것뿐 아니라, 그 백화점에서는 충분히 만족스러운 물건만 팔아야 한다고 주장했습니다.

셋째, 그는 양복에 그런 결함이 있는 줄 몰랐다는 점을 인정하고, 아주 간단히 이렇게 얘기했습니다. '양복은 어떻게 하는 게 좋으시겠습니까? 원하시는 대로 해드리겠습니다.'

몇 분 전만 해도 그들에게 빌어먹을(**혼동하다, 저주하다**[22]) 양복 갖고 가라고 할 생각이었으나 그때는 이렇게 말했을 뿐이었습니다. '조언만 해주시면 됩니다. 이런 현상은 일시적이겠지요? 그리고, 어떻게 하면 좋아질까요?'

그는 내게 1주일만 더 두고 지켜보는 게 어떠냐고 하면서 이렇게 얘기했습니다. '그때도 좋아지지 않으면 가져오십시오. 다른 것으로 바꿔드리겠습니다. 불편하게 해서 죄송합니다.'

나는 만족해서 백화점에서 나왔습니다. 1주일이 지나자 양복은 괜찮아지더군요. 그 백화점에 대한 내 신뢰도 완전히 회복되었고요."

그 지배인이 그 백화점의 사장이 되었다 해도 **그리 놀랄 일은 아닐 것이다**[23]. 문제의 직원들은 아마 평생 그냥 직원으로 머물 것이다. 아니 어쩌면 고객을 대하지 않아도 되는 포장부서로 전출돼 영원히 거기에 있을지도 모를 일이다.

The **chronic**[24] **kicker**[25], even the most violent critic, will frequently soften and be subdued in the presence of a patient, sympathetic listener—a listener who will be silent while the **irate**[26] fault-finder dilates like a king cobra and **spews**[27] the poison out of his system.

To illustrate: The New York Telephone Company discovered a few years ago that it had to deal with one of the most vicious customers who ever cursed a "hello girl." And he did **curse**[28]. He **raved**[29]. He threatened to tear the phone out by its roots. He refused to pay certain charges which he declared were false. He wrote letters to the newspapers. He filed innumerable complaints with the Public Service Commission and he started several suits against the telephone company.

At last, one of the company's most skillful "trouble shooters" was sent to interview this **stormy petrel**[30]. This "trouble shooter" listened and let the **cantankerous**[31] **old boy**[32] enjoy himself by pouring out his **tirade**[33]. The telephone man listened and said "yes" and sympathized with his grievance.

"He raved on and I listened for nearly three hours," the "trouble-shooter" said as he related his experiences before one of the author's classes. "Then I went back and listened some more. I interviewed him four times, and before the fourth visit was over I had become a **charter member**[34] of an organization he was starting. He called it the 'Telephone Subscribers Protective Association.' I am still a member of this organization, and, so far as I know, I'm the only member in the world today besides Mr. —.

I listened and sympathized with him on every point that he made during these interviews. He had never had a telephone man talk to him that way before, and he became almost friendly.

The point on which I went to see him was not even mentioned on the first visit, nor was it mentioned on the second or third, but upon

정말 얘기를 잘 들어주는 사람은 이해심을 가지고 묵묵히 들어준다. 바짝 약이 올라 머리를 빳빳하게 세운 코브라가 속에 품은 독을 뿜어내듯(**분출하다²⁷**) 털어놓는, 화가 난(**노한²⁶**) 사람들의 얘기조차도 말이다. 이런 사람 앞에서는 **상습적인²⁴ 불평꾼²⁵**이나 가장 극성맞은 비판론자라 할지라도 약해지고 누그러지게 마련이다.

예를 들어보겠다. 수년 전 뉴욕전화회사는 전화교환원들을 괴롭히던 가장 악독한 소비자 한 명 때문에 골치를 썩이고 있었다. 그는 **욕설²⁸**을 했다. 그는 고함을 질렀다(**고함치다²⁹**). 그리고 그는 전화기를 뽑아버리겠다고 협박을 했다. 그는 자신이 보기에 잘못 청구된 요금을 내지 않겠다고 거부했다. 그는 언론에도 투고를 했다. 공공서비스위원회에 무수히 많은 불만을 접수시키고 전화회사를 상대로 몇 건의 소송도 진행했다.

마침내 회사에서 가장 뛰어난 '문제 해결사'가 이 말썽쟁이 고객(**분쟁을 불러일으키는 사람³⁰**)과 상담하기 위해 파견되었다. 이 '해결사'는 **다루기 힘든³¹ 중년 남자³²**가 **긴 연설³³**을 쏟아내는 것을 가만히 듣고 있기만 했다. 그는 가만히 들으면서 "맞습니다" 하고 말하며 고객의 불평에 맞장구를 쳐주었다.

그 '문제 해결사'가 카네기 강좌에 와서 자신의 경험에 대해 한 말을 직접 들어보자. "거의 3시간 동안이나 그는 미친 듯 떠들어댔고 나는 듣기만 했습니다. 그런 후 나는 돌아가서 상황을 조금 더 파악해보았습니다. 그를 네 번 면담했는데, 네 번째 면담이 끝날 무렵 나는 그가 막 설립한 조직의 **창립 멤버³⁴**가 되어 있었습니다. 그는 그 조직을 '전화 이용자 보호협회'라고 불렀는데, 나는 아직도 그 조직 멤버입니다. 그리고 제가 아는 한 전 세계에서 그 조직 멤버는 그와 내가 전부입니다.

면담을 하는 동안 나는 그의 얘기를 들으며 어떤 점에 대해서건 동감을 표시했습니다. 그는 여태 이런 식으로 얘기하는 전화국 직원을 본 적이 없었는지, 우리는 결국 친구처럼 지내게 되었습니다.

제가 찾아간 이유는 첫 번째 면담에서도, 두 번째, 세 번째 면담에서도 결코 꺼낸 적이 없습니다. 하지만 네 번째 면담에서 모든 일은 깨끗이 해결

the fourth interview I closed the case completely, had all bills paid in full, and for the first time in the history of his difficulties with the Telephone Company he withdrew his complaints to the Commission."

Doubtless Mr. — considered himself to be a **holy crusader**[35], defending the public rights against callous exploitation. But in reality, what he wanted was a feeling of importance. He got this feeling of importance at first by kicking and complaining. But as soon as he got his feeling of importance from a representative of the company, his imagined grievances vanished into thin air.

Our morning, years ago, an angry customer stormed into the office of Julian F. Detmer, founder of the Detmer Woolen Company, which later became the world's largest distributors of woolens to the tailoring trade.

"This man owed us fifteen dollars," Mr. Detmer explained to me. "The customer denied it, but we knew he was wrong. So our credit department had insisted that he pay. After getting a number of letters from our credit men, he packed his **grip**[36], made a trip to Chicago, and hurried into my office to inform me not only that he was not going to pay that bill, but that he was never going to buy another dollar's worth of goods from the Detmer Woolen Company.

I listened patiently to all he had to say. I was tempted to interrupt, but I realized that would be bad policy. So I let him talk himself out. When he finally **simmer**ed **down**[37] and got in a receptive mood, I said quietly: 'I want to thank you for coming to Chicago to tell me about this. You have done me a great favor, for if our credit department has annoyed you, it may annoy other good customers, and that would be just too bad. Believe me, I am far more eager to hear this than you are to tell it.'

That was the last thing in the world he expected me to say. I think he was a trifle disappointed, because he had come to Chicago

되었습니다. 모든 요금에 대해 납부를 받았고, 그가 전화회사와 분쟁을 시작한 이래 처음으로 공공서비스위원회에 제기한 불만을 자진해서 철회했습니다."

그 고객은 자신을 가혹한 착취로부터 공공의 권리를 보호하는 **성스러운 십자군**[35]이라고 여겼을지도 모른다. 하지만 현실적으로 그가 원한 것은 자신의 존재를 인정받는 것이었다. 처음에 그는 소란을 일으키고 불평을 함으로써 자신의 존재를 인정받고 있다고 느꼈다. 그런데 회사에서 온 사람에 의해 자신의 존재가 인정받는다고 느끼게 되자, 그가 불만이라고 상상해오던 것들이 순식간에 사라져버렸던 것이다.

몇 년 전의 일이다. 어느 날 아침 한 고객이 잔뜩 화가 나서 줄리안 F. 데트머의 사무실로 쳐들어왔다. 데트머는 세계 최고의 모직물 공급 회사로 자리매김한 데트머 모직회사의 설립자다.

바로 그 데트머의 얘기를 들어보기로 하자. "그 고객은 우리에게 15달러를 빚지고 있었습니다. 고객은 아니라고 했지만, 우리는 그가 잘못 생각하고 있다는 것을 알고 있었죠. 그래서 우리 회사의 채권 파트에서는 그에게 대금을 지불할 것을 종용했습니다. 이렇게 독촉장을 몇 차례 받게 되자 그는 가방(**손가방, 여행 가방**[36])을 싸서 멀리 시카고로 달려 와서 급히 내 사무실까지 들어와, 자신은 한 푼도 갚을 생각이 없을 뿐 아니라 앞으로 데트머 회사와는 거래를 끊겠다고 말했습니다.

나는 그의 말을 조용히 들어주었습니다. 말을 막고 싶었지만 그러는 게 좋지 않다는 것을 알고 있었죠. 그래서 다 떠들 때까지 놔뒀습니다. 어느 정도 분이 가라앉고(**분이 가라앉다**[37]) 냉정을 찾을 만한 상황이 되자 내가 조용히 얘기했습니다. '이런 말씀을 해주시러 시카고까지 와주셔서 고맙습니다. 당신은 제게 큰 도움을 주셨습니다. 왜냐하면 우리 채권 파트가 당신을 이렇게 불편하게 만들었다면 다른 선량한 고객들도 불편하게 만들지 모르기 때문입니다. 그렇게 되면 큰 일이지요. 정말 당신이 말하고자 하는 마음보다 제가 이런 얘길 듣고자 하는 마음이 더 컸다고 생각합니다.'

그는 제가 이런 얘기를 할 줄은 꿈에도 생각지 못했을 것입니다. 제 생각에 그 사람은 무척 실망했을 것입니다. 그는 나에게 따지기 위해 시카고까

to tell me a thing or two, but here I was thanking him instead of **scrap**ping[38] with him. I assured him we would wipe the fifteen-dollar charge off the books and forget it, because he was a very careful man with only one account to look after, while our clerks had to look after thousands. Therefore he was less likely to be wrong than we were.

I told him that I understood exactly how he felt and that, if I were in his shoes, I should **undoubtedly**[39] feel precisely as he did. Since he wasn't going to buy from us anymore, I recommended some other woolen houses.

In the past, we had usually lunched together when he came to Chicago, so I invited him to have lunch with me this day. He accepted **reluctantly**[40], but when we came back to the office he placed a larger order than ever before. He returned home in a softened mood and, wanting to be just as fair with us as we had been with him, looked over his bills, found one that had been mislaid, and sent us a check for fifteen dollars, with his apologies.

Later, when his wife presented him with a baby boy, he gave his son the middle name of Detmer and he remained a friend and customer of the house until his death twenty-two years **afterward**s[41]."

Years ago, a poor Dutch immigrant boy was washing the windows of a bakery shop after school for fifty cents a week, and his people were so poor that he used to go out in the street with a basket every day and collect stray bits of coal that had fallen in the gutter where the coal wagons had delivered fuel. That boy, Edward Bok, never got more than six years' schooling in his life; yet **eventually**[42] he made himself one of the most successful magazine editors in the history of American journalism. How did he do it? That is a long story, but how he got his start can be told briefly. He got his start by using the principles advocated in this chapter.

지 달려왔는데, 내가 같이 따지며 싸우기는(**싸우다**[38]) 커녕 오히려 그에게 고맙다고 하니 말입니다. 나는 그에게 15달러는 지워버리겠다고 약속했습니다. 우리 회사 직원들은 수천 개의 거래를 관리해야 하지만, 당신은 주의 깊은 사람인 데다가 하나의 거래만 관리하니 우리보다 틀릴 가능성이 적지 않겠느냐라는 게 이유였습니다.

당신이 어떻게 생각하는지 정확히 이해하며, 또 내가 당신 처지라면 나역시 **틀림없이**[39] 당신과 똑같이 생각했을 것이라고 얘기해주었습니다. 그리고 앞으로 우리 회사와 거래를 안 한다니 몇 군데 좋은 모직회사를 추천해주었습니다.

예전에 그가 시카고에 오면 우리는 보통 같이 점심을 먹곤 했기 때문에, 내가 그를 찾아갔던 그날도 나와 함께 점심을 먹자고 했죠. **마지못해**[40] 받아들이더군요. 하지만 점심 먹고 사무실로 돌아왔을 때 그는 이전 어느 때보다도 많은 물량을 주문했습니다. 그는 화를 풀고 집으로 돌아갔습니다. 그리고 적어도 우리 회사가 공정한 만큼 자신도 공정해지겠다는 생각으로 영수증을 살펴보다가 빠뜨린 청구서 한 장을 발견하고는 사과의 편지와 함께 문제의 15달러를 보내왔습니다.

나중에 그의 부인이 남자 아이를 낳게 되자 그는 아이의 가운데 이름을 데트머라고 지었습니다. 그는 22년 **후**[41] 세상을 뜰 때까지 좋은 친구, 좋은 고객이 되어주었습니다."

오래전의 일이다. 네덜란드에서 이민 온 한 가난한 소년이 방과 후에 주당 50센트를 받고 빵집 유리창을 닦고 있었다. 소년의 가족은 너무나 가난했기 때문에, 소년은 매일마다 양동이를 들고 거리로 나가 석탄 실은 마차에서 떨어진 석탄 부스러기를 주우러 시궁창을 뒤지고 다녀야 했다. 그 소년, 에드워드 보크가 받은 학교 교육이라곤 그의 인생을 통틀어 6년이 전부였다. 하지만 **마침내**[42] 이 소년은 자신 스스로를 미국 언론계 역사상 가장 성공적인 잡지 편집인으로 만들었다. 그는 어떻게 했던 것일까? 그 과정은 무척 길지만, 그가 어떻게 시작했는지는 간단하게 얘기할 수 있다. 그의 출발은 이 책에서 지금 얘기하고 있는 원칙을 활용한 것이었다.

He left school when he was thirteen and became an office boy for the Western Union at six dollars and twenty-five cents a week; but he didn't for one moment give up the idea of an education. Instead, he started to educate himself. He saved his car fares and went without lunch until he had enough money to buy an **encyclopedia**[43] of American biography—and then he did an unheard-of thing. He read the lives of famous men and wrote them asking for additional information about their childhoods.

He was a good listener. He encouraged famous people to talk about themselves. He wrote General James A. Garfield, who was then running for President, and asked if it was true that he was once a tow boy on a canal; and Garfield replied. He wrote General Grant asking about a certain battle; and Grant drew a map for him and invited this fourteen-year-old boy to dinner and spent the evening talking to him.

He wrote Emerson and encouraged Emerson to talk about himself. This Western Union **messenger boy**[44] was soon corresponding with many of the most famous people in the nation: Emerson, Phillips Brooks, Oliver Wendell Holmes, Longfellow, Mrs. Abraham Lincoln, Louisa May Alcott, General Sherman, and Jefferson Davis.

He not only corresponded with these distinguished people but as soon as he got a vacation he visited many of them as a welcome guest in their homes. This experience **imbue**d[45] him with a confidence that was **invaluable**[46]. These men and women fired him with a vision and ambition that revolutionized his life. And, all this, let me repeat, was made possible solely by the application of the principles we are discussing here.

Isaac F. Marcosson, who is probably the world's champion interviewer of **celebrities**[47], declared that many people fail to

그는 13세에 학교를 그만두고 나와서, 웨스턴 유니언 전신회사에서 1주일에 6달러 25센트를 받는 급사가 되었다. 하지만 그는 잠깐이라도 공부에 대한 꿈을 포기하지 않았다. 대신, 그는 독학을 시작했다. 『미국 전기 전집(백과사전[43])』을 살 수 있을 정도의 충분한 돈이 모일 때까지 그는 차비를 아끼고 점심을 굶어가며 돈을 모아 그 책을 샀다. 그러고는 여태 아무도 하지 않은 일을 시작했다. 그는 유명인들의 삶에 대해 읽은 다음 그들에게 그들 자신의 어린 시절에 대해 좀 더 많은 정보를 알려달라고 부탁하는 편지를 보냈다.

또 그는 남의 말을 듣는 데 뛰어난 사람이었다. 그는 유명인들이 자신에 대해 얘기하도록 만들었다. 당시 대선주자로 나선 제임스 A. 가필드 장군에게 편지를 보내 예전에 어린 시절 운하에서 배를 끄는 일을 한 게 사실인지 물었다. 가필드 장군은 답장을 보냈다. 그는 남북전쟁 때 북군 사령관이던 그랜트 장군에게 편지로 당시에 있었던 한 전투에 대해 물어보았다. 그랜트 장군은 소년을 위해 지도를 그려주고, 당시 14세인 소년을 저녁 식사에 초대해 저녁 내내 얘기를 나누었다.

보크는 에머슨에게도 편지를 써서 에머슨 자신에 대해 얘기해달라고 요청했다. 웨스턴 유니언사의 급사(사환[44])인 이 소년은 금세 전국의 유명인들과 편지를 주고받게 되었다. 에머슨, 필립스 브룩스, 올리버 웬델 홈스, 롱펠로, 에이브러햄 링컨 여사, 루이자 메이 올컷, 셔먼 장군, 제퍼슨 데이비스 같은 사람들이었다.

그는 이런 유명인들과 편지를 주고받았을 뿐 아니라 휴가 때는 환영받는 손님이 되어 그들의 집을 방문했다. 이런 경험은 그에게 소중한[46] 자신감을 불어넣어 주었다(불어넣다[45]). 이러한 유명인들은 소년에게 삶을 180도 바꿔놓을 비전과 꿈을 심어주었다. 그리고 다시 말하지만 이 모든 것은 순전히 이 책에서 지금 얘기하고 있는 원칙들을 충실히 실천하는 것으로 가능했다.

유명인들[47]을 인터뷰하기로 유명한 세계의 최고 인터뷰어 아이작 F. 마커슨은 많은 사람들이 대개 주의 깊게 듣지 않기 때문에 좋은 인상을 주는

make a favorable impression because they don't listen attentively. "They have been so much concerned with what they are going to say next that they do not keep their ears open. Big men have told me that they prefer good listeners to good talkers, but the ability to listen seems rarer than almost any other good trait."

And not only big men crave a good listener, but ordinary folk do too. As the *Readers Digest* once said: "Many persons call a doctor when all they want is an audience."

During the darkest hours of the Civil War, Lincoln wrote to an old friend out in Springfield, Illinois, asking him to come to Washington. Lincoln said he had some problems he wanted to **discuss**[48] with him. The old neighbor called at the White House, and Lincoln talked to him for hours about the **advisability**[49] of issuing a **proclamation**[50] freeing the slaves. Lincoln went over all the arguments for and against such a move, and then read letters and newspaper articles, some denouncing him for not freeing the slaves and others denouncing him for fear he was going to free them.

After talking for hours, Lincoln shook hands with his old neighbor, said good night, and sent him back to Illinois without even asking for his opinion. Lincoln had done all the talking himself. That seemed to clarify his mind. "He seemed to feel easier after the talk," the old friend said. Lincoln hadn't wanted advice. He had wanted merely a friendly, sympathetic listener to whom he could **unburden**[51] himself. That's what we all want when we are in trouble. That is frequently all the irritated customer wants, and the dissatisfied employee or the hurt friend.

If you want to know how to make people **shun**[52] you and laugh at you behind your back and even despise you, here is the recipe:

Never listen to anyone for long. Talk **incessantly**[53] about yourself. If you have an idea while the other fellow is talking,

데 실패한다고 단언했다. "사람들은 다음에 무슨 말을 해야 할지를 너무 생각하느라 그들의 귀를 열고 있으면서도 잘 듣지를 못합니다. 유명인들은 말 잘하는 사람보다는 잘 듣는 사람이 되겠다는 얘기를 많이 합니다. 재능이 참 많긴 하지만 잘 들을 수 있는 재능은 정말 드문 것 같습니다."

유명인들만이 아니라 보통 사람들도 잘 듣는 사람이 되기를 갈망한다. 언젠가 〈리더스 다이제스트〉에 나온 말처럼, '사람들이 의사를 부르는 건 자기 말을 들어줄 사람이 필요하기 때문이다.'

남북전쟁이 한창이던 어두웠던 그 당시, 링컨은 일리노이 주 스프링필드에 사는 그의 오래된 친구에게 편지를 보냈다. 그는 친구에게 몇 가지 문제가 있어 함께 의논하고(**의논하다**⁴⁸) 싶으니 워싱턴으로 와달라고 부탁했다. 친구가 백악관에 도착하였고, 링컨은 그에게 몇 시간 동안이나 노예해방 **선언**⁵⁰을 하는 것이 타당한지에(**타당함**⁴⁹) 대한 문제를 얘기했다. 또한 그러한 움직임에 대한 찬반 의견을 검토하고, 신문에 실린 기사와 의견들을 읽어주었다. 어떤 것은 왜 노예해방을 하지 않느냐며, 또 어떤 것은 왜 노예를 해방하느냐며 링컨을 비판하고 있었다.

몇 시간 동안 얘기를 한 뒤 링컨은 악수를 하고 잘 가라며 옛 친구를 집으로 돌려보냈다. 그는 친구의 의견을 물어보지도 않았다. 링컨 혼자만 계속 떠들었던 것이다. 그러면서 링컨은 마음의 정리가 되는 것 같았다. "그렇게 얘기하고 나니까 조금 편안해하는 것 같더군" 하고 링컨의 옛 친구는 말했다. 링컨이 필요한 건 조언이 아니었다. 그가 원한 건 자신이 마음의 짐을 풀 수 있도록(**마음의 짐을 풀다**⁵¹) 편안하게 공감하며 들어줄 사람이었을 뿐이다. 우리가 어떤 문제에 부닥쳤을 때도 필요한 것은 바로 이런 것이고, 대부분의 화난 고객이나 불만에 찬 종업원, 상처를 받은 친구가 원하는 것도 이것이다.

사람들이 여러분을 기피하고(**피하다**⁵²) 등 뒤에서 비웃으며, 심지어는 경멸하게 만들고 싶다면 이렇게 하면 된다.

상대의 말을 끝까지 듣지 말라. 여러분 자신에 대해 **끊임없이**⁵³ 얘기하라. 다른 사람이 얘기하는 도중에 어떤 생각이 떠오르면 그의 말이 끝날 때

don't wait for him to finish. He isn't as smart as you. Why waste your time listening to his idle chatter? Bust right in and **interrupt**[54] him in the middle of a sentence.

Do you know people like that? I do, unfortunately; and the astonishing part of it is that some of them have their names in the social register. Bores, that is all they are—bores intoxicated with their own egos, drunk with a sense of their own importance.

The man who talks only of himself, thinks only of himself. And "the man who thinks only of himself," says Dr. Nicholas Murray Butler, president of Columbia University, "is hopelessly uneducated." "He is not educated," says Dr. Butler, "no matter how instructed he may be."

So if you aspire to be a good conversationalist, be an attentive listener. As Mrs. Charles Northam Lee puts it: "To be interesting, be interested." Ask questions that the other man will enjoy answering. Encourage him to talk about himself and his **accomplishment**s[55].

Remember that the man you are talking to is a hundred times mores interested in himself and his wants and his problems than he is in you and your problems. His toothache means more to him than a famine in China that kills a million people. A boil on his neck interests him more than forty earthquakes in Africa. Think of that the next time you start a conversation.

So if you want people to like you, Rule 4 is:

Be a good listener. Encourage others to talk about themselves.

까지 기다리지 말라. 그는 당신만큼 똑똑하지 않다. 왜 그의 쓸데없는 얘기를 들으며 시간을 낭비해야 하는가? 즉시 입을 열어 말을 중간에 끊어버려라(**중단시키다**[54]).

이런 사람을 본 적이 있는가? 불행히도 나는 본 적이 있다. 놀라운 것은 그중 몇몇은 사회적으로 이름 있는 사람들이란 점이다. 그런 사람들은 지루하다는 말 외에는 할 말이 없다. 자기 자신에만 빠져 있고, 자신만 중요한 줄 아는 그런 사람은 우리를 지루하게 만든다.

자기 자신에 대해서만 얘기하는 사람은 오직 자기 자신만 생각한다. 컬럼비아 대학 총장이었던 니컬러스 머리 버틀러 박사는 "자기 자신만 생각하는 사람은 교양을 배울 줄 모르는 사람이다. 가르침을 아무리 받아도 교양이 생기지 않는다"고 말했다.

그러므로 대화를 잘하는 사람이 되고 싶은 생각이 있다면 주의 깊게 들어야 한다. 찰스 노덤 리 여사가 한 다음 말대로 말이다. "관심을 끌려면 먼저 관심을 가져야 한다." 다른 사람이 기꺼이 대답해줄 그런 질문을 하라. 상대방이 자신과 자신이 이룬 일(**업적**[55])에 대해 얘기하도록 이끌라.

여러분에게 얘기를 건네는 사람은 여러분이나 여러분의 문제보다 자신과 자신의 희망, 자신의 문제에 수백 배나 더 관심이 많다는 사실을 명심하자. 중국에서 수백만 명이 굶어 죽는다는 사실보다 자신의 치아 하나가 아픈 게 그에게는 더 심각하다. 아프리카에 지진이 수십 번 일어나도 자기 목에 생긴 종기만큼도 신경을 안 쓴다. 앞으로 대화를 할 적에는 이 점을 명심하자.

그러므로 사람들의 호감을 사고 싶다면, 다음 방법과 같이 해보라!

잘 듣는 사람이 되어라. 상대방이 스스로에 대해 얘기하도록 이끌어라.

5 HOW TO INTEREST PEOPLE

EVERYONE who visited Theodore Roosevelt at Oyster Bay was astonished at the range and **diversity**[1] of his knowledge. "Whether it was a cowboy or a **Rough Rider**[2], a New York politician or a diplomat," wrote Gamaliel Bradford, "Roosevelt knew what to say to him." And how was it done? The answer was simple. Whenever Roosevelt expected a visitor, he sat up late the night before reading up on the subject in which he knew his guest was particularly interested. For Roosevelt knew, as all leaders know, that the *royal road to a man's heart is to talk to him about the things he treasures most.*

The genial William Lyon Phelps, **erstwhile**[3] professor of literature at Yalc, learned this lesson early in life. "When I was eight years old and was spending a weekend visiting my Aunt Libby Linsley at her home in Stratford on the Housatonic," writes William Lyon Phelps in his essay on *Human Nature,* a middle-aged man called one evening, and after a polite **skirmish**[4] with my aunt, he devoted his attention to me. At that time, I happened to be excited about boats, and the visitor discussed the subject in a way that seemed to me particularly interesting.

After he left, I spoke of him with enthusiasm. What a man! And how tremendously interested in boats! My aunt informed me he was a New York lawyer; that he cared nothing whatever about boats—took not the slightest interest in the subject. 'But why then did he talk all the time about boats?'

'Because he is a gentleman. He saw you were interested in boats, and he talked about the things he knew would interest and please you. He made himself agreeable.' " And William Lyon

5 사람들의 관심을 끄는 방법

　오이스터 베이에 있는 대통령 관저로 시어도어 루스벨트 대통령을 방문했던 모든 사람은 누구나 그의 해박하고 다양한(**다양성**[1]) 지식에 놀라게 된다. 가말리엘 브래드퍼드가 쓴 글에 따르면 "상대가 카우보이든 **의용 기병대원**[2]이든 뉴욕의 정치가이든 외교관이든 루스벨트는 상대에 맞춰 대화를 할 수 있었다." 어떻게 그럴 수 있었을까? 대답은 간단하다. 손님이 온다는 말을 들으면 루스벨트는 그 전날 밤늦게까지 손님이 특히 관심을 갖고 있는 주제에 관한 책을 읽었다. 모든 지도자들이 그렇듯 루스벨트는 '*상대의 마음을 여는 열쇠는 상대가 가장 소중하게 여기는 것에 대해 얘기하는 것*'이라는 사실을 잘 알고 있었기 때문이다.

　예일대 문과대학 교수이던 윌리엄 라이언 펠프스는 **지난날**[3] 이런 교훈을 배웠다. 그는 『인간의 본성』이라는 책에 이렇게 썼다. "내가 여덟 살쯤 되었을 때의 일이다. 어느 날인가 나는 후서토닉의 스트랫퍼드에 있는 리비 린슬리 숙모 댁에서 주말을 보내고 있었다. 하루는 저녁 무렵에 중년의 남자가 찾아왔다. 그는 숙모와 약간 **말다툼**[4]을 벌이는 것 같았는데, 얘기가 끝난 후 내게 말을 걸어왔다. 그 당시의 나는 보트에 무척 관심이 많았는데, 나는 그 남자와 보트에 관해 정말 신나게 얘기를 나눌 수 있었다.

　그 남자가 떠난 후 신이 나서 숙모에게 그 남자 얘기를 했다. 정말 멋진 사람이다. 보트에 대한 관심도 엄청나고! 그러자 숙모는 그 남자는 뉴욕에서 온 변호사인데 보트에 대해서는 알지도 못하고 관심도 없는 사람이라고 얘기를 해주었다. '그럼 왜 그렇게 보트에 대해서만 얘기했을까요?'

　'그분이 신사라서 그렇단다. 네가 보트에 관심이 있다는 것을 알고 네 마음에 들게, 네가 기분 좋아지게 얘기를 한 거란다. 네가 편하게 느끼도록 처신한 거지.'" 윌리엄 라이언 펠프스는 이렇게 덧붙였다. "나는 숙모님 말씀

Phelps adds: "I never forgot my aunt's remark."

As I write this chapter, I have before me a letter from Edward L. Chalif, a man active in Boy Scout work.

"One day I found I needed a favor," writes Mr. Chalif. "A big Scout jamboree was coming off in Europe, and I wanted the president of one of the largest **corporations**[5] in America to pay the expenses of one of my boys for the trip.

Fortunately[6], just before I went to see this man, I heard that he had drawn a check for a million dollars, and that after it was cancelled, he had had it framed.

So the first thing I did when I entered his office was to ask to see that check. A check for a million dollars! I told him I never knew that anybody had ever written such a check, and that I wanted to tell my boys that I had actually seen a check for a million dollars. He gladly showed it to me; I admired it and asked him to tell me all about how it happened to be drawn."

You notice, don't you, that Mr. Chalif didn't begin by talking about the Boy Scouts, or the jamboree in Europe, or what it was *he* wanted? He talked in terms of what interested the other man.

Here's the result:

"Presently the man I was interviewing said: 'Oh, by the way, what was it you wanted to see me about?' So I told him.

"To my vast surprise," Mr. Chalif continues, "he not only granted immediately what I asked for, but much more. I had asked him to send only one boy to Europe, but he sent five boys and myself, gave me a letter of credit for a thousand dollars and told us to stay in Europe for seven weeks. He also gave me letters of introduction to his **branch**[7] presidents, putting them at our service; and he himself met us in Paris and showed us the town.

을 결코 잊 수 없었다."

이 Part를 쓰는 동안 나는 헌신적으로 보이스카우트 활동을 하는 에드워드 L. 찰리프가 보낸 편지를 받았다. 그의 편지에는 이렇게 쓰여 있었다.

"어느 날 나는 도움을 청할 일이 생겼습니다. 유럽에서 대규모의 보이스카우트 잼버리 대회가 열리는데 미국의 한 대**기업**[5] 사장에게 우리 소년단원 한 명의 여행 비용을 후원해달라고 부탁하는 일이었습니다.

다행히[6], 마침 사장을 만나러 가기 직전에 나는 그가 100만 달러짜리 수표를 끊었는데, 사용이 취소되자 액자에 넣어 보관하고 있다는 얘기를 들었습니다.

그래서 그를 만나러 갔을 때 나는 우선 그 수표를 한 번 보여달라고 요청했습니다. 100만 달러짜리 수표라니! 나는 그에게 지금까지 100만 달러를 수표로 끊은 사람이 없는 줄 알았는데, 이번에 내 눈으로 직접 100만 달러짜리 수표를 보고 왔다고 우리 단원들에게 얘기해주고 싶다고 말했습니다. 그는 기꺼이 수표를 보여주었습니다. 나는 감탄하며 수표를 살펴보았습니다. 그러고는 어떻게 이런 수표를 발행하게 되었는지를 물어보았습니다."

여러분도 보다시피 찰리프 씨는 보이스카우트나 유럽에서 열리는 잼버리 대회나, 아니면 *그가* 원하는 것에 대한 얘기로 대화를 시작하지 않았다. 그는 상대가 관심을 가지는 것에 대해 우선 얘기했다.

결과를 보자.

"이윽고 그 사장이 얘기했습니다. '내 정신 좀 봐. 그런데 무슨 일로 찾아오신 거죠?' 그래서 그에게 전후 사정을 얘기했습니다.

굉장히 놀랍게도 그는 내가 요청한 것뿐 아니라 훨씬 더 많이 도와주었습니다. 나는 그에게 소년단원 한 명을 유럽으로 보내달라고 요청했을 뿐인데, 그는 소년단원 다섯 명과 함께 나까지도 보내주었고, 유럽에서 7주간 머물다 오라고 말하며 1천 달러나 주었습니다. 그는 또한 나에게 자신이 아는 **지사**[7]장을 소개해주는 편지를 주었는데, 그 편지는 유럽에 있는 지사장에게 우리에게 편의를 제공하라는 내용이었습니다. 그 자신 또한 직접 파리로 와 우리를 만나서 시내 구경을 시켜주었습니다. 그 이후에도 그는 가

Since then, he has given jobs to some of the boys whose parents were in want; and he is still active in our group.

Yet I know if I hadn't found out what *he* was interested in, and got him warmed up first, I wouldn't have found him one-tenth as easy to approach."

Is this a valuable technique to use in business? Is it? Let's see. Take Henry G. Duvernoy, of Duvernoy & Sons, one of the highest-class baking firms in New York.

My. Duvernoy had been trying to sell bread to a certain New York hotel. He had called on the manager every week for four years. He went to the same social **affairs**[8] the manager attended. He even took rooms in the hotel and lived there in order to get the business. But he failed.

"Then," said Mr. Duvernoy, "after studying human relations, I **resolve**d[9] to change my **tactic**s[10]. I decided to find out what interested this man—what caught his enthusiasm.

I discovered he belonged to a society of hotel men called the Hotel Greeters of America. He not only belonged, but his bubbling enthusiasm had made him president of the organization, and president of the International Greeters. No matter where its conventions were held, he would be there even if he had to fly over mountains or cross deserts or seas.

So when I saw him the next day, I began talking about the Greeters. What a **response**[11] I got. What a response! He talked to me for half an hour about the Greeters, his tones **vibrant**[12] with enthusiasm. I could plainly see that this society was his hobby, the passion of his life. Before I left his office, he 'sold' me a membership in his organization.

In the meantime, I had said nothing about bread. But a few days later, the steward of his hotel phoned me to come over with samples and prices.

정 형편이 어려운 몇몇 단원들에게 직업을 제공해주었습니다. 그는 아직도 우리 그룹에서 열심히 활동하고 있습니다.

하지만 만일 내가 *그의* 관심사를 미리 파악하여 먼저 마음을 열도록 하지 않았다면 그에게 접근하는 게 열 배는 더 어려웠을 것이라고 생각합니다."

이것이 사업에서 활용할 수 있는 기술이라고 보이는가? 그런가? 실제 사례로 뉴욕 최고의 제빵회사 뒤버노이 앤 선즈의 헨리 G. 뒤버노이의 경우를 보자.

그가 뉴욕의 어떤 호텔에 빵을 공급하기 위해 노력할 때의 일이다. 그는 4년간이나 매주 호텔 사장을 방문했다. 사장이 참여하는 사회활동(일[8])도 참여했다. 심지어는 사업을 따기 위해 그 호텔 객실을 예약해 거기서 살기도 했다. 그러나 그는 실패했다.

뒤버노이 씨는 이렇게 얘기했다. "인간관계에 대해 배우고 난 후 나는 **전략**[10]을 바꾸기로 결심했습니다(**결심하다**[9]). 그 사람이 관심을 가지는 게 무엇인지, 그 사람이 열정을 쏟는 게 어디인지 찾아내기로 한 것이죠.

나는 그가 미국 호텔 영접인 협회의 회원이라는 것을 알게 되었습니다. 그는 형식적으로만 가입한 게 아니고 불타는 열정을 가지고 활동해 협회 회장이 되었으며, 나아가 세계 영접인 협회 회장에까지 올랐습니다. 협회 회의가 아무리 멀리서 열리더라도 그는 반드시 참석했습니다.

그래서 다음 날 그를 찾아갔을 때 나는 영접인 협회에 관한 얘기를 꺼냈습니다. 그의 **반응**[11]은 정말 놀라웠습니다. 그는 흥분되어 **힘찬**[12] 목소리로 30분 이상을 협회에 관해 얘기했습니다. 그 모임이 그의 여가 생활이자 삶의 정열을 불태우는 곳이라는 것을 명백히 알 수 있었습니다. 만남이 끝나기 전 그는 내게 그 협회의 찬조회원으로 가입하도록 했습니다.

그 사이 나는 빵에 대해서는 한마디도 꺼내지 않았습니다. 하지만 며칠 후 그 호텔 사무장이 내게 전화를 해 빵의 샘플과 가격을 요청하더군요.

'I don't know what you did to the old boy,' the steward greeted me. 'But he sure is sold on you!'

Think of it! I had been drumming at that man for four years—trying to get his business—and I'd still be drumming at him if I hadn't finally taken the trouble to find out what *he* was interested in, and what *he* enjoyed talking about."

So, if you want to make people like you, Rule 5 is:

Talk **in terms of**[13] *the other man's interests.*

'사장님을 도대체 어떻게 하신 건가요?' 사무장이 반가운 목소리로 얘기했습니다. '사장님이 확실히 넘어간 것 같군요!'

생각해보십시오. 사업을 따기 위해 4년이나 줄기차게 그 사람을 쫓아다니고 있었습니다. 만일 그가 어디에 관심이 있는지, 그리고 그가 어떤 것을 말하고 싶어하는지 찾아내지 못했다면 난 아마 아직도 여전히 그 사람을 쫓아다니고 있을 것입니다."

그러므로 사람들의 호감을 사고 싶다면, 다음 방법과 같이 해보라!

상대방의 관심사에 관해(~의 견지에서[13]*) 얘기하라.*

6 HOW TO MAKE PEOPLE LIKE YOU INSTANTLY

I WAS waiting in line to register a letter in the Post Office at Thirty-Third Street and Eighth Avenue in New York. I noticed that the registry clerk was bored with his job—weighing envelopes, handing out the stamps, making change, issuing receipts—the same monotonous **grind**[1] year after year. So I said to myself: "I am going to try to make that chap like me. Obviously, to make him like me, I must say something nice, not about myself, but about him. So I asked myself, 'What is there about him that I can honestly admire?'" That is sometimes a hard question to answer, especially with strangers; but, in this case, it happened to be easy. I instantly saw something I admired no end.

So while he was weighing my envelope, I remarked with enthusiasm: "I certainly wish I had your **head of hair**[2]."

He looked up, half-startled, his face beaming with smiles, "Well, it isn't as good as it used to be," he said modestly. I assured him that although it might have lost some of its **pristine**[3] glory, nevertheless it was still magnificent. He was immensely pleased. We carried on a pleasant little conversation and the last thing he said to me was: "Many people have admired my hair."

I'll bet that chap went out to lunch that day **walk**ing **on air**[4]. I'll bet he went home that night and told his wife about it. I'll bet he looked in the mirror and said: "It is a beautiful head of hair."

I told this story once in public; and a man asked me afterwards: "What did you want to get out of him?" What was I trying to get out of him!!! What was I trying to get out of him!!!

If we are so completely selfish that we can't **radiate**[5] a little

6 사람들을 단숨에 사로잡는 방법

나는 뉴욕의 8번가와 33번가가 만나는 곳에 있는 우체국에서 편지를 부치려고 줄을 서서 기다리고 있었다. 우체국 직원이 자기 일을 지겨워하고 있다는 게 눈에 들어왔다. 그는 편지 무게를 달고 우표를 내주며, 잔돈을 거슬러주고 영수증을 발행하는 것 같은 **단조로운 일**[1]을 수년째 계속하고 있었다. 그래서 나는 이런 생각을 해보았다. '저 친구가 나를 좋아하게 만들어봐야겠다. 나를 좋아하게 만들려면 당연히 내가 아니라 저 친구에 대해 뭔가 근사한 얘기를 해야 할 텐데, 저 친구에게 내가 솔직하게 칭찬할 만한 게 뭐 없을까?' 이런 질문에 대답하기 힘든 경우가 가끔 있다. 더군다나 처음 보는 사람일 경우엔 더욱 그렇다. 하지만 이 경우는 다행히 그리 어렵지 않았다. 정말 감탄할 수 있는 부분을 즉시 발견했던 것이다.

그가 내 편지 무게를 재고 있을 때 나는 감탄하며 말했다. "머리 모양(**머리털**[2])이 정말 멋지네요. 부럽습니다."

이 말을 들은 그는 약간 놀란 듯 했지만, 얼굴에 환한 웃음을 띠며 나를 바라보았다. "뭘요, 지금은 예전만 못한걸요" 하고 그가 겸손하게 말했다. 나는 그에게 원래는(**원래의, 원시 시대의**[3]) 더 윤기가 났을지 모르지만 지금도 굉장히 멋있다고 말해주었다. 그는 무척 기뻐했다. 우리는 즐겁게 얘기를 조금 더 나누었는데, 마지막에 그는 이렇게 얘기했다. "제 머리가 멋있다는 사람들이 꽤 있긴 합니다."

그날 그는 점심 먹으러 가면서도 기분이 하늘을 나는 것 같았을 것이다 (**기뻐 어쩔 줄 모르다**[4]). 그리고 저녁에 집에 가서는 분명히 그의 아내에게도 자랑을 했을 것이다. 그리고 거울을 보면서 '내 머리가 멋지긴 멋지지!' 하며 흐뭇해했을 것이다.

언젠가 강연에서 이 얘기를 했더니 누군가 나중에 이런 질문을 했다. "대체 그 사람에게서 뭘 바라신 건가요?" 내가 그 사람에게서 뭘 바랐냐고? 내가 그 사람에게서 뭘 바랐냐니!

우리가 만일 정말 이기적이라면, 그래서 아무런 대가도 바라지 않고 솔직

happiness and pass on a bit of honest appreciation without trying to screw something out of the other person in return—if our souls are no bigger than sour **crab apples**[6], we shall meet with the failure we so richly deserve.

Oh, yes, I did want something out of that chap. I wanted something priceless. And I got it. I got the feeling that I had done something for him without his being able to do anything whatever in return for me. That is a feeling that glows and sings in your memory long after the incident is passed.

There is one all-important law of human conduct. If we **obey**[7] that law, we shall almost never get into trouble. In fact, that law, if obeyed, will bring us countless friends and **constant**[8] happiness. But the very instant we break that law, we shall get into endless trouble. The law is this: *Always make the other person feel important.* Professor John Dewey, as we have already noted, says that the desire to be important is the is the deepest urge in human nature; and Professor William James says: "The deepest principle in human nature is the craving to be appreciated." As I have already pointed out, it is the urge that differentiates us from the animals. It is the urge that has been responsible for civilization itself.

Philosophers have been **speculating**[9] on the rules of human relationships for thousands of years and out of all that speculation, there has evolved only one important precept. It is not new. It is as old as history. Zoroaster taught it to his fire-worshipers in Persia three thousand years ago. Confucius preached it in China twenty-four centuries ago. Lao-Tse, the founder of Taoism, taught it to his **disciples**[10] in the Valley of the Han. Buddha preached it on the banks of the Holy Ganges five hundred years before Christ. The sacred books of Hinduism taught it a thousand years before that. Jesus taught it among the stony hills of Judea nineteen centuries

한 칭찬을 건네는 정도의 작은 행복을 퍼뜨릴 수 없다면(**내뿜다, 퍼지다⁵**), 그리고 우리의 영혼이 마치 시디 신 **돌능금⁶** 하나만도 못하다면, 그 결과가 실패일 수밖에 없다는 것은 당연하지 않겠는가!

정말로 내가 그에게서 바란 게 하나 있기는 했다. 나는 가치를 따질 수 없는 무언가를 바랐다. 그리고 그것을 얻었다. 나는 그가 내게 보상을 할 수 있는 상황이 아님에도 불구하고 그에게 무언가를 해주었다는 느낌, 즉 오랜 시간이 지난 후에도 사라지지 않고 즐거운 기억으로 남을 그런 느낌을 얻었다.

인간 행위에 대해 영원불변의 법칙이 하나 있다. 만약 우리가 이 법칙을 지키면(**지키다⁷**) 결코 문제에 부닥치는 일이 없을 것이다. 뿐만 아니라 이 법칙을 지킨다면, 우리에게는 수많은 친구와 **변함없는⁸** 행복이 찾아올 것이다. 하지만 이 법칙을 어기는 순간 우리는 끊임없이 문제에 빠지게 된다. 그 법칙은 이것이다. '항상 상대방에게 자신이 인정받는다고 느끼게 하라.' 이미 본 대로 존 듀이 교수는 인정받고 있다고 느끼고 싶은 욕망은 인간 본성에서 가장 깊은 충동이라고 말했다. 윌리엄 제임스 교수는 '인간 본성의 가장 깊은 원칙은 인정받으려는 욕구'라고 했다. 내가 이미 지적한 대로 이것이 인간과 동물을 구분하는 욕구다. 인간이 문명을 발전시켜온 것도 바로 이 욕구 때문이다.

철학자들은 수천 년 동안 인간관계의 법칙에 대해 숙고하였고(**숙고하다⁹**), 숙고 끝에 한 가지 중요한 교훈을 이끌어냈다. 그것은 새로운 것이 아니다. 그것은 역사만큼이나 오래된 것이다. 이미 3천 년 전 페르시아 지역의 조로아스터교는 교도들에게 이 교훈을 가르쳤다. 2천 5백 년 전 중국의 공자도 이것을 가르쳤다. 도교의 창시자인 노자도 『도덕경』을 통해 이것을 후학(**제자¹⁰**)들에게 가르쳤다. 기원전 5세기에 석가모니는 갠지스 강가에서 예수보다 먼저 이것을 가르쳤다. 그보다 천년 앞서 힌두교는 경전에서 이것을 가르쳤다. 이미 20세기 전에 예수는 유대의 바위산에서 이것을 가르쳤다. 예수는 이것을 하나의 생각으로 요약했다. 아마 이 세상에서 가장 중요한 규칙일 것이다. "남에게 대접받고자 하는 대로 남을 대접하라."

ago. Jesus summed it up in one thought—probably the most important rule in the world: "Do unto others as you would have others do unto you."

You want the approval of those with whom you come in contact. You want recognition of your true worth. You want a feeling that you are important in your little world. You don't want to listen to cheap, **insincere**[11] **flattery**[12] but you do crave sincere appreciation. You want your friends and associates to be, as Charles Schwab puts it, "hearty in their approbation and lavish in their praise." All of us want that. So let's obey the Golden Rule, and give unto others what we would have others give unto us. How? When? Where? The answer is: all the time, everywhere.

For example, I asked the information clerk in Radio City for the number of Henry Souvaine's office. Dressed in a neat uniform, he prided himself on the way he **dispensed**[13] knowledge. Clearly and distinctly he replied: "Henry Souvaine. (pause) 18th floor. (pause) Room 1816."

I rushed for the elevator, then paused and went back and said: "I want to congratulate you on the splendid way you answered my question. You were very clear and precise. You did it like an artist. And that's unusual."

Beaming with pleasure, he told me why he made each pause, and precisely why each phrase was uttered as it was. My few words made him carry his necktie a bit higher; and as I shot up to the eighteenth floor, I got a feeling of having added a trifle to the sum total of human happiness that afternoon.

You don't have to wait until you are ambassador to France of chairman of the **Clambake**[14] Committee of the Elks' Club before you use this philosophy of appreciation. You can work magic with it almost every day.

If, for example, the waitress brings us mashed potatoes when we

여러분은 주변 사람들의 인정을 받고 싶어한다. 여러분의 진짜 가치를 알아주기를 원한다. 여러분의 작은 세상에서나마 인정받고 있다고 느끼고 싶어한다. 당신은 가식적인(**진실하지 못한**[11]) **아첨**[12]을 원치 않으며, 진심 어린 칭찬을 갈망한다. 당신은 당신의 친구와 동료들이 여러분을, 찰스 슈 워브의 표현대로 "진심으로 인정해주고 아낌없이 칭찬해주기"를 여러분은 바란다. 우리 모두가 이것을 원한다. 그러니 이 황금률을 따라 남에게 대접 받고자 하는 대로 남을 대접하자. 어떻게? 언제? 어디서? 대답은 이렇다. 항상. 어디서나.

예를 들어보자. 나는 라디오 시티 빌딩 안내 직원에게 헨리 서베인의 사 무실이 어디 있는지 물어본 적이 있다. 깔끔한 정복을 입고 있던 그 직원은 자신이 안내하는(**나누어주다, 제공하다**[13]) 방식에 대해 자부심을 갖고 있 었다. 그가 깔끔하고 분명하게 대답했다. "헨리 서베인 씨는 (잠깐 멈추고) 18층, (잠깐 멈추고) 1816호입니다."

나는 서둘러 엘리베이터로 가다 말고 다시 돌아와서 말했다. "내 질문에 대답하는 방식이 너무 멋지다고 칭찬해드리고 싶군요. 아주 분명하고 명확 했습니다. 이렇게 예술적인 수준으로 대답하는 걸 듣기는 쉽지 않은 일이 에요."

기쁨에 넘쳐서 그는 왜 대답 중간에 잠깐씩 멈추는지, 각 부분을 왜 그렇 게 얘기하는지에 대해 설명해주었다. 내가 몇 마디 던진 게 그의 어깨를 으 쓱하게 만들었다. 18층으로 서둘러 올라가며 나는 그날 오후 인류의 행복 총량에 약간이나마 보탠 듯한 느낌이 들었다.

프랑스 주재 미국 대사가 되거나 미국의 사교 클럽인 엘크스 클럽의 클렘 베이크(**해산물 축제**[14]) 위원회 위원장 정도의 인물이 되어야만 칭찬의 철 학을 실천할 수 있는 것은 아니다. 우리는 거의 매일 칭찬으로 마법을 일으 킬 수 있다.

예를 들어 감자튀김을 주문했는데 으깬 감자요리가 나올 경우, 종업원에

ordered French fried, let's say: "I'm sorry to trouble you, but I prefer French fried." She'll reply, "No trouble at all," and will be glad to do it because you have shown respect for her.

Little phrases such as "I'm sorry to trouble you," "Would you be so kind as to—," "Won't you please," "Would you mind," "Thank you"—little courtesies like that oil the **cogs**[15] of the monotonous grind of everyday life—and, incidentally, they are the hall mark of good breeding.

Let's take another illustration. Did you ever read any of Hall Caine's novels—*The Christian, The Deemster, The Manxman?* Millions of people read his novels, countless millions. He was the son of a blacksmith. He never had more than eight years' schooling in his life, yet when he died he was the richest literary man the world has ever known.

The story goes like this: Hall Caine loved sonnets and ballads; so he **devoured**[16] all of Dante Gabriel Rossetti's poetry. He even wrote a lecture chanting the praises of Rossetti himself. Rossetti was delighted. "Any young man who has such an exalted opinion of my ability," Rossetti probably said to himself, "must be brilliant." So Rossetti invited this blacksmith's son to come to London and act as his secretary. That was the turning point in Hall Caine's life; for, in his new position, he met the literary artists of the day. Profiting by their advice and inspired by their encouragement, he launched upon a career that **emblazon**ed[17] his name across the sky.

His home, Greeba Castle, on the Isle of Man, became a mecca for tourists from the far corners of the world; and he left an estate of two million, five hundred thousand dollars. Yet—who knows—he might have died poor and unknown had he not written an essay expressing his admiration for a famous man. Such is the power, the **stupendous**[18] power, of sincere, heart-felt appreciation. Rossetti

게 이렇게 말해보자. "번거롭게 해서 미안한데요, 감자튀김을 주문한 것 같은데요." 그러면 종업원도 "알겠습니다" 하고 기꺼이 바꿔줄 것이다. 여러분이 종업원을 존중해주었기 때문이다.

상대방을 배려하는 몇 마디 말, 즉 '번거롭게 해서 미안한데요' '이렇게 해주시겠어요?' '미안하지만' '실례가 되지 않는다면' '감사합니다' 등의 공손한 몇 마디 말은 매일매일의 단조로운 삶에서 **톱니바퀴**[15]의 윤활유 역할을 할 뿐 아니라, 바르게 자란 사람임을 나타내는 표시가 되기도 한다.

다른 예를 보자. 홀 케인이 지은 『크리스천』이나 『재판관』, 『맨 섬의 사람들』이라는 소설을 읽어본 적이 있는가? 무수히 많은, 수백 만명이 넘는 사람들이 그의 소설을 읽었다. 그는 대장장이의 아들이었다. 또한 그는 그의 인생에서 학교교육을 받은 것은 8년이 전부였다. 하지만 세상을 떠날 무렵, 그는 세상이 알고 있는 작가 중 가장 돈을 많이 번 사람이었다.

홀 케인은 소네트와 발라드류의 시를 좋아했는데, 단테 가브리엘 로제티의 시는 모두 탐독했다(**탐독하다, 게걸스럽게 먹다**[16]). 그는 심지어 로제티의 예술적 업적을 기리는 글을 썼고, 그 글의 사본을 로제티에게 보냈다. 로제티는 매우 기뻐했다. '내 능력을 이렇게 높이 평가하는 청년이라면 뛰어난 청년임에 틀림없겠지!' 로제티는 아마 이렇게 생각했을 것이다. 그래서 로제티는 이 대장간 집 아들을 런던으로 불러서 자신의 비서로 삼았다. 이것이 홀 케인의 인생에서 전환점이었다. 왜냐하면 새로운 일자리에서 일하며 그는 당대의 유명 문인들을 많이 접할 수 있었기 때문이다. 이들의 충고와 격려가 그를 작가의 길로 이끌었고, 마침내 그는 작가로서 뚜렷한 족적을 남길 수(**화려하게 그리다**[17]) 있었다.

맨 섬에 있는 그의 집 그리바 캐슬은 세계 각지에서 찾아오는 여행자의 메카가 되었으며, 그가 남긴 유산은 250만 달러에 이르렀다. 하지만 만일 유명한 시인을 찬양하는 글을 쓰지 않았다면 그가 이름 없는 가난뱅이로 생을 마쳤을지 누가 알겠는가? 마음으로부터 우러나오는 진심 어린 칭찬은 이처럼 **엄청난**[18] 위력을 지니고 있다. 로제티는 자신을 중요한 사람이라고 여겼다. 그것은 전혀 이상하지 않다. 거의 모든 사람들이 자신을 중요하다

considered himself important. That is not strange. Almost everyone considers himself important, very important. So does every nation.

Do you feel that you are superior to the Japanese? The truth is that the Japanese consider themselves far superior to you. A conservative Japanese, for example, is infuriated at the sight of a white man dancing with a Japanese lady.

Do you consider yourself superior to the Hindus in India? That is your **privilege**[19]; but a million Hindus feel so infinitely superior to you that they wouldn't **befoul**[20] themselves by **condescend**ing[21] to touch food that your **heathen**[22] shadow had fallen across and contaminated.

Do you feel you are superior to the Eskimos? Again, that is your privilege; but would you really like to know what the Eskimo thinks of you? Well, there are a few native hobos among the Eskimos, worthless **bums**[23] who refuse to work. The Eskimos call them "white men"—that being their utmost term of contempt.

Each nation feels superior to other nations. That breeds patriotism—and wars.

The unvarnished truth is that almost every man you meet feels himself superior to you in some way; and a sure way to his heart is to let him realize in some subtle way that you recognize his importance in his little world, and recognize it sincerely.

Remember what Emerson said: "Every man I meet is in some way my superior; and in that I can learn of him."

And the pathetic part of it is that frequently those who have the least justification for a feeling of achievement **bolster**[24] up their inner feeling of **inadequacy**[25] by an outward shouting and **tumult**[26] and conceit that are offensive and truly nauseating.

고, 그것도 매우 중요하다고 여긴다. 그건 국가들의 경우도 마찬가지다.

여러분은 자신이 일본 사람보다 우월하다고 느끼는가? 하지만 일본 사람들은 자신들이 여러분보다 훨씬 우월하다고 생각한다. 예를 들어 보수적인 일본 사람은 일본의 양가 규수가 백인과 춤을 추는 것을 보면 불같이 화를 낸다.

여러분은 자신이 인도에 사는 힌두교도들보다 우월하다고 느끼는가? 그렇게 느끼는 것은 여러분의 **권리**[19]다. 하지만 수백만 명의 힌두교도들은 자신들이 여러분보다 무한히 우월하다고 느끼기 때문에, 그들은 그들 자신을 더럽히지(**더럽히다**[20]) 않기 위해서 음식에 여러분의 세속적인(**이교도의**[22]) 그림자가 드리워졌다고 거들먹거리며(**거들먹거리다**[21]) 그것을 먹으려 하지 않을 것이다.

여러분은 자신이 에스키모보다 우월하다고 느끼는가? 다시 한 번 말하지만 그것은 여러분의 권리다. 하지만 에스키모가 여러분을 어떻게 생각하는지 알고 싶지 않은가? 에스키모 중에 일도 하지 않고 되는 대로 사는 **게으름뱅이**[23]가 있다 치자. 에스키모들은 그런 사람을 '백인'이라고 부른다. 이 말은 에스키모가 사용하는 가장 경멸적인 욕이다.

모든 국가는 다른 나라보다 자기 나라가 우월하다고 생각한다. 여기에서 애국심과 전쟁이 생겨난다.

영원히 변치 않을 진실은 모든 사람은 자신에게 남보다 나은 부분이 있다고 생각한다는 점이다. 그러므로 상대방의 마음을 사로잡는 확실한 방법은 적어도 그가 자신의 자그마한 세상에서는 가장 중요한 사람이라는 것을 진심으로 받아들이고, 또 여러분이 그렇게 생각하고 있음을 상대방이 은연중에 알게 만드는 것이다.

에머슨의 다음과 같은 말을 기억하자. "모든 사람은 나보다 나은 점을 갖고 있다. 그런 의미에서 나는 모든 사람에게서 배울 수 있다."

안타까운 점은 자랑할 만한 장점이 전혀 없다고 느끼는 사람이 그로 인한 열등감(**불충분함**[25])을 해소하고자(**보강하다**[24]) 오히려 더 큰 소리로 자기 자랑을 하며 **소란**[26]을 떨고, 자신을 포장하는 데 급급해 한다는 것이다. 그로 인해 주변 사람들이 불쾌해지고 역겨움을 느끼게 되는 경우가 많다.

As Shakespeare put it: "Man, proud man! dressed in a little brief authority, plays such fantastic tricks before high heaven as make the angels weep."

I am going to tell you three stories of how business men in my own courses have applied these principles with remarkable results. Let's take the case first of a Connecticut **attorney**[27] who prefers not to have his name mentioned because of his relatives. We'll call him Mr. R.

Shortly after joining the course, he motored down to Long Island with his wife to visit some of her relatives. She left him to chat with an old aunt of hers and then **rush**ed **off**[28] by herself to visit some of her younger relatives. Since he had to make a talk on how he had applied the principles of appreciation, he thought he would begin with the old lady. So he looked around the house to see what he could honestly admire.

"This house was built about 1890, wasn't it?" he inquired.

"Yes," she replied, "that is precisely the year it was built."

"It reminds me of the house in which I was born," he said. "It is beautiful. Well built. Roomy. You know, they don't build houses like this any more."

"You're right, The young folks nowadays don't care for beautiful homes. All they want is a small apartment and an electric ice box and then they go off **gad**ding[29] about in their automobiles."

"This is a dream house," she said in a voice vibrating with tender memories. "This house was built with love. My husband and I dreamed about it for years before we built it. We didn't have an architect. We planned it all ourselves."

She then showed him about the house and he expressed his hearty admiration for all the beautiful treasures she had picked up in her travels and **cherish**ed[30] over a lifetime: Paisley shawls, an old English tea set, Wedgwood china, French beds and chairs,

셰익스피어는 이렇게 말했다. "인간이여, 오만한 인간이여, 짧은 인생 얻어 살면서 잘난 척 거들먹거리는 꼴이라니, 하늘의 천사도 눈물을 참을 길 없구나."

이제 카네기 강좌에서 수강한 사업가가 지금 말하고 있는 원칙들을 사업에 적용한 사례를 3가지 들려주겠다. 우선 코네티컷 주에서 **변호사²⁷**로 활동하고 있는 사람의 얘기를 들어보자. 친척들을 고려해 이름은 밝히지 말라고 하니, 여기서는 R씨라고 부르겠다.

카네기 강좌에서 참여해 수강을 시작한 지 얼마 지나지 않아, 그는 아내와 함께 처가 식구들을 만나기 위해 롱아일랜드로 가게 되었다. 아내는 그를 나이 드신 숙모와 얘기하게 하고는 사촌들을 만나러 쏜살같이 가버렸다(**쏜살같이 가버리다²⁸**). 나중에 강좌에서 칭찬의 법칙을 어떤 식으로 실천했는지 발표해야 했으므로, 그는 우선 이 숙모에게 적용해보아야겠다고 마음먹었다. 그래서 그는 자신이 진심으로 감탄할 만한 게 뭐가 있나 하고 주변을 둘러보았다.

"이 집은 1890년대쯤 지어진 것 같군요. 그렇죠?" 그가 물었다.

"맞네. 정확히 그 해에 지어졌다네."

"이 집을 보니 제가 태어난 집이 생각납니다." 그가 말했다. "이 집은 예쁘고, 튼튼하고, 방도 많네요. 아시겠지만, 요즘 지어진 집들은 이런 집이 없어요."

"그러게 말이네. 요즘 어린 녀석들은 아름다운 집을 가질 생각을 별로 안 해. 그 녀석들은 그저 비좁은 아파트하고 냉장고만 원하지. 그러고는 차를 타고 싸돌아다니기만(**싸돌아다니다²⁹**) 해."

"이 집은 정말 꿈의 집이야." 그녀는 좋았던 시절에 대한 회상으로 목소리가 떨리며 이렇게 말을 이었다. "우리는 이 집을 사랑으로 지었다네. 남편하고 내가 이 집을 지으려고 몇 년을 꿈꿔왔는지 몰라. 설계사도 없이 우리 손으로 직접 설계를 다했지."

그러고 나서 그녀는 그를 데리고 다니며 집안 곳곳을 보여주었다. 그녀가 여행을 다니며 하나씩 사서 평생을 소중히 간직해온(**소중히 하다³⁰**) 예쁜 보물들, 즉 스코틀랜드의 페이즐리 숄, 영국 전통 찻잔 세트, 영국 웨지우드사에서 만든 도자기, 프랑스식 침대와 의자, 이탈리아 그림, 한때 프랑

Italian paintings, and silk draperies that had once hung in a French chateau.

"After showing me through the house," said Mr. R., "she took me out to the garage. There, jacked up on blocks, was a Packard car—almost new."

"My husband bought that car shortly before he passed on," she said softly. "I have never ridden in it since his death. You appreciate nice things, and I'm going to give this car to you."

"Why, aunty," he said, "you **overwhelm**[31] me. I appreciate your **generosity**[32], of course; I couldn't possibly accept it. I'm not even a relative of yours. I have a new car; and you have many relatives that would like to have that Packard."

"Relatives!" she exclaimed.

"Yes, I have relatives who are just waiting till I die so they can get that car. But they are not going to get it."

"If you don't want to give it to them, you can very easily sell it to a second-hand dealer," he told her.

"Sell it! Do you think I would sell this car? Do you think I stand to see strangers riding up and down the street in that car—that car that my husband bought for me? I wouldn't dream of selling it. I am going to give it to you. You appreciate beautiful things!"

He tried to get out of accepting the car; but he couldn't without hurting her feelings.

This old lady, left in a big house all alone with her Paisley shawls, her French antiques, and her memories, was starving for a little recognition. She had once been young and beautiful and sought after. She had once built a house warm with love and had collected things from all over Europe to make it beautiful.

Now, in the **isolated**[33] loneliness of old age, she craved a little human warmth, a little genuine appreciation—and no one gave it to her. And when she found it, like a spring in the desert, her

스의 성을 장식하던 실크 커튼 등이 집을 장식하고 있었다. 그것들을 보며 그는 마음에서 우러나는 감탄을 아끼지 않았다.

"집안을 구석구석 보여주시더니 이번에는 저를 데리고 차고로 가셨습니다. 거기에는 거의 새 것이나 다름없는 패커드 차 한 대가 모셔져 있더군요."

그녀가 얘기했다. "저 차를 사고 얼마 되지 않아 남편은 죽고 말았다네. 그 후 한 번도 저 차를 타지 않았네. 자네가 좋은 물건을 알아보는 것 같으니, 저 차를 자네에게 주겠네."

"이런, 숙모님은 정말 저를 난처하게 하시는군요(**압도하다**[31]). 마음(**너 그리움**[32])은 정말 고맙습니다만 저걸 받을 수는 없습니다. 저는 숙모님 핏줄도 아니고, 제 차도 아직 새 차입니다. 게다가 숙모님께는 저 패커드 차를 줄 만한 가까운 친척들도 많으실 테고요."

"친척들이라고!" 그녀가 소리쳤다.

"그래, 친척들 많지. 저 차를 차지하려고 내가 눈 감기만 기다리는 친척들 말이야. 절대 그렇게는 못 하지."

"그 사람들에게 주기 싫으시다면 파시는 것은 어떠신가요?"

"팔라고? 내가 저 차를 팔 것 같은가? 낯선 사람이 저 차를 타고 내 집 앞을 다니는 걸 내가 눈뜨고 볼 수 있을 것 같은가? 남편이 내게 사준 저 차를? 저 차를 팔 생각은 눈곱만치도 없네. 자네에게 주겠네. 자네는 멋진 게 어떤 건지 아는 것 같거든."

그는 차를 받지 않으려고 애를 써보았으나, 계속 거절하다가는 결국 그녀의 기분을 상하게 만들 것 같아서 받지 않을 수 없었다.

이 나이 든 부인은 페이즐리 숄과 프랑스 골동품들, 그리고 추억을 끌어안고 외로이 그 큰 집을 지키며 누군가 자신의 존재를 알아주기를 목마르게 기다리고 있었던 것이다. 그녀에게도 남자들이 줄을 섰던 젊고 아름다운 시절이 있었다. 그러다가 사랑이 넘치는 집을 짓고는 유럽을 누비고 다니면서 예쁜 물건들을 사다가 그 집을 장식했다.

하지만 이제 나이가 들자 찾아오는 사람도 없이 고립된(**고립된**[33]) 그녀는 외로이 누군가 인간적인 따뜻함을 나눠주기를, 누군가 자신을 진심으로 인정해주기를 바라고 있었다. 하지만 아무도 그러지 않았다. 그러다가 사막

gratitude couldn't adequately express itself with anything less than the gift of a Packard car.

Let's take another case: Donald M. McMahon, superintendent of Lewis & Valentine, nurserymen and landscape architects in Rye, New York, related this incident:

"Shortly after I heard the talk on 'How to Win Friends and Influence People,' I was landscaping the estate of a famous attorney. The owner came out to give me a few suggestions about where he wished to plant a mass of **rhododendrons**[34] and **azaleas**[35].

I said, 'Judge, you have a lovely hobby. I have been admiring your beautiful dogs. I understand you win a lot of blue ribbons every year at the big dog show in Madison Square Garden.'

'Yes,' the judge replied, 'I do have a lot of fun with my dogs. Wouldn't you like to see my **kennel**[36]?'

He spent almost an hour showing me his dogs and the prizes they had won. He even brought out their **pedigrees**[37] and explained the blood lines responsible for such beauty and intelligence.

Finally, turning to me, he asked: 'Do you have a little boy?' 'Yes, I do,' I replied. 'Well, wouldn't he like a puppy?' the judge inquired. 'Oh, yes, he'd **be tickled pink**[38].' 'All right, I am going to give him one,' the judge announced.

He started to tell me how to feed the puppy. Then he paused. 'You'll forget it if I tell you. I'll write it out.' So the judge went in the house, typed out the pedigree and feeding instructions and gave me a puppy worth a hundred dollars and one hour and fiften minutes of his valuable time largely because I expressed my honest admiration for his hobby and achievements."

George Eastman, of Kodak fame, invented the **transparent**[39] film that made motion pictures possible, **amassed**[40] a fortune of a hundred million dollars, and made himself one of the most famous

한가운데서 오아시스를 만난 것처럼 그녀가 바라던 것을 찾게 되자, 그 고마운 마음을 표시하기 위해 패커드 차를 선물해도 그녀는 조금도 아깝지 않았다.

이번에는 다른 사례를 보자. 뉴욕 주 라이에 있는 루이스 앤드 발렌타인 조경회사의 임원인 도널드 M. 맥마흔 씨의 이야기다.

"'친구를 사귀고 사람들을 움직이는 법'에 대한 강의를 들은 지 얼마 되지 않아 저는 유명한 법률가의 저택 조경 공사를 하게 되었습니다. 집주인이 나와서 철쭉(**진달래속의 화목**[34])과 **진달래**[35]를 이렇게 또는 저렇게 심어달라고 의견을 말하더군요.

나는 이렇게 얘기했습니다. '판사님, 좋은 취미를 갖고 계시군요. 개들이 너무 멋져 감탄하는 중이었습니다. 매디슨 스퀘어 가든에서 열리는 개 품평회에서 대상도 많이 타셨다면서요?'

'그랬다네.' 법률가는 대답했다. '개를 기르면서 즐거운 일이 많았지. **개사육장**[36]이나 구경해보시겠소?'

그러더니 판사는 한 시간이나 개들을 보여주고, 그 개들이 어떤 상을 받았는지도 말해주었습니다. 심지어 **혈통 증명서**[37]를 가지고 나와 개들이 어떤 혈통이라서 그렇게 멋지고 영리한지를 설명해주었습니다.

그러고는 이렇게 묻더군요. '아이가 있나요?' 내가 '네, 있습니다' 라고 대답하자, 그는 '애가 강아지 좋아하지요?' 하고 물었습니다. 내가 '그럼요, 무척 기뻐할 겁니다(**크게 기뻐하다**[38])' 하자, '그래요, 그럼 강아지를 한 마리 드리리다' 하더군요.

그러더니 그는 강아지를 어떻게 먹여야 하는지 설명해주다가, 잠깐 멈추더니 이렇게 말했습니다. '말로 하면 아마 잊어버릴 테니까, 적어드리지요.' 판사는 집에 들어가 혈통과 강아지 돌보는 법을 적고는 100달러는 됨직한 강아지를 한 마리 들고 와 내게 주었습니다. 이러는 데 1시간 15분이나 걸렸는데, 이 모든 게 내가 그의 취미와 그 성과에 대해 솔직하게 칭찬한 결과였습니다."

코닥사의 설립자인 조지 이스트먼은 현존하는 세계 최고의 사업가로서 영화 촬영을 가능하게 만들어준 **투명한**[39] 필름을 발명해 수억 달러를 벌어들였다(**모으다**[40]). 하지만 이런 **엄청난**[41] 업적에도 불구하고 그 역시 여러

business men on earth. Yet in spite of all these **tremendous**[41] accomplishments, he craved little recognitions even as you and I.

To illustrate: A number of years ago, Eastman was building the Eastman School of Music in Rochester and also Kilbourn Hall, a theatre in memory of his mother. James Adamson, President of the Superior Seating Company of New York, wanted to get the order to supply the theatre chairs for these buildings. Phoning the architect, Mr. Adamson made an appointment to see Mr. Eastman in Rochester.

When Adamson arrived, the architect said: "I know you want to get this order; but I can tell you right now that you won't **stand** a ghost of **a show**[42] if you take more than five minutes of George Eastman's time. He is a **martinet**[43]. He is very busy. So tell your story quickly and get out."

Adamson was prepared to do just that.

When he was **usher**ed[44] into the room, he noticed Mr. Eastman bending over a pile of papers at his desk. Presently, Mr. Eastman looked up, removed his glasses, and walked toward the architect and Mr. Adamson, saying: "Good morning, gentlemen, what can I do for you?"

The architect introduced them and then Mr. Adamson said:

"While we have been waiting for you, Mr. Eastman, I have been admiring your office. I wouldn't mind working myself if I had a room like this to work in. You know I am in the interior-woodworking business myself, and I never saw a more beautiful office in all my life."

George Eastman replied:

"You remind me of something I had almost forgotten. It is beautiful, isn't it? I enjoyed it a great deal when it was first built. But I come down here now with a lot of other things on my mind and sometimes don't even see the room for weeks at a time."

Adamson walked over and rubbed his hand across a panel. "This

분이나 나와 마찬가지로 인정받기를 갈구했다.

예를 들어보자. 몇 년 전, 이스트먼은 로체스터에 이스트먼 음악학교를 지으면서 그 안에 모친을 추모하기 위한 연주회장인 킬번 홀을 지으려 했다. 뉴욕에 있는 슈피리어 의자회사의 사장 제임스 애덤슨은 그 연주회장에 들어가는 의자를 공급하고 싶었다. 건축가에게 부탁해 애덤슨은 로체스터에서 이스트먼을 만날 약속을 얻어냈다.

애덤슨이 도착하자 건축가가 이렇게 얘기했다. "이번 계약을 꼭 따고 싶으신 건 압니다만, 이것만은 지금 꼭 말씀드려야겠네요. 만일 5분을 넘기면 계약을 따낼 수 있는 가망성은 전혀 없다고 보아야 합니다(**가망성이 있다**[42]). 이스트먼 씨는 **규정을 무척 따지는 사람**[43]이고, 매우 바쁘신 분이기 때문입니다. 그러니 하고 싶은 얘기를 짧게 얘기하고 나오십시오."

애덤슨은 그렇게 하겠다고 마음먹었다.

그가 안내되어(**안내하다**[44]) 방 안으로 들어섰을 때. 이스트먼은 서류더미에 묻혀 책상에 앉아 있었다. 이윽고 이스트먼은 고개를 들고 안경을 벗더니 건축가와 애덤슨 앞으로 와 인사를 했다. "안녕하세요, 여러분. 어떤 일로 오셨습니까?"

건축가의 소개로 서로 인사를 나누고 나서 애덤슨은 이렇게 얘기했다. "이스트먼 씨, 기다리는 사이 사무실을 둘러보며 감탄하는 중이었습니다. 저도 이 같은 사무실에서 일해보았으면 좋겠습니다. 아시다시피 저도 인테리어 목재 장식업에 종사하고 있습니다만, 이렇게 멋진 사무실은 생전 처음입니다."

조지 이스트먼이 대답했다.

"당신 때문에 거의 잊고 있던 것이 떠오르는군요. 이 사무실 멋지죠? 그렇지 않나요? 처음 지어졌을 적에는 나도 무척 흐뭇해했습니다. 그런데 이제 일에 치이다 보니 몇 주씩이나 사무실이 눈에 안 들어오게 되었네요."

애덤슨은 방 한쪽으로 가서 벽의 판자를 만지며 이렇게 얘기했다. "이건

is English oak, isn't it? A little different texture from Italian oak."

"Yes," Eastman replied. "That is imported English oak. It was selected for me by a friend who specializes in fine woods."

Then Eastman showed him about the room, pointing out the **proportion**s[45], the coloring, the hand carving and other effects that he had helped to plan and execute.

While drifting about the room, admiring the woodwork, they paused before a window and George Eastman, in his modest, soft spoken way, pointed out some of the **institutions**[46] through which he was trying to help humanity: the University of Rochester, the General Hospital, the **Homeopathic**[47] Hospital, the Friendly Home, the Children's Hospital. Mr. Adamson congratulated him warmly on the idealistic way he was using his wealth to **alleviate**[48] the sufferings of humanity. Presently George Eastman unlocked a glass case and pulled out the first camera he had ever owned—an invention he had bought from an Englishman.

Adamson questioned him at length about his early struggles to get started in business, and Mr. Eastman spoke with real feeling about the poverty of his childhood, told how his **widow**ed[49] mother had kept a boarding house while he clerked in an insurance office for fifty cents a day. The terror of poverty **haunt**ed[50] him day and night and he resolved to make enough money so his mother wouldn't have to work herself to death in a boarding house. Mr. Adamson drew him out with further questions and listened, absorbed, while he related the story of his experiments with dry photographic plates. He told how he had worked in an office all day, and sometimes experimented all night, taking only brief naps while the chemicals were working, sometimes working and sleeping in his clothes for seventy-two hours **at a stretch**[51].

James Adamson had been ushered into Eastman's office at 10:15, and warned that he must not take more than five minutes; but an hour passed, two hours passed. They were still talking.

Finally, George Eastman turned to Adamson and said, "The last

영국산 떡갈나무 아닌가요? 이탈리아산하고는 나뭇결이 약간 다르죠."

이스트먼은 "네. 영국산 떡갈나무를 수입한 것입니다. 고급 목재만 전문으로 취급하는 내 친구가 특별히 나를 위해 골라주었죠"라고 대답했다.

그리고 나서 이스트먼은 방 안을 안내하며 **비례**[45]와 배색, 손으로 깎아 만든 부분, 그리고 자신이 고안하고 실제 만들기도 한 여러 가지 장식들을 보여주었다.

방 안을 다니는 동안 목공품들을 살펴보다가, 창가 앞에 이르자 조지 이스트먼은 멈춰 서서 그의 조용하고 부드러운 목소리로 인류에 기여하기 위해 자신이 구상하는 **기구**[46]들, 예를 들면 로체스터 대학, 종합병원, **동종 요법**[47]병원, 노숙여성쉼터, 아동병원 등에 관해 얘기했다. 애덤슨은 인간의 고통을 완화시키는 데(**고통을 완화시키다, 덜다**[48]) 자신의 재산을 사용하는 이스트먼의 이상적인 태도에 진심으로 뜨거운 경의를 표했다. 조금 후 이스트먼은 유리 상자에서 자신이 처음 소유했던 카메라를 꺼내 보여주었다. 그가 한 영국인으로부터 산 발명품이었다.

얘기를 나누던 중 애덤슨은 이스트먼에게 사업 초기의 난관을 어떻게 헤쳐나갔는지 물어보았다. 그러자 이스트먼은 자신의 가난했던 어린 시절, 즉 자신은 보험회사에서 하루 50센트를 받으며 일을 하고 과부가 된(**과부가 되다**[49]) 어머니는 하숙을 꾸려서 생활하던 시절에 대해 실감나게 얘기해주었다. 가난의 공포가 밤낮없이 그를 괴롭혔는데(**괴롭히다**[50]), 그는 어머니가 하숙을 치며 고생하지 않아도 될 수 있게 충분히 많은 돈을 벌겠다고 결심했다. 애덤슨은 몇 가지 질문을 더했고, 이스트먼이 사진 건판 실험을 하던 얘기를 열중해 들었다. 이스트먼은 하루 종일 한 실험실에서 일한 얘기, 화학 물질이 반응하는 사이 잠깐 눈을 붙이면서 꼬박 밤을 샌 얘기, 그러다가 옷도 갈아입지 않고 사흘 밤낮, 72시간 동안 크게 무리하여(**단숨에, 크게 무리하여**[51]) 자고 실험하고, 자고 실험하던 얘기들을 들려주었다.

제임스 애덤슨이 이스트먼의 사무실에 들어가면서 5분 이상 얘기하지 말라는 충고를 들은 것은 10시 15분이었다. 그러나 한 시간이 지나고, 두 시간이 지나도 그들의 얘기는 끝날 줄을 몰랐다.

조지 이스트먼이 이윽고 애덤슨에게 이런 얘기를 들려주었다. "지난번

time I was in Japan I bought some chairs, brought them home, and put them in my **sun porch**[52]. But the sun **peel**ed[53] the paint, so I went down town the other day and bought some paint and painted the chairs myself. Would you like to see what sort of a job I can do painting chairs? All right. Come up to my home and have lunch with me and I'll show you."

After lunch, Mr. Eastman showed Adamson the chairs he had brought from Japan. They weren't worth more than $1.50 apiece, but George Eastman, who had made a hundred million dollars in business, was proud of them because he himself had painted them.

The order for the seats amounted to $90,000. Who do you suppose got the order—James Adamson or one of his competitors?

From that time on until Mr. Eastman's death, he and James Adamson were close friends.

Where should you and I begin applying this magic touchstone of appreciation? Why not begin right at home? I don't know of any other place where it is more needed—or more neglected. Your wife must have some good points—at least you once thought she had or you wouldn't have married her. But how long has it been since you expressed your admiration for her attractions? How long??

I was fishing up on the **headwaters**[54] of the Miramichi in New Brunswick a few years ago. I was isolated in a lonely camp deep in the Canadian woods. The only thing I could find to read was a country newspaper. I read everything in it, including the ads and an article by Dorothy Dix. Her article was so fine that I cut it out and kept it. She claimed she was tired of always hearing lectures to brides. She declared that someone ought to take the bridegroom to one side and give him this bit of sage advice:

Never get married until you have kissed the **Blarney Stone**[55].

일본에 갔을 때 의자를 몇 개 사다가 그것들을 우리 집 **베란다**[52]에 두었습니다. 하지만 햇빛을 너무 받아 칠이 벗겨지고(**벗기다**[53]) 말았습니다. 그래서 시내에 가서 페인트를 조금 사다가 내가 직접 칠을 했지요. 내 칠 솜씨가 어떤지 한번 보시겠습니까? 좋습니다. 우리 집에 가서 저와 함께 점심을 드시지요. 그 후에 보여드리겠습니다."

점심이 끝난 후 이스트먼은 애덤슨에게 일본에서 사온 의자를 보여주었다. 의자는 하나에 1달러 50센트에 불과한 것이었다. 하지만 조지 이스트먼은 비록 자신이 백만장자이긴 해도 자신이 직접 칠을 했기 때문에 의자가 자랑스러웠다.

연주회장 의자 주문액은 9만 달러에 달했다. 누가 그 계약을 땄겠는가? 제임스 애덤슨일까, 아니면 다른 경쟁자일까?

그 때 이후로 이스트먼이 죽을 때까지 이스트먼과 제임슨 두 사람은 가까운 친구로 지냈다.

칭찬이라는 이 마법의 시금석을 어디서부터 적용하는 게 좋을까? 가정에서부터 시작하는 게 어떨까? 나는 가정만큼 칭찬이 필요하면서도 실제로는 부족한 곳이 없다고 생각한다. 여러분의 아내에게도 분명 장점이 있을 것이다. 적어도 있다고 생각하긴 했을 것이다. 그렇지 않았다면 결혼이 어렵지 않았겠는가? 그렇다면 아내의 매력에 대해 마지막으로 칭찬을 한 다음 얼마나 시간이 흘렀는가? 1달? 1년? 10년?

몇 년 전 뉴브런즈윅 주에 있는 미라미치 강 **상류**[54]에서 낚시를 할 때의 일이다. 나는 캐나다 깊은 숲속 야영장에 혼자 고립되어 있었다. 읽을 것이라곤 철 지난 지방 신문뿐이었다. 나는 광고를 포함해 신문의 처음부터 끝까지 다 읽었는데, 그 안에는 도로시 딕스의 글도 들어 있었다. 그녀의 글은 너무나 감명 깊어 나는 그 글을 신문에서 오려내 아직도 보관하고 있다. 그녀는 사람들이 항상 신부들에게만 이런저런 충고를 하는데 거기에는 이제 이골이 났으니, 누군가는 신랑들을 모아놓고 아래와 같은 충고를 해주어야 한다고 단언했다.

아일랜드에 있는 **블라니 스톤**[55](이 돌에 키스하면 아첨을 잘하게 된다고

Praising a woman before marriage is a matter of **inclination**[56]. But praising one after you marry her is a matter of necessity—and personal safety. Matrimony is no place for **candor**[57]. It is a field for **diplomacy**[58].

If you wish to fare sumptuously every day, never **knock**[59] your wife's housekeeping or make **invidious**[60] comparisons between it and your mother's. But, on the contrary, be forever praising her **domesticity**[61] and openly congratulate yourself upon having married the only woman who combines the attractions of Venus and Minerva and Mary Ann. Even when the steak is leather and the bread a **cinder**[62], don't complain. Merely remark that the meal isn't up to her usual standard of perfection, and she will make a burnt **offering**[63] of herself on the kitchen stove to live up to your ideal of her.

Don't begin this too suddenly—or she'll be suspicious.

But tonight, or tomorrow night, bring her some flowers or a box of candy. Don't merely say, "Yes, I ought to do it." *Do it!* And bring her a smile in addition, and some warm words of **affection**[64]. If more wives and more husbands did that I wonder if we should still have one marriage out of every six **shatter**ed[65] on the rocks of Reno?

Would you like to know how to make a woman fall in love with you? Well, here is the secret. This is going to be good. It is not my idea. I borrowed it from Dorothy Dix. She once interviewed a celebrated **bigamist**[66] who had won the hearts and savings-bank accounts of twenty-three women. When she asked him his recipe for making women fall in love with him, he said it was no trick at all: all you had to do was to talk to a woman about herself.

And the same technique works with men: "Talk to a man about himself," said Disraeli, one of the shrewdest men who ever ruled the British Empire, "talk to a man about himself and he will listen

함)에 입을 맞춰 아부의 도사가 되기 전에는 절대 결혼할 생각 말라. 결혼 전에는 여인을 칭찬하는 것은 **기호**[56]의 문제일 뿐이다. 하지만 결혼 후에는 필수 문제이며, 본인의 안녕을 위해서도 필요하다. 결혼생활은 **솔직함**[57]이 활개칠 수 있는 곳이 아니다. 그곳은 **술책**[58]이 필요한 전쟁터이다.

만약 당신이 매일매일을 편하게 지내고 싶다면, 아내가 집안일을 꾸려나가는 것에 대해 흠을 잡거나(**흠잡다**[59]) 엄마와 비교해 아내의 비위를 거슬리게(**비위에 거슬리는**[60]) 만들지 마라. 오히려 반대로 아내가 얼마나 가정적인지(**가정적임**[61]) 항상 칭찬하고, 비너스의 아름다움과 미네르바의 지혜와 메리 앤의 쾌활함을 한 몸에 갖춘, 둘도 없는 여인임을 공개적으로 자랑하고 다녀라. 고기가 좀 질기고 빵이 좀 타더라도(**탄 것**[62]) 불평하지 마라. 다만 언제나 이보다 훨씬 나은데 이런 날도 있네 정도로만 얘기하라. 그러면 아내는 당신의 기대에 부응하기 위해 부엌에서 온몸을 불태울 것이다(**헌납**[63]).'

사람이 너무 갑자기 달라져도 의심을 사니 조심하기 바란다.

하지만 오늘 밤 바로 아니면 내일 밤, 아내에게 꽃다발이나 사탕바구니를 선물하라. 다만 말로만 "그렇게 해야지" 하지 말고, *실천하기 바란다.* 덤으로 미소와 멋진 사랑의(**애정**[64]) 말도 전하라. 더 많은 부부들이 이런 관계가 된다면, 지금처럼 여섯 쌍 중 한 쌍이 이혼하는(**부서지다**[65]) 사태는 막을 수 있지 않겠는가?

여자로 하여금 당신을 사랑하게 만들고 싶은가? 비결을 말해주겠다. 효과에 대해서는 내가 장담을 하겠다. 내가 생각해낸 것이 아니라 도로시 딕스의 아이디어를 빌려왔다. 그녀는 23명이나 되는 여인의 가슴에 상처를 주고 재산을 가로챈 유명한 사기꾼(**중혼자**[66])과 인터뷰한 적이 있다. 여인들의 마음을 빼앗은 비결이 뭐냐고 묻자, 그는 그건 기교랄 것도 없이 단지 여자에게 그녀 자신에 관해 말해주는 게 전부라고 대답했다.

남자에게도 같은 방법이 통한다. 대영제국을 다스렸던 가장 영리한 사람이었던 디즈레일리는 이렇게 말했다. "다른 사람에게 그 사람 자신에 관한 말을 해보라. 그러면 그는 몇 시간이고 듣고 있을 것이다."

for hours."

So if you want people to like you, Rule 6 is:

Make the other person feel important
— and do it sincerely.

You've been reading this book long enough. Close it now, knock the dead ashes out of your pipe, and begin to apply this philosophy of appreciation at once on the person nearest you—and watch the magic work.

SIX WAYS TO MAKE PEOPLE LIKE YOU

RULE 1 : Become genuinely interested in other people.

RULE 2 : Smile.

RULE 3 : Remember that a man's name is to him the sweetest and most important sound in the English language.

RULE 4 : Be a good listener. Encourage others to talk about themselves.

RULE 5 : Talk in terms of the other man's interest.

RULE 6 : Make the other person feel important—and do it sincerely.

그러므로 사람들의 호감을 사고 싶다면, 다음 방법과 같이 해보라!

상대방이 인정받는다고 느끼게 하라.
그리고 진심으로 인정하라.

여러분은 지금 꽤 많은 분량의 글을 읽었다. 이제 책을 덮고, 담뱃불을 끄고, 이 칭찬의 법칙을 가장 가까이 있는 사람에게 적용해보라. 그리고 어떤 마법 같은 효과가 생기는지 지켜보라.

사람의 호감을 얻는 6가지 방법

1 다른 사람들에게 진정한 관심을 가져라.

2 웃어라.

3 상대방에게는 자신의 이름이 사람의 입에서 나오는 가장 달콤하면서도 가장 중요한 말임을 기억하라.

4 잘 듣는 사람이 되어라. 상대방이 스스로에 대해 얘기하도록 이끌어라.

5 상대방의 관심사에 관해 얘기하라.

6 상대방이 인정받는다고 느끼게 하라. 그리고 진심으로 인정하라.

PART 3

TWELVE WAYS TO WIN PEOPLE TO YOUR WAY OF THINKING

상대방을 설득하는
12가지 방법

1 YOU CAN'T WIN AN ARGUMENT

SHORTLY after the close of the war, I learned an invaluable lesson one night in London. I was manager at the time for Sir Ross Smith. During the war, Sir Ross had been the Australian ace out in Palestine; and, shortly after peace was declared, he **astonish**ed[1] the world by flying halfway around it in thirty days. No such feat had ever been attempted before. It created a tremendous sensation.

The Australian government gave him fifty thousand dollars; the King of England knighted him; and, for awhile, he was the most talked-of man under the Union Jack—the Lindbergh of the British Empire. I was attending a banquet one night given in Sir Ross's honor; and during the dinner, the man sitting next to me told a humorous story which hinged on the quotation, "There's a **divinity**[2] that shapes our ends, rough-hew them how we will."

The **raconteur**[3] mentioned that the quotation was from the Bible. He was wrong. I knew that. I knew it positively. There couldn't be the slightest doubt about it. And so, to get a feeling of importance and display my superiority, I appointed myself as an unsolicited and unwelcome committee of one to correct him. He **stuck to his guns**[4]. What? From Shakespeare? Impossible! Absurd! That quotation was from the Bible. And he knew it!

The story-teller was sitting on my right; and Mr. Frank Gammond, an old friend of mine, was seated at my left. Mr. Gammond had devoted years to the study of Shakespeare. So the story-teller and I agreed to submit the question to Mr. Gammond. Mr. Gammond listened, kicked me under the table, and then said: "Dale, you are wrong. The gentleman is right. It is from the Bible."

On our way home that night, I said to Mr. Gammond: "Frank, you knew that quotation was from Shakespeare."

1 논쟁으로는 결코 이길 수 없다

제1차 세계대전이 끝나고 얼마 지나지 않은 어느 날 저녁, 나는 런던에서 매우 귀중한 교훈을 얻었다. 당시 나는 로스 스미스 경의 매니저였다. 호주 출신의 로스 경은 전쟁 중에 팔레스타인 지역에서 이름을 떨치던 젊은 탐건이었고, 종전 직후에는 지구의 절반을 30일간 비행해 세상을 놀라게 했다 (**놀라게 하다[1]**). 당시로선 전에 없던 놀라운 기록이었다.

그 일은 대단한 반향을 불러일으켜 호주 정부는 그에게 5만 달러를 상으로 주었고, 영국 왕실은 그에게 작위를 수여했다. 그는 한동안 대영제국에서 가장 자주 화제에 오르내리는 사람이었다. 미국에 대서양을 최초로 무착륙 비행한 린드버그가 있다면, 대영제국에는 로스 스미스 경이 있다고 할 정도였다. 어느 날 저녁 나는 로스 경을 위해 열린 연회에 참석했다. 그런데 식사 도중 내 곁에 앉아 있던 사람이 "일을 도모하는 것은 인간이나, 일을 결정하는 것은 **신[2]**이 한다"는 말을 인용해가며 재미있게 얘기를 풀어놓았다.

그 **재담꾼[3]**은 자기 인용의 출처가 성경이라고 했다. 하지만 나는 그가 틀렸다는 것을 알고 있었다. 명확하게 알고 있었기에 내가 틀릴 가능성은 조금도 없었다. 그래서 인정을 좀 받고 싶기도 하고 잘난 척하고 싶은 생각도 좀 있어서 그의 잘못을 지적하는 우를 범하고 말았다. 하지만 그는 자신의 입장을 고수했다(**입장을 고수하다[4]**). 그는 "뭐라고요? 셰익스피어 작품이 출처라고요? 그럴 리가요. 말도 안 되는 소리 하지 마세요. 그건 성경에 나온 말이에요. 분명해요"라고 했다.

재담꾼은 내 오른쪽 자리에 앉아 있었고, 왼쪽 자리에는 내 오랜 친구이자 셰익스피어 전공자인 프랭크 가몬드가 앉아 있었다. 그래서 재담꾼과 나는 가몬드에게 판단을 내려달라고 청했다. 그러자 가몬드가 듣고 있다가 탁자 밑으로 내 발을 툭 차고는 이렇게 말했다. "카네기, 자네가 틀렸네. 저분 말씀이 맞네. 그건 성경에 나온 얘기라네."

집으로 오면서 나는 가몬드에게 말했다. "프랭크, 자네도 그 말이 셰익스피어 작품에 나온다는 거 알고 있었지?"

"Yes, of course," he replied, "Hamlet, Act V, Scene 2. But we were guests at a festive occasion, my dear Dale. Why prove to a man he is wrong? Is that going to make him like you? Why not let him save his face? He didn't ask for your opinion. He didn't want it. Why argue with him? Always avoid the acute angle."

"Always avoid the acute angle." The man who said that is now dead; but the lesson that he taught me goes marching on.

It was a sorely needed lesson because I had been an **inveterate**[5] arguer. During my youth, I had argued with my brother about everything under the Milky Way. When I went to college, I studied logic and **argumentation**[6], and went in for debating contests. Talk about being from Missouri, I was born there. I had to be shown.

Later, I taught debating and argumentation in New York; and once, I am ashamed to admit, I planned to write a book on the subject. Since then, I have listened to, criticized, engaged in, and watched the effects of thousands of arguments. As a result of it all, I have come to the conclusion that there is only one way under high heaven to get the best of an argument—and that is to avoid it. Avoid it as you would avoid rattlesnakes and earthquakes.

Nine times out of ten, an argument ends with each of the **contestant**s[7] being more firmly convinced than ever that he is absolutely right.

You can't win an argument. You can't because if you lose it, you lose it; and if you win it, you lose it. Why? Well, suppose you triumph over the other man and shoot his argument full of holes and prove that he is **non compos mentis**[8]. Then what? You will feel fine. But what about him? You have made him feel **inferior**[9]. You have hurt his pride. He will **resent**[10] your triumph. And—

"A man convinced against his will is of the same opinion still."

"물론이지." 그가 대답했다. 『햄릿』 5장 2막에 나오는 말이지. 그런데 말이야 이 친구야, 우리는 로스 경을 축하하기 위해 모인 손님들이잖아. 그 사람 틀린 거 확인해 무엇에 쓰겠나? 그러면 그 사람이 자넬 좋아할 것 같나? 그 사람 체면 상하지 않게 놔두면 좀 어때서? 자네에게 맞나 틀리나 물어본 것도 아니고 말이야. 그 사람은 그걸 원하지 않았다네. 그런데 왜 그걸 가지고 다투나? 항상 날카로운 대립을 피하게나."

'항상 날카로운 대립을 피하라.' 이 말을 해준 친구는 이제 가고 없다. 하지만 그가 가르쳐준 교훈은 영원히 남아 있다.

그것은 내게 정말 꼭 필요한 충고였다. 당시 나는 **습관적인**[5] 논쟁자였다. 어렸을 때 나는 형과 이 세상 모든 것에 대해 논쟁을 벌이곤 했다. 대학에 가서는 논리학과 **변론**[6]을 배웠고, 토론 대회에도 많이 참가했다. 토론 하면 미주리 지역 사람들을 드는데, 맞다, 난 미주리에서 태어났다. 나도 미주리 사람답게 증거를 보여주어야만 직성이 풀렸다.

그 뒤 나는 뉴욕에서 토론과 논쟁하는 법을 가르쳤다. 이제는 부끄러운 얘기지만, 한때는 그 주제로 책을 쓰려는 생각도 했었다. 그 일이 있고 난 후 나는 수천 가지의 논쟁에 대해 경청도 하고, 비판도 하고, 참가도 하면서 논쟁의 영향을 지켜보았다. 그 결과 논쟁에서 이기는 방법은 이 세상에 단 한 가지밖에 없다는 결론이 나오게 되었다. 그것은 논쟁을 피하는 것이다. 방울뱀이나 지진을 피하는 것처럼 논쟁을 피하는 수밖에 없다.

거의 언제나 논쟁은 양측 참가자(**경쟁자, 경기 참가자**[7]) 모두가 논쟁 이전보다 더 확실하게 자신이 옳다고 생각하는 것으로 끝난다.

논쟁으로는 이길 수 없다. 지면 그냥 지는 것이고, 이겨도 지는 것이다. 왜 그런 것 같은가? 만일 여러분이 상대방 논리의 허점을 지적해 상대방을 묵사발이 될 정도로 이겼다 치자. 상대가 제정신이 아니라는(**제정신이 아닌**[8]) 것을 증명해냈다고 치자. 그래서 어떻단 말인가? 여러분 기분이야 좋겠지만 상대방은 어떻겠는가? 여러분은 상대방에게 열등감을(**열등한**[9]) 느끼게 했고, 상대방의 자존심을 구겨버렸다. 상대방은 여러분의 승리를 원망한다(**분개하다**[10]).

"자신의 의지에 반해 승복한 사람은 여전히 생각을 바꾸지 않는다."

The Penn Mutual Life Insurance Company has laid down a **definite**[11] policy for its salesmen: "Don't argue!"

Real salesmanship isn't argument. It isn't anything even remotely like argument. The human mind isn't changed that way.

To illustrate: Years ago, a **belligerent**[12] Irishman by the name of Patrick J. O'Haire joined one of my classes. He had had little education, and how he loved a **scrap**[13]! He had once been a chauffeur, and he came to me because he had been trying without much success, to sell automobile trucks. A little questioning brought out the fact that he was continually scrapping with and **antagonizing**[14] the very people he was trying to do business with.

If a prospect said anything **derogatory**[15] about the trucks he was selling, Pat **saw red**[16] and was right at the man's throat. Pat won a lot of arguments in those days. As he said to me afterwards, "I often walked out of a man's office saying: 'I told that **bird**[17] something.' Sure I had told him something, but I hadn't sold him anything."

My first problem was not to teach Patrick J. O'Haire to talk. My immediate task was to train him to **refrain from**[18] talking and to avoid verbal fights.

Mr. O'Haire is now one of the star salesmen for the White Motor Company in New York. How does he do it? Here is his story in his own words:

"If I walk into a buyer's office now and he says: 'What? A White truck? They're no good! I wouldn't take one if you gave it to me. I'm going to buy the Whoseit truck,' I say, 'Brother, listen, the Whoseit is a good truck. If you buy the Whoseit, you'll never make a mistake. The Whoseits are made by a fine company and sold by good people.'

He is speechless then. There is no room for an argument. If he says the Whoseit is best and I say sure it is, he has to stop. He can't

펜 상호생명보험사는 보험 판매원들에게 다음과 같은 **명확한**[11] 기준 하나를 제시해 지키게 하고 있다. "논쟁하지 말라!"

판매 활동의 본령은 논쟁에 있지 않다. 논쟁과는 거리가 멀어도 한참 멀다. 사람의 마음은 논쟁으로 바뀌지 않기 때문이다.

예를 들어보자. 수년 전 패트릭 J. 오헤어라는 **싸움을 좋아하는**[12] 아일랜드 사람이 나의 강좌 중 하나에 가입했다. 그는 정규교육은 거의 받지 못했지만 논쟁(**다툼**[13])을 무척 즐겼다. 그는 한때 운전기사를 하다가 트럭을 판매하는 일로 바꿨는데, 별다른 성공을 거두지 못하자 나를 찾아왔던 것이다. 몇 마디 나누지 않고도 나는 그가 사업상의 고객들과 늘 다투거나 상대의 반감을 사는(**~의 반감을 사다**[14]) 사람이라는 것을 알 수 있었다.

고객이 그가 파는 트럭의 평판을 떨어뜨리는(**평판을 떨어뜨리는**[15]) 말을 하면 그는 격노하며(**격노하다**[16]) 고객의 멱살을 잡기 일쑤였다. 당시 그는 논쟁을 벌여 이기는 경우가 상당히 많았다. 그가 나중에 말한 대로 "종종 고객의 사무실에서 나오면서 속으로 '이 정도면 저 **녀석**[17] 콧대가 납작해졌겠지'하는 생각을 하고는 했습니다. 실제로 고객의 콧대를 꺾어놓은 게 사실이었고요. 하지만 아무것도 팔지는 못 했었죠."

내가 맨 처음 해야 할 일은 패트릭 J. 오헤어에게 말하는 법을 가르치는 것이 아니었다. 당장의 과제는 그에게 말을 삼가고(**~을 삼가다**[18]) 언쟁을 피하도록 훈련하는 것이었다.

오헤어 씨는 지금은 뉴욕의 화이트 모터사에서 가장 우수한 세일즈맨이다. 그가 어떤 식으로 하는지 그의 얘기를 들어보자.

"요즘은 고객 사무실에 들어갔을 때 고객이 '어디라고요? 화이트 트럭이요? 그거 안 좋아요. 공짜로 줘도 안 가져요. 나는 A사 트럭을 살 거요.' 이러면 저는 '한마디 해도 될까요? A사 트럭 좋습니다. 만약에 당신이 그 트럭을 사신다면 후회는 안 하실 거예요. 회사도 괜찮고 판매원들도 괜찮죠.' 이렇게 대답합니다.

그럼 그 사람은 말문이 막히고 말죠. 다툴 여지가 없으니까요. 상대가 A사 트럭이 최고라고 할 때 제가 맞다고 맞장구쳐버리면 그 사람은 말을 멈

keep on all afternoon saying, 'It's the best' when I'm agreeing with him. We then get off the subject of Whoseit and I begin to talk about the good points of the White truck.

There was a time when a crack like that would make me see scarlet and red and orange. I would start arguing against the Whoseit; and the more I argued against it, the more my prospect argued in favor of it; and the more he argued, the more he **sold** himself **on**[19] my competitor's product.

As I look back now I wonder how I was ever able to sell anything. I lost years of my life in scrapping and arguing. I keep my mouth shut now. It pays."

As wise old Ben Franklin used to say:

"If you argue and **rankle**[20] and contradict, you may achieve a victory sometimes; but it will be an empty victory because you will never get your opponent's good will."

So figure it our for yourself. Which would you rather have: an academic, theatrical victory or a man's good will? You can seldom have both. *The Boston Transcript* once printed this bit of significant **doggerel**[21]:

Here lies the body of William Jay,
Who died maintaining his right of way —
He was right, dead right, as he sped along,
But he's just as dead as if he were wrong.

You may be right, dead right, as you speed along in your argument; but as far as changing the other man's mind is concerned, you will probably be just as **futile**[22] as if you were wrong.

출 수밖에 없죠. 제가 그렇다고 하는데 계속 A사가 최고라고만 할 순 없잖아요. 그러고 나면 A사 얘기는 넘어가고 저희 회사 차의 장점을 얘기할 수 있게 되죠.

한때 누가 그런 식으로 얘기하면 발끈해 불같이 화를 내던 시절이 제게도 있었습니다. 그러면 우선 A사 트럭을 깎아내리는 얘기를 했죠. 하지만 얘기를 거듭할수록 잠재 고객은 저쪽 편이 되어버립니다. 논쟁을 할수록 고객 스스로 경쟁 회사 상품에 기울어져 버렸지요(~을 **되팔다**[19]).

지금 돌이켜보면 그런 식으로 어떻게 뭘 팔 수 있었겠나 싶습니다. 다투고 논쟁하면서 제 인생을 보내고 말았습니다. 지금은 입을 다물고 있죠. 그편이 오히려 득이 됩니다."

지혜로운 벤저민 프랭클린은 늘 이렇게 얘기했다.

"논쟁하고 괴롭히고(**괴롭히다**[20]) 반박하다보면 승리할 때도 있을 것이다. 하지만 그 승리는 공허한 승리다. 그렇게 해서는 결코 상대방의 호의를 끌어낼 수 없기 때문이다."

그러므로 스스로 판단해보라. 어느 쪽을 택할지. 겉으로 드러나는 이론적인 승리인지 아니면 상대방의 호의인지. 왜냐하면 둘 다 가지기는 불가능하기 때문이다. 〈보스턴 트랜스크립트〉지에 이런 의미심장한 구절(**운율이 맞지 않는 시**[21])이 실린 적이 있다.

죽을 때까지 자기가 옳다고 우기며
윌리엄 제이 여기 묻히다.
한 평생 그는 옳았다. 완벽히 옳았다.
하지만 옳건 그르건 죽었으니 그만인 것을.

논쟁할 때 여러분이 옳은 쪽, 그것도 완벽히 옳은 쪽일 수 있다. 하지만 목적이 상대방의 마음을 돌리는 일과 관련된 것이라면, 여러분이 옳건 그르건 무익하다는(**무익한**[22]) 점에 있어서는 마찬가지일 것이다.

William G. McAdoo, Secretary of the Treasury in Woodrow Wilson's cabinet, declared that he had learned, as a result of his crowded years in politics, that "it is impossible to defeat an ignorant man by argument."

"An ignorant man?" You put it mildly, Mr. McAdoo. My experience has been that it is all but impossible to make *any* man— regardless of his I. Q. rating—change his mind by a **verbal joust**[23].

For example, Frederick S. Parsons, an income-tax consultant, had been **disputing**[24] and **wrangling**[25] for an hour with a government tax inspector. An item of nine thousand dollars was at stake. Mr. Parsons claimed that this nine thousand was in reality a bad debt, that it would never be collected, that it ought not to be taxed. "**Bad debt**[26], my eye!" retorted the inspector. "It must be taxed."

"This inspector was cold, arrogant, and stubborn," Mr. Parsons said as he told the story to the class.

"Reason was wasted on him and so were facts. The longer we argued, the more stubborn he became. So I decided to avoid argument, change the subject, and give him appreciation.

I said, 'I suppose that this is a very petty matter in **comparison**[27] with the really important and difficult decisions you are required to make. I've made a study of taxation myself. But I've had to get my knowledge from books. You are getting yours from the **firing line**[28] of experience. I sometimes wish I had a job like yours. It would teach me a lot.' I meant every word I said.

Well, the inspector straightened up in his chair, leaned back, and talked for a long time about his work, telling me of the clever frauds he had uncovered. His tone gradually became friendly; and presently he was telling me about his children. As he left, he advised me that he would consider my problem further, and give me his decision in a few days. He called at my office three days later and informed me

우드로 윌슨 대통령 아래서 재무장관을 지낸 윌리엄 G. 맥아두는 정치판에서 수많은 사람들을 접해본 결과 '무식한 사람과는 논쟁을 해서 이길 수 없다'는 사실을 깨달았다고 말한 적이 있다.

'무식한 사람?' 맥아두의 표현은 다소 조심스런 표현으로 보인다. 내 경험으로는 IQ에 상관없이 세상 *어떤* 사람도 논쟁(**말다툼**[23])을 통해서는 생각을 돌릴 수 없다.

예를 들어보자. 소득세 신고 관련 상담을 해주는 프레드릭 S. 파슨스라는 사람이 어느 날 세무 조사관과 한 시간째 논쟁하며(**논쟁하다**[24]) 말다툼하고(**말다툼하다**[25]) 있었습니다. 9천 달러가 걸린 일이었습니다. 파슨스 씨는 이 9천 달러가 회수 가능성이 없는 악성 채권이므로 과세 대상이 아니라고 주장했다. "**악성 채권**[26]이라고요? 그럴 리가요. 과세 대상입니다." 세무 조사관이 반박했다.

"그 세무 조사관은 냉정하고 거만하며, 고집이 셌습니다." 파슨스 씨가 카네기 강좌에서 말했다.

"이유도 설명하고 사실도 들이댔지만 소용이 없었습니다. 논쟁을 할수록 더 고집을 부리더군요. 그래서 논쟁을 멈추고, 화제를 바꿔 그를 칭찬해야겠다고 마음먹었죠.

그래서 이렇게 말했습니다. '당신이 내려야 하는 진짜 중요하고 어려운 결정들과 **비교**[27]하면, 이런 건 사소한 문제일 것이라고 생각합니다. 나도 조세에 관해 공부를 했는데, 그저 책을 보고 지식을 얻는 정도였죠. 당신은 **최일선**[28]에서 지식을 얻고 있는 데 말입니다. 가끔씩 나도 그런 일을 했으면 하고 생각할 때가 있습니다. 그러면 정말 많이 배울 텐데 말입니다.' 나는 진심을 담아 이 얘기를 했습니다.

그러자 조사관도 등을 의자에 기대어 편히 앉더니 교묘한 부정 신고를 적발한 일 등 자신의 업무에 관한 얘기를 오랫동안 들려주었습니다. 말투도 조금씩 친근해졌습니다. 결국은 아이들 얘기까지 나오게 되었습니다. 헤어질 때 그는 제 건을 조금 더 살펴보고 며칠 뒤에 결론을 내리겠다고 하더군요. 3일 후 그는 제 사무실에 들러서 세금 환급 문제는 신고한 그대로 인정하기로 결정했다고 알려주었습니다."

that he had decided to leave the tax return exactly as it was filed."

This tax inspector was demonstrating one of the most common of human **frailties**[29]. He wanted a feeling of importance; and as long as Mr. Parsons argued with him, he got his feeling of importance by loudly asserting his authority. But as soon as his importance was admitted, and the argument stopped, and he was permitted to expand his ego, he became a sympathetic and kindly human being.

Buddha said: "Hatred is never ended by hatred but by love," and a misunderstanding is never ended by an argument but by tact, diplomacy, **conciliation**[30], and a sympathetic desire to see the other person's viewpoint.

Lincoln once reprimanded a young army officer for indulging in a violent controversy with an associate. "No man who is resolved to make the most of himself," said Lincoln, "can spare time for personal contention. Still less can he afford to take the consequences, including the **vitiation**[31] of his temper and the loss of self-control. Yield larger things to which you show no more than equal rights; and yield lesser ones though clearly your own. Better give your path to a dog than be bitten by him in contesting for the right. Even killing the dog would not cure the bite."

Therefore, Rule 1 is:

The only way to get the best of an argument is to avoid it.

이 세무 조사관 얘기는 사람들이 가장 흔히 갖고 있는 **약점**[29]을 보여주고 있다. 그는 인정받고 있다고 느끼고 싶었다. 파슨스 씨가 그와 논쟁을 계속하는 한 조사관은 인정받고자 하는 욕구로 인해 자신의 권위를 내세울 수밖에 없었다. 하지만 자신이 인정받고 있다고 느끼자마자 논쟁은 끝나고, 자신의 자부심을 회복한 조사관은 공감할 수 있고 친절한 존재로 돌아왔던 것이다.

부처님은 "미움은 결코 미움으로 해결할 수 없다. 사랑으로만 해결할 수 있다"고 말씀하셨다. 오해 또한 논쟁을 해서 풀리지 않는다. 상대의 심정을 헤아려 적절히 대응하고, 상대를 **위로**[30]할 때, 그리고 상대방 관점에서 보고자 할 때에야 풀리게 돼 있다.

링컨은 언젠가 동료들과 격렬한 토론을 벌이기를 좋아하는 젊은 장교를 꾸짖으며 이렇게 말했다. "스스로에게 최선을 다하려는 사람이라면 사사로운 논쟁 따위에 낭비할 시간이 어디 있겠나? 더군다나 논쟁을 하고 나면 성격이 모가 나거나(**가치를 떨어뜨림**[31]) 자제력을 잃는 결과가 생길 테니 더욱 문제 아닌가. 자네도 옳고 상대도 옳다면, 가능하면 자네가 양보하게. 자네가 옳고 상대가 옳지 않더라도 사소한 일이라면 양보하게. 내가 먼저 가겠다고 하다가 개에게 물리는 것보다는 개에게 길을 양보해주는 게 낫지. 물리고 나면 개를 죽이더라도 상처가 남지 않겠나."

그러므로 다음 방법과 같이 해보라.

논쟁에서 이기는 방법은 논쟁을 피하는 것뿐이다.

2 A SURE WAY OF MAKING ENEMIES—AND HOW TO AVOID IT

WHEN Theodore Roosevelt was in the White House, he confessed that if he could be right 75 per cent of the time, he would reach the highest measure of his **expectation**s[1]. If that was the highest rating that one of the most distinguished men of the twentieth century could hope to obtain, what about you and me?

If you can be sure of being right only 55 per cent of the time, you can go down to Wall Street, make a million dollars a day, buy a yacht, and marry a chorus girl. And if you can't be sure of being right even 55 per cent of the time, why should you tell other people they are wrong?

You can tell a man he is wrong by a look or an **intonation**[2] or a gesture just as eloquently as you can in words— and if you tell him he is wrong, do you make him want to agree with you? Never! For you have struck a direct **blow**[3] at his intelligence, his judgment, his pride, his self-respect. That will make him want to strike back. But it will never make him want to change his mind. You may then hurl at him all the logic of a Plato or an Immanuel Kant, but you will not alter his opinion, for you have hurt his feelings.

Never begin by announcing, "I am going to prove so and so to you." That's bad. That's **tantamount to**[4] saying: "I'm smarter than you are. I'm going to tell you a thing or two and make you change your mind."

That is a challenge. That arouses opposition, and makes the listener want to battle with you before you even start. It is difficult, under even the most **benign**[5] conditions, to change people's mind. So why make it harder? Why handicap yourself?

2 적을 만드는 확실한 방법과 대안

시어도어 루스벨트는 대통령으로 재임하고 있을 때, 자기 생각의 75퍼센트가 옳은 생각이라면 자신의 최고 **기대**[1]치에 도달한 것으로 본다고 고백한 적이 있다. 20세기의 가장 뛰어난 인물로 꼽히는 사람이 희망하는 최고치가 이 정도라면 일반인의 경우에는 어느 정도라야 하겠는가?

여러분이 옳다고 확신할 수 있는 경우가 55퍼센트만 되더라도 금융의 거리 월 스트리트로 가서 하루에 수백만 달러를 벌어들이고 요트도 즐기며 예쁜 부인도 얻을 수 있을 것이다. 만일 여러분의 생각 가운데 스스로 옳다고 확신할 수 있는 게 55퍼센트도 안 된다면 어떻게 다른 사람에게 틀렸다고 말할 수 있단 말인가?

여러분은 상대에게 눈빛이나 **억양**[2], 동작 하나만으로도 말로 하는 것 이상으로 충분히 '당신이 틀렸소'라는 의미를 전달할 수 있다. 그리고 상대방에게 '당신이 틀렸소'라고 할 때 상대방이 여러분 의견에 과연 동의하겠는가? 불가능한 얘기다. 여러분이 상대의 지적 능력, 판단력, 자부심, 자존심에 직접적인 **타격**[3]을 날렸기 때문이다. 그럴 경우 상대방이 원하는 건 되받아치는 것뿐이지, 결코 생각을 돌리는 게 아니다. 여러분이 플라톤으로부터 칸트에 이르는 논리라는 논리를 다 갖다 대더라도 상대는 의견을 바꾸지 않는다. 여러분이 상대의 감정을 상하게 했기 때문이다.

절대로 "당신에게 이러저러하다는 것을 증명해 보이겠다"는 얘기로 시작하지 말라. 그것은 정말 안 좋은 경우다. 그것은 이렇게 말하는 것과 같다(~**와 동등한**[4]). "내가 당신보다 잘났으니, 내 말 한두 마디 들어보고 생각을 돌리시게."

이건 도전이다. 이것은 대립을 만들어 여러분이 시작하기도 전에 상대에게 여러분과 싸우고 싶은 마음을 갖게 한다. 아무리 우호적인(**상냥한**[5]) 상황에서도 상대의 마음을 바꾸는 것은 어려운 일이다. 그런데 왜 더 어렵게 만드는가? 왜 역경을 자초하는가?

If you are going to prove anything, don't let anybody know it. Do it so subtly, so adroitly that no one will feel that you are doing it.

Men must be taught as if you taught them not
And things unknown proposed as things forgot.

As Lord Chesterfield said to his son:

Be wiser than other people, if you can; but do not tell them so.

I believe now hardly anything that I believed twenty years ago— except the **multiplication table**[6]; and I begin to doubt even that when I read about Einstein. In another twenty years, I may not believe what I have said in this book. I am not so sure now of anything as I used to be. Socrates said repeatedly to his followers in Athens: "One thing only I know; and that is that I know nothing."

Well, I can't hope to be any smarter than Socrates; so I have quit telling people they are wrong. And I find that it pays.

If a man makes a statement that you think is wrong—yes, even that you know is wrong—isn't it better to begin by saying: "Well, now, look! I thought otherwise, but I may be wrong. I frequently am. And if I am wrong I want to be put right. Let's examine the facts?"

There's magic, positive magic, in such phrases as: "I may be wrong. I frequently am. Let's examine the facts."

Nobody in the heavens above or on the earth beneath or in the waters under the earth will ever object to your saying: "I may be wrong. Let's examine the facts."

무언가를 증명하고 싶다면 아무도 눈치채지 못하게 하라. 교묘하고 기술적으로 해서 아무도 여러분이 하는 일을 알지 못하게 하라. 영국 고전주의의 대표 시인 알렉산더 포우프는 이렇게 말했다.

가르치지 않는 듯이 가르치라.
상대가 이미 아는 것처럼 알려줘라.

또한 체스터필드 경은 아들에게 이렇게 훈계했다.

"할 수 있다면 다른 사람보다 현명한 사람이 되어라. 그러나 내가 더 현명하다고 상대에게 말하지 말아라."

20년 전에 내가 믿었던 것들 중 지금도 믿고 있는 것은 거의 없다. 있다면 **구구단**⁶ 정도일까. 하지만 아인슈타인을 읽고 나니 구구단에 대해서도 의심이 간다. 20년 후 나는 지금 이 책에서 말하고 있는 내용도 믿지 않게 될지 모른다. 예전에 확신하고 있던 모든 것들에 대해 지금은 확신이 가지 않는다. 소크라테스는 아테네에서 제자들에게 거듭 얘기했다. "내가 아는 것은 오직 한 가지, 내가 아무것도 알지 못한다는 것뿐이다."

아마 내가 소크라테스보다 현명하길 바라는 것은 무리일 것이다. 그래서 나는 다른 사람들에게 그들이 틀렸다고 말하지 않는다. 그리고 그게 득이 된다는 것을 알게 되었다.

만일 누군가 여러분이 보기에 틀린 말, 아니 여러분이 틀렸다고 확실히 알고 있는 말을 하더라도 이렇게 시작하는 게 낫지 않겠는가? "그런데, 잠깐만요. 제 생각은 조금 다르긴 한데, 제가 틀릴 수도 있습니다. 종종 그러거든요. 만일 제가 틀린 얘기를 하면 바로잡아 주십시오. 우선 사실부터 살펴볼까요?"

'내가 틀릴 수도 있다. 종종 틀린다. 사실을 살펴보자' 이런 말에는 마력이 있다. 불가사의한 마력이 분명히 담겨 있다.

이 세상 어떤 사람이라도 여러분이 "내가 틀릴 수도 있다. 사실을 살펴보자"고 하는데 반대하지는 않을 것이다.

That is what a scientist does. I once interviewed Stefansson, the famous explorer and scientist who spent eleven years up beyond the Arctic Circle and who lived on absolutely nothing but meat and water for six years. He told me of a certain experiment he had conducted and I asked him what he tried to prove by it. I shall never for get his reply. He said: "A scientist never tries to prove anything. He attempt only to find the facts."

You like to be scientific in your thinking, don't you? Well, no one is stopping you but yourself.

You will never get into trouble by admitting that you may be wrong. That will stop all argument and inspire the other fellow to be just as fair and open and broadminded as you are. It will make him want to admit that he, too, may be wrong.

If you know positively that a man is wrong, and you tell him so **bluntly**[7], what happens? Let me illustrate by a specific case. Mr. S—, a young New York attorney, was arguing a rather important case recently before the United States Supreme Court *(Lustgarten v. Fleet Corporation* 280 U.S. 320). The case involved a considerable sum of money and an important question of law.

During the argument, one of the Supreme Court justices said to Mr, S—: "**The statute of limitations**[8] in **admiralty law**[9] is six years, is it not?"

Mr. S —stopped, stared at Justice— for a moment, and then said bluntly: "Your Honor, there is no statute of limitations in admiralty."

"A **hush**[10] fell on the court," said Mr. S—, as he related his experience to one of the author's classes, "and the temperature in the room seemed to go down to zero. I was right. Justice—was wrong. And I had told him so. But did that make him friendly? No. I still believe that I had the law on my side. And I know that I spoke better than I ever spoke before. But I didn't persuade. I

과학자들의 방식이 바로 이렇다. 나는 예전에 유명한 탐험가이자 과학자인 스테픈슨을 인터뷰한 적이 있다. 그는 6년간 순전히 고기와 물만으로 버티기도 하면서 11년 이상 북극 지역에서 활동한 유명한 탐험가이자 과학자였다. 그는 자신이 진행하고 있는 실험에 대해 내게 설명해주었고, 나는 그에게 그걸로 무엇을 증명하고자 하느냐고 물었다. 그때 그가 한 대답을 나는 결코 잊지 못할 것이다. 그는 이렇게 말했다. "과학자는 결코 무언가를 증명하려고 하지 않습니다. 다만 사실을 드러내려고 시도할 뿐이죠."

여러분도 과학적인 사고를 하고 싶지 않은가? 아무도 막지 않는다. 다만 여러분 스스로 막고 있을 뿐이다.

여러분이 틀릴 수도 있다는 점을 인정하면 말썽이 생기는 것을 막아줄 것이다. 그러면 모든 논쟁이 그칠 것이고, 상대도 여러분만큼 공정하고 대범해지기 위해 노력하게 될 것이다. 상대 역시 자신이 틀릴 수도 있다는 점을 인정하게 될 것이다.

만일 여러분이 상대가 확실히 틀렸다는 것을 알고서 **무뚝뚝하게**[7] 상대에게 틀렸다고 하면 어떤 일이 일어나겠는가? 구체적인 사례를 들어 살펴보자. 뉴욕의 젊은 변호사 S씨는 최근 미국 연방 대법원에서 매우 중요한 사건의 변론을 맡고 있었다(루스트가르텐 대 플리트 코퍼레이션 사건). 상당한 돈과 법률상의 쟁점이 걸린 중요한 사건이었다.

논쟁이 한창이었는데 대법원 판사가 그에게 이렇게 물었다. "**해사법**[9]의 **법정 기한**[8]이 6년이죠?"

S씨는 멈춰 서서 판사를 쳐다보다가 이렇게 무뚝뚝하게 대답했다. "판사님, 해사법에는 법정 기한이란 게 없습니다."

카네기 강좌에 온 S씨는 당시 상황을 이렇게 설명했다. "갑자기 법정이 조용해지면서(**침묵**[10]) 실내 온도가 0도까지 내려가는 것 같더군요. 제가 맞고 판사는 틀렸기 때문에 그렇게 얘기했던 거죠. 그런데 그를 제게 호의적으로 만들었겠습니까? 아닙니다. 나는 아직도 내가 법률적으로 옳았다고 생각합니다. 그 어느 때보다도 변론도 더 잘했고요. 하지만 상대방을 설득할 수가 없었습니다. 학식도 많고 이름도 있는 사람에게 '당신이 틀렸소'

made the enormous blunder of telling a very learned and famous man that he was wrong."

Few people are logical. Most of us are prejudiced and **biased**[11]. Most of us are blighted with preconceived notions, with jealousy, suspicion, fear, envy, and pride. And most citizens don't want to change their minds about their religion or their hair cut or Communism or Clark Gable. So, if you **are inclined to**[12] tell people they are wrong, please read the following paragraph on your knees every morning before breakfast. It is from Professor James Harvey Robinson's enlightening book, *The Mind in the Making.*

We sometimes find ourselves changing our minds without any resistance or heavy emotion, but if we are told we are wrong, we **resent**[13] the **imputation**[14] and harden our hearts. We are incredibly **heedless**[15] in the formation of our beliefs, but find ourselves filled with an illicit passion for them when anyone proposes to rob us of their companionship. It is obviously not the ideas themselves that are dear to us, but our self-esteem which is threatened.

The little word "my" is the most important one in human affairs, and properly to **reckon with**[16] it is the beginning of wisdom. It has the same force whether it is "my" country, and "my" God. We not only resent the imputation that our watch is wrong, or our cab **shabby**[17], but that our conception of the canals of Mars, of the pronunciation of "Epictetus," of the medicinal value of salicin, or of the date of Sargon I is subject to revision.

We like to continue to believe what we have been accustomed to accept as true, and the resentment aroused when doubt is cast upon any of our assumptions leads us to seek every manner of excuse for clinging to it. The result is that most of our so-called reasoning consists in finding arguments for going on believing as we already do.

하고 말하는 돌이킬 수 없는 실수를 저질렀기 때문입니다."

논리적인 사람은 거의 없다. 대부분의 사람들은 선입견과 편향된 생각 (**편향된**[11])을 갖고 있다. 미리 갖고 있던 관념, 질투, 의심, 공포, 시기, 자부심 등이 대다수 사람들의 눈을 가리고 있다. 그리고 대다수 사람들은 자신의 종교나 머리 모양, 아니면 공산주의나 좋아하는 연예인에 대한 생각을 바꾸려 하지 않는다. 그러므로 만일 다른 사람에게 '틀렸소'라고 얘기하고 싶은 마음이 들면(**~할 마음이 들다**[12]), 매일 아침 식전에 무릎을 꿇고 경건한 마음으로 아래 구절을 읽기 바란다. 제임스 하비 로빈슨 교수의 지혜가 담긴 책『정신의 형성』이라는 책에 나오는 구절이다.

우리는 가끔 아무런 저항이나 감정의 동요 없이 생각을 바꾸기도 한다. 하지만 남에게서 틀렸다는 얘기를 들으면 그 **비난**[14]에 노하여(**노하다**[13]) 생각이 더 굳어진다. 우리는 신념의 형성 과정에는 믿을 수 없을 정도로 무관심하다가도(**무관심한**[15]), 누군가 그 신념을 빼앗으려 하면 그 신념에 쓸데없이 집착하게 된다. 우리가 소중히 여기는 것은 분명 사고 그 자체가 아니라 위기에 처한 우리의 자존심이다.

'내 것'이라는 간단한 말이 인간 행동에서 가장 중요한 것이므로 이 점을 잘 고려하는 것이(**~을 고려하다**[16]) 지혜의 출발점이다. '내' 조국, '내' 종교, 어느 경우나 같은 위력을 갖고 있다. 우리는 시계가 빠르거나 늦거나 혹은 차가 낡아빠졌다는(**낡아빠진**[17]) 말에만 화를 내는 것이 아니라 화성에 운하가 있느냐, 에픽테토스를 어떻게 발음하느냐, 살리신(해열진통제)이 의학적으로 효과가 있느냐, 사르곤 1세가 살던 시기는 언제냐 등과 같은 개념이 틀렸다는 말을 들을 때도 화를 낸다.

우리는 습관적으로 옳다고 믿었던 것을 계속 믿고 싶어한다. 그래서 믿는 것에 의문을 던지면 분개하면서 예전의 믿음을 유지하기 위하여 온갖 이유를 다 갖다 붙인다. 이런 결과, 이른바 논증이라고 하는 것은 우리가 이미 믿고 있는 대로 계속 믿기 위한 논리를 찾는 과정일 뿐이라고 할 수 있다.

I once employed an interior decorator to make some draperies for my home. When the bill arrived, I caught my breath.

A few days later, a friend called and looked at the drapes. The price was mentioned and she exclaimed with a note of triumph: "What? That's awful. I am afraid he **put one over on**[18] you."

True? Yes, she had told the truth, but few people like to listen to truths that reflect on their judgment. So, being human, I tried to defend myself. I pointed out that the best is eventually the cheapest, that one can't expect to get quality and artistic taste at **bargain-basement**[19] prices, and so on and on.

The next day another friend dropped in, admired the draperies, bubbled over with enthusiasm, and expressed a wish that she could afford such **exquisite**[20] creations for her home. My reaction was totally different. "Well, to tell the truth," I said, "I can't afford them myself. I paid too much. I'm sorry I ordered them."

When we are wrong, we may admit it to ourselves. And if we are handled gently and tactfully, we may admit it to others and even take pride in our frankness and broad-mindedness. But not if someone else is trying to **ram**[21] the **unpalatable**[22] fact down our **esophagus**[23] ·······.

Horace Greeley, the most famous editor in America during the time of the Civil War, disagreed violently with Lincoln's policies. He believed that he could drive Lincoln into agreeing with him by a campaign of argument, ridicule, and abuse. He waged this bitter campaign month after month, year after year. In fact, he wrote a **brutal**[24], bitter, **sarcastic**[25] and personal attack on President Lincoln the night Booth shot him.

But did all this bitterness make Lincoln agree with Greeley? Not at all. Ridicule and abuse never do.

If you want some excellent suggestions about dealing with people and managing yourself and improving your personality,

예전에 집 장식을 위해 인테리어 업자에게 커튼을 주문한 적이 있다. 그런데 청구된 금액이 너무 많아 나는 깜짝 놀랐다.

며칠 뒤 한 부인이 집에 들렀다가 커튼을 보게 되었다. 내가 가격을 얘기했더니 그 부인은 놀리는 듯이 이렇게 말했다. "얼마라고요? 엄청나군요. 인테리어 업자가 당신을 속인(~을 **속이다**[18]) 것 같은데요."

맞는 말이었을까? 그렇다, 부인은 사실을 말했다. 하지만 자신의 판단과 다른 진실을 그냥 듣고 있을 사람은 별로 없다. 나도 인간인지라 나를 방어하기 시작했다. 비싼 것이 결국 제값을 한다, 싸구려(**특매품 매장의**[19])는 질이나 예술적 취향을 만족시켜주지 못한다 등등을 지적했다.

다음 날은 다른 친구가 찾아왔는데, 이번에는 열을 내가며 커튼을 칭찬하더니 자기도 형편만 되면 이렇게 아름다운(**절묘한**[20]) 작품으로 집을 상식하고 싶다는 게 아닌가. 내 반응은 전날과는 정반대였다. "솔직히 말하면" 하고 나는 말했다. "나도 형편이 되지 않아. 돈이 너무 많이 들었거든. 괜히 샀다고 후회하고 있어."

틀렸을 때, 자신에게는 틀렸다고 인정할 수 있다. 남이 지적하더라도 교묘히 은근하게 지적하면, 다른 사람에게도 잘못을 인정할 수 있다. 또 자신이 틀렸다는 것을 인정함으로써 때로는 자신의 솔직함과 대범함에 뿌듯한 느낌을 갖기도 한다. 하지만 누군가가 도저히 삼킬 수 없는(**입에 맞지 않는**[22]) 딱딱한 사실 덩어리를 **식도**[23]에 밀어 넣고(**밀어 넣다**[21]) 삼키라고 한다면……

남북전쟁 때 가장 유명한 편집장이던 호러스 그릴리는 링컨의 정책을 끔찍이 싫어했다. 그는 논쟁과 조롱과 비난을 거듭하면 링컨을 자기 생각에 동감하도록 바꿀 수 있으리라 기대했다. 그는 신랄한 비판을 몇 달, 몇 년간 계속했다. 사실 링컨이 부스의 흉탄에 쓰러진 날도 그는 거칠고(**잔인한**[24]) 신랄한, **빈정대는**[25] 공격이 담긴 글로 링컨 대통령을 공격했다.

그런데 이런 신랄함으로 링컨이 생각을 바꿔 그릴리에게 동의하게 되었을까? 전혀 그렇지 않았다. 조소와 비난으로는 결코 그리 할 수 없다.

만약 당신에게 사람을 다루는 법이나 자기 관리, 인성 계발에 대한 매우 뛰어난 안내서가 필요하다면 벤저민 프랭클린의 자서전을 읽기 바란다.

read Benjamin Franklin's autobiography—one of the most fascinating life stories ever written, one of the classics of American literature.

In this biography, Ben Franklin tells how he conquered the **iniquitous**[26] habit of argument and transformed himself into one of the most able, **suave**[27], and diplomatic men in American history.

One day, when Ben Franklin was a blundering youth, an old Quaker friend took him aside and lashed him with a few stinging truths, something like this:

> Ben, you are impossible. Your opinions have a **slap**[28] in them for everyone who differs with you. They have become so expensive that nobody cares for them. Your friends find they enjoy themselves better when you are not around. You know so much that no man can tell you anything. Indeed, no man is going to try, for the effort would lead only to discomfort and hard work. So you are not likely ever to know any more than you do now, which is very little.

One of the finest things I know about Ben Franklin is the way that he accepted that smarting rebuke. He was big enough and wise enough to realize it was true, to sense that he was headed for failure and social disaster. So he made a **right-about-face**[29]. He began immediately to change his insolent, **bigoted**[30] ways.

"I made it a rule," said Franklin, "to forbear all direct contradiction to the **sentiment**s[31] of others, and all positive **assertion**[32] of my own. I even **forbade**[33] myself the use of every word or expression in the language that imported a fix'd opinion, such as 'certainly,' 'undoubtedly,' etc., and I **adopt**ed[34], instead of them, 'I conceive,' 'I apprehend,' or 'I imagine' a thing to be so or so; or 'it so appears to me at present.'

When another **assert**ed[35] something that I thought an error, I

이 책은 가장 매력적인 인생 이야기일 뿐 아니라 미국 문학의 고전이기도 하다.

벤저민 프랭클린은 자서전에서 자신이 어떻게 쓸데없이 토론하는 **사악한**[26] 버릇을 극복하고 미국 역사상 가장 유능하고 상냥하며(**상냥한**[27]) 외교적인 사람으로 변신했는지에 대해 자세히 얘기한다.

벤저민 프랭클린이 여전히 실수를 거듭하던 젊은 시절 얘기다. 하루는 친구로 지내는 나이 든 퀘이커교도 한 사람이 그를 부르더니 그의 아픈 곳을 콕 찌르는 진실 몇 가지를 지적하며 이렇게 말했다.

벤, 자네 정말 구제 불능이야. 자네 의견은 자네랑 생각이 다른 사람들에게 **모욕**[28]을 주고 있네. 그 상처가 너무 커서 이젠 아무도 자네 의견을 듣고 싶어 하질 않아. 자네 친구들도 자네가 안 보여야 더 맘이 편하다고 할 정도야. 자네 아는 게 너무너무 많아 아무도 자네에게 입도 벙긋 못하고 있지. 사실 말해 보려 애써봐도 마음만 불편해지고 힘만 들게 돼 이제 다들 포기했다네. 자네가 유식하다고 하지만 알면 얼마나 알겠나. 이런 상태로는 자네가 앞으로 지금 알고 있는 것보다 더 많이 알게 될 것 같지는 않네.

이런 통렬한 비판을 받아들이는 태도가 내가 보기에는 벤저민 프랭클린이 가진 가장 뛰어난 장점 중 하나다. 그는 이 말이 진실이라는 것을 깨달을 만큼 그릇이 크고 또 현명했다. 그리고 이대로 가면 실패와 사회적 몰락밖에 남지 않는다는 것도 알아차렸다. 그는 즉시 **180도 방향 전환**[29]을 했다. 그는 당장 자신의 거만하고 **완고한**[30] 태도를 바꾸었다.

프랭클린은 다음과 같이 말하고 있다. "나는 다른 사람의 **감정**[31]에 정면으로 반박하는 것과 내 감정을 적극적으로 **주장**[32]하는 것을 삼가기로 마음먹었다. 심지어 말을 할 때 고정된 의견을 암시하는 말이나 표현, 예를 들면 '확실히', '의심의 여지없이' 등의 말을 금하고(**금하다**[33]), 대신에 '내 생각엔', '내가 이해하기로는', '추측하건대', '현재로 봐서는' 등의 말을 선택했다(**택하다**[34]).

내가 생각하기에 다른 사람이 틀린 주장을 하더라도(**주장하다**[35]), **불쑥**[36]

deny'd myself the pleasure of contradicting him **abruptly**[36], and of showing immediately some **absurdity**[37] in his proposition: and in answering I began by observing that in certain cases or circumstances his opinion would be right, but in the present case there appear'd or seem'd to me some difference, etc.

I soon found the advantage of this change in my manner; the conversations I engag'd in went on more pleasantly. The modest way in which I propos'd my opinions procur'd them a readier reception and less contradiction; I had less **mortification**[38] when I was found to be in the wrong, and I more easily prevail'd with others to give up their mistakes and join with me when I happened to be in the right.

And this mode, which I at first put on with some violence to natural inclination, became at length so easy, and so habitual to me, that perhaps for these fifty years past no one has ever heard a dogmatical expression escape me. And to this habit (after my character of integrity) I think it principally owing that I had early so much weight with my fellow citizens when I proposed new institutions, or alterations in the old, and so much influence in public councils when I became a member; for I was but a bad speaker, never eloquent, subject to much hesitation in my choice of words, hardly correct in language, and yet I generally carried my points."

How do Ben Franklin's methods work in business? Let's take two examples.

F. J. Mahoney, of 114 Liberty Street, New York, sells special equipment for the oil trade. He had booked an order for an important customer in Long Island. A **blueprint**[39] had been submitted and approved, and the equipment was in the process of **fabrication**[40]. Then an unfortunate thing happened. The buyer discussed the matter with his friends. They warned him he was making a grave mistake. He had had something pawned off on him that was all wrong. It was too wide, too short, too this and too

그를 반박하거나 바로 그 주장의 **어리석음**[37]을 보여주는 즐거움을 참기로 했다. 그 대신 어떤 상황이나 경우에는 그의 의견이 맞을 수도 있지만, 지금의 경우에는 약간 차이가 있어 보인다. 혹은 그런 것 같다 정도로 말을 시작했다.

태도 변화의 효과는 금세 눈에 보였다. 내가 참여하는 대화는 더 유쾌하게 진행됐다. 나는 조심스럽게 의견을 제시했기 때문에 상대도 쉽게 받아들였고 충돌이 줄어들었다. 내가 틀렸다는 것이 발견되었을 때에도, 예전만큼 수치스럽지(**수치**[38]) 않게 되었으며, 운 좋게 내가 옳은 경우에는 상대로 하여금 쉽게 자신의 실수를 인정케 하고 같이 즐거워할 수 있게 됐다.

처음에는 이런 태도를 취하기 위해 성질을 죽여야 했지만, 나중에는 이것이 너무 편하고 익숙해져 아마 지난 50년간 내가 독선적인 말을 하는 것을 들어본 사람이 한 명도 없을 것이다. 내가 전에 새로운 제도나 개정안을 제안했을 때 동료 시민들의 지지를 받은 것이나, 의원으로서 시 의회에서 영향력을 행사할 수 있었던 것은 내가 성격상 사심이 없었기 때문이기도 하지만, 주로 이런 습관 덕분이었다고 여겨진다. 왜냐하면 나는 연설에 재능이 없어 유창하지도 못하고, 단어 선택에 머뭇거리기도 하며 용어 사용이 정확하지도 않은 데도 불구하고 대개는 내 주장을 관철할 수 있었기 때문이다."

벤 프랭클린의 방법이 사업에서는 어떻게 작동할까? 두 가지 사례를 살펴보자.

뉴욕의 리버티 114가에 사는 F. J. 마호니는 정유회사에 특수 장비를 공급하는 일을 하는데, 어느 날 롱아일랜드에 있는 주요 고객으로부터 주문을 받았다. **설계도**[39]가 만들어지고 제출되어 고객의 승인이 나자 장비는 **제작**[40] 과정에 들어갔다. 그때 문제가 생겼다. 고객이 자신의 친구들과 주문에 대해 상의를 했더니, 친구들이 그가 중대한 실수를 하고 있다고 지적했던 것이다. 여긴 너무 넓고, 저긴 너무 좁고, 여긴 이렇게 잘못됐고, 저긴 저렇게 잘못됐다는 온갖 지적들이 그에게 쏟아지기 시작했다. 그는 친구들의 지적에 화가 치솟아 마호니 씨에게 전화를 걸어 이미 제작에 들어간 장비를

that. His friends worried him into a temper. Calling Mr. Mahoney on the phone, he swore he wouldn't accept the equipment that was already being manufactured.

"I checked things over very carefully and knew **positively**[41] that we were right," said Mr. Mahoney as he told the story, "and I also knew that he and his friends didn't know what they were talking about, but I sensed that it would be dangerous to tell him so.

I went out to Long Island to see him, and as I walked into his office, he leaped to his feet and came toward me, talking rapidly. He was so excited that he shook his **fist**[42] as he talked. He **condemn**ed[43] me and my equipment and ended up by saying, 'Now, what are you going to do about it?'

I told him very calmly that I would do anything he said. 'You are the man who is going to pay for this,' I said, 'so you should certainly get what you want. However, somebody has to accept the responsibility. If you think you are right, give us a blue print and, although we have spent $2,000 making this job for you, we'll scrap that. We are willing to lose $2,000 in order to please you. However, I must warn you that if we build it as you insist, you must take the responsibility. But if you let us proceed as we planned, which we still believe is the right way, we will assume the responsibility.'

He had calmed down by this time, and finally said: 'All right, go ahead, but if it is not right, God help you.'

It was right, and he has already promised us another order for two similar jobs this season.

When this man insulted me and shook his fist in my face and told me I didn't know my business, it took all the self-control I could summon up not to argue and try to justify myself. It took a lot of self-control, but it paid. If I had told him he was wrong and started an argument, there probably would have been a law suit,

인수할 수 없다고 통보했다.

"설계도를 아주 정밀하게 검토한 결과 우리가 옳다는 것을 **명확히**[41] 알 수 있었습니다." 마호니 씨는 이때 일을 얘기했다. "그리고 우리 고객과 그 친구들이 잘 모르면서 지적을 하고 있다는 것도 알고 있었죠. 하지만 직접 그렇게 얘기하면 좋지 않은 결과가 생길 수 있다는 느낌이 오더군요.

나는 롱아일랜드에 있는 그의 사무실로 찾아갔습니다. 사무실로 들어갔더니 그는 자리에서 벌떡 일어나 내게로 다가와 불만을 쏟아내기 시작했습니다. 어찌나 흥분해 있던지 얘기를 하면서 **주먹**[42]을 휘두를 정도였습니다. 나와 장비에 대해 비난을 퍼붓더니(**비난하다**[43]) 이렇게 말을 끝냈습니다. '자, 이제 어떻게 할 거요?'

나는 매우 침착하게 어떤 요청이든 다 들어드리겠다고 그에게 말했습니다. '장비에 대해 돈을 내실 분은 당신이니 당신이 원하는 대로 하실 수 있습니다. 다만 누군가 책임은 져야 합니다. 당신이 맞다고 생각하신다면 설계도를 주십시오. 이미 2천 달러가 들어가긴 했지만 그 돈은 우리가 떠안겠습니다. 당신을 위해 기꺼이 2천 달러 손실을 감수하겠습니다. 하지만 당신이 주장하는 대로 제작을 할 경우 책임은 당신이 져야 한다는 점은 알려드려야 하겠군요. 그리고 우리는 여전히 우리 설계가 맞다고 생각하기 때문에 만일 우리 설계대로 제작을 할 경우 모든 책임은 우리가 지겠습니다.'

이런 얘기를 할 때쯤 되자 그는 진정이 되었습니다. 그러고는 마침내 이렇게 얘기했습니다. '좋습니다. 그럼 그렇게 진행하지요. 하지만 일이 잘못될 경우 모든 책임을 져야 합니다.'

우리 판단이 정확해서 제작은 성공적으로 끝이 났습니다. 그리고 그는 그 시즌에 예전과 비슷한 주문을 두 개나 더 내기로 약속했습니다.

그 사람이 나를 모욕하고 내 눈 앞에서 주먹을 휘두르며 일을 제대로 알기나 하는 사람이냐고 말했을 때, 따지고 반박하고 싶은 충동을 참느라 내가 가진 모든 자제력을 동원해야만 했습니다. 참느라고 땀깨나 흘렸지만 보람이 있었습니다. 만일 내가 '당신이 틀렸소' 하고 논쟁을 시작했다면 소송으로 이어졌을 테고, 서로 감정을 상하고 금전적으로도 손실이 생겼을

bitter feelings, a financial loss, and the loss of a valuable customer. Yes, I am convinced that it doesn't pay to tell a man he is wrong."

Let's take another example—and remember these cases I am citing are typical of the experiences of thousands of other men. R. V. Crowley is a salesman for the Gardner W. Taylor Lumber Company, of New York. Crowley admitted that he had been telling hard-boiled lumber **inspectors**[44] for years that they were wrong. And he had won the arguments too. But it hadn't done any good. "For these lumber inspectors," said Mr. Crowley, "are like baseball umpires. Once they make a decision, they never change it."

Mr. Crowley saw that his firm was losing thousands of dollars through the arguments he won. So while taking my course, he resolved to change tactics and abandon arguments. With what results? Here is the story as he told it to the fellow members of his class:

One morning the phone rang in my office. A hot and bothered person at the other end proceeded to inform me that a car of lumber we had shipped into his plant was entirely unsatisfactory. His firm had stopped **unloading**[45] and requested that we make immediate arrangements to remove the stock from their yard. After about one-fourth of the car had been unloaded, their lumber inspector reported that the lumber was running 55 per cent below grade. Under the circumstances, they refused to accept it.

I immediately started for his plant and on the way turned over in my mind the best way to handle the situation. Ordinarily, under such circumstances, I should have quoted grading rules and tried, as a result of my own experience and knowledge as a lumber inspector, to convince the other inspector that the lumber was actually up to grade, and that he was misinterpreting the rules in his **inspection**[46]. However, I thought I would apply the principles learned in this training.

테고, 또 중요한 고객 한 사람을 잃어버렸을 것입니다. 그래서 나는 확신합니다. 상대에게 틀렸다고 말하는 건 절대 득이 되지 않습니다."

이제 다른 사례를 보자. 그리고 지금 인용하는 사례들은 수많은 사람들의 경험에서 공통적으로 나타나는 전형적인 경우라는 것을 명심하기 바란다. R. V. 크로울리는 뉴욕에 있는 가드너 W. 테일러 목재회사의 세일즈맨이다. 그는 자신이 수년 동안 깐깐한 목재 **검사관**[44]들을 대상으로 그들의 잘못을 지적하는 논쟁을 벌여왔다고 털어놓았다. 대부분의 경우 그가 옳았다. 하지만 그건 아무 소용이 없었다. 크로울리의 얘기를 빌리자면 목재 검사관들은 마치 야구 심판들 같아서 한 번 판정을 내리면 번복하는 일이 없었기 때문이다.

크로울리 씨는 자신이 논쟁에서 이기긴 하지만 그로 인해 회사는 수천 달러의 손실을 입고 있다는 사실을 깨달았다. 그래서 카네기 강좌를 수강하는 중에 그는 전술을 바꿔서 논쟁을 관두기로 결심했다. 결과는 어떠했을까? 크로울리가 강좌에 와서 털어놓은 얘기를 들어보자.

하루는 아침부터 사무실로 전화가 왔습니다. 열받고 성가셔하는 목소리의 거래처 전화였는데 전화를 건 직원은 열받고 성가셔하는 목소리로 우리가 보낸 차 한 대 분량의 목재가 전량 품질 불량 판정이 나서 **하역**[45]을 중단한다고 말하며, 지금 당장 목재를 다 회수해가라고 통보했습니다. 목재의 4분의 1가량이 하역된 상황에서 목재 검사관이 불량률이 55퍼센트라고 통보했기 때문에 인수를 거절했던 것입니다.

곧바로 사무실에서 튀어나와 거래처로 가면서 지금 상황을 어떻게 하면 가장 잘 처리할 수 있을까 곰곰이 생각해보았습니다. 일반적으로 이런 상황에서 예전의 나라면 평가 기준을 들먹이고, 내가 목재 검사관이던 시절의 경험과 지식을 바탕으로 상대 검사관에게 목재가 실제로 기준에 적합하며, 그가 **검사**[46] 기준을 잘못 해석하고 있다고 설득하려 했을 것입니다. 하지만 이번에는 여기 카네기 강좌에서 배운 원칙을 적용해보아야겠다고 마음먹었습니다.

When I arrived at the plant, I found the purchasing agent and the lumber inspector in a wicked humor, all set for an argument and a fight. We walked out to the car that was being unloaded and I requested that they continue to unload so that I could see how things were going. I asked the inspector to go right ahead and lay out the rejects, as he had been doing, and to put the good pieces in another pile.

After watching him for a while it began to dawn on me that his inspection actually was much too strict and that he was misinterpreting the rules. This particular lumber was white pine, and I knew the inspector was thoroughly schooled in hard woods but not a competent, experienced inspector on white pine. White pine happened to be my own **strong suit**[47], but did I offer any objection to the way he was grading the lumber? None whatever. I kept on watching and gradually began to ask questions as to why certain pieces were not satisfactory. I didn't for one instant insinuate that the inspector was wrong. I emphasized that my only reason for asking was in order that we could give his firm exactly what they wanted in future shipments.

By asking questions in a very friendly, co-operative spirit, and insisting continually that they were right in laying out boards not satisfactory to their purpose, I got him warmed up and the strained relations between us began to **thaw**[48] and melt away. An occasional carefully put remark on my part gave birth to the idea in his mind that possibly some of these rejected pieces were actually within the grade that they had bought, and that their requirements demanded a more expensive grade. I was very careful, however, not to let him think I was making an issue of this point.

Gradually his whole attitude changed. He finally admitted to me that he was not experienced on white pine and began to ask me questions about each piece as it came out of the car. I would explain why such a piece came within the grade specified, but kept on insisting that we did not want him to take it if it was unsuitable for

현장에 도착해보니 구매자와 목재 검사관이 한판 논쟁이나 다툼을 벌이려고 단단히 준비하고 있다는 걸 알 수 있었습니다. 하역 중이던 차로 가서 나는 판정을 어떻게 하는지 볼 수 있도록 하역을 계속해 줄 것을 요청했습니다. 그리고 검사관에게 전에 하던 대로 불량 목재를 가려내고 합격한 목재를 따로 쌓아달라고 요청했습니다.

검사관이 일하는 것을 조금 지켜보니까 그가 실제로 기준을 너무 엄격히 적용하고 있고, 규정도 잘못 해석하고 있다는 생각이 들더군요. 문제의 목재는 백송이었는데, 검사관은 단단한 재목에 대해서는 철저히 이해하고 있었지만 백송에 대해서는 잘 알지도 못하고 경험도 부족했습니다. 더군다나 백송은 제 전문 분야(**장기, 장점**[47])이기도 했습니다. 그래서 그가 하는 품질 판단에 이의를 제기했을까요? 전혀 아닙니다. 나는 계속 지켜보다가 조금씩 이 목재는 왜 불량 판정을 받았느냐는 식의 질문을 했습니다. 나는 조금도 판정이 잘못되었다는 내색을 하지 않았습니다. 질문하는 유일한 이유는 다음번에 정확하게 요구되는 품질의 목재를 공급하기 위해서라고 강조해두었습니다.

매우 우호적이고 협조적인 분위기로 질문을 하고 그들의 기준에 적합하지 않은 목재를 가려내는 것은 정당하다고 계속 얘기했더니, 검사관의 태도가 누그러지면서 우리 사이에 있던 긴장 관계도 눈 녹듯이(**녹다**[48]) 사라지더군요. 그러면서 가끔씩 조심스럽게 내가 몇 마디 던지자, 검사관도 자신이 불량 판정을 내린 목재가 실제로는 기준에 부합할 수도 있겠다는, 그리고 자신들이 요구하는 기준에 부합하는 목재는 훨씬 비싼 등급의 목재겠구나 하는 생각이 싹트는 것 같았습니다. 하지만 내가 이 점을 부각시키려 하고 있다는 것에 대해서는 조금도 눈치채지 못하도록 주의를 기울였습니다.

점차 그의 태도가 전반적으로 변하더군요. 결국 그는 자신이 백송에 대해서는 경험이 없다는 점을 인정하고 하역되는 목재 하나하나에 관해 내 의견을 묻기 시작했습니다. 나는 하나하나에 대해 그것이 왜 특정 등급에 해당하는가를 설명했습니다. 하지만 만일 그 목재가 그들이 생각하는 용도에 적당하지 않다면, 무조건 인수해달라고 할 생각이 없다는 점을 누누이 강조했습니다. 마침

their purpose. He finally got to the point where he felt guilty every time he put a piece in the rejected pile. And at last he saw that the mistake was on their part for not having specified as good a grade as they needed.

The ultimate outcome was that he went through the entire carload again after I left, accepted the whole lot, and we received a check in full.

In that one instance alone, a little tact and the determination to refrain from telling the other man he was wrong, saved my company one hundred and fifty dollars in actual cash, and it would be hard to place a money value on the good will that was saved.

By the way, I am not revealing anything new in this chapter. Nineteen centuries ago, Jesus said: "Agree with thine **adversary**[49] quickly."

In other words, don't argue with your customer or your husband or your adversary. Don't tell him he is wrong, don't get him stirred up, but use a little diplomacy.

And 2,200 years before Christ was born, old King Akhtoi of Egypt gave his son some shrewd advice—advice that is sorely needed today. Old King Akhtoi said one afternoon, between drinks, four thousand years ago: "Be diplomatic. It will help you gain point."

So, if you want to win people to your way of thinking, Rule 2 is:

Show respect for the other man's opinions. Never tell a man he is wrong.

내 그는 자신이 불량 판정을 내릴 때마다 꺼림칙하던 이유를 알게 되었습니다. 더 높은 등급의 목재를 주문했어야 하는데, 그러지 못한 자신들의 실수를 깨닫게 되었던 것이죠.

최종적으로 내가 현장을 떠나고 난 후 검사관은 목재를 전부 다시 검사하고는 전체 합격 판정을 내렸습니다. 그리고 대금 전액에 대해 결제를 받았습니다.

상대가 틀렸다고 지적하는 것을 삼가는 약간의 기지를 발휘했더니, 이 거래에서만도 회사는 상당한 금액의 돈을 아낄 수 있었습니다. 그리고 그와 함께 쌓인 호의는 돈으로 따질 수가 없는 것이죠.

참고로 지금 내가 얘기하고 있는 것은 새로운 진실이 아니다. 이미 20세기 전에 예수는 이렇게 말했다. "너와 다투는 사람(적⁴⁹)과 빨리 화해하라(마태복음 5:25)."

다르게 얘기하면 고객과, 배우자와, 반대자와 논쟁하지 말라는 뜻이다. 상대가 틀렸다고 말하거나 상대의 화를 돋우지 말고 약간의 수완을 발휘하라.

기원전 22세기에 이집트를 통치하던 아크토이 왕은 아들에게 몇 가지 현명한 가르침을 내렸다. 4천 년 전 어느 날 오후 늙은 아크토이 왕은 술을 마시다 이렇게 얘기했다. "다른 사람의 감정을 상하게 하지 말라. 그러면 네가 바라는 대로 될 것이다." 오늘날에도 꼭 필요한 가르침이 아닐 수 없다.

그러므로 상대를 설득하고 싶다면, 다음 방법과 같이 해보라!

상대의 의견을 존중하라. 상대의 잘못을 지적하지 말라.

3 IF YOU'RE WRONG, ADMIT IT

I LIVE almost in the geographical center of Greater New York; yet within a minute's walk of my house there is a wild stretch of virgin timber. I frequently go walking in this park with Rex, my little Boston bulldog. He is a friendly, harmless little hound; and since we rarely meet anyone in the park, I take Rex along without a **leash**[1] or a **muzzle**[2]. One day we encountered a **mounted**[3] policeman in the park, a policeman **itching**[4] to show his authority.

"What do you mean by letting that dog run loose in the park without a muzzle and leash?" he reprimanded me. "Don't you know it is against the law?"

"Yes, I know it is," I replied softly, "but I didn't think he would do any harm out here."

"You didn't *think!* You didn't *think!* The law doesn't give a **tinker's damn**[5] about what you *think.* That dog might kill a squirrel or bite a child. Now, I'm going to let you off this time; but if I catch this dog out here again without a muzzle and a leash, you'll have to tell it to the judge."

I meekly promised to obey. And I did obey—for a few times. But Rex didn't like the muzzle, and neither did I; so we decided to take a chance. Everything was lovely for awhile; and then we struck a snag. Rex and I raced over the brow of a hill one afternoon and there, suddenly—to my dismay—I saw the majesty of the law, astride a bay horse. Rex was out in front, heading straight for the officer.

I **was in for it**[6]. I knew it. So I didn't wait until the policeman started talking. I **beat him to it**[7]. I said: "Officer, you've caught me **red-handed**[8]. I'm guilty. I have no alibis, no excuses. You warned me last week that if I brought this dog out here again

3 잘못했으면 솔직히 인정하라

내가 사는 곳은 거의 뉴욕 시의 정중앙이라 할 수 있다. 하지만 집에서 도보로 1분도 걸리지 않는 곳에 원시림이 넓게 펼쳐져 있다. 나는 종종 렉스를 데리고 이 숲을 산책한다. 렉스는 보스턴 불독에 속하는 자그마한 개인데, 사람을 좋아하고 잘 물지도 않는다. 공원에는 사람이 거의 없기 때문에 나는 줄(**가죽끈**[1])을 묶거나 **입마개**[2]를 씌우지 않고 렉스를 데리고 다닌다. 하루는 공원에서 **말 탄**[3] 경찰을 만났는데, 자신의 권위를 보여주고 싶어 근질근질했던(**근질근질한**[4]) 모양이었다.

"묶지도 않고 입마개도 없이 공원에서 개를 저렇게 뛰어다니게 하면 어떻게 합니까?" 그가 나를 질책했다. "이러한 행동이 법에 위반된다는 것을 모르십니까?"

"물론 알고 있습니다만," 내가 부드럽게 대답했다. "여기서 저 개가 별다른 해를 끼칠 일이 없을 거라고 생각했어요."

"그렇게 *생각하셨다고요*? 그렇게 *생각하셨다니요*! 법은 선생이 *생각하*는 것처럼 **쓸모없는 것**[5]이 아닙니다. 저 개는 다람쥐를 죽일 수도 있고 아이를 물 수도 있습니다. 아무튼 이번 한 번은 봐드리겠습니다. 하지만 다음 번에 다시 묶지 않거나 입마개 없이 개를 데리고 여기 오시면 법대로 하겠습니다."

나는 그렇게 하겠다고 순순히 약속했다. 그리고 몇 번은 약속을 지켰다. 하지만 렉스도 나도 입마개 하는 것을 좋아하지 않았다. 그래서 몰래 그냥 나가보기로 했다. 한동안은 아무 일 없었다. 하지만 그러다가 결국은 다시 들키고 말았다. 어느 날 오후 렉스와 언덕 위까지 달리기 시합을 했는데 실망스럽게도 갑자기 그 경찰관이 밤색 말을 타고 있는 게 눈에 들어왔다. 렉스는 그 경찰관을 향해 앞쪽으로 달려가고 있었다.

나는 도저히 어쩔 도리가 없다는(**어쩔 도리가 없게 되다**[6]) 것을 한눈에 알 수 있었다. 그래서 경찰관이 말을 꺼낼 때까지 기다리지 않고 선수를 쳐서(**선수치다**[7]) 이렇게 말했다 "경찰관님, 저를 현행범으로(**현행범의**[8]) 잡으셨군요. 죄를 인정합니다. 알리바이도 없고 변명거리도 없습니다. 지난

without a muzzle you would fine me."

"Well, now," the policeman responded in a soft tone. "I know it's a temptation to let a little dog like that have a run out here when nobody is around."

"Sure it's a temptation," I replied, "but it is against the law."

"Well, a little dog like that isn't going to harm anybody," the policeman **remonstrate**d[9].

"No, but he may kill squirrels," I said.

"Well, now, I think you are taking this a bit too seriously," he told me. "I'll tell you what you do. You just let him run over the hill there where I can't see him—and we'll forget all about it."

That policeman, being human, wanted a feeling of importance; so when I began to condemn myself, the only way he could **nourish**[10] his self-esteem, was to take the **magnanimous**[11] attitude of showing mercy. But suppose I had tried to defend myself—well, did you ever argue with a policeman?

But instead of **break**ing **lances with**[12] him, I admitted that he was absolutely right and I was absolutely wrong; I admitted it quickly, openly, and with enthusiasm. The affair **terminated**[13] graciously by my taking his side and his taking my side. Lord Chesterfield himself could hardly have been more gracious than this mounted policeman who, only a week previously, had threatened to have the law on me.

If we know we are going to get the Old Harry anyhow, isn't it far better to beat the other fellow to it and do it ourselves? Isn't it much easier to listen to self-criticism than to bear condemnation from alien lips?

Say about yourself all the derogatory things you know the other person is thinking or wants to say or intends to say—and say them before he has a chance to say them—and you **take the wind out**

주에 다시 입마개를 채우지 않고 개를 데리고 나오면 벌금을 물리겠다고 하셨는데, 결국 이렇게 됐군요."

"하기야 주위에 아무도 없을 때라면 저렇게 작은 개는 뛰어놀게 하고 싶은 유혹이 들긴 하겠군요." 경찰관이 부드럽게 응답했다.

"당연히 그런 유혹이 들죠. 하지만 그건 법 위반입니다."

"글쎄요, 저렇게 작은 개라면 사람에게 위협이 될 것 같지는 않은데요?" 경찰관이 반박했다(**항의하다⁹**).

"그렇죠. 하지만 다람쥐를 죽일지도 모르니까요." 내가 말했다.

그러자 경찰관은 이렇게 말했다. "선생이 너무 심하게 생각하는 것 같군요. 이렇게 하시죠. 제 눈에 띄지 않는 저 언덕 너머에서 개를 뛰어놀게 하십시오. 그러면 문제 삼지 않겠습니다."

그 경찰관도 사람인지라 자신이 인정받고 있다는 느낌을 원했다. 그래서 내가 스스로를 비난하고 나서자, 그가 자기 존재를 강화할(**영양분을 공급하다¹⁰**) 수 있는 길은 아량을 베푸는 **관용적인¹¹** 태도를 취하는 것밖에 없었다. 만일 내가 나를 옹호하려고 했다면 어떻게 됐을까? 아마 경찰관과 다투어본 적이 있는 사람은 알 것이다.

경찰관과 논쟁하는(**~와 논쟁하다¹²**) 대신에, 나는 그가 절대적으로 옳고 내가 분명히 잘못을 저질렀다는 점을 인정했다. 그것도 빨리, 공개적으로, 그리고 분명하게 인정했다. 내가 경찰관의 처지가 되고, 경찰관은 내 처지가 됨으로써 일을 원만히 끝냈다(**끝내다¹³**). 체스터필드 경이라 할지라도 이 기마경찰보다 더 원만하진 못했을 것이다. 더구나 바로 1주일 전만 해도 내게 법대로 하겠다고 위협하던 그 경찰관이 아니던가?

어차피 나를 비판할 상황이라면 다른 사람이 뭐라 하기 전에 내가 나서서 비판하는 게 더 낫지 않겠는가? 다른 사람의 입에서 나오는 비난보다는 내 입에서 나오는 자기비판이 훨씬 더 듣기 편하지 않겠는가?

상대가 생각하는, 상대가 말하고 싶은, 상대가 말하려 하는 나에 대한 비난의 소리를, 상대가 입을 열기 전에 여러분이 스스로 말해버려라. 먼저 선수를 쳐서(**선수를 쳐서 남을 앞지르다¹⁴**) 상대가 할 얘기를 해버려라. 이리

of his sails[14]. The chances are a hundred to one that he will then take a generous, forgiving attitude and minimize your mistakes— just as the mounted policeman did with me and Rex.

Ferdinand E. Warren, a commercial artist, used this technique to win the **goodwill**[15] of a **petulant**[16], scolding buyer of art.

"It is important, in making drawings for advertising and publishing purposes, to be precise and very exact," Mr. Warren said as he told the story.

"Some art editors demand that their commissions be executed immediately; and in these cases, some slight error is liable to occur. I knew one art director in particular who was always delighted to find fault with some little thing. I have often left his office in disgust, not because of the criticism, but because of his method of attack. Recently I delivered a rush job to this editor and he phoned me to call at his office immediately. He said something was wrong. When I arrived, I found just what I had anticipated— and **dread**ed[17]. He was hostile, gloating over his chance to criticize. He demanded with heat why I had done so and so. My opportunity had come to apply the self-criticism I had been studying about. So I said: 'Mr. So-and-so, if what you say is true, I am at fault and there is absolutely no excuse for my blunder. I have been doing drawings for you long enough to know better. I'm ashamed of myself.'

Immediately he started to defend me. 'Yes, you're right, but after all, this isn't a serious mistake. It is only—.'

I interrupted him. 'Any mistake,' I said, 'may be costly and they are all irritating.'

He started to break in; but I wouldn't let him. I was having a grand time. For the first time in my life, I was criticizing myself— and I loved it.

'I should have been more careful,' I continued. 'You give me a

되면 상대가 관대하고 너그러운 태도로 여러분의 실수를 사소한 것으로 만들 가능성이 무척 높아진다. 마치 조금 전의 기마경찰이 나와 렉스에게 그랬던 것처럼 말이다.

상업 미술가인 페르디난드 E. 워렌은 까다롭고(**심통 사나운**[16]) 비판적인 작품 구매자의 **호의**[15]를 끌어내는 데 이 방법을 사용했다.

"광고와 인쇄 목적으로 그림을 그릴 때는, 정밀하고 정확하게 만드는 것이 중요합니다." 워렌 씨가 자신의 얘기를 들려주었다.

"가끔 미술 편집자들이 자기가 부탁한 것을 즉시 제작해달라고 요구할 경우가 있습니다. 이런 경우에는 약간의 실수가 일어나기 쉽죠. 내가 아는 미술 편집자 중에 항상 사소한 것으로 항상 트집을 잡아내는 사람이 있습니다. 나는 종종 기분이 나빠져서 그의 사무실을 나오고는 했는데, 그것은 비판을 받아서가 아니라 그가 잘못을 지적하는 방식 때문이었습니다. 얼마 전에 그 편집자에게 작품을 하나 급히 제작해 보냈는데, 그가 전화를 해서는 당장 달려오라고 하더군요. 그가 말하길 뭔가 잘못되었다는 겁니다. 도착해보니 내가 예상하던, 두려워하던(**두려워하다**[17]) 바로 그대로이더군요. 그는 비판할 거리가 생겼다며 의기양양해 있었습니다. 그는 신나게 이건 왜 이랬느냐, 저건 왜 그랬느냐 하면서 따졌습니다. 언뜻 지금이 내가 배운 자기비판의 기술을 적용해볼 때라는 생각이 들었습니다. 그래서 이렇게 얘기했습니다. '만약 당신이 한 말이 사실이라면 제가 잘못한 것이니 제 실수에 대해 변명할 여지가 전혀 없군요. 같이 일한 지도 오래돼서 이제 좋은 그림을 드릴 만도 한데 이 정도밖에 못 하다니 정말 면목이 없습니다.'

이 말을 하자마자 그는 바로 나를 옹호해주었습니다. '맞는 말씀입니다만, 그래도 이게 그렇게 중대한 실수는 아니고……'

나는 그의 말을 막고 이렇게 얘기했습니다. '어떤 실수건 나중에 큰 손실을 입힐 수 있고, 또 사람을 짜증나게 합니다.'

그가 말참견을 하려고 했지만 나는 그러도록 놔두지 않았습니다. 나는 굉장한 시간을 보내고 있었기 때문입니다. 생애 처음으로 나 자신을 비판하고 있었고, 나는 그게 좋았습니다.

나는 계속해서 이렇게 얘기했습니다. '좀 더 주의를 기울였어야 했습니

lot of work; and you deserve the best; so I'm going to do this drawing all over.'

'No! No!' he protested. 'I wouldn't think of putting you to all that trouble.' He praised my work, assured me that he wanted only a minor change, and that my slight error hadn't cost his firm any money; and, after all, it was a mere detail—not worth worrying about. My **eagerness**[18] to criticize myself took all the fight out of him. He ended up by taking me to lunch; and before we parted, he gave me a check and another commission."

Any fool can try to defend his mistakes—and most fools do—but it raises one above the herd and gives one a feeling of **nobility**[19] and **exultation**[20] to admit one's mistakes.

For example, one of the most beautiful things that history records about Robert E. Lee is the way he blamed himself and only himself for the failure of Pickett's **charge**[21] at Gettysburg.

Pickett's charge was undoubtedly the most brilliant and **picturesque**[22] attack that ever occurred in the western world. Pickett himself was picturesque. He wore his hair so long that his **auburn**[23] **lock**s[24] almost touched his shoulders; and, like Napoleon in his Italian campaigns, he wrote ardent love-letters almost daily in the battlefield.

His devoted troops cheered him that tragic July afternoon as he rode off **jauntily**[25] toward the Union lines, with his cap set at a **rakish**[26] angle over his right ear. They cheered and they followed him, man touching man, rank pressing rank, with banners flying and **bayonet**s[27] gleaming in the sun. It was a gallant sight. Daring. Magnificent. A murmur of admiration ran through the Union lines as they **beheld**[28] it.

Pickett's troops swept forward at an easy trot, through orchard and corn-field, across a meadow, and over a ravine. All the time,

다. 당신은 제게 일도 많이 주시고 계시니 최고로 해드리는 게 당연합니다. 그러니 이 그림은 완전히 다시 그려드리겠습니다.'

'아니요. 아닙니다.' 그가 반대하더군요. '그런 수고를 끼칠 수야 없지요.' 그러더니 그는 내 그림을 칭찬하면서 그가 원하는 건 단지 약간의 수정일 뿐이고, 이런 사소한 실수로 회사에 큰 손실이 일어나지는 않는다고 내게 확신시켜주었습니다. 결국 약간의 세부 손질이 필요할 뿐 걱정할 만한 것은 아니라는 말이었습니다. 내가 너무 열심히 (**열심**[18]) 스스로를 비판했기 때문인지 그는 싸울 마음이 싹 달아나버린 것 같았습니다. 그는 이제 그만하고 점심이나 같이 먹자고 하더군요. 그러고는 헤어지기 전에 수표 한 장과 새로운 일감을 내게 안겨주었습니다."

어떤 바보라도 실수에 대해 변명할 줄 안다. 그리고 바보들이 대개 변명을 한다. 그러나 자기 잘못을 인정하는 사람은 다른 사람에 비해 돋보이게 되고, 스스로가 고귀하다는 (**고귀함**[19]) 생각이 들어 마음이 기쁘다 (**기쁨**[20]).

역사 속에서 로버트 E. 리 장군에 관한 미담을 예로 들어보자. 게티즈버그 전투에서 피켓 장군의 **돌격**[21] 작전이 실패했을 때 리 장군이 그 책임이 자신에게, 전적으로 자신에게 있다고 비판하고 나선 얘기다.

'피켓의 돌격'은 서구에서 일어났던 가장 화려하고 멋진 (**그림 같은**[22]) 공격이었음에 틀림없다. 피켓 장군 자체가 멋진 사람이었다. 길게 늘어뜨려 묶은 **적갈색**[23] **머리채**[24]는 어깨에 닿을 정도였고, 나폴레옹이 이탈리아 원정을 갔을 때 했던 것처럼 그도 전장에서 거의 매일 열렬한 사랑의 편지를 썼다.

7월의 오후, 그가 모자를 멋지게 (**멋진, 경쾌한**[26]) 오른쪽으로 약간 비껴 쓰고 북군 전선을 향해 **쾌활하게**[25] 말을 달리면서 진격을 시작하자, 그의 충성스런 부대는 환호성을 울렸다. 부대는 함성을 울리며 그를 따라 돌격하기 시작했다. 옆으로 길게 늘어선 군인들의 물결이 끝도 없이 밀고나갔다. 깃발이 날리고 **총검**[27]은 햇살에 번쩍거렸다. 정말 멋지고 숨 막히는 광경이었다. "용감하다. 장관이다!" 남군을 주시하던 (**주시하다**[28]) 북군 병사들 사이로 감탄의 말이 흘러나왔다.

피켓의 부대는 과수원을 지나고 옥수수 밭을 지나며 목장을 가로지르고 계곡을 건너 별다른 어려움 없이 물밀듯이 밀고 나갔다. 진격하는 동안 계

the enemy's cannon were tearing ghastly holes in their **ranks**[29]. But on they pressed, **grim**[30], irresistible.

Suddenly the Union infantry rose from behind the stone wall on Cemetery Ridge where they had been hiding, and fired volley after volley into Pickett's defenseless troops. The **crest**[31] of the hill was **a sheet of**[32] flame, a **slaughterhouse**[33], a blazing volcano. In a few minutes, all of Pickett's brigade commanders except one were down, and four-fifths of his five thousand men had fallen.

Armistead, leading the troops in the final **plunge**[34], ran forward, vaulted over the stone wall, and, waving his cap on the top of his sword, shouted: "Give 'em the steel, boys!"

They did. They leaped over the wall, bayoneted their enemies, smashed skulls with clubbed muskets, and planted the battle-flags of the South on Cemetery Ridge. The banners waved there only for a moment. But that moment, brief as it was, recorded the high-water mark of the Confederacy.

Pickett's charge—brilliant, heroic—was nevertheless the beginning of the end. Lee had failed. He could not **penetrate**[35] the North. And he knew it. The South was doomed.

Lee was so saddened, so shocked, that he sent in his resignation and asked Jefferson Davis, the President of the Confederacy, to appoint "a younger and abler man." If Lee had wanted to blame the disastrous failure of Pickett's charge on someone else, he could have found a score of alibis. Some of his division commanders had failed him. The cavalry hadn't arrived in time to support the infantry attack. This had gone wrong and that had gone awry.

But Lee was far too noble to blame others. As Pickett's beaten and bloody troops struggled back to the Confederate lines, Robert E. Lee rode out to meet them all alone and greeted them with a self-condemnation that was little short of **sublime**[36].

"All this has been my fault," he confessed. "I and I alone have

속 북군의 대포가 **대열**²⁹에 커다란 구멍을 내고 있었지만, 그들은 조금도 굴하지 않고 이를 억눌렀으며, 단호했고(**단호한**³⁰), 압도적이었다.

그런데 '묘지 능선' 석벽 뒤에 숨어 있던 북군 보병부대가 갑자기 나타나서 무방비 상태의 피켓 부대에 총알을 퍼붓기 시작했다. 그 **산등성이**³¹는 폭발하는 화산처럼 순식간에 **온통**³² 화염에 휩싸였으며, 대학살의 현장(**도살장**³³)이 되고 말았다. 피켓 연대는 1명을 제외한 모든 지휘관과 부대 인원 5천 명 중 5분의 4가 단 몇 분 사이에 모두 죽고 말았다.

아미스테드 장군이 살아남은 병사들을 이끌고 최종 **돌격**³⁴에 나섰다. 그는 힘차게 달려 석벽을 뛰어넘고는 장검 끝에 걸어둔 자신의 모자를 휘두르며 소리쳤다. "전원, 착검. 돌격 앞으로!"

그들은 돌격했다. 석벽을 뛰어넘어 총검으로 베고 개머리판으로 치는 치열한 육박진 끝에 마침내 묘지 능선의 남쪽 '꼭짓점'이라고 불리는 곳에 남군의 깃발을 꽂았다. 하지만 승리는 잠깐에 불과했다. 잠깐이긴 했지만 이 순간은 남부 연방 사상 최고의 순간으로 기록되고 있다.

피켓의 돌격은 화려하고 영웅적이었지만 종말의 시작에 불과했다. 리 장군은 실패했다. 북군 방어선을 돌파할(**~을 돌파하다**³⁵) 수 없었다. 리 장군은 그것을 알고 있었다. 남부군에게는 뼈아픈 패배가 아닐 수 없었다.

너무 큰 슬픔과 충격을 겪은 리 장군은 남부 연방 대통령이던 제퍼슨 데이비스에게 편지를 보내 사의를 표명하고 '더 젊고 유능한' 장군을 사령관으로 임명해달라고 요청했다. 리 장군이 피켓의 돌격이 참혹한 실패로 끝난 책임을 남에게 돌리고자 했다면 책임져야 할 사람을 수도 없이 찾을 수 있었을 것이다. 연대 지휘관 중 일부는 그의 명령대로 움직이지 않았고, 기마부대가 너무 늦게 도착하는 바람에 보병부대는 공격을 제대로 지원받을 수 없었다. 여기서는 이게 잘못되었고 저기서는 저게 잘못되었다.

하지만 고결한 인품의 리 장군은 책임을 남에게 돌리지 않았다. 남군 병사들이 전투에서 패하고 피를 흘리며 공격 개시선으로 돌아오자, 리 장군은 혼자 말을 몰고 병사들 앞으로 나가서 거의 장엄하다고(**장엄한**³⁶) 해야 할 정도로 자기비판을 했다.

"모든 것은 나의 책임이다." 그는 고백했다. "이 전투에서 패배한 사람은

lost this battle. Few generals in all history have had the courage and character to admit that.

Elbert Hubbard was one of the most original authors who ever stirred up a nation, and his stinging sentences often aroused fierce resentments. But Hubbard with his rare skill for handling people frequently turned his enemies into friends. For example, when some irritated reader wrote in to say that he didn't agree with such and such an article and ended by calling Hubbard this and that, Elbert Hubbard would answer like this:

> Come to think it over, I don't entirely agree with it myself. Not everything I wrote yesterday appeals to me today. I am glad to learn what you think on the subject. The next time you are in the neighborhood you must visit us and we'll get this subject threshed out for all time. So here is a handclasp over the miles, and I am
>
> Yours sincerely,

What could you say to a man who treated you like that?

When we are right, let's try to win people gently and tactfully to our way of thinking; and when we are wrong—and that will be surprisingly often, if we are honest with ourselves—let's admit our mistakes quickly and with enthusiasm. That technique will not only produce astonishing results; but, believe it or not, it is a lot more fun, under the circumstances, than trying to defend one's self.

Remember the old proverb: "By fighting you never get enough, but by yielding you get more than you expected."

So if you want to win people to your way of thinking, it would be advisable to remember Rule 3:

If you are wrong, admit it quickly and emphatically.

나, 나 혼자뿐이다." 역사상 이렇게 패전의 책임을 인정할 정도의 용기와 인품을 가진 장군은 거의 없었다.

앨버트 허버드는 미국 역사상 가장 창의적인 작가였는데, 그의 글은 너무 신랄하여 격렬한 거부 반응을 일으킬 때도 종종 있었다. 하지만 허버드는 사람들을 대하는 기술이 워낙 뛰어나서 적이었던 사람도 친구가 되는 일이 태반이었다. 예를 들면, 허버드가 쓴 글에 화가 난 어떤 독자가 그에게 편지를 보내 글의 이러저러한 점이 마음에 안 든다며 그에게 온갖 비난을 퍼부은 적이 있다. 앨버트 허버드는 이런 답장을 써서 보냈다.

그 점에 대해 다시 생각해보니 저 자신도 전적으로 동감하지는 못할 것 같습니다. 어제 쓴 글 전부가 오늘 내 마음에 들라는 법은 없습니다. 당신이 그 주제에 어떻게 생각하는지 알게 되어 기쁩니다. 언제 근처에 오실 일이 있으시면 들러주십시오. 둘이 함께 이 주제를 끝까지 파헤쳐볼 수 있을 것 같군요. 멀리서 박수를 보내며 이만 마칩니다.

이렇게 얘기하는데 여러분이라면 어떤 말을 더 할 수 있겠는가?

우리가 옳을 경우에는 은근하고 교묘하게 상대가 내게 동의하도록 만들려고 노력하자. 만일 우리가 틀린 경우에는 (사실 가슴에 손을 얹고 생각해본다면 이런 경우가 놀라울 정도로 많을 것이다) 우리의 실수를 빨리, 그리고 분명하게 인정하자. 이러한 기술은 놀라운 결과가 생길 뿐만 아니라 믿지 못할지 모르지만 난처한 상황에서도 자신을 옹호하려 애쓰는 것보다 훨씬 재미있다.

오래된 속담에 이런 말이 있다. "싸워서는 절대 충분히 얻지 못하나, 양보하면 기대한 것 이상을 얻는다."

그러므로 상대를 설득하고 싶다면, 다음 방법과 같이 해보라!

잘못을 했을 경우에는 빨리, 그리고 분명하게 잘못을 인정하라.

4 THE HIGH ROAD TO A MAN'S REASON

IF your temper is aroused and you tell 'em a thing or two, you will have a fine time unloading your feelings. But what about the other fellow? Will he share your pleasure? Will your belligerent tones, your hostile attitude, make it easy for him to agree with you?

"If you come at me with your fists doubled," said Woodrow Wilson, "I think I can promise you that mine will double as fast as yours; but if you come to me and say, 'Let us sit down and take counsel together, and, if we differ from one another, understand why it is that we differ from one another, just what the points at issue are,' we will presently find that we are not so far apart after all, that the points on which we differ are few and the points on which we agree are many, and that if we only have the patience and the candor and the desire to get together, we will get together."

Nobody appreciates the truth of Woodrow Wilson's statement more than John D. Rockefeller, Jr. Back in 1915, Rockefeller was the most fiercely despised man in Colorado. One of the bloodiest strikes in the history of American industry had been shocking the state for two terrible years. Irate, belligerent miners were demanding higher wages from the Colorado Fuel & Iron Company; and Rockefeller controlled that company. Property had been destroyed, troops had been called out. Blood had been shed. Strikers had been shot, their bodies **riddle**d[1] with bullets.

At a time like that, with the air seething with hatred, Rockefeller wanted to win the strikers to his way of thinking. And he did it. How? Here's the story.

After weeks spent in making friends, Rockefeller addressed the representative of the strikers. This speech, in its entirety, is

4 상대를 이해시키는 지름길

누군가가 여러분을 화나게 했을 때, 아무 말이나 퍼붓고 나면 확실히 여러분의 속은 시원해질 것이다. 하지만 상대는 어떻게 될까? 상대도 여러분처럼 속이 시원해질까? 여러분의 도전적인 말투와 호전적인 태도를 보고도 상대가 편하게 여러분에게 동의할 수 있을까?

"당신이 두 주먹을 불끈 쥐고 내게 오면," 우드로 윌슨은 말했다. "그 순간 나도 두 주먹을 불끈 쥐고 당신을 맞상대할 것이라고 장담할 수 있다고 생각합니다. 그러나 당신이 내게 와서 '우리 앉아서 함께 상의해봅시다. 그리고 만약 우리의 의견이 서로 다르다면 왜 의견이 서로 다른지, 논란이 되는 차이의 핵심이 무엇인지 한번 알아봅시다' 하고 얘기하면, 우리는 서로 의견 차이가 크지 않고 차이점보다 공통점이 더 많으니, 화합하고자 하는 의지와 솔직함, 그리고 인내만 있으면 얼마든지 화합할 수 있다는 것을 알게 될 것입니다."

우드로 윌슨이 한 이 말의 진가를 존 D. 록펠러 2세만큼 잘 알아본 사람도 없을 것이다. 1915년 록펠러는 콜로라도 주에서 가장 심하게 미움을 받던 사람이었다. 미국 산업 역사상 최악의 파업이 일어나 주 전체를 뒤흔들며 2년째 계속되고 있었다. 화가 난 호전적인 광부들이 임금 인상을 요구하며 투쟁을 벌이고 있는 콜로라도 석유 강철 회사는 록펠러의 소유였다. 회사 기물이 파손되자 경찰이 투입돼 유혈 진압을 시도했고, 그 와중에 파업 중인 광부들이 총에 맞아 그들의 몸이 구멍투성이가 되었다(**구멍투성이로 만들다[1]**).

이런 시기, 즉 온통 증오로 미쳐 날뛰던 그 시기에 록펠러는 파업 중인 광부들을 설득하고자 했다. 그리고 그는 설득해냈다. 어떻게 가능했을까? 지금부터 살펴보기로 하자.

사람들과 친해지기 위해 몇 주 동안이나 애를 쓰고 난 후 마침내 록펠러는 파업 대표위원들에게 연설을 하게 되었다. 이 연설은 처음부터 끝까지

a masterpiece. It produced astonishing results. It calmed the **tempestuous**[2] waves of hate that threatened to **engulf**[3] Rockefeller. It won him a host of admirers. It presented facts in such a friendly manner that the strikers went back to work without saying another word about the increase in wages for which they had fought so violently.

Here is the opening of that remarkable speech. Note how it fairly glows with friendliness. Remember Rockefeller is talking to men who, a few days previously, wanted to hang him by the neck to a sour apple tree; yet he couldn't have been more gracious, more friendly if he had addressed a group of medical **missionaries**[4]. His speech is radiant with such phrases as I am *proud* to be here, having *visited in your homes*, met many of your wives and children, we meet here not as strangers, but as *friends*, spirit of *mutual friendship*, our *common interests*, it is only by your courtesy that I am here.

"This is a red-letter day in my life", Rockefeller began. "It is the first time I have ever had the good fortune to meet the representatives of the employees of this great company, its officers and superintendents, together, and I can assure you that I am proud to be here, and that I shall remember this gathering as long as I live.

Had this meeting been held two weeks ago, I should have stood here a stranger to most of you, recognizing a few faces. Having had the opportunity last week of visiting all the camps in the southern coal fields and of talking individually with practically all of the representatives, except those who were away; having visited in your homes, met many of your wives and children, we meet here not as strangers, but as friends, and it is in that spirit of mutual friendship that I am glad to have this opportunity to discuss with you our common interests.

Since this is a meeting of the officers of the company and the

하나의 걸작이었다. 연설의 결과는 놀라웠다. 록펠러를 집어삼킬(**집어삼키다**³) 듯 **맹렬하던**² 증오의 물결이 가라앉았다. 수많은 추종자들도 생겨났다. 그가 연설에서 너무나 우호적인 방식으로 사실을 제시했기에, 파업 광부들은 그동안 그렇게 격렬하게 싸워온 임금 인상에 대해서는 한마디 말도 꺼내지 않고 일터로 돌아갔다.

그 유명한 연설의 도입부가 아래에 있다. 얼마나 우호적인 느낌이 넘치는지 주목해보기 바란다. 명심할 점은 이때 록펠러의 연설을 듣던 사람들은 며칠 전만 해도 그를 사과나무에 목매달아 죽이자고 하던 사람들이었다는 점이다. 그럼에도 불구하고 록펠러는 마치 의료 선교활동을 펼치는 **선교사**⁴에게 말하듯 온화하고 다정하게 연설을 했다. 그의 연설은 '*여러분의 가정을 방문하여*', '*많은 식구들을 만나보고 나니*', '*여기에 서게 된 것이 자랑스러우며*', '*우리는 낯선 사람이 아니라 친구로서 서로 만난 것이고*', '*상호 우호의 정신과 공동의 이익이 있고*', '*내가 여기 있게 된 것도 다 여러분의 덕이다*' 등의 구절로 가득 차 있다.

"오늘은 제 생애에서 매우 특별한 날입니다. 이 위대한 회사의 직원 대표, 관리자, 임원들 모두를 한자리에서 처음 만나는 행운을 가지는 날이기 때문입니다. 이 자리에 서게 되어 매우 영광이며 제 평생 이 모임을 영원히 잊지 못할 것입니다.

이 만남이 2주 전에 열렸더라면 저는 몇 사람 알지도 못한 채 여러분 대부분에게 낯선 사람으로 이 자리에 섰을지도 모릅니다. 다행히도 저는 지난 1주 동안 남부 탄광지역에 있는 모든 현장을 방문해서 자리를 비우신 몇 분을 제외하고는 사실상 모든 대표위원들과 개별적인 대화를 나눌 수 있었습니다. 여러분의 가정을 방문해서 여러분의 배우자와 자녀들을 만나보았습니다. 이제 우리는 낯선 사람으로가 아니라 친구로서 이 자리에 모였고, 이런 상호 우호의 정신이 있기 때문에 여러분과 함께 우리의 공동 이익을 토론하기 위한 기회를 갖게 된 것이 무척 흐뭇합니다.

이 모임은 회사 관리자와 직원 대표들의 모임이기 때문에 어디에도 속하

representatives of the employees, it is only by your **courtesy**[5] that I am here, for I am not so fortunate as to be either one or the other; and yet I feel that I am intimately associated with you men, for, in a sense, I represent both the stockholders and the directors."

Isn't that a superb example of the fine art of making friends out of enemies? Suppose Rockefeller had taken a different tack. Suppose he had argued with those miners and **hurl**ed[6] **devastating**[7] facts in their faces. Suppose he had told them by his tones and **insinuation**s[8] that they were wrong. Suppose that, by all the rules of logic, he had proved that they were wrong? What would have happened? More anger would have stirred up, more hatred, more **revolt**[9].

If a man's heart is rankling with discord and ill feeling toward you, you can't win him to your way of thinking with all the logic in Christendom. Scolding parents and domineering bosses and husbands and nagging wives ought to realize that people don't want to change their minds. They can't be forced or driven to agree with you or me. But they may possibly be led to, if we are gentle and friendly, ever so gentle and ever so friendly.

Lincoln said that, in effect, almost a hundred years ago.

It is an old and true maxim "that a drop of honey catches more flies than a gallon of **gall**[10].*" So with men, if you would win a man to your cause, first convince him that you are his sincere friend. Therein is a drop of honey that catches his heart; which, say what you will, is the great high road to his reason.*

Business men are learning that it pays to be friendly to strikers. For example, when two thousand five hundred employees in the

지 않는 제가 이 자리에 서게 된 것은 순전히 여러분의 **정중함**[5] 때문이라 할 수 있습니다. 그럼에도 불구하고 제가 여러분과 긴밀히 연관되어 있다고 느끼는 것은 어떤 의미로 저는 주주와 중역들을 대표하기 때문입니다."

이 정도면 원수를 친구로 만드는 놀라운 기술을 보여주는 대표적인 사례라 할 수 있지 않겠는가? 가령 록펠러가 다른 방법을 택했다고 생각해보자. 그가 광부들과 논쟁을 벌이면서 회사가 황폐화된(**황폐화시키는**[7]) 사실을 그들의 면전에 내던졌다고(**내던지다**[6]) 치자. 그가 광부들 잘못이라는 말투로 넌지시 말했다고(**넌지시 말하기**[8]) 치자. 모든 논리학적 방법을 동원하여 그들의 잘못이라는 점을 증명했다고 치자. 어떤 일이 일어났겠는가? 더 큰 분노와 더 큰 증오, 더 큰 **폭동**[9]이 일어났을 것이다.

만일 누군가가 당신에 대한 반감과 악감정을 가슴에 품고 있다면, 이 세상 어떤 논리로도 그 사람을 설득할 수 없다. 야단치는 부모들이나 윽박지르는 상사나 남편, 잔소리하는 아내들은 사람들이 생각을 바꾸고 싶어하지 않는다는 점을 깨달을 필요가 있다. 억지로 몰고 가거나 강제한다 해서 그들의 의견이 당신이나 내 의견과 같아지지 않는다. 오히려 우리가 언제까지고 상냥하고 다정하게 대할 때 그들의 의견이 바뀔 가능성이 더 높다.

링컨도 이미 백여 년 전에 이런 요지의 얘기를 한 적이 있다.

*꿀 한 방울이 한 통의 **쓸개즙**[10] 보다 더 많은 파리를 잡는다'는 오래된 금언에는 진리가 담겨 있다. 사람도 마찬가지다. 상대를 설득하고자 한다면 먼저 당신이 그의 진정한 친구라는 점을 확신시켜야 한다. 상대의 마음을 사로잡는 꿀은 바로 거기에 있다. 그렇게만 하면 당신이 무슨 말을 하든 그는 아주 쉽게 납득할 것이다.*

요즘 사업가들은 파업자들에게 우호적으로 대하는 것이 이익이라는 것을 몸으로 깨닫고 있다. 예를 들면, 화이트 자동차 회사에서 공장 직원 2천

White Motor Company's plant struck for higher wages and a union shop, Robert F. Black, the president, didn't wax wroth and condemn, and threaten and talk of **tyranny**[11] and Communists. He actually praised the strikers. He published an advertisement in the Cleveland papers, complimenting them on "the peaceful way in which they laid down their tools." Finding the strike pickets **idle**[12], he bought them a couple of dozen baseball bats, and gloves and invited them to play ball on vacant lots. For those who preferred bowling, he rented a bowling alley.

This friendliness on President Black's part did what friendliness always does: it begot friendliness. So the strikers borrowed brooms, shovels, and rubbish carts, and began picking up matches, papers, cigarette stubs, and cigar butts around the factory. Imagine it! Imagine strikers tidying up the factory grounds while battling for higher wages and recognition of the union. Such an event had never been heard of before in the long, tempestuous history of American labor wars. That strike ended with a compromise settlement within a week—ended without any ill feeling or rancor.

Daniel Webster, who looked like a god and talked like **Jehovah**[13], was one of the most successful advocates who ever pleaded a cause; yet he ushered in his most powerful arguments with such friendly remarks as: "It will be for the jury to consider," "This may, perhaps, be worth thinking of, gentlemen," "Here are some facts that I trust you will not lose sight of, gentlemen," or "You, with your knowledge of human nature, will easily see the significance of these facts." No **bulldozing**[14]. No high-pressure methods. No attempt to force his opinions on other men. Webster used the soft-spoken, quiet, friendly approach, and it helped to make him famous.

You may never be called upon to settle a strike or address a jury, but you may want to get your rent reduced. Will the friendly

5백 명이 임금 인상과 유니언 숍제(노동자에게 의무적으로 노동조합에 가입하게 하는 제도) 방식을 요구하며 파업을 일으켰을 때, 사장 로버트 F. 블랙은 화를 내거나 비난, 협박하면서 **독재**[11]와 공산주의를 들먹이지 않았다. 그는 오히려 파업자들을 칭찬했다. 그는 지역 신문에 '근로자들이 평화적으로 파업에 돌입'한 것에 대해 찬사를 보내는 광고를 냈다. 파업 시위 중간에 **쉬고 있는**[12] 것을 본 그는 수십 개의 야구방망이와 글러브를 사다주고 공터에서 야구를 하도록 권유했다. 볼링을 선호하는 사람들을 위해서는 볼링장을 임대해주기도 했다.

블랙 사장이 이렇게 우호적인 태도를 취하자 우호적인 태도가 항상 그렇듯 우호적인 태도가 되돌아왔다. 파업 근로자들이 빗자루와 쓰레받기, 손수레 등을 빌려다가 공장 주변에 널려 있던 성냥과 신문, 담배꽁초 등을 치우기 시작했다. 한 번 상상해보라. 파업 근로자들이 임금 인상과 유니언 숍을 위해 싸우는 가운데 공장 바닥을 청소하는 광경을. 미국 노동운동의 길고 떠들썩한 역사 속에 이와 같은 광경은 한 번도 없었다. 파업은 아무런 악감정이나 증오를 남기지 않고 1주일 만에 평화로운 협상으로 끝을 맺었다.

가장 변론을 잘하는 변호사의 한 사람으로 알려져 있는 대니얼 웹스터는 생김새가 신과 같았고, 구약성서의 **여호와**[13]처럼 말을 했다. 하지만 그도 다음과 같은 우호적인 언급으로 자신의 가장 강력한 주장을 시작했다. '배심원들께서는 이런 점을 고려해주시기 바랍니다', '여러분, 어쩌면 이런 점도 생각해볼 만하지 않겠습니까?', '이와 같은 사실에 대해서는 여러분도 주목해보실 것이라 믿습니다만', '여러분은 인간 본성에 대한 깊은 지식을 갖고 계시므로 이런 사실이 가지는 중요성을 쉽게 인지하리라 생각합니다.' 밀어붙이지도(**억지로 밀어붙이기**[14]), 고압적이지도 않았다. 상대에게 자신의 의견을 강요하려고 하지도 않았다. 웹스터는 부드러운 말로 조용하고 우호적으로 접근을 했으며, 그가 유명해진 데는 이런 점이 한몫했다.

여러분에게 파업을 해결하거나 배심원 앞에서 주장을 펼쳐야 하는 일은 생기지 않을지 모른다. 하지만 집세를 깎는 일은 생길 수 있지 않겠는가?

approach help you then? Let's see.

O. L. Straub, an engineer, wanted to get his rent reduced. And he knew his landlord was hard-boiled.

"I wrote him," Mr. Straub said in a speech before the class, "notifying him that I was vacating my apartment as soon as my **lease**[15] **expire**d[16]. The truth was I didn't want to move. I wanted to stay if I could get my rent reduced. But the situation seemed hopeless. Other **tenants**[17] had tried—and failed. Everyone told me that the landlord was extremely difficult to deal with. But I said to myself, 'I am studying a course in how to deal with people, so I'll try it on him—and see how it works.'

He and his secretary came to see me as soon as he got my letter. I met him at the door with a regular Charlie Schwab greeting. I fairly bubbled with good will and enthusiasm. I didn't begin talking about how high the rent was. I began talking about how much I liked his apartment house. Believe me, I was 'hearty in my approbation and lavish in my praise.' I complimented him on the way he ran the building, and told him I should like so much to stay for another year but I couldn't afford it. He had evidently never had such a reception from a tenant.

Then he started to tell me his troubles. Complaining tenants. One had written him fourteen letters, some of them positively insulting. Another threatened to break his lease unless the landlord kept the man on the floor above from snoring. 'What a relief it is,' he said, 'to have a satisfied tenant like you.' And then without my even asking him to do it, he offered to reduce my rent a little. I wanted more, so I named the figure I could afford to pay, and he accepted without a word.

As he was leaving, he turned to me and asked, 'What decorating can I have done for you?'

그때도 우호적인 접근법이 유효할까? 사례를 보자.

기술자인 O. L. 스트라우브는 집세를 깎고 싶었다. 그는 집주인이 깐깐한 사람이란 것을 알고 있었다.

"나는 그에게 편지를 썼습니다." 카네기 강좌에 와서 그는 이때의 일을 이렇게 얘기했다. "나는 집주인에게 임대 기간(**임대**[15])이 만료되는(**만료되다**[16]) 대로 집을 비우겠다고 편지를 써보냈습니다. 사실 내가 원한 건 이사가 아니었습니다. 집세를 깎을 수만 있으면 그대로 있고 싶었죠. 하지만 그럴 수 있을 가능성은 그리 많아 보이지 않았습니다. 다른 **임차인**[17]들이 세를 깎으려 해봤지만 다들 실패했으니까요. 다들 내게 집주인이 정말 대하기 힘든 사람이라고 말하더군요. 하지만 나는 '내가 지금 사람 다루는 법을 배우고 있는 참이니, 한번 집주인에게 적용해서 어떤 결과가 나오나 봐야겠다'고 생각했습니다.

내가 쓴 편지를 받고 집주인이 비서를 데리고 찾아왔더군요. 나는 문간에서부터 슈워브식의 반가운 인사로 그를 맞이했습니다. 호의와 활기가 넘쳤다고나 할까요. 집세가 비싸다는 얘기는 꺼내지도 않았습니다. 대신 집이 정말 마음에 든다는 얘기부터 시작했죠. 정말로 나는 '진정으로 인정해주고 아낌없이 칭찬'했습니다. 나는 그가 건물을 관리하는 방식에 대해서도 칭찬을 늘어놓은 다음 한 해 더 살고 싶지만 그럴 형편이 안 된다는 얘기를 했습니다. 그는 전에 이런 식으로 집주인을 대하는 임차인을 한 번도 본 적이 없는 게 분명했습니다.

마침내 그가 자신의 고민을 털어놓았습니다. 임차인들이 불평만 늘어놓는다는 거죠. 어떤 사람은 자신에게 편지 14통을 보냈는데, 그중에는 명백히 모욕적인 편지도 있었다. 어떤 사람은 위층 사람이 코 고는 소리를 멈춰주지 않으면 계약을 파기하겠다고 위협했다 뭐 이런 얘기였습니다. 그러면서 이렇게 말하더군요. '당신처럼 만족스러워하는 임차인이 있다는 게 얼마나 위안이 되는지 모르겠습니다.' 그러더니 내가 말도 꺼내지 않았는데 내 집세를 조금 깎아주겠다는 게 아니겠습니까? 나는 조금 더 깎기를 바랐기에 내가 낼 수 있는 금액을 얘기했죠. 그는 두말없이 받아들여주었습니다.

얘기가 끝나고 밖으로 나가다 말고 그가 내게 묻더군요. '집안 장식 중에 제가 해드릴 만한 게 있나요?'

If I had tried to get the rent reduced by the methods the other tenants were using, I am positive I should have met with the same failure they encountered. It was the friendly, sympathetic, appreciative approach that won."

Let's take another illustration. We'll take a woman this time—a woman from the Social Register—Mrs. Dorothy Day of Garden City on the sandy stretches of Long Island.

"I recently gave a luncheon to a small group of friends," said Mrs. Day. "It was an important **occasion**[18] for me. Naturally, I was most eager to have everything go off smoothly. Emil, the *maître d'hôtel* is usually my able assistant in these matters.

But on this occasion he let me down. The luncheon was a failure. Emil was nowhere to be seen. He sent only one waiter to take care of us. This waiter hadn't the faintest conception of first-class service. He persisted in serving my guest of honor last. Once he served her one miserable little piece of celery on a large dish. The meat was tough; the potatoes **greasy**[19]. It was horrible. I was furious. With considerable effort, I smiled through the ordeal, but I kept saying to myself, 'Just wait until I see Emil. I'll give him a piece of my mind all right.'

This happened on a Wednesday. The next night I heard a lecture on human relationships. As I listened, I realized how futile it would be to give Emil a dressing down. It would make him sullen and resentful. It would kill all desire to help me in the future. I tried to look at it from his standpoint. He hadn't bought the food. He hadn't cooked it. He couldn't help it because some of his waiters were dumb. Perhaps I had been too severe, too hasty in my **wrath**[20]. So, instead of criticizing him, I decided to begin in a friendly way. I decided to open up on him with appreciation. This approach worked beautifully.

I saw Emil the following day. He was defensively angry and

만일 내가 다른 임차인들이 했던 방식으로 집세를 깎으려고 했다면 분명 나 역시 그 사람들처럼 실패했겠지요. 내가 성공한 건 우호적으로 공감하며 칭찬하는 방식 때문이었습니다."

이번에는 다른 사례를 살펴보자. 여성과 관련된 사례인데, 그녀는 사교계 유명 인사로서 롱아일랜드 해변에 있는 가든 시티에 사는 도로시 데이 부인이다.

"며칠 전, 친한 친구들 몇 명만 불러서 오찬 모임을 가졌습니다." 데이 부인이 말했다. "저에겐 중요한 **행사**[18]였죠. 당연히 모든 게 매끄럽게 진행될 수 있도록 신경을 많이 썼습니다. 이런 일에는 보통 *수석 웨이터*인 에밀이 저를 도와주었습니다.

하지만 이번엔 저를 실망시켰습니다. 오찬 모임은 대실패였습니다. 에밀은 코빼기도 비추지 않고 달랑 웨이터 한 명만 보내 시중들게 했습니다. 더구나 그 웨이터는 일류 서비스가 어떤 건지 알지도 못하는 풋내기였습니다. 가장 먼저 챙겨야 할 주빈을 걸핏하면 맨 마지막에 챙기더니, 심지어는 커다란 접시에 아주 조그만 샐러리 하나만 달랑 갖다놓기도 하더군요. 고기는 질기지, 감자는 기름 범벅이지(**기름투성이의**[19]), 아주 끔찍했습니다. 불편함을 견디느라 무진장 애를 써 미소를 지었지만, 저는 속으로 이렇게 생각하고 있었습니다. '만나기만 해봐, 에밀. 속이 후련하게 한마디 해줄 테니까.'

이 일은 수요일에 벌어졌는데, 그 다음 날 저녁 인간관계에 대한 강의를 듣게 되었습니다. 강의를 들으면서 에밀을 혼내봤자 아무런 소용이 없다는 것을 깨닫게 되었습니다. 그를 화나게 하고 반감만 가지게 할 뿐이니까요. 그러면 또 에밀은 앞으로는 저를 돕고 싶은 생각이 싹 달아나버릴 테고요. 그와 처지를 바꿔서 한번 생각해보았습니다. 그가 재료를 사온 것도, 요리를 한 것도 아니었습니다. 그리고 웨이터 중 덜떨어진 친구가 있는 거야 그로서도 어쩔 수 없는 일이었겠죠. 제가 화(**분노**[20])를 내는 게 너무 엄하거나 너무 성급한 건 아닌가 하는 생각이 들었습니다. 그래서 질책하는 대신 우호적인 방식으로 시작해야겠다고 마음먹었죠. 즉, 그를 칭찬하는 걸로 시작하겠다고 마음먹은 거죠. 이런 접근 시도는 멋지게 들어맞았습니다.

그 다음 날 에밀을 만났습니다. 그는 화난 얼굴로 자신을 방어하기 위한

spoiling for battle. I said, 'See here, Emil, I want you to know that it means a great deal to me to have you at my back when I entertain. You are the best *maître d'hôtel* in New York. Of course, I fully appreciate that you don't buy the food and cook it. You couldn't help what happened on Wednesday.'

The clouds disappeared. Emil smiled, and said 'exactly, Madam. The trouble was in the kitchen. It was not my fault.'

So I continued: 'I have planned other parties, Emil, and I need your advice. Do you think we had better give the kitchen another chance?'

'Oh, certainly, Madam, of course. It might never happen again.'

The following week I gave another luncheon. Emil and I planned the menu. I cut his tip in half, and never mentioned past mistakes.

When we arrived, the table was colorful with two dozen American beauty roses. Emil was in constant attendance. He could hardly have showered my party with more attention if I had been entertaining Queen Mary. The food was excellent and hot. The service was perfection. The *entrée* was served by four waiters instead of one. Emil personally served delicious mints to finish it off.

As we were leaving, my guest of honor asked: 'Have you charmed that *maître d'hôtel*? I never saw such service, such attention.'

She was right. I had charmed with the friendly approach and sincere appreciation."

Years ago, when I was a barefooted boy walking through the woods to a country school out in northwest Missouri, I read a **fable**[21] one day about the sun and the wind. They quarreled about which was the stronger and the wind said, "I'll prove I am. See that old man down there with a coat? I bet I can make him take his coat off quicker than you can."

싸움을 벌일 태세였습니다. 제가 얘기했습니다. '이봐요, 에밀. 내가 모임을 가질 때 당신이 도와주면 정말 마음 든든하다는 걸 알아주었으면 좋겠어요. 당신은 뉴욕 최고의 *수석 웨이터*니까 말이에요. 물론 당신이 재료를 사거나 요리를 하지 않았다는 것도 충분히 잘 알고 있어요. 아마 당신도 수요일 일은 어쩔 수 없는 상황이었을 거예요.'

구름이 걷히고 에밀이 웃음을 보이며 이렇게 말했습니다. '바로 그랬습니다, 부인. 문제는 요리사 쪽에서 일어난 거지, 제 잘못이 아니었습니다.'

그래서 제가 이렇게 얘기했죠. '다른 모임을 계획 중인데, 에밀, 그 요리사를 계속 써도 괜찮을까요?'

'물론입니다, 부인. 다시는 그런 일 없을 겁니다.'

그 다음주에 저는 다시 오찬 모임을 열었습니다. 에밀과 상의해서 메뉴를 정했죠. 저는 그에게 주는 팁을 절반으로 깎는 것으로 끝내고, 전에 저지른 실수에 관한 얘기는 한마디도 꺼내지 않았습니다.

저희가 도착했을 때 식탁은 수십 송이의 붉은 장미로 장식되어 있었습니다. 그리고 에밀이 항상 곁에서 시중을 들었습니다. 메리 여왕을 모시는 자리라 할지라도 더 잘할 수 없을 정도로 에밀은 이번 모임에 신경을 써주었습니다. 음식도 너무 맛있었고 또 식기 전에 나왔습니다. 완벽한 서비스였습니다. *메인* 요리가 나올 때는 한 명이 아니라 네 명의 웨이터가 시중을 들었습니다. 요리 위에 마지막으로 달콤한 민트를 뿌릴 때는 에밀이 직접 시중들었습니다.

모임을 마치고 떠나면서 그날의 주빈이 제게 묻더군요. '저 *수석 웨이터*에게 마법이라도 거셨나요? 이렇게 훌륭한 서비스와 이런 정성은 여태 본 적이 없네요.'

그 말이 사실이었습니다. 우호적인 접근과 진정한 감사라는 마법을 사용했었으니까요."

내가 미주리 주 서북부에서 맨발로 숲을 가로질러 시골 학교를 다니던 어린 시절 어느 날, 나는 해와 바람 이야기(**우화**[21])를 읽었다. 해와 바람은 서로 자기가 더 세다고 뽐내고 있었는데, 바람이 이렇게 얘기했다. "내가 더 세다는 것을 보여주지. 저기 외투를 걸치고 걸어가는 나이 든 나그네 보이지? 나는 너보다 그 외투를 빨리 벗길 자신이 있어."

So the sun went behind a cloud and the wind blew until it was almost a tornado, but the harder it blew the tighter the old man wrapped his coat about him. Finally, the wind calmed down and gave up; and then the sun came out from behind the cloud and smiled kindly on the old man. Presently, he **mop**ped[22] his brow and pulled off his coat. The sun then told the wind that gentleness and friendliness were always stronger than fury and force.

Even while I was a boy reading this fable, the truth of it was actually being demonstrated in the far-off town of Boston, an historic center of education and culture that I never dreamed of ever living to see. It was being demonstrated in Boston by Dr. A. H. B—, a physician, who thirty years later became one of my students. Here is the story as Dr. B— related it in one of his talks before the class:

The Boston newspapers in those days screamed with fake medical advertising—the ads of professional **abortionist**s[23] and quack physicians who pretended to treat the diseases of men but who really preyed upon many innocent victims by frightening them with talk about "loss of manhood" and other terrible conditions. Their treatment consisted in keeping the victim filled with terror and in giving him no useful treatment at all. The abortionists had caused many deaths, but there were few convictions. Most of them paid small fines or got off through political influence.

The condition became so terrible that the good people of Boston rose up in holy indignation. Preachers **pound**ed[24] their **pulpit**s[25], condemned the papers, and implored the help of Almighty God to stop this advertising. Civic organizations, business men, women's clubs, churches, young people's societies, **damn**ed[26] and **denounce**d[27]—all in vain. A bitter fight was waged in the state legislature to make this disgraceful advertising illegal, but it was defeated by **graft**[28] and political influence.

구름이 해를 가리자 바람은 세차게 불기 시작했다. 거의 태풍이 부는 것 같았지만 바람이 더 강하게 불 수록 노인은 외투를 꼭 끌어안았다. 마침내 바람이 포기하고는 잠잠해졌다. 이번에는 해가 구름 뒤에서 나와 노인에게 다정하게 웃어주었다. 얼마 안 되어 노인은 이마를 닦으며(**땀 등을 닦다**[22]) 외투를 벗어 들었다. 해는 바람에게 부드러움과 다정함이 힘이나 분노보다 항상 강하다고 일러주었다.

이 이야기를 읽던 어린 시절, 아주 멀리 떨어져 있어 살아생전엔 가볼 수 있으리라고 감히 꿈도 꾸지 못한 교육과 문화의 역사적 중심지 보스턴에서는, 이 얘기에 담긴 진리가 실제로 펼쳐지고 있었다. 그것은 의사인 B박사에 관한 얘기로, 그는 그로부터 30년이 지난 후 내 강좌의 수강생이 됐을 때 다음과 같이 그때의 일을 들려주었다.

당시 보스턴의 신문들은 허위 의료 광고, 그러니까 **낙태 시술자**[23]라든가 돌팔이 의사들이 내는 광고로 몸살을 앓고 있었다. 이들은 사람들에게 병을 치료해준다고 하면서, 실제로는 '남성성의 상실'이라든가 다른 무서운 얘기들로 겁을 먹게 해서 순진한 사람들의 돈을 긁어내는 경우가 수도 없이 많았다. 그들의 치료라는 게 사실은 피해자들에게 끊임없이 겁을 주는 것일 뿐 실제 치료는 전혀 없었다. 낙태 전문가들에 의한 사망 사고도 끊이지 않았는데, 처벌되는 경우는 많지 않았다. 약간의 벌금을 물거나 정치적 영향력을 써서 풀려나는 게 대부분이었다.

상황이 너무 악화되자 보스턴의 양식 있는 사람들이 분노를 참지 못하고 분연히 일어섰다. 성직자들은 **설교단**[25]을 마구 내려치며(**마구 두드리다**[24]) 신문의 광고 행태를 비난하고, 이런 광고가 더 이상 실리지 않도록 하느님께 기도했다. 시민 단체, 기업, 여성 단체, 교회, 청년 단체 등이 모두 비난하고(**비난하다**[26]) 규탄하며(**규탄하다**[27]) 퇴치 운동에 나섰지만 성과가 없었다. 주 의회에서도 이런 불건전 광고를 불법화하고자 하는 치열한 논쟁이 있었지만, **뇌물 수회**[28]와 정치적 영향력에 의해 흐지부지되고 말았다.

Dr. B— was then chairman of the Good Citizenship Committee of the Greater Boston Christian Endeavor Union. His committee had tried everything. It had failed. The fight against these medical criminals seemed hopeless.

Then one night, after midnight, Dr. B— tried something that apparently no one in Boston had ever thought of trying before. He tried kindness, sympathy, appreciation. He tried to make the publishers actually *want* to stop the advertising. He wrote the publisher of *The Boston Herald*, telling him how much he admired his paper. He had always read it; the news items were clean, not **sensational**[29]; and the **editorials**[30] were excellent. It was a splendid family paper. Dr. B— declared that it was, in his opinion, the best paper in New England and one of the finest in America.

"But," continued Dr. B—, "a friend of mine has a young daughter. He told me that his daughter read one of your advertisements aloud to him the other night, the advertisement of a professional abortionist, and then asked him what was meant by some of the phrases. Frankly, he was embarrassed. He didn't know what to say. Your paper goes into the best homes in Boston. If that happened in the home of my friend, isn't it probable that it is happening in many other homes also? If you had a young daughter, would you want her to read those advertisements? And if she did read them and ask you about them, how could you explain?

I am sorry that such a splendid paper as yours—almost perfect in every other way—has this one feature which makes some fathers dread to see their daughters pick it up. Isn't it probable that thousands of your other subscribers feel about it just as I do?"

Two days later the publisher of *The Boston Herald* wrote Dr. B—; the doctor kept the letter in his files for a third of a century and gave it to me when he was a member of my course. I have it in front of me now as I write. It is dated October 13, 1904.

B박사는 보스턴 열성 기독교인 공동체인 모범시민위원회의 위원장을 맡고 있었다. 그의 위원회에서도 다각도로 노력을 기울였지만 성과가 없었다. 이런 불법 의료 행위를 근절시키는 것은 불가능해 보였다.

그러던 어느 날 저녁 B박사는 이전에 보스턴 사람 누구도 한 적이 없는 게 분명한 어떤 일을 시도해보았다. 친절, 공감, 칭찬이란 방법을 시도했던 것이다. 그는 신문사가 광고를 중지하기를 *원하*도록 만들기 위해 노력했다. 〈보스턴 헤럴드〉지 편집장에게 편지를 보내 자신이 얼마나 그 신문을 좋아하는지 말했다. 기사의 소재도 선정적이지(**선정적인**[29]) 않고 깨끗하고 **사설**[30]도 훌륭해서 자신이 항상 애독하고 있으며, 온 가족이 함께 읽기에 좋은 신문이라고 말했다. B박사는 자신이 보기에 〈보스턴 헤럴드〉지는 뉴잉글랜드 주에서 가장 좋은 신문일 뿐 아니라, 미국 전체로 보더라도 일류에 속하는 신문임에 틀림없다고 단언했다.

"그런데," 그는 계속해서 이렇게 썼다. "어린 딸이 있는 제 친구가 이런 말을 하더군요. 며칠 전 저녁에 딸이 그에게 와서는 신문에 난 광고, 그러니까 낙태 전문가의 광고를 큰 소리로 읽더니 그 가운데 한두 구절의 의미가 뭔지를 묻더랍니다. 솔직히 제 친구는 당황해서 무슨 말을 해야 할지 모르겠더랍니다. 〈보스턴 헤럴드〉지는 보스턴의 상류 가정에는 다 배달되는데, 제 친구 집에서 이런 일이 있었다면 그 집 말고도 수많은 집에서도 이런 일이 일어나고 있다고 봐야 하지 않을까요? 만일 편집장님께 어린 딸이 있다면, 따님이 그런 광고를 읽도록 놔두시겠습니까? 그리고 만일 따님이 그런 광고를 보고 편집장님께 물어본다면 뭐라고 설명하시겠습니까?

〈보스턴 헤럴드〉 같은 멋진 신문이, 모든 면에서 거의 완벽한 신문이 이런 오점이 있어서 몇몇 아빠들의 경우 딸이 이 신문을 들고 오는 것조차 무서워하게 되다니 정말 유감입니다. 수천의 독자들이 저처럼 생각하지 않을까요?"

이틀 후 〈보스턴 헤럴드〉지 편집장이 B박사에게 편지를 보냈다. 박사는 이 편지를 수십 년간 서류함에 넣어 고이 보관해오다가 최근 내 강좌에 참여하면서 나에게 주었다. 지금 이 글을 쓰는 내 앞에 그 편지가 놓여 있다. 보낸 날짜는 1904년 10월 13일로 되어 있다.

Dear Sir:

I really **feel under obligations to**[31] you for your letter of the 11th **inst.**[32], addressed to the editor of this paper, inasmuch as it has finally decided me on an action which I have had under contemplation ever since I have been in charge here.

Beginning Monday, I propose to have *The Boston Herald* absolutely **expurgate**d[33] of all objectionable advertising matter, as far as it is possible to do so. The medical cards, the whirling spray **syringe**[34], and like advertising, will be absolutely "killed," and all other medical advertising, which it is impossible to keep out at this time will be so thoroughly edited that it will be absolutely inoffensive.

Again thanking you for your kind letter, which has been helpful in this respect, I beg to remain,

Yours sincerely,

W. E. Haskell, Publisher.

Aesop was a Greek slave who lived at the court of Croesus and spun immortal fables six hundred years before Christ. Yet the truths he taught about human nature are just as true in Boston and Birmingham now as they were twenty-five centuries ago in Athens. The sun can make you take off your coat more quickly than the wind; and kindliness, the friendly approach, and appreciation can make people change their minds more readily than all the bluster and storming in Christendom.

Remember what Lincoln said: "A drop of honey catches more flies than a gallon of gall."

When you wish to win people to your way of thinking, don't forget to use Rule 4:

Begin in a friendly way.

B박사님께

이번 달(**이달의**[32]) 11일에 신문사 편집장 앞으로 보내주신 편지에 대해 진심으로 감사하다는(**~에게 갚아야 할 의무를 느끼다**[31]) 말씀을 드리지 않을 수 없습니다. 그 편지가, 제가 편집장이 된 이래 지속적으로 고민해오던 조치를 취하는 데 결정적인 역할을 했기 때문입니다.

이번 월요일부터 〈보스턴 헤럴드〉지는 가능한 한 모든 혐오스런 내용의 광고를 삭제하기로(**외설적인 부분을 삭제하다**[33]) 결정했습니다. 과대 의료 광고나 낙태용 **세척기**[34] 광고 또는 이와 유사한 광고는 완전히 '제거'될 것이며, 지금 당장 배제하기 힘든 다른 모든 의료 광고에 대해서는 절대 불쾌감을 주는 일이 없도록 철저히 감독할 것입니다.

이런 점에서 도움을 주신 박사님과 보내주신 편지에 진심으로 다시 한 번 감사를 드리며, 이만 줄이겠습니다.

W. E. 하스켈 편집장 드림

수많은 우화를 지어낸 이솝은 기원전 6백 년경 크로이소스 왕 치하의 그리스에서 궁정 노예 생활을 했다. 하지만 그가 인간 본성에 대해 가르친 진리는 2천 5백 년 전 아테네뿐만 아니라 지금의 보스턴과 버밍햄에서도 그대로 적용된다. 해가 바람보다 더 빨리 외투를 벗길 수 있다. 친절과 우호적 접근, 그리고 칭찬은 세상 어떤 비난과 질책보다도 더 쉽게 사람들의 마음을 바꾸어놓을 수 있다.

링컨의 말을 명심하자. "꿀 한 방울이 한 통의 쓸개즙보다 더 많은 파리를 잡는다."

그러므로 상대를 설득하고 싶다면, 다음 방법과 같이 해보라!

우호적으로 시작하라.

5 THE SECRET OF SOCRATES

IN talking with people, don't begin by discussing the things on which you differ. Begin by emphasizing—and keep on emphasizing—the things on which you agree. Keep emphasizing—if possible—that you are both striving for the same end and your only difference is one of method and not of purpose.

Get the other person saying, "Yes, yes," at the **outset**[1]. Keep him, if possible, from saying "No."

"A 'No' response," says Professor Overstreet in his book, *Influencing Human Behavior*, "is a most difficult handicap to **overcome**[2]. When a person has said 'No,' all his pride of personality demands that he remain consistent with himself. He may later feel that the 'No' was ill-advised; nevertheless, there is his precious pride to consider! Once having said a thing, he must stick to it. Hence it is of the very greatest importance that we start a person in the affirmative direction." The skillful speaker gets "at the outset a number of 'yes responses.' He has thereby set the psychological processes of his listeners moving in the affirmative direction. It is like the movement of a billiard ball. Propel it in one direction, and it takes some force to deflect it; far more force to send it back in the opposite direction.

The psychological patterns here are quite clear. When a person says 'No' and really means it, he is doing far more than saying a word of two letters. His entire organism—glandular, nervous, muscular—gathers itself together into a condition of rejection. There is, usually in minute but sometimes in **observable**[3] degree, a physical **withdrawal**[4], or **readiness**[5] for withdrawal.

The whole neuro-muscular system, in short, sets itself on guard

5 소크라테스의 비밀

　사람들과 대화를 나눌 때는 견해가 서로 다른 부분에 대해 토의하는 것보다 견해가 서로 같은 부분을 강조하는 것으로 시작해야 하고, 또 지속적으로 같은 견해임을 강조해야 한다. 그리고 가능하면 서로가 같은 목표를 추구하고 있으며, 차이가 있다면 의도의 문제가 아니라 방법의 문제일 뿐이란 점을 강조해야 한다.

　또한 상대방이 처음에 "네, 네" 하면서 대화를 시작(**시초**[1])할 수 있도록 만들어라. 가능하면 상대가 "아니오" 하지 않도록 만들어라.

　"'아니오'라는 반응은," 오버스트릿 교수는 자신의 책 『인간 행동에 영향을 미치는 법』에서 이렇게 말하고 있다. "가장 극복하기(**극복하다**[2]) 어려운 장애물이다. 누구든 일단 '아니오'라고 말하고 나면, 자신의 모든 자존심이 일관성을 지키도록 요구하게 된다. 그가 나중에 '아니오'라는 대답이 잘못된 것이라고 느낀다 할지라도 이미 소중한 자존심이 걸린 문제가 돼버려서 일단 '아니오' 하고 나면 거기에 집착하지 않을 수 없다. 그러므로 상대방이 긍정적인 방향으로 시작하도록 하는 것이 가장 중요하다. 말을 잘하는 사람은 처음에 '네'라는 대답을 몇 번 이끌어낸다. 그럼으로써 듣는 사람의 심리가 긍정적인 방향으로 순환하도록 만든다. 그것은 마치 당구공의 움직임과 같다. 일단 한 방향으로 움직이기 시작하면 방향을 약간 바꾸는 데도 힘이 필요하며, 더구나 반대 방향으로 보내기 위해서는 엄청난 힘이 든다.

　이와 관련한 심리적 패턴은 아주 분명하다. 누군가 '아니오'라고 대답하고, 실제 의미가 그러했다면 그는 단 세 글자 단어를 말하는 것보다 훨씬 많은 일을 한 것이다. 그의 분비기관, 신경, 근육의 전 유기체가 집결해 거부의 상태를 만들어낸다. 그러면 가끔씩은 눈에 보일(**눈에 보이는**[3]) 정도일 경우도 있지만, 대부분의 경우에는 보이지 않을 만큼 미미하게 신체적인 **수축**[4]이 발생하거나 수축 **준비 상태**[5]에 들어간다.

　간단히 말해 신경과 근육의 전 체계가 수용에 대한 거부 태세를 취하는

against acceptance.

It is a very simple technique—this yes response. And yet how much neglected! It often seems as if people get a sense of their own importance by antagonizing at the outset. The radical comes into a conference with his conservative **brethren**[6]; and immediately he must make them furious! What, as a matter of fact, is the good of it? If he simply does it in order to get some pleasure out of it for himself, he may be pardoned. But if he expects to achieve something, he is only psychologically stupid.

Get a student to say 'No' at the beginning, or a customer, child, husband, or wife, and it takes the wisdom and the patience of angels to transform that **bristling**[7] negative into an **affirmative**[8]."

The use of this "yes, yes" technique enabled James Eberson, teller for the Greenwich Savings Bank, New York City, to save a prospective customer who might otherwise have been lost.

"This man came in to open an account," said Mr. Eberson, "and I gave him our usual form to fill out. Some of the questions he answered **willingly**[9], but there were others he flatly refused to answer.

Before I began the study of human relations, I should have told this prospective depositor that if he refused to give the bank this information, we should have to refuse to accept his account. I am ashamed that I have been guilty of doing that very thing in the past. Naturally, an **ultimatum**[10] like that made me feel good. I had shown who was boss, that the bank's rules and regulations couldn't be **flout**ed[11]. But that sort of an attitude certainly didn't give a feeling of welcome and importance to the man who had walked in to give us his patronage.

I resolved this morning to use a little horse sense. I **resolve**d[12] not to talk about what the bank wanted but about what the customer

것이다.

이 '네' 반응을 이끌어내는 것은 무척 간단한 기술이다. 하지만 무시되는 경우가 너무 많다. 어찌 보면 사람들은 서두에 다른 사람과 다른 의견을 냄으로써 자신의 존재를 인정받고자 하는 게 아닐까 하고 여겨질 정도다. 개혁적인 사람이 보수적인 **사람들**⁶과 토론을 하게 되면 순식간에 보수적인 사람들을 화나게 하고 만다. 그런데 그럼으로써 실제로 얻는 게 무엇인가? 만일 상대를 화나게 하는 것 자체가 즐거움이라면 그럴 수도 있다고 하겠다. 하지만 상대를 설득하고자 했다면 그는 심리적으로 무지하다는 것을 드러내고 있을 뿐이다.

학생이든, 고객이든, 자녀든, 남편이든, 아내든 처음에 일단 '아니오'라고 대답하게 만들고 나면, 그 거센(**곤두선**⁷) 부정을 **긍정**⁸으로 바꾸기 위해서는 천사의 지혜와 인내가 필요할 것이다."

제임스 에버슨 씨는 뉴욕 시에 있는 그리니지 저축은행에서 일하는데, 한번은 이 '네, 네' 기술을 사용해 놓칠 수도 있었던 잠재 고객을 현명하게 잡을 수 있었다.

"고객 한 분이 계좌를 새로 개설하려고 은행에 왔기에," 에버슨 씨가 말했다. "저희가 일반적으로 사용하는 양식을 주고 내용을 채워달라고 했습니다. 그는 몇 가지 질문에는 **기꺼이**⁹ 대답을 했지만, 다른 질문에는 완강히 대답을 거부했습니다.

인간관계에 대한 공부를 시작하기 이전이었다면 그 잠재 고객에게 그런 질문에 답을 하지 않으면 저희 은행에서는 계좌를 개설할 수 없다고 얘기했겠죠. 부끄럽게도 예전에는 그런 식으로 처리를 했었습니다. 당연히 그런 **최후통첩**¹⁰을 하고 나면 기분이 좋아지기도 했고요. 은행에 오면 은행의 규칙을 따라야 하지, 은행의 규칙이나 규정을 업신여길(**업신여기다**¹¹) 수 없다는 것을 보여준 것이니까요. 하지만 이런 식의 태도는 고객이 되기 위해 저희 은행을 찾아온 사람에게 환영받는다거나 존중받는다고 느끼게 하지는 못했을 것이 분명하죠.

그래서 그날은 약간의 지혜를 적용해보기로 마음을 먹었습니다. 은행이 원하는 것이 아니라 고객이 원하는 것에 대해 얘기해보기로 결심했던(~을

wanted. And above all else, I was determined to get him saying 'yes, yes' from the very start. So I agreed with him. I told him the information he refused to give was not absolutely necessary.

'However,' I said, 'suppose you have money in this bank at your death. Wouldn't you like to have the bank transfer it to your next of kin who is entitled to it according to law?'

'Yes, of course,' he replied.

'Don't you think,' I continued, 'that it would be a good idea to give us the name of your **next of kin**[13] so that, in the event of your death, we could carry out your wishes without error or delay?'

Again he said, 'Yes.'

The young man's attitude softened and changed when he realized that we weren't asking for this information for our **sake**[14] but for his sake. Before leaving the bank, this young man not only gave me complete information about himself but he opened, at my suggestion, a trust account naming his mother as the **beneficiary**[15] for his account and he gladly answered all the questions concerning his mother also.

I found that by getting him saying 'yes, yes' from the outset, he forgot the issue at stake and was happy to do all the things I suggested."

"There was a man on my **territory**[16] that our company was most eager to sell," said Joseph Allison, salesman for Westinghouse. "My predecessor had called on him for ten years without selling anything. When I took over the territory, I called steadily for three years without getting an order. Finally, after thirteen years of calls and sales talk, we sold him a few motors. If these proved to be all right, I felt sure of an order for several hundred more. Such was my expectation. Right? I knew they would be all right. So when I called three weeks later, I was stepping high.

결심하다[12]) 것이죠. 그리고 무엇보다도 '네, 네' 하는 대답을 끌어내는 것으로 시작하기로 결심했습니다. 그래서 저는 그의 말에 동의를 표시하면서 그가 대답하기를 거부하는 정보가 반드시 필요한 것은 아니라고 말했습니다.

그러면서 '하지만 손님이 예금을 남기고 사고를 당하셨을 경우, 법적으로 가장 가까운 친족에게 예금이 전해져야 하지 않겠습니까?' 라고 제가 말했습니다.

'네, 그야 물론이지요' 하고 그가 대답하더군요.

제가 계속해서 말했습니다. '손님이 사망하셨을 경우 저희가 손님이 바라시는 대로 지체 없이 정확하게 이행하기 위해서 **가장 가까운 친척**[13]의 이름을 알려주시는 게 좋다고 생각하지 않으십니까?'

그가 다시 '네' 하고 대답했습니다.

은행의 **이익**[14] 을 위해서 묻는 것이 아니라 고객의 이익을 위해서 정보를 요구하는 것임을 깨닫고 나자, 그 젊은 고객의 태도가 부드러워지면서 변했습니다. 은행을 나가기 전에 그는 자기 자신과 관련된 모든 정보를 저에게 알려주었을 뿐 아니라, 제 권유에 따라 그의 어머니를 **수탁자**[15]로 하는 신탁계좌를 열고는 자신의 어머니와 관련된 모든 질문에 기꺼이 대답해주었습니다.

처음에 '네, 네' 하는 대답을 이끌어내고 나니까 그는 문제가 되던 일은 모두 잊어버리고 제가 권유하는 것은 무엇이든 기꺼이 하려 한다는 것을 알게 되었습니다."

"제 **담당 구역**[16]에 저희 회사가 물건을 팔기 위해 꼭 확보하려는 고객이 한 분 있었습니다." 웨스팅하우스의 세일즈맨인 조셉 앨리슨 씨가 말했다. "제 전임자가 10년간 공을 들였지만 헛수고였죠. 저도 그 구역을 맡고 3년간 열심히 찾아갔지만 아무런 성과가 없었습니다. 전화하고 방문한 지 13년이 돼서야 저희는 마침내 그에게 모터 몇 대를 팔았습니다. 만약 그 모터들이 괜찮다는 판명이 나기만 하면, 수백 대를 더 팔 수 있을 것이라는 확신이 들었습니다. 그렇게 기대했죠. 물론 성능이 좋다는 것을 저는 잘 알고 있었죠. 그래서 3주 후에 저는 의기양양하게 그 고객을 방문했습니다.

But I didn't step high very long for the chief engineer greeted me with this shocking announcement: 'Allison, I can't buy the **remainder**[17] of the motors from you.'

'Why?' I asked in amazement.

'Because your motors are too hot. I can't put my hand on them.'

I knew it wouldn't do any good to argue. I had tried that sort of thing too long. So I thought of getting the 'yes, yes' response.

'Well, now look, Mr. Smith,' I said. 'I agree with you a hundred per cent; if those motors are running too hot, you ought not to buy any more of them. You must have motors that won't run any hotter than standards set by the regulations of the National Electrical Manufacturers' Association. Isn't that so?'

He agreed it was. I had gotten my first 'yes.'

'The Electrical Manufacturers' Association regulations say that a **properly designed motor**[18] may have a temperature of 72 degrees Fahrenheit above room temperature. Is that correct?'

'Yes,' He agreed. 'That's quite correct. But your motors are much hotter.' I didn't argue with him. I merely asked: 'How hot is the mill room?'

'Oh,' he said, 'about 75 degrees Fahrenheit.'

'Well,' I replied, 'if the mill room is 75 degrees and you add 72 to that, that makes a total of 147 degrees Fahrenheit. Wouldn't you **scald**[19] your hand if you held it under a spigot of hot water at a temperature of 147 degrees Fahrenheit?' Again he had to say yes.

'Well,' I suggested, 'wouldn't it be a good idea to keep your hands off those motors?'

'Well, I guess you're right,' he admitted. We continued to chat for awhile. Then he called his secretary and lined up approximately $35,000 worth of business for the ensuing month.

It took me years and cost me countless thousands of dollars in lost business before I finally learned that it doesn't pay to argue,

하지만 그 시간은 길게 가지 않았습니다. 나를 맞이한 수석 엔지니어가 놀라운 예고를 하며 인사했기 때문입니다. '앨리슨, 자네 회사 모터를 더 (**나머지**¹⁷) 사지 못할 것 같소.'

'왜요?' 제가 놀라서 물었습니다.

'당신네 회사 모터는 너무 뜨거워요. 도저히 만질 수가 없어요.'

다년간의 경험을 통해 논쟁을 해봤자 아무 효과가 없을 것이란 걸 저는 알고 있었습니다. 그래서 '네, 네' 하는 대답을 유도해낼 궁리를 했습니다.

'네, 그랬군요, 스미스 씨.' 저는 말했습니다. '당신 말에 100퍼센트 동감합니다. 모터가 너무 뜨거워진다면 그런 모터를 더 사서는 안 되겠죠. 전국 전기제조업협회의 규정에 따른 기준보다 뜨거워지는 모터를 사서는 안 되겠죠? 그렇죠?'

그는 그렇다고 대답했습니다. 이렇게 첫 번째 '네'를 얻어냈습니다.

그러고 난 뒤 저는 '전국 전기제조업협회 규정에 따르면 **정격 모터**¹⁸는 실내 온도보다 40도 이상 뜨거워지면 안 된다고 되어 있죠? 맞나요?' 라고 물었다.

그러자 그가 '그렇죠. 맞습니다. 그런데 당신네 모터는 그보다 훨씬 뜨거워요.' 라고 대답했습니다. 저는 그의 말에 대꾸하지 않고 '공장 실내 온도가 어떻게 되죠?' 하고 물었습니다.

그가 '아마 24도 정도일 겁니다' 하고 대답했습니다.

그래서 '만일 공장 실내 온도가 24도인데 그보다 40도 높다면 64도가 됩니다. 64도나 되는 뜨거운 물이 나오는 수도꼭지 아래 손을 갖다 대면 화상을 입지(**데게 하다**¹⁹) 않을까요?' 라고 하자, 그는 다시 그렇다고 대답했습니다.

'그렇다면 모터에 손이 닿지 않도록 조심하는 것이 낫지 않을까요?' 라고 저는 제안했습니다.

그는 '그래요, 당신 말이 맞네요' 라며 제 말을 받아들이더군요. 대화를 조금 더 나누다가 그가 비서를 부르더니 다음 달에 약 3만 5천 달러에 해당하는 물량의 상품을 주문하도록 지시하더군요.

수년 동안 수천, 수만 달러의 이익을 날리고 나서야 마침내 저는 논쟁을 하는 것이 도움이 안 되며, 다른 사람의 시각에서 사물을 보고 그 사람으로

that it is much more profitable and much more interesting to look at things from the other man's viewpoint and try to get him saying 'yes, yes.'"

Socrates, "the **gadfly**[20] of Athens," was a brilliant old boy in spite of the fact that he went barefooted and married a girl of nineteen when he was bald-headed and forty. He did something that only a handful of men in all history have been able to do: he sharply changed the whole course of human thought; and now, twenty-three centuries after his death, he is honored as one of the wisest persuaders who ever influenced this wrangling world.

His method? Did he tell people they were wrong? Oh, no, not Socrates. He was far too adroit for that. His whole technique, now called the "**Socratic method**[21]," was based upon getting a "yes, yes" response. He asked questions with which his opponent would have to agree. He kept on winning one admission after another until he had an armful of yeses. He kept on asking questions until finally, almost without realizing it, his opponent found himself embracing a conclusion that he would have bitterly denied a few minutes previously.

The next time we are smarting to tell a man he is wrong, let's remember barefooted old Socrates and ask a gentle question—a question that will get the "yes, yes" response.

The Chinese have a proverb pregnant with the age-old wisdom of the changeless East: "He who treads softly goes far."

They have spent five thousand years studying human nature, those cultured Chinese, and they have **garner**ed[22] a lot of **perspicacity**[23]: "He who treads softly goes far."

If you want to win people to your way of thinking, Rule 5 is:

Get the other person saying "yes, yes" immediately.

하여금 '네, 네' 하는 대답을 하도록 만드는 것이 이득이 되고, 또 재미도 있다는 것을 알게 되었습니다."

'아테네의 **성가신 사람**[20]'인 소크라테스는, 비록 맨발로 다니고 사십이 되어 머리가 벗겨진 뒤 열아홉 처녀와 결혼하긴 했지만, 청년처럼 원기 왕성하게 자신의 뛰어난 능력을 발휘했다. 그는 인류 역사상 오직 몇 명밖에 이루지 못한 일, 즉 인간의 사고방식을 통째로 바꾸는 일을 해냈다. 그리고 그가 죽고 2천 3백 년이 지난 지금도 그는 서로 자기가 잘났다고 목청을 높이는 이 세상 사람들에게 영향을 끼친 위인들 중에 가장 현명하게 설득을 잘하던 사람으로 존경을 받고 있다.

그의 방법은 무엇일까? 사람들의 잘못을 지적하는 것이었을까? 절대 아니다. 그건 소크라테스의 방법이 아니다. 그는 그보다 훨씬 고수였다. 오늘날 '**소크라테스식 문답법**[21]'이라고 불리는 그의 방식은 '네, 네' 반응을 유도하는 데 바탕을 두고 있다. 그는 동의하지 않을 수 없는 질문을 상대에게 던졌다. 그는 상대의 동의가 충분히 쌓일 때까지 동의를 얻는 질문을 상대에게 하나씩 해나갔다. 상대가 깨닫지 못하는 사이, 조금 전만 해도 절대로 동의하지 않았을 결론에 마침내 다다랐음을 상대가 알게 될 때까지 그는 질문을 계속해나갔다.

다음번에 상대에게 '당신이 틀렸다'고 말하고 싶어 좀이 쑤실 때가 오면 맨발의 나이 든 소크라테스를 떠올려라. 그리고 상대에게 부드러운 질문, 즉 상대가 '네, 네' 하고 대답할 수밖에 없는 질문을 던져라.

중국에는 변치 않는 동양의 태고적 지혜를 간직한 다음과 같은 속담이 있다. "사뿐히 걷는 사람이 멀리 간다."

중국인들은 식자층을 중심으로 5천 년 동안 인간 본성을 연구하여 엄청난 **통찰력**[23]을 축적해왔는데(**축적하다**[22]), 그 사람들이 이런 말을 하고 있다. "사뿐히 걷는 사람이 멀리 간다."

그러므로 상대를 설득하고 싶다면, 다음 방법과 같이 해보라!

상대가 선뜻 "네, 네"라고 대답할 수 있게 만들어라.

6 THE SAFETY VALVE IN HANDLING COMPLAINTS

MOST people, when trying to win others to their way of thinking, do too much talking themselves. Salesmen, especially, are guilty of this costly error. Let the other man talk himself out. He knows more about his business and his problems than you do. So ask him questions. Let him tell you a few things.

If you disagree with him, you may be tempted to interrupt. But don't. It is dangerous. He won't pay attention to you while he still has a lot of ideas of his own crying for expression. So listen patiently and with an open mind. Be sincere about it. Encourage him to express his ideas fully.

Does this policy pay in business? Let's see. Here is the story of a man who was *forced* to try it.

A few years ago, one of the largest automobile manufacturers in the United States was negotiating for a year's requirements of upholstery fabrics. Three important manufacturers had worked up fabrics in sample bodies. These had all been inspected by the **executive**s[1] of the motor company, and notice had been sent to each manufacturer saying that, on a certain day, his representative would be given an opportunity of making his final plea for the contract. G. B. R., a representative of one manufacturer, arrived in town with a severe attack of **laryngitis**[2].

"When it came my turn to meet the executives in conference," Mr. R. said as he related the story before one of my classes, "I had lost my voice. I could hardly whisper. I was ushered into a room and found myself face to face with the textile engineer, the purchasing agent, the director of sales, and the president of the

6 불만을 해소하는 안전판

　다른 사람을 설득하고자 할 때 대부분의 사람들은 혼자만 떠들어대는 경향이 있다. 특히 세일즈맨들 중에 이런 치명적 실수를 저지르는 사람들이 많다. 상대가 말을 하도록 해야 한다. 그는 여러분보다 자신의 사업이나 문제에 대해 더 많이 알고 있다. 그러니 그에게 질문을 해라. 상대가 한 수 가르치는 얘기를 할 수 있게 하라.

　여러분이 상대의 얘기에 동의하지 않는다면 여러분은 중간에 반론을 제기하고 싶은 유혹을 느낄 것이다. 하지만 그러면 안 된다. 그러는 것은 위험하다. 상대가 표현해달라고 아우성치는 많은 생각들을 마음에 담고 있는 한, 여러분에게 조금도 관심을 기울이지 않을 것이다. 그러니 참을성 있게, 그리고 열린 마음으로 듣고 있어라. 진정을 담고 그렇게 하라. 상대가 자신의 생각을 충분히 표현할 수 있도록 이끌어라.

　사업에서도 이런 방식이 도움이 될까? *어쩔 수 없이* 그렇게 할 수밖에 없었던 사람의 얘기를 보면서 한번 살펴보자.

　몇 년 전, 미국 최대의 자동차 생산회사에서 1년치 차 시트용 직물 구매 협상이 진행되고 있었다. 세 군데의 이름 있는 제조업체가 직물 견본을 제출했다. 자동차 생산회사의 **중역**[1]들이 견본들을 모두 검사했고, 각 제조업체에는 계약에 대한 의견을 발표할 기회를 줄 테니 언제까지 발표자를 회사로 보내라는 연락이 갔다. 한 제조업체의 발표자로 나선 G. B. R.은 심한 **후두염**[2]을 앓고 있는 채로 발표 장소에 도착했다.

　"제가 중역들 앞에서 발표할 차례가 되었는데," 카네기 강좌에서 R씨는 그때의 일을 이렇게 얘기했다. "목소리가 나오지 않더군요. 속삭이는 것도 쉽지 않을 정도였습니다. 제가 들어간 방에는 직물 담당 엔지니어와 구매 담당자, 판매 담당 이사, 그 회사 사장 등이 앉아 있었습니다. 저는 자리에서 일어나 말을 하려고 애써보았지만 **끽끽거리는 소리**[3]밖에는 나오지 않았

company. I stood up and made a valiant effort to speak, but I couldn't do anything more than **squeak**[3].

They were all seated around a table, so I wrote on a pad of paper: 'Gentlemen, I have lost my voice. I am speechless.'

'I'll do the talking for you,' the president said. He did. He **exhibit**ed[4] my samples and praised their good points. A lively discussion arose about the merits of my goods. And the president, since he was talking for me, took my side during the discussion. My sole participation consisted of smiles, nods, and a few gestures. As a result of this unique conference, I was awarded the contract, which called for over half a million yards of **upholstery**[5] fabrics at an **aggregate**[6] value of $1,600,000—the biggest order I ever received.

I know I should have lost that contract if I hadn't lost my voice, because I had the wrong idea about the whole **proposition**[7]. I discovered, quite by accident, how richly it sometimes pays to let the other fellow do the talking."

Joseph S. Webb of the Philadelphia Electric Company made the same discovery. Mr. Webb was making a rural inspection trip through a district of prosperous Pennsylvania Dutch farmers.

"Why aren't those people using electricity?" he asked the district representative as they passed a well-kept farmhouse.

"They're **tightwad**s[8]. You can't sell them anything," the district man answered in disgust. "And, besides, they're sore at the company. I've tried. It's hopeless."

Maybe it was, but Webb decided to try anyway, so he knocked at the farmhouse door. The door opened by a narrow crack, and old Mrs. Druckenbrod **peer**ed[9] out.

"As soon as she saw the company **representative**[10]," said Mr. Webb, as he related the story, "she slammed the door in our faces.

습니다.

저는 종이에 '여러분, 목소리가 나오지 않아 말씀을 드릴 수가 없습니다' 라고 써서 원탁 주변에 앉아 있는 사람들에게 보여주었습니다.

'제가 대신 말해볼까요' 하고 그 회사 사장이 얘기했습니다. 그러더니 그가 제 대신 발표를 시작했습니다. 제가 가져간 견본품을 꺼내 보여주고(**진열하다⁴**) 장점을 칭찬했습니다. 저희 회사 제품의 좋은 점에 대해 활발한 토론이 오갔습니다. 그 회사 사장은 제 역할을 하고 있었기에 토론에서 제 편을 들어주었습니다. 제가 한 일이라곤 미소를 짓고 고개를 끄덕이거나 가끔씩 제스처를 취하는 것뿐이었습니다. 이런 독특한 발표 결과 저희 회사가 계약을 따내게 되었습니다. 50만 야드 이상의 **가구⁵**용 직물이어서 계약금만 헤도 합계하면(**합계의⁶**) 160만 달러에 달했습니다. 지금까지 제가 따낸 가장 큰 규모의 계약이었습니다.

제가 목소리를 잃지 않았더라면, 오히려 계약을 따내지 못했을 것이라는 것을 저는 알고 있습니다. 왜냐하면 **사업상의 제안⁷**이란 게 무엇인지에 대해 너무나 잘못된 생각을 갖고 있었기 때문입니다. 아주 우연하게 저는 상대로 하여금 말을 하게 하는 것이 가끔은 큰 이득이 된다는 것을 배웠습니다."

필라델피아 전기회사에 근무하는 조셉 S. 웨브 씨도 이와 똑같은 발견을 했다. 웨브 씨가 부유한 네덜란드 출신 농부들이 사는 펜실베이니아 시골 지역을 시찰하던 때의 일이다.

"저 사람들은 왜 전기를 사용하지 않나요?" 깨끗하게 손질이 돼 있는 농가 앞을 지나면서 웨브 씨가 지역 담당자에게 물어보았다.

"저 사람들은 **구두쇠⁸**라서 어떤 것도 사려하지 않습니다." 지역 담당자가 경멸적인 말투로 대답했다. "더군다나 회사로서는 아주 골칫거리입니다. 전기를 넣기 위해 노력해보았는데, 전혀 가망이 없습니다."

실제로 그럴지도 몰랐다. 하지만 웨브 씨는 다시 한 번 시도해봐야겠다고 결심하고 한 농가의 문을 두들겼다. 문이 아주 조금 열리더니 나이가 지긋한 부인이 밖을 응시했다(**응시하다⁹**).

"제가 전기회사 **외판원¹⁰**이라는 것을 알아보자마자," 웨브 씨는 관련된 자신의 이야기를 했다. "부인은 문을 쾅 닫아버리더군요. 그래서 한 번 더

I knocked again, and again she opened the door; and this time she began to tell us what she thought of us and our company.

'Mrs. Druckenbrod,' I said, 'I'm sorry we've troubled you. But I didn't come here to sell you electricity. I merely wanted to buy some eggs.' She opened the door wider and peered out at us suspiciously.

'I noticed your fine flock of Dominicks,' I said, 'and I should like to buy a dozen fresh eggs.'

The door opened a little wider. 'How'd you know my hens were Dominicks?' she inquired, her curiosity **pique**d[11].

'I raise chickens myself,' I replied. 'And I must say, I've never seen a finer flock of Dominicks.'

'Why don't you use your own eggs then?' she demanded, still somewhat suspicious.

'Because my Leghorns lay white eggs. And naturally, being a cook yourself, you know white eggs can't compare to brown eggs when it comes to making cake. And my wife prides herself on her cakes.'

By this time, Mrs. Druckenbrod ventured out onto the porch in a much more **amiable**[12] frame of mind. Meantime, my eyes had been wandering around and I had discovered that the farm was equipped with a fine-looking dairy.

'As a matter of fact, Mrs. Druckenbrod,' I continued, 'I'll bet you make more money from your hens than your husband makes with his dairy.'

Bang! She was off! Sure she did! And she loved to tell me about it. But, alas, she couldn't make her old husband, the blockhead, admit it.

She invited us down to see her poultry house; and on our tour of inspection I noticed various little **contraption**s[13] that she had built, and I was 'hearty in my approbation and lavish in my praise.' I recommended certain feeds and certain temperatures;

노크를 했는데 부인이 다시 문을 열어주었습니다. 그러더니 이번에는 저와 저희 회사에 대해 그녀가 생각했던 것을 말하기 시작했습니다.

'드러켄브로드 부인, 번거롭게 해서 죄송합니다. 하지만 제가 여기에 온 건 전기를 팔기 위해서가 아닙니다. 달걀을 조금 사려고 왔을 뿐입니다' 라고 말하자, 그녀는 문을 조금 더 열고는 미심쩍은 눈초리로 저희를 살펴보았습니다.

'보니까 아주 좋은 도미니크종 닭을 키우고 계시더군요. 신선한 달걀을 한 꾸러미 사고 싶습니다.'

문이 조금 더 넓게 열렸습니다. '내 닭이 도미니크종인지 어떻게 알아보셨소?' 부인의 호기심을 돋운(**돋우다, 자극하다**[11]) 듯 제게 묻더군요.

저는 '저도 닭을 기르고 있습니다만 이렇게 좋은 도미니크종 닭들은 처음 봅니다' 하고 대답했습니다.

'그럼 왜 댁네 달걀을 쓰지 않는 거유?' 아직도 뭔가 의심스러운 듯 부인이 다시 물어보았습니다.

'저희 집 닭은 레그혼종이어서 달걀이 희거든요. 직접 요리를 하시니 잘 아시겠지만 케이크를 만들 때 흰 달걀은 노란 달걀에 비할 수가 없지요. 제 집사람이 케이크를 잘 만든다고 자부하는 편이라서요.'

이런 얘기가 오갈 때쯤 되자, 드러켄브로드 부인은 훨씬 **우호적인**[12] 태도로 현관에 나와 있었습니다. 그 사이에도 제 눈은 부지런히 여기저기를 살피고 있었고, 마침 농장에 아주 좋은 농장설비가 있는 것을 발견하게 되었습니다.

저는 계속해서 이렇게 말을 했습니다. '사실 남편께서 기르는 암소보다 부인께서 기르시는 닭에서 나오는 수입이 훨씬 좋다고 생각합니다만, 어떠신가요?'

이 말은 부인의 마음에 쏙 드는 말이었습니다. 효과 만점이었습니다. 부인은 너무너무 그 얘기를 하고 싶어했지만 안타깝게도 바보 같은 남편은 전혀 그 점을 인정하려 하지 않았던 모양입니다.

부인이 저희를 닭장으로 안내해 구경을 시켜주더군요. 둘러보는 중에 부인이 직접 고안한 여러 개의 조그만 **장치**[13]들이 보이기에 저는 '진심으로 인정해주고 아낌없이 칭찬' 했습니다. 괜찮은 사료와 사육 온도에 대해서도 조언을 했습니다. 몇 가지는 부인에게 물어보기도 하고요. 금세 저희는 기

and asked her advice on several points; and soon we were having a good time swapping experiences.

Presently, she remarked that some of her neighbors had put electric lights in their hen houses and they claimed they had got excellent results. She wanted my honest opinion as to whether or not it would pay her to do the same thing.

Two weeks later, Mrs. Druckenbrod's Dominick hens were **cluck**ing[14] and scratching contentedly in the encouraging glow of electric lights. I had my order; she was getting more eggs; everyone was satisfied; everyone had gained.

But—and this is the point of the story—I should never have sold electricity to this Pennsylvania Dutch farmwife, if I had not first let her talk herself into it!

Such people can't be sold. You have to let them buy."

A large advertisement appeared recently on the financial page of the *New York Herald Tribune* calling for a man with unusual ability and experience. Charles T. Cubellis answered the advertisement, sending his reply to a **box number**[15]. A few days later, he was invited by letter to call for an interview. Before he called, he spent hours in Wall Street finding out everything possible about the man who had founded the business. During the interview, he remarked: "I should be mighty proud to be associated with an organization with a record like yours. I understand you started twenty-eight years ago with nothing but desk room and one **stenographer**[16]. Is that true?"

Almost every successful man likes to **reminisce**[17] about his early struggles. This man was no exception. He talked for a long time about how he had started with four hundred and fifty dollars in cash and an original idea. He told how he had fought against

분 좋게 서로의 경험을 나누는 사이가 되었습니다.

그러다가 부인은 이웃들 중에 닭장에 전등을 설치해 수확을 더 많이 얻는 사람이 있는데, 자신도 그렇게 하면 이득이 될지 저의 솔직한 의견을 말해 달라고 부탁하더군요.

2주 후 드러켄브로드 부인의 도미니크종 암탉들은 환한 전등불빛 아래서 꼬꼬댁거리며(**꼬꼬댁거리다**[14]) 만족스럽게 모이를 쪼아 먹고 있었습니다. 물론 그 전에 저는 전기를 설치하라는 주문을 받았고, 그 후 부인은 더 많은 달걀을 수확하게 되었습니다. 모든 사람이 만족스러웠고, 모든 사람에게 이득이 되었습니다.

하지만 지금부터가 바로 이 얘기의 요지인데, 만일 부인 스스로 먼저 말을 꺼내도록 하지 못했다면, 저는 결코 그 펜실베이니아에 사는 네덜란드 출신 농부네 집에 전기를 팔 수 없었을 것입니다.

그런 사람들에게는 절대 뭔가를 팔 수 없습니다. 그 사람들로 하여금 스스로 사도록 해야 합니다."

최근 〈뉴욕 헤럴드 트리뷴〉지의 금융면에는 뛰어난 능력과 경험을 갖춘 인재를 찾는 커다란 광고를 볼 수 있었다. 그 광고를 본 찰스 T. 큐벨리스 씨는 거기 있는 주소(**우편의 사서함 번호**[15])로 이력서를 보냈더니, 며칠 뒤 면접을 보러 오라는 통지가 왔다. 면접을 보기 전 큐벨리스 씨는 월 스트리트를 돌아다니면서 회사 창립자와 관련한 정보를 샅샅이 찾아보았다. 그리고 면접이 진행되는 중에 그는 이렇게 말했다. "이 회사처럼 놀라운 기록을 가진 조직에서 일을 하게 된다면 정말로 영광으로 생각하겠습니다. 제가 듣기로 이 회사는 28년 전에 달랑 사무실 하나와 **속기사**[16] 직원 한 명만으로 시작했다던데, 그것이 사실입니까?"

거의 모든 성공한 사람들은 자신들의 초창기 어려운 시절과 관련된 추억에 잠기는(**추억에 잠기다**[17]) 것을 좋아한다. 그 사람도 예외는 아니었다. 그는 자신이 450달러와 독창적인 아이디어만 가지고 어떻게 사업을 시작했는지에 대해 오랫동안 얘기했다. 그가 실의를 떨쳐내고 조롱을 견디기

discouragement and battled against ridicule, working Sundays and holidays, twelve to sixteen hours a day; how he had finally won against all odds until now the biggest men in Wall Street were coming to him for information and guidance. He was proud of such a record. He had a right to be, and he had a splendid time telling about it. Finally, he questioned Mr. Cubellis briefly about his experience, then called in one of his vice presidents and said: "I think this is the man we are looking for."

Mr. Cubellis had taken the trouble to find out about the accomplishments of his prospective employer. He showed an interest in the other man and his problems. He encouraged the other man to do most of the talking—and made a favorable impression.

The truth is that even our friends would far rather talk to us about their achievements than listen to us boast about ours.

La Rochefoucauld, the French philosopher, said: "If you want enemies, **excel**[18] your friends; but if you want friends, let your friends excel you."

Why is that true? Because when our friends excel us, that gives them a feeling of importance; but when we excel them, that gives them **a feeling of inferiority**[19] and arouses envy and jealousy.

The Germans have a proverb: "Die reinste Freude ist die Schadenfreude," which, being interpreted, goes something like this: "The purest joy is the malicious joy we take in the misfortunes of those we have envied." Or, to put it another way: "The purest joy is the joy we take in other people's troubles."

Yes, some of your friends probably get more satisfaction out of your troubles than out of your triumphs.

So, let's minimize our achievements. Let's be modest. That always makes a hit. Irvin Cobb had the right technique. A lawyer once said to Cobb on the witness stand: "I understand, Mr. Cobb, that you are one of the most famous writers in America. Is that correct?"

위해 노력하던 때와 휴일도 없이 하루 12시간에서 16시간을 일하면서 마침내 이겨낸 어려움들에 대해 얘기했을 뿐 아니라, 이제는 월 스트리트 최고의 거물들이 정보와 가르침을 얻기 위해 그를 찾아온다는 자랑도 늘어놓았다. 그는 그런 역사가 자랑스러웠다. 그는 자랑할 만했고 또 자랑하는 동안 너무 기분이 좋아 보였다. 얘기를 끝내고 나서 그는 큐벨리스 씨의 경력에 대해 짧게 물어보고는 부사장을 불러서 이렇게 얘기했다. "이 사람이 우리가 찾던 사람인 것 같네."

큐벨리스 씨는 지원한 회사 사장의 업적에 대해 조사하는 노력을 했고, 상대와 상대의 문제에 대해 관심을 보였다. 그리고 상대가 대부분의 얘기를 하도록 이끌어 좋은 인상을 주었다.

실제로, 내 친구들이라 할지라도 내가 자랑하는 것을 듣고 있는 것보다는 자신의 업적에 대해 늘어놓고 싶어한다.

프랑스의 철학자 라 로슈푸코는 이렇게 말했다. "적을 만들려면 친구에게 이겨라(~을 능가하다[18]). 벗을 만들려면 친구가 이기게 하라."

왜 그럴까? 우리에게 이긴 친구는 자신의 존재가 인정받았다는 느낌을 갖게 되지만, 우리에게 진 친구는 **열등감[19]**과 부러움, 질투만 생기게 되기 때문이다.

독일에는 이런 속담이 있다. 'Die reinste Freude ist die Schadenfreude.' 해석하면 '우리가 질투하는 사람들이 어려움에 빠지는 것을 볼 때, 우리는 가장 큰 즐거움을 느낀다' 혹은 '남의 곤경을 보고 느끼는 즐거움이 가장 크다' 정도가 될 것이다.

실제로 여러분 친구들 중에도 여러분이 의기양양할 때보다 곤경에 처했을 때 더 큰 만족을 얻는 사람이 분명 있을 것이다.

그러므로 자신의 업적은 최소로 드러내야 한다. 겸손해야 한다. 이 말은 언제나 유용하다. 어빈 코브는 이런 면에서 탁월했다. 한번은 법정에서 증인으로 나선 코브에게 변호사가 이런 질문을 했다. "코브 씨, 제가 듣기로 당신은 미국에서 가장 유명한 작가라고 하던데, 맞습니까?"

"I have probably been more fortunate than I deserve," Cobb replied.

We ought to be modest, for neither you nor I amount to mush. Both of us will pass on and be completely forgotten a century from now. Life is too short to bore other people with talk of our petty accomplishments. Let's encourage them to talk instead.

Come to think about it, you haven't much to **brag**[20] about anyhow. Do you know what keeps you from becoming an **idiot**[21]? Not much. Only a nickel's worth of iodine in your thyroid glands, If a physician were to open the thyroid gland in your neck and take out a little iodine, you would become an idiot. A little iodine that can be bought at a corner drugstore for five cents is all that stands between you and an institution for the mentally ill. A nickel's worth of iodine! That isn't much to be boasting about, is it?

So, if we want to win people to our way of thinking, Rule 6 is:

Let the other man do a great deal of the talking.

그러자 코브는 이렇게 대답했다. "분에 넘치게 운이 좋았을 뿐입니다."

우리는 겸손해야 한다. 여러분이나 나나 대단한 존재들이 아니기 때문이다. 앞으로 100년쯤 지나고 나면 우리들은 모두 죽어 사람들 기억에서 완전히 사라지고 없을 것이다. 얼마 되지도 않는 자신의 업적을 자랑함으로써 다른 사람들을 지겹게 하기에는 인생이 너무 짧다. 자기 자랑이랑 그만두고 상대방이 얘기하도록 이끌자.

생각해보면 사실 우리에게 자랑할 만한(**자랑하다**[20]) 거리도 별로 없다. 여러분을 **백치**[21]가 되지 않도록 해주는 것이 무엇인지 아는가? 별거 아니다. 여러분의 갑상선 안에 들어 있는 아주 소량의 요오드에 불과하다. 5센트 동전 하나면 그 정도 요오드는 살 수 있다. 어느 누구건 목에 있는 갑상선에서 약간의 요오드만 제거해내면 바로 백치가 되어버린다. 길거리 어떤 약국에서건 값싸게 살 수 있는 약간의 요오드가 여러분과 정신병원 사이에 있는 전부다. 5센트의 요오드. 결코 자랑할 만한 것은 아니지 않은가?

그러므로 상대를 설득하고 싶다면, 다음 방법과 같이 해보라!

나보다도 상대가 더 많이 얘기하게 하라.

7 HOW TO GET CO-OPERATION

DON'T you have much more faith in ideas that you discover for yourself than in ideas that are handed to you **on a silver platter**[1]? If so, isn't it bad judgment to try to ram your opinions down the **throat**s[2] of other people? Wouldn't it be wiser to make suggestions—and let the other man think out the **conclusion**[3] for himself?

To illustrate: Mr. Adolph Seltz of Philadelphia, a student of one of my courses, suddenly found himself **confront**ed[4] with the necessity of injecting enthusiasm into a discouraged and disorganized group of automobile salesmen.

Calling a sales meeting, he urged his men to tell him exactly what they expected from him. As they talked, he wrote their ideas on the blackboard. He then said: "I'll give you all these qualities you expect from me. Now I want you to tell me what I have a right to expect from you." The replies came quick and fast: loyalty, honesty, **initiative**[5], optimism, team work, eight hours a day of enthusiastic work. One man volunteered to work fourteen hours a day. The meeting ended with a new courage, a new inspiration, and Mr. Seltz reported to me that the increase of sales had been **phenomenal**[6].

"The men had made a sort of moral bargain with me," said Mr. Selts, "and as long as I lived up to my part in it, they were determined to live up to theirs. Consulting them about their wishes and desires was just **the shot in the arm**[7] they needed."

No man likes to feel that he is being sold something or told to do a thing. We much prefer to feel that we are buying of our own accord or acting on our own ideas. We like to be consulted about

7 협력을 이끌어내는 방법

여러분은 **수월하게**[1] 여러분에게 건네진 아이디어보다는 여러분이 직접 찾아낸 아이디어를 더 신뢰하지 않는가? 만일 그렇다면 여러분의 의견을 다른 사람 **목구멍**[2]으로 억지로 밀어 넣으려는 것은 잘못된 판단 아닐까? 약간의 힌트만 제시하고 상대가 스스로 **결론**[3]에 도달하도록 하는 것이 훨씬 현명한 행동 아닐까?

예를 들어보자. 필라델피아에 사는 카네기 강좌 수강생 아돌프 젤츠 씨의 얘기다. 젤츠 씨는 어느 날 갑자기 무기력하고 체계도 없는 자동차 판매 사원들에게 열정을 불어넣어야 하는 처지에 직면하게 되었다(**직면하다**[4]).

그는 판매전략회의를 열어 판매사원들이 자신에게 정확히 어떤 것을 바라는지 발표하도록 했다. 사원들이 얘기하는 동안 그는 그 요구사항들을 칠판에 적어나갔다. 그러고 나서 이렇게 얘기했다. "여러분이 제게 바라는 이 모든 조건들을 다 들어드리겠습니다. 그러면 이제는 제가 여러분에게 기대해도 될 만한 것들을 말씀해주십시오." 순식간에 대답이 쏟아져나왔다. 충성, 정직, **솔선수범**[5], 낙관주의, 팀워크, 하루 8시간의 일과 동안 열성적으로 일하기 등이었다. 어떤 사람은 하루 14시간을 일하겠다고 자원하기도 했다. 회의는 새로운 용기와 새로운 의지가 생기게 한 후 끝났으며, 젤츠 씨의 얘기에 따르면 판매 신장은 **경이적인**[6] 정도였다고 한다.

젤츠 씨가 말했다. "사원들은 저와 일종의 도덕적 거래를 한 셈이지요. 제가 제 역할을 다하는 한 사원들도 자신의 역할을 다하겠다고 각오를 한 겁니다. 자신들의 희망사항과 요청사항을 털어놓는 것이 그들에게 절실히 필요했던 **자극**[7]이었습니다."

판매의 대상이 되고 있다거나 지시를 받고 있다고 느끼고 싶은 사람은 아무도 없다. 우리는 우리가 원해서 구매를 한다거나 우리 자신의 생각에 따라 행동하고 있다고 느끼는 편을 훨씬 선호한다. 우리는 우리의 희망이나

our wishes, our wants, our thoughts.

For example, take the case of Eugene Wesson. He lost countless thousands of dollars in commissions before he learned this truth. Mr. Wesson sells sketches for a studio that creates designs for stylists and textile manufacturers. Mr. Wesson had called once a week, every week for three years, on one of the leading stylists in New York. "He never refused to see me," said Mr. Wesson, "but he never bought. He always looked over my sketches very carefully and then said: 'No, Wesson, I guess we don't get together today.' "

After a hundred and fifty failures, Wesson realized he must be in a mental **rut**[8]; so he **resolved**[9] to devote one evening a week to the study of influencing human behavior, and to develop new ideas and generate new enthusiasms.

Presently he was stimulated to try a new approach. Picking up half a dozen unfinished sketches the artists were working on, he rushed over to his buyer's office. "I want you to do me a little favor, if you will," he said. "Here are some uncompleted sketches. Won't you please tell me how we could finish them up in such a way that they would be of service to you?"

The buyer looked at the sketches for a while without **utter**ing[10] a word and then said: "Leave these with me for a few days, Wesson, and then come back and see me."

Wesson returned three days later, got his suggestions, took the sketches back to the studio and had them finished according to the buyer's ideas. The result? All accepted.

That was nine months ago. Since that time, this buyer has ordered **scores of**[11] other sketches, all drawn according to his ideas—and the net result has been more than sixteen hundred dollars in commissions for Wesson.

"I now realize why I failed for years to sell this buyer," said Mr.

욕구, 생각에 대해 털어놓는 것을 좋아한다.

실제 사례로 유진 웨슨 씨의 경우를 보자. 이런 진리를 깨닫기 전까지 그가 놓친 수수료 수입만 해도 수만 달러가 넘을 것이다. 웨슨 씨는 스타일리스트와 직물업자들에게, 디자인을 제공하는 스튜디오에서 만들어낸 스케치를 판매하는 일을 했다. 그는 3년간 한 번도 빠짐없이 매주 한 번씩 뉴욕의 한 유명 스타일리스트를 방문했다. 웨슨 씨에 따르면 그는 언제나 이런 식이었다고 한다. "그는 한 번도 방문을 거절하는 법이 없었습니다. 하지만 사는 법도 없었죠. 언제나 내 스케치를 유심히 살펴보고 나서는 '안 되겠네요, 웨슨 씨. 이번 그림은 우리랑 어울리지 않는 것 같군요' 하고 얘기했습니다."

무려 150여 회에 걸친 실패 끝에 웨슨 씨는 자신의 생각이 너무 **상투적인 방식**[8]에 사로잡혀 있다는 것을 깨달았다. 그래서 1주일에 한 번, 저녁 시간을 이용해 사람 다루는 방법을 배우는 강의를 들으면서 새로운 아이디어도 개발하고 새로운 열정을 불러일으킬 결심을 했다(**결심하다**[9]).

얼마 안 가 그는 새로운 접근 방식을 시도해보고 싶은 의욕이 생겼다. 그래서 미완성 스케치 몇 장을 가지고 그 고객의 사무실로 찾아가 이렇게 말했다. "부탁드릴 일이 있어 왔습니다. 완성되지 않은 스케치를 몇 장 가져왔는데, 어떤 식으로 마무리해야 당신에게 도움이 될 수 있을지 알려주시면 고맙겠습니다."

고객은 잠시 동안 아무 말(**언급하다**[10]) 없이 스케치를 바라보다가 이렇게 얘기했다. "웨슨 씨, 이 스케치들을 여기에 두고 갔다가 며칠 후에 다시 오시기 바랍니다."

웨슨은 3일 후 다시 방문해 고객의 설명을 들은 후 스케치를 가지고 스튜디오로 가서 고객의 생각에 따라 마무리하게 했다. 결과는 어떻게 되었을까? 물론 전부 팔게 되었다.

그 일이 있던 것은 9개월 전의 일이다. 그 이후 그 고객은 자신의 아이디어를 바탕으로 그려진 **다량의**[11] 스케치를 구매했고, 거기서 웨슨 씨가 거둔 수수료 수입만 해도 6천 달러가 넘었다.

웨슨은 이렇게 얘기했다. "이제 나는 지난 수년간 내가 왜 그 고객에게 스

Wesson. "I had urged him to buy what I thought he ought to have. I do the very opposite now. I urge him to give me his ideas. He feels now that he is creating the designs. And he is. I don't have to sell him now. He buys."

When Theodore Roosevelt was Governor of New York, he accomplished an extraordinary **feat**[12]. He kept on good terms with the political bosses and yet he forced through reforms which they **bitterly**[13] disliked. And here is how he did it.

When an important office was to be filled, he invited the political bosses to make recommendations.

"At first," said Roosevelt, "they might propose a broken-down **party**[14] **hack**[15], the sort of man who has to be 'taken care of.' I would tell them that to appoint such a man would not be good politics, as the public would not approve it.

Then they would bring me the name of another party hack, a persistent office holder, who, if he had nothing against him, had little in his favor. I would tell them that this man would not measure up to the expectations of the public, and I would ask them to see if they could not find someone more obviously fitted for the post.

Their third suggestion would be a man who was almost good enough, but not quite.

Then I would thank them, asking them to try once more, and their fourth suggestion would be acceptable; they would then name just the sort of man I should have picked out myself. Expressing my gratitude for their assistance, I would appoint this man—*and I would let them take the credit for the appointment.* I would tell them that I had done these things to please them and now it was their turn to please me."

And they did. They it by supporting such sweeping reforms as the Civil Service Bill and the Franchise Tax Bill.

케치를 판매할 수 없었는지 압니다. 내 처지에서 생각한 것을 그 사람보고 사라고 강요하고 있었습니다. 이제는 그와 정반대로 합니다. 나는 그에게 자신의 생각을 알려달라고 요청합니다. 지금 그는 자신이 디자인을 만들고 있다고 느끼고 있습니다. 그리고 실제로 그가 만들고 있습니다. 이제 나는 그에게 판매를 하지 않습니다. 그가 구매를 합니다."

시어도어 루스벨트가 뉴욕의 주지사였던 시절, 그는 대단히 **뛰어난 솜씨**[12]를 보여주었다. 그는 정치 지도자들과 좋은 관계를 유지하면서도 그들이 **몹시**[13] 반대하는 개혁을 밀고 나간 것이다. 그때 그가 했던 방법은 다음과 같다.

중요한 자리에 대한 인사이동이 있을 경우, 그는 정치 지도자들을 불러 추천을 받았다.

"처음에," 루스벨트는 이렇게 얘기했다. "그들은 자기 **정당**[14]에서 '신경을 써줘야 할' 별 볼일 없는 정치꾼(**일을 거드는 사람**[15])들을 제안하곤 했다. 그러면 나는 그런 사람들을 임명하는 것은 그다지 정치를 잘하는 게 아닌 것 같다고, 유권자들이 용납하지 않을 것이라고 이유를 댔다.

그 다음에 그들은 자기 당의 당직자들로서 자신에게 유리하지도 불리하지도 않은 그런 사람들을 추천했다. 그러면 나는 그 사람은 유권자의 기대에 부합하지 못하니 좀 더 자리에 어울리는 사람을 찾아줄 수 없느냐고 요청했다.

세 번째로 추천된 사람은 거의 괜찮은 정도이긴 한데, 아직도 자리에는 미치지 못할 경우가 많았다.

내가 고맙다고 하고는 한 번만 더 찾아봐 줄 수 없느냐고 부탁하자 네 번째로는 수용할 만한 사람이 추천되었다. 즉, 내가 직접 골라도 될 만한 사람의 이름을 가지고 왔다. 그러면 그 사람들에게 도와줘서 고맙다고 하면서 그 사람을 임명했다. 그러면서 그 자리에 임명된 게 그 사람들 덕분이라고 공을 돌렸다. 그러고는 이번에는 내가 여러분을 기쁘게 해드렸으니 다음에는 여러분이 나를 기쁘게 해줄 차례라고 얘기를 해두었다."

실제로 그들은 보답을 했다. 그들은 루스벨트의 개혁 법안인 공무원법이나 프랜차이즈 과세 법률을 지지하는 것으로 보답을 했다.

Remember, Roosevelt went to great lengths to consult the other man and show respect for his advice. When Roosevelt made an important appointment, he let the bosses really feel that they had selected the candidate, that the idea was theirs.

An automobile dealer on Long Island used this same technique to sell a used car to a Scotsman and his wife. This dealer had shown the Scotsman car after car, but there was always something wrong. This didn't suit. That was **out of kilter**[16]. The price was too high. Always the price was too high. At this **juncture**[17], the dealer, a member of one of my courses, appealed to the class for help.

We advised him to quit trying to sell "**Sandy**[18]" and let "Sandy" buy. We said, instead of telling "Sandy" what to do, why not let him tell you what to do? Let him feel that the idea is his.

That sounded good. So the dealer tried it a few days later when a customer wanted to trade an old car in on a new one. The dealer knew this used car might appeal to "Sandy." So, he picked up the phone and asked "Sandy" if he wouldn't, as a special favor, come over and give him a bit of advice.

When "Sandy" arrived, the dealer said: "You are a **shrewd**[19] buyer. You know car values. Won't you please look over this car and try it out and tell me how much I ought to allow for it in a trade?"

"Sandy" was "one vast substantial smile." At last his advice was being sought, his ability was being recognized. He drove the car up Queens Boulevard from Jamaica to Forest Hills and back again. "If you can get that car for three hundred," he advised, "you'll be getting a bargain."

"If I can get it at that figure, would you be willing to buy it?" the dealer inquired. Three hundred? Of course. That was his idea, his

기억해야 할 것은 루스벨트가 상대의 의견을 듣기 위해 상당히 많은 양보를 먼저 했고, 또 그들의 조언을 존중했다는 점이다. 중요한 인사이동을 행할 때 루스벨트는 정계 지도자들로 하여금 자신들이 후보를 선출했으며, 선출의 기준 또한 자신들의 것이었다고 느끼도록 만들었다.

  롱아일랜드에서 자동차 거래업에 종사하는 사람 중에도 이와 똑같은 방법을 사용해 스코틀랜드인 부부 고객에게 중고차를 판 사람이 있다. 이 업자는 그 고객에게 차를 수도 없이 보여주었으나 어느 것도 마음에 들어 하지 않았다. 이 차는 어울리지 않고, 저 차는 상태가 안 좋고(**상태가 나쁜**[16]) 하는 식이었다. 그리고 너무 비쌌다. 언제나 너무 비싼 게 문제였다. 이 **시기**[17]에 카네기 강좌를 수강하던 그 업자는 이런 상태에서 강좌 수강생들에게 어떻게 하는 게 좋겠냐고 도움을 청했다.

  우리는 그 '샌디(**스코틀랜드인을 뜻하는 별명**[18])'에게 차를 팔려고 하지 말고 샌디가 차를 사게 만들어야 한다고 조언했다. 샌디에게 어떤 것을 사라고 말하지 말고, 샌디가 어떤 것을 사겠다고 말하게 하라는 뜻이었다. 샌디가 직접 선택한 것처럼 느끼게 만들어야 한다는 말이다.

  이 말은 그럴듯해 보였다. 그래서 며칠 후 어떤 고객이 중고차를 팔고 새 차를 사겠다고 찾아오자 업자는 이 방법을 시도해보기로 했다. 업자가 보기에 이번 중고차는 샌디의 마음에 들 것 같았다. 그래서 업자는 샌디에게 전화를 걸어 괜찮다면 잠깐만 시간을 내서 조언을 좀 해줄 수 있겠느냐고 물어보았다.

  샌디가 오자 업자는 이렇게 얘기했다. "손님께서는 **빈틈없는**[19] 구매자이십니다. 차의 가격을 매길 줄 아시니까, 이 차를 한번 타면서 살펴보시고 제가 얼마쯤에 이 차를 사면 좋을지 가르쳐주시지 않으시겠습니까?"

  샌디는 아주 커다란 함박웃음을 지어보였다. 마침내 그의 의견이 존중되고 있고, 그의 능력 또한 인정받고 있는 상황이니 그럴 만도 했다. 그는 차를 끌고 나가 자메이카에서 포리스트 힐즈까지 퀸스 거리를 한 바퀴 달려보고 돌아와 이렇게 조언해주었다. "이 차는 300달러에 사신다면 적당하실 것 같군요."

  "제가 300달러에 이 차를 확보하면, 그 가격에 손님께서 사실 의향이 있으신가요?" 300달러에? 물론 그는 산다고 했다. 300달러는 그가 매긴 가격

appraisal. The deal was closed immediately.

This same psychology was used by an X-ray manufacturer to sell his equipment to one of the largest hospitals in Brooklyn. This hospital was building an addition, and preparing to equip it with the finest X-ray department in America. Dr. L—, who was **in charge of**[20] the X-ray department, was overwhelmed with salesmen, each caroling the praises of his own equipment.

One manufacturer, however, was more skillful. He knew far more about handling human nature than the others did. He wrote a letter something like this:

> Our factory has recently completed a new line of X-ray equipment. The first shipment of these machines has just arrived at our office. They are not perfect. We know that, and we want to improve them. So we should be deeply obligated to you if you could find time to look them over and give us your ideas about how they can be made more serviceable to your profession. Knowing how occupied you are, I shall be glad to send my car for you at any hour you specify.

"I was surprised to get that letter," Dr. L—said, as he related the incident before the class, "I was both surprised and complimented. I had never had an X-ray manufacturer seeking my advice before. It made me feel important. I was busy every night that week, but I canceled a dinner appointment in order to look over that equipment. The more I studied it, the more I discovered for myself how much I liked it.

Nobody had tried to sell it to me. I felt that the idea of buying that equipment for the hospital was my own. I sold myself on its superior qualities and ordered it **install**ed[21]."

Colonel[22] Edward M. House **wield**ed[23] an enormous influence in

이었다. 거래는 바로 이뤄졌다.

한 X선 장비 제조업자도 이와 똑같은 심리를 이용해 자신의 장비를 브루클린에서 가장 큰 병원에 판매하는 데 성공했다. 그 병원은 신관을 증축하면서 미국에서 가장 좋은 X선 장비를 갖추려 하고 있었다. X선 파트를 **담당하는**[20] L박사에게는 세일즈맨들이 수도 없이 찾아와 자신들의 장비가 최고라고 자랑을 늘어놓고 있었다.

하지만 그중에도 머리를 쓸 줄 아는 제조업자가 있었다. 그는 다른 사람들보다 인간의 본성을 다루는 데 더 뛰어난 사람이었다. 그는 L박사에게 이런 편지를 보냈다.

저희 회사는 최근 최신형 X선 장비 제작을 완성했습니다. 이 장비의 첫 번째 물량이 지금 막 저희 사무실에 도착했습니다. 하지만 장비는 아직 완벽하지 않습니다. 저희도 그 점을 알고 있기에, 성능을 개선하기 위해 노력하고 있습니다. 만일 박사님께서 시간을 내 장비를 살펴봐주시고 개선점을 알려주신다면 정말 감사하겠습니다. 바쁘실 터이므로 아무 때든 시간을 정해주시면 차로 모시러 가도록 하겠습니다.

"그 편지를 받고 저는 깜짝 놀랐습니다." 카네기 강좌에 온 L박사는 이때의 일을 이렇게 얘기했다. "놀람과 더불어 뿌듯한 생각도 함께 들었죠. 그전에는 어떤 X선 장비 제조업체로부터도 이런 요청을 받은 적이 없었으니까요. 제가 인정받고 있구나 하는 생각이 들었습니다. 그 주에는 저녁 스케줄이 꽉 차 있었지만 저녁 식사 약속 하나를 취소하고 장비를 살펴보러 갔습니다. 장비를 살펴보면 볼수록 마음에 들었습니다.

아무도 제게 그 장비를 팔려고 하지 않았습니다. 그 장비를 사서 병원에 설치해야겠다는 생각을 저 스스로 해냈다고 느꼈습니다. 장비의 뛰어난 성능이 너무 마음에 들어서 결국 장비를 사서 설치했습니다(**설치하다**[21])."

에드워드 M. 하우스 **대령**[22]은 우드로 윌슨 대통령 시절 국내외 모든 분

national and international affairs while Woodrow Wilson occupied the White House. Wilson leaned upon Colonel House for secret counsel and advice more than he did upon even members of his own cabinet.

What method did the Colonel use in influencing the President? Fortunately, we know for House himself revealed it to Arthur D. Howden Smith, and Smith quoted House in an article in *The Saturday Evening Post.*

" 'After I got to know the President,' House said, 'I learned the best way to **convert**[24] him to an idea was to plant it in his mind casually, but so as to interest him in it—so as to get him thinking about it on his own account. The first time this worked it was an accident. I had been visiting him at the White House, and urged a policy on him which he appeared to disapprove. But several days later, at the dinner table, I was amazed to hear him **trot out**[25] my suggestion as his own.' "

Did House interrupt him and say, "That's not your idea. That's mine."? Oh, no. Not House. He was too **adroit**[26] for that. He didn't care about credit. He wanted results. *He* let Wilson continue to feel that the idea was his. House did even more than that. He gave Wilson public credit for these ideas.

Let's remember that the people with whom we come in contact tomorrow will be just as human as Woodrow Wilson. So let's use the technique of Colonel House.

A man up in New Brunswick used this technique on me a few years ago—and got my **patronage**[27]. I was planning at the time to do some fishing and canoeing in New Brunswick. So I wrote the tourist bureau for information. My name and address were evidently put on a public list, for I was immediately overwhelmed

야에서 막대한 영향력을 휘두른(**휘두르다**[23]) 사람이었다. 윌슨 대통령은 자기 주변의 어떤 각료들보다도 하우스 대령과의 비밀스런 토론과 그의 조언에 더 의지하고 있었다.

대령은 대통령에게 영향력을 미치기 위해 어떤 방법을 썼을까? 다행히 우리는 그 답을 알고 있다. 아서 스미스가 〈더 새터데이 이브닝 포스트〉에 쓴 글에 대령이 털어놓은 얘기가 들어 있기 때문이다.

"대통령을 알게 되고 나서," 하우스는 이렇게 말했다. "나는 대통령의 생각을 바꾸는(**바꾸다**[24]) 가장 좋은 방법을 터득하게 되었다. 그건 대통령에게 슬쩍 어떤 의견을 흘려주고는, 대통령이 거기에 관심을 갖고 자신이 직접 숙고해보도록 만드는 것이었다. 맨 처음 이 방법을 알게 된 건 우연한 일이었다. 언젠가 백악관으로 대통령을 찾아가 어떤 정책을 촉구했는데, 대통령은 별로 마음에 들어 하지 않아 보였다. 그런데 며칠 후 저녁 식사 자리에서 나는 깜짝 놀라고 말았다. 내가 제안했던 정책을 대통령이 마치 자신이 생각해낸 것처럼 제시하는(**제시하다**[25]) 게 아닌가."

하우스 대령이 대통령의 말을 막고 "그건 대통령이 아니라 제가 생각해낸 것입니다"라고 했을까? 천만의 말씀이다. 그건 하우스 대령의 방식이 아니었다. 그는 훨씬 노련했다(**노련한**[26]). 누가 생각해냈느냐 하는 것은 그의 관심사가 아니었다. 그는 결과를 원했다. 그래서 그는 대통령이 자신의 아이디어라고 생각하도록 놔두었다. 거기서 한 걸음 더 나아가 하우스 대령은 그 아이디어는 대통령이 생각해낸 것이라고 공식화시켜버렸다.

우리가 만나는 사람은 누구나 우드로 윌슨 대통령이나 마찬가지로 인간일 수밖에 없음을 잊으면 안 된다. 그러니 하우스 대령의 방법을 사용하도록 하자.

수년 전 캐나다 뉴브룬즈윅에서 숙박업을 하는 사람도 이 방법을 내게 사용해 나를 **단골손님**[27]으로 만들어버린 일이 있었다. 당시 나는 뉴브룬즈윅 지방으로 낚시와 카누를 즐기기 위한 여행을 계획하고 있었다. 그래서 그 지역 관광 안내소에 정보를 요청했다. 그런데 내 이름과 연락처가 어딘가에 공개된 것이 분명했다. 순식간에 여러 곳의 캠프와 관광 안내원들이 보

with scores of letters and booklets and printed **testimonials**[28] from camps and guides. I was bewildered. I didn't know which to choose.

Then one camp owner did a very clever thing. He sent me the names and telephone numbers of several New York people he had served and invited me to telephone them and discover for myself what he had to offer.

I found to my surprise that I knew one of the men on his list. I telephoned him, found out what his experiences had been, and then wired the camp the date of my arrival. The others had been trying to sell me on their service, but one chap let me sell myself. He won.

Twenty-five centuries ago, Lao Tse, a Chinese **sage**[29], said some things that readers of this book might use today:

"The reason why rivers and seas receive the **homage**[30] of a hundred mountain streams is that they keep below them. Thus they are able to reign over all the mountain streams. So the sage, wishing to be above men, putteth himself below them; wishing to be before them, he putteth himself behind them. Thus, though his place be above men, they do not feel his weight; though his place be before them, they do not count it an injury."

So if you want to influence people to your way of thinking, Rule 7 is:

Let the other fellow feel that the idea is his.

낸 편지와 안내책자, 그리고 **추천장**[28]이 수십 통 쏟아져 들어왔기 때문이다. 너무 정신이 없고 어디를 골라야 할지 도무지 알 수가 없었다.

이때 좀 다른, 현명한 방식으로 접근한 캠프장 주인이 있었다. 그는 뉴욕에서 자신의 캠프를 방문했던 사람들의 이름과 전화번호를 몇 개 알려주면서 나더러 직접 전화를 해보고 어떤 서비스를 제공받길 원하는지 알려달라고 부탁했다.

놀랍게도 그 명단에는 내가 아는 사람도 들어 있었다. 나는 그에게 전화를 해서 캠프 경험이 어떠했는지 물어보았다. 그러고 난 후 나는 캠프장 주인에게 언제쯤 갈 테니 준비해달라고 연락했다. 다른 사람들은 자신들의 서비스를 팔기 위해 노력했지만, 그 사람은 내 스스로 선택하게 만들었다. 그만이 성공했다.

2,500년 전 중국의 **현인**[29] 노자는 『도덕경』에 오늘날 이 책을 읽는 사람들도 명심해야 할 얘기를 남겼다.

"강과 바다가 산에서 흘러내리는 수많은 냇물의 **존경**[30]을 받는 이유는 낮은 데 있기 때문이다. 낮은 데 있음으로 해서 수많은 냇물을 거느릴 수 있다. 이렇듯 현자는 다른 사람 위에 있고자 함에도 사람들 아래에 선다. 앞에 서고자 함에도 사람들 뒤에 자리한다. 그리하면 사람들 위에 있더라도 무겁다 여기지 않으며 앞에 선다 하더라도 무례하다 여기지 않는다."

그러므로 상대를 설득하고 싶다면, 다음 방법과 같이 해보라!

상대가 스스로 생각해냈다고 느끼게 하라.

8 A FORMULA
THAT WILL WORK WONDERS FOR YOU

REMEMBER that the other man may be totally wrong. But he doesn't think so. Don't condemn him. Any fool can do that. Try to understand him. Only wise, **tolerant**[1], exceptional men even try to do that.

There is a reason why the other man thinks and acts as he does. **Ferret**[2] out that hidden reason—and you have the key to his actions, perhaps to his personality.

Try honestly to put yourself in his place.

If you say to yourself, "How would I feel, how would I react if I were in his shoes?" you will save a lot of time and **irritation**[3], for "by becoming interested in the cause, we are less likely to dislike the effect." And, in addition, you will sharply increase your skill in human relationships.

"Stop a minute," says Kenneth M. Goode, in his book, *How to Turn People into Gold*, "stop a minute to contrast your keen interest in your own affairs with your mild concern about anything else. Realize then, that everybody else in the world feels exactly the same way! Then, along with Lincoln and Roosevelt, you will have grasped the only solid foundation for any job other than warden in a penitenity: namely, that success in dealing with people depends on a sympathetic grasp of the other man's viewpoint."

For years, I have taken a great deal of my recreation by walking and riding in a park near my home. Like the Druids of ancient Gaul, I all but worship an oak tree, so I was distressed season after season to see the young trees and **shrub**s[4] killed off by needless fires. These fires weren't caused by careless smokers. They were almost all caused by boys who went out to the park to go native

8 기적의 공식

상대가 완전히 틀리는 경우도 있을 수 있다. 하지만 상대는 자신이 틀렸다고 생각하지 않는다. 상대가 완전히 틀렸더라도 상대를 비난하지 말라. 어떤 바보라도 그런 일은 할 수 있다. 상대를 이해하려고 노력하라. 그렇게 하려고 노력하는 사람들은 현명하고 **관대한**[1] 예외적인 사람들뿐이다.

상대가 그렇게 생각하고 행동하는 데는 다 이유가 있게 마련이다. 그 숨겨진·이유를 찾아내면(**찾아내다**[2]) 그의 행동도 이해할 수 있고, 어쩌면 그의 성격까지도 이해할 수 있다.

진심으로 상대의 처지에서 사물을 보려고 노력하라.

'내가 그의 처지라면 어떤 생각이 들까? 어떤 반응을 하게 될까?' 하는 생각을 한다면, 모든 일이 빨리 해결되고 **짜증**[3]날 일도 줄어든다. 왜냐하면 '원인에 관심을 가지면 결과도 이해하게 되는 법'이기 때문이다. 게다가 인간관계의 기술에도 놀라운 진전이 생기게 된다.

"잠시 멈추고," 케네스 M. 구드는 자신의 책『사람을 황금처럼 빛나게 하는 법』에서 이렇게 말한다. "잠시 멈추고 당신이 자신의 일에는 높은 관심을 갖고 있지만, 이와 대조적으로 다른 모든 일에는 미미한 관심밖에 없음을 생각해보십시오. 세상 사람 누구나 다 그러함을 깨달아야 합니다. 그렇게 돼야 링컨이나 루스벨트처럼 당신은 어떤 일을 하건 성공할 수 있는 단 하나의 기반을 비로소 갖춘 것입니다. 다시 말해 사람을 잘 다루고 못 다룸은 상대의 처지를 얼마나 잘 이해하느냐에 달려 있다는 말입니다."

수년째 나는 틈 날 때마다 집 근처 공원에서 산책을 하거나 말을 타면서 기분 전환을 하고 있다. 나는 고대 갈리아 지역에 살던 드루이드 족처럼 떡갈나무를 거의 숭배한다고 해야 할 정도인데, 매년 수많은 어린 나무들과 **관목**[4]들이 공연한 화재로 소실되는 것을 보면 마음이 무척 언짢아진다. 이런 화재는 부주의한 담배꽁초로 인한 게 아니었다. 대부분은 자연으로 간답시고 공원에 와서는 나무 아래서 **소시지**[5]나 달걀을 요리해 먹는 아이들

and cook a **frankfurter**[5] or an egg under the trees.

Sometimes, these fires raged so fiercely that the fire department had to be called out to fight the **conflagration**[6].

There was a sign on the edge of the park saying that anyone who started a fire was liable to fine and imprisonment; but the sign stood in an unfrequented part of the park and few boys ever saw it. A mounted policeman was supposed to look after the park; but he didn't take his duties too seriously, and the fires continued to spread season after season.

On one occasion, I rushed up to a policeman and told him about a fire spreading rapidly through the park and wanted him to notify the fire department; and he **nonchalantly**[7] replied that it was none of his business because it wasn't in his **precinct**[8]! I was desperate, so after that when I went riding, I acted as a self-appointed committee of one to protect the public domain.

In the beginning, I am afraid I didn't even attempt to see the boys' point of view. When I saw a fire blazing under the trees, I was so unhappy about it, so eager to do the right thing, that I did the wrong thing. I would ride up to the boys, warn them that they could be **jail**ed[9] for starting a fire, order it put out with a tone of authority; and, if they refused, I would threaten to have them arrested. I was merely unloading my feelings without thinking of their point of view.

The result? The boys obeyed—obeyed sullenly and with resentment. After I rode on over the hill, they probably rebuilt the fire; and longed to burn up the whole park.

With the passing of the years, I hope I acquired a **trifle**[10] more knowledge of human relations, a little more tact, a little greater tendency to see things from the other person's point of view. Then, instead of giving orders, I would ride up to a blazing fire and begin something like this:

에 의해 일어나는 것이었다.

가끔은 화재가 너무 커져 소방차가 출동해서 **대형 화재**[6]로 번지는 것을 막는 경우도 있다.

공원 한쪽 구석에는 불을 낸 사람은 벌금이나 구류형에 처할 수 있다는 경고 팻말이 있지만, 사람들이 잘 가지 않는 외진 곳에 있어서 그걸 읽는 아이들은 거의 없는 편이었다. 공원을 돌보는 기마경찰도 있긴 하지만 임무에 충실한 편이 아닌지 화재는 해마다 계속해서 퍼져나갔다.

한번은 공원에 불이 나서 빠르게 번지고 있어서 경찰에게 달려가 소방서에 연락하라고 했더니, 경찰은 거기는 자기 **관할 구역**[8]이 아니니 자기는 알바 아니라며 **무관심하게**[7] 대답하는 것이 아닌가! 그 일로 크게 실망하고 나서는 말을 타고 공원에 갈 때면 내가 공공 재산 보호위원회 위원이나 된 것처럼 자처하게 되었다.

유감스럽게도 나는 처음에는 아이들 처지에 서보려는 노력조차 하지 않았다. 나무 아래서 불을 피우는 것이 눈에 띄면 너무 기분이 나빠지고 또 얼른 옳은 일을 해야겠다는 마음에 지금 보면 옳지 않은 짓을 저지르곤 했다. 나는 말을 타고 아이들에게 다가가서는 불을 피우면 교도소에 갈 수 있다고 (**투옥하다**[9]) 경고하고, 위엄 있는 목소리로 불을 끄라고 명령했다. 그래도 말을 듣지 않으면 체포하겠다고 엄포를 놓기도 했다. 아이들 처지는 생각하지도 않고 그저 내 감정을 쏟아내고 있을 뿐이었다.

그 결과는? 물론 아이들은 내 말대로 했다. 언짢은 티도 내고 반감도 드러내긴 했지만 불을 껐다. 하지만 내가 말을 몰고 언덕을 넘은 후에 그들은 다시 불을 피웠을 것이다. 그리고 온 숲을 다 태워버리고 싶었을지도 모른다.

세월이 흐르면서 내 생각이지만 나도 인간관계에 대해 아주 **약간의**[10] 지혜도 생기고, 방법도 약간 늘고, 상대의 처지에서 사물을 보려는 경향도 조금 늘어난 것 같다. 그런 뒤에는 명령하는 대신 아이들 옆으로 말을 몰고 가 이런 식으로 말을 하게 됐다.

Having a good time, boys? What are you going to cook for supper? I loved to build fires myself when I was a boy, and I still love to. But you know they are very dangerous here in the park. I know you boys don't mean to do any harm; but other boys aren't so careful.

They come along and see that you have built a fire; so they build one and don't put it out when they go home, and it spreads among the dry leaves and kills the trees. We won't have any trees here at all if we aren't more careful. You could be put in jail for building this fire. But I don't want to be **bossy**[11] and interfere with your pleasure. I like to see you enjoy yourselves; but won't you please rake all the leaves away from the fire right now—and you'll be careful to cover it with dirt, a lot of dirt, before you leave, won't you? And the next time you want to have some fun, won't you please build your fire over the hill there in the sand pit? It can't do any danger there. Thanks so much, boys. Have a good time.

What a difference that kind of talk made! That made the boys want to co-operate. No sullenness, no resentment. They hadn't been forced to obey orders. They had saved their faces. They felt better and I felt better because I had handled the situation with consideration for their point of view.

Tomorrow, before asking anyone to put out a fire or buy a can of Afta cleaning fluid or give fifty dollars to the Red Cross, why not pause and close your eyes and try think the whole thing through from the other person's point of view? Ask yourself: "Why should he want to do it?" True, that will take time; but it will make friends and get better results and get them with less **friction**[12] and less shoe leather.

"I should rather walk the sidewalk in front of a man's office for two hours before an interview," said Dean Donham of the Harvard business school, "than step into his office without a perfectly clear

애들아, 재미있게 놀고 있니? 저녁거리로는 뭘 준비하니? 어디 보자, 나 역시 어렸을 때는 불 피우는 걸 좋아했어. 지금도 마찬가지고. 그런데 너희들도 알겠지만 여기 공원에서는 상당히 위험해. 여기 있는 너희들이 나쁜 마음이 없다는 건 알지만 조심하지 않는 아이들도 있어서 말이야.

너희들이 불 피우는 걸 보고 다른 아이들도 불을 피우는데 그 아이들은 돌아갈 때 잘 끄지 않고 가거든. 그러면 마른 잎에 불씨가 튀어서 나무들을 태워버리지. 지금보다 더 조심하지 않으면 아마 이 숲에 나무가 하나도 남아나지 않을지도 몰라. 이렇게 불을 피우면 감옥에 갈 수도 있단다. 하지만 내가 이래라저래라 두목 행세를 하거나(**두목 행세를 하는**[11]) 즐겁게 노는 데 간섭할 생각은 아니야. 재미있게 놀아라. 그래도 불 근처 낙엽들은 지금 바로 치우는 게 좋지 않겠니? 그리고 떠날 때는 흙으로, 그것도 상당히 많은 흙으로 불을 잘 끄고 가 줄래? 그리고 다음번에 또 놀러 올 때는 저기 언덕 너머 모래밭에 불을 피우는 게 어떨까? 거기라면 안전하니까 말이야. 고마워 애들아. 재미있게 놀다 가거라.

이렇게 친근하게 말을 하면 대단한 차이가 생긴다. 아이들에게 협조하고 싶은 마음이 생기게 한다. 기분 나쁘게 하지도 않고, 화 나게 하지도 않는다. 시키는 대로 하라고 강요받은 것도 아니고 체면을 구긴 것도 아니기 때문이다. 그들의 처지를 고려하면서도 상황을 잘 처리했기 때문에 그들이나 나나 다 기분이 좋다.

앞으로 누군가에게 불을 끄라고 하거나, 세제를 한 통 사오라고 심부름을 보내거나, 적십자사에 50달러를 기부하라고 시킬 때는 잠깐 멈춰서 눈을 감고 다른 사람의 처지에서 생각해보려고 노력하는 게 좋을 것이다. 그리고 이렇게 자문해보라. '어떻게 하면 저 일을 하고 싶도록 만들 수 있을까?' 맞다. 이렇게 하려면 시간이 걸린다. 하지만 이렇게 해야 수고를 덜 들이고 **마찰**[12]을 줄이면서 친구도 만들고 더 나은 결과도 얻어낼 수 있다.

하버드 비즈니스 스쿨의 도넘 학장은 이렇게 말했다. "누군가와 면담을 하러 가면서 '내가 어떤 말을 하게 될 것이며, 그의 관심사와 의도를 고려해볼 때 그가 어떤 대답을 할 것이다'라는 게 명확하게 떠오르지 않는다면, 나

idea of what I am going to say and what he—from my knowledge of his interests and motives—is likely to answer."

That is so important that I am going to repeat it in italics for the sake of emphasis.

I should rather walk the sidewalk in front of a man's office for two hours before an interview, than step into his office without a perfectly clear idea of what I am going to say and what he—from my knowledge of his interest and motives—is likely to answer.

If, as a result of reading this book, you get only one thing—an increased tendency to think always in terms of the other person's point of view, and see things from his angle as well as your own— if you get only that one thing from this book, it may easily prove to be one of the **milestone**s[13] of your career.

Therefore, if you want to change people without giving offense or arousing resentment, Rule 8 is:

Try honestly to see things from the other person's point of view.

는 차라리 그의 사무실 앞 골목길에서 두 시간이라도 서성이며 생각을 정리할 것이다."

이 말은 너무나 중요한 말이므로 다시 한 번 강조해서 이탤릭체로 적어보겠다.

누군가와 면담을 하러 가면서 '내가 어떤 말을 하게 될 것이며, 그의 관심사와 의도를 고려해볼 때 그가 어떤 대답을 할 것이다'라는 게 명확하게 떠오르지 않는다면, 나는 차라리 그의 사무실 앞 골목길에서 두 시간이라도 서성이며 생각을 정리할 것이다.

이 책을 읽고서 여러분이 이 한 가지를 얻는다면, 즉 언제나 상대의 처지에서 생각하고 여러분 자신과 상대의 관점 둘 다를 가지고 사물을 보려는 경향이 늘어나기만 한다면, 그것은 여러분의 앞날에 커다란 **이정표**[13]가 될 것임에 틀림없다.

그러므로 상대의 기분을 상하게 하거나 원한을 사지 않으면서 상대를 변화시키고자 한다면, 다음 방법과 같이 해보라!

상대의 처지에서 사물을 보려고 진심으로 노력하라.

9 WHAT EVERYBODY WANTS

WOULDN'T you like to have a magic phrase that would stop argument, eliminate ill feeling, create good will, and make the other person listen attentively?

Yes? All right. Here it is. Begin by saying: "I don't blame you one iota for feeling as you do. If I were you, I should undoubtedly feel just as you do."

An answer like that will soften the most **cantankerous**[1] old cuss alive. And you can say that and be one hundred percent sincere, because if you were the other person, of course you would feel just as he does. Let me illustrate. Take Al Capone, for example. Suppose you had inherited the same body and temperament and mind that Al Capone inherited. Suppose you had had his environment and experiences. You would then be precisely what he is—and where he is. For it is those things—and only those things—that made him what he is.

The only reason, for example, that you are not a **rattlesnake**[2] is that your mother and father weren't rattlesnakes. The only reason you don't kiss cows and consider snakes holy is because you weren't born in a Hindu family on the banks of the Brahmaputra.

You deserve very little credit for being what you are—and remember, the man who comes to you irritated, bigoted, unreasoning, deserves very little discredit for being what he is. Feel sorry for the **poor devil**[3]. Pity him. Sympathize with him. Say to yourself what John B. Gough used to say when he saw a drunken **bum**[4] **stagger**ing[5] down the street: "There, but for the grace of God, go I."

Three-fourths of the people you will meet tomorrow are hungering and thirsting for sympathy. Give it to them and they will

9 모든 사람이 원하는 것

논쟁을 그치게 하고 반감을 없애주며 호의를 불러일으키고, 상대로 하여금 관심을 갖고 귀 기울이도록 만드는 마법의 말이 있다.

알고 싶은가? 그런가? 좋다. 여기에 있다. 그 말은 이렇게 시작한다. "그렇게 생각하시는 것이 당연합니다. 나라도 틀림없이 당신처럼 생각했을 것입니다."

이처럼 대답하면 상대가 **걸핏하면 싸우는**[1] 녀석이라 할지라도 누그러지지 않을 수 없다. 그리고 여러분은 100퍼센트 진심으로 이 말을 할 수 있다. 왜냐하면 실제로 여러분이 그 처지라면 그렇게 생각할 수밖에 없을 것이기 때문이다. 예를 들어 보여주겠다. 알 카포네의 경우를 보자. 가령 여러분이 알 카포네와 같은 신체, 같은 기질, 같은 사고방식을 가지고 있다고 생각해보자. 그리고 그와 똑같은 환경과 경험까지도 갖고 있다고 생각해보자. 여러분은 생김새나 동작이나 행동이나 그와 똑같을 수밖에 없다. 현재의 그를 만든 것은 바로 앞에서 말한 것들이지 다른 어떤 것도 아니기 때문이다.

예를 들면, 여러분이 **방울뱀**[2]이 아닌 유일한 이유는 여러분의 부모님이 방울뱀이 아니었기 때문이다. 여러분이 소에게 입을 맞추거나 뱀을 신성시하지 않는 이유가 있다면, 그것은 여러분이 인도의 브라마푸트라 강가에 사는 힌두교 가정에서 태어나지 않았기 때문이다.

당신이 잘나서 지금의 당신이 된 게 아니다. 그리고 당신에게 화를 내고 말도 안 통하며, 고집불통인 사람들도 그렇게 된 데는 다 이유가 있다. **불쌍한 사람**[3]이라 딱하게 여기는 마음을 가져야 한다. 동정하는 마음을 가져야 한다. 이해하는 마음을 가져야 한다. 술에 취한 **부랑자**[4]가 거리에서 비틀거리는(**비틀거리다**[5]) 것을 보면서 존 B. 가프가 하던 말을 여러분도 기억하기 바란다. "하느님의 은총이 아니라면 저기 가는 사람이 바로 나야."

여러분이 만나는 사람 네 명 중 세 명은 공감에 굶주리고 목마른 사람들이다. 여러분이 그들에게 공감하는 모습을 보이면 그들은 자연히 여러분을

love you.

I once gave a broadcast about the author of *Little Women,* Louisa May Alcott. Naturally, I knew she had lived and written her **immortal**[6] books in Concord, Massachusetts. But, without thinking what I was saying, I spoke of visiting her old home in Concord, New Hampshire. If I had said New Hampshire only once, it might have been forgiven. But, alas! alack! I said it twice.

I was deluged with letters and telegrams, stinging messages that swirled around my defenseless head like a swarm of hornets. Many were indignant. A few insulting. One Colonial Dame, who had been reared in Concord, Massachusetts, and who was then living in Philadelphia, vented her scorching wrath upon me. She couldn't have been much more bitter if I had accused Miss Alcott of being a **cannibal**[7] from New Guinea.

As I read the letter, I said to myself, "Thank God, I am not married to that girl." I felt like writing and telling her that although I had made a mistake in geography, she had made a far greater mistake in common courtesy. That was to be just my opening sentence. Then I was going to roll up my sleeves and tell her what I really thought. But I didn't. I controlled myself. I realized that any hot-headed fool could do that—and that most fools would do just that. I wanted to be above fools. So I resolved to try to turn her **hostility**[8] into friendliness. That would be a challenge, a sort of a game I could play. I said to myself, "After all, if I were she, I should probably feel just as she does." So, I determined to sympathize with her viewpoint. The next time I was in Philadelphia, I called her on the telephone. The conversation went something like this:

ME: Mrs. So-and-so, you wrote me a letter a few weeks ago, and I want to thank you for it.

사랑하게 된다.

나는 언젠가 방송에서 『작은 아씨들』의 작가 루이자 메이 올컷 여사에 관해 이야기를 한 적이 있다. 물론 나는 그녀가 매사추세츠 주의 콩코드에 살면서 **불멸의**[6] 역작을 지은 것을 알고 있었다. 그런데 나도 모르게 뉴햄프셔 주의 콩코드라고 말을 하고 말았다. 그것도 한 번으로 끝났다면 넘어갈 수도 있었겠지만, 두 번이나 그렇게 얘기하고 말았다. 낭패가 아닐 수 없었다.

당장에 날카로운 비난을 퍼붓는 편지와 전보, 메시지가 벌떼처럼 밀려와 내 머리를 어지럽게 만들었다. 화를 내는 게 대부분이었지만 모욕적인 내용들도 없지 않았다. 매사추세츠 주 콩코드에서 자랐고 지금은 필라델피아에서 산다는 나이 든 부인은 화를 내는 게 이만저만이 아니었다. 올컷 여사가 뉴기니에 사는 **식인종**[7]이라고 말했어도 이보다 더 화를 낼 수는 없을 정도였다.

그녀의 편지를 읽자니 이런 말이 절로 나왔다. "하느님, 감사합니다. 이런 여자와 결혼하지 않게 해주셨으니, 정말 감사합니다." 그리고 당장 편지를 써서 내가 비록 지명을 잘못 얘기하는 잘못을 저지르긴 했지만, 예의에 어긋나는 그녀의 행동이 훨씬 더 큰 잘못이라고 얘기해주고 싶었다. 이 정도 얘기는 단지 시작일 뿐이고, 그런 다음 본격적으로 팔을 걷어붙이고 시비를 가리고 싶었다. 하지만 나는 그러지 않았다. 마음을 가다듬었다. 어떤 바보라도 화가 나면 그렇게 할 수 있고, 또 바보들이 대개 그렇게 한다. 나는 바보처럼 행동하고 싶지는 않았다. 그래서 그녀의 **적대감**[8]을 호의로 바꿔놓기로 작정했다. 이건 도전이자 내가 즐길 수 있는 일종의 게임이었던 셈이다. 나는 이렇게 생각해보았다. '사실 내가 그녀 처지라면 아마 나도 그렇게 생각했을 거야.' 이렇게 그녀의 처지에 공감하기로 결심했다. 그래서 그 후에 필라델피아를 방문했을 때 그녀에게 전화를 걸었다. 대화는 이런 식으로 진행되었다.

나　안녕하세요. 지난번 보내주신 편지는 잘 받았습니다. 감사의 말씀을 드리고자 전화를 드렸습니다.

SHE: *(in incisive, cultured, well-bred tones)*: To whom have I the honor of speaking?

ME: I am a stranger to you. My name is Dale Carnegie. You listened to a broadcast I gave about Louisa May Alcott a few Sundays ago, and I made the unforgivable blunder of saying that she had lived in Concord, New Hampshire. It was a stupid blunder and I want to apologize for it. It was so nice of you to take the time to write me.

SHE: I am sorry, Mr. Carnegie, that I wrote as I did. I lost my temper. I must apologize.

ME: No! No! You are not the one to apologize; I am the one to apologize. Any school child would have known better than to have said what I said. I apologized over the air the Sunday following and I want to apologize to you personally now.

SHE: I was born in Concord, Massachusetts. My family has been **prominent**[9] in Massachusetts affairs for two centuries and I am very proud of my native state. I was really quite distressed to hear you say that Miss Alcott was born in New Hampshire. But I am really ashamed of that letter.

ME: I assure you that you were not one-tenth as distressed as I am. My error didn't hurt Massachusetts; but it did hurt me. It is so seldom that people of your standing and culture take the time to write people who speak on the radio, and I do hope you will write me again if you detect an error in my talks.

SHE: You know, I really like very much the way you have accepted my criticism. You must be a very nice person. I should like to know you better.

So, by apologizing and sympathizing with her point of view, I got her apologizing and sympathizing with my point of view. I had the satisfaction of controlling my temper, the satisfaction of returning kindness for an insult. I got infinitely more real fun out

부인 (날카로우면서도 교양 있고 예의 바른 목소리로) 누구신가요?

나 아마 잘 모르실 겁니다. 데일 카네기라고 합니다. 몇 주 전 일요일 방송에서 루이자 메이 올컷 여사에 관해 얘기하다가 뉴햄프셔 주 콩코드라고 말하는 어처구니없는 실수를 저지른 바로 그 사람입니다. 너무 큰 실수였기에 사과를 드리고자 합니다. 친절하게 편지를 보내주셔서 너무 고마웠습니다.

부인 아닙니다, 카네기 씨. 제가 사과해야죠. 그런 편지를 쓰다니. 화가 나서 제정신이 아니었습니다. 미안합니다.

나 아뇨, 아닙니다. 부인이 사과할 일이 아닙니다. 제가 사과해야죠. 어린 학생들이라도 그런 실수는 하지 않았을 것입니다. 그 다음 주 일요일 방송을 통해 사과하기도 했지만, 개인적으로도 사과를 드리고 싶어 전화를 드렸습니다.

부인 저는 매사추세츠 주 콩코드에서 태어났고 우리 집안은 지난 2백 년 동안 매사추세츠 주에서 알아주는 (**저명한**[9]) 집안이었습니다. 나는 내 고향에 대해 대단한 자부심을 갖고 있습니다. 그런데 당신이 올컷 여사가 뉴햄프셔 주 출신이라고 말하는 것을 들으니 정말 화를 참을 수 없었습니다. 하지만 그 편지를 쓴 것에 대해서는 부끄럽군요.

나 저도 엄청나게 마음고생을 했다는 점을 말씀드리지 않을 수 없군요. 제가 저지른 실수가 매사추세츠의 이름에 누가 되지는 않을 겁니다. 다만, 저 자신에게 상처가 됐을 뿐입니다. 부인처럼 지위가 있고 교양 있는 분이 방송에서 떠드는 사람들에게 편지를 쓰는 일이 쉬운 일은 아니었을 것으로 생각합니다. 앞으로도 많은 지도 편달 부탁드립니다.

부인 제 비판을 이런 식으로 이해해주시니 정말 대단한 분이란 생각이 드는군요. 앞으로 기회가 있으면 만나뵐 수 있기를 바랍니다.

내가 이렇게 사과하고 상대의 처지에 공감하자 상대도 내게 사과하고 내 처지에 공감하게 됐다. 또한 나는 내 감정을 조절했다는 만족감과 더불어 모욕을 받고도 호의를 보여주었다는 성취감도 얻게 되었다. 그녀가 나에 대해 호감을 갖도록 만들면서, 나는 그녀에게 강에나 뛰어들어버리라고 소

of making her like me than I could ever have gotten out of telling her to go and take a jump in the Schuylkill River.

Every man who occupies the White House is faced almost daily with **thorny**[10] problems in human relations. President Taft was no exception, and he learned from experience the enormous chemical value of sympathy in **neutralizing**[11] the acid of hard feelings. In his book, *Ethics in Service*, Taft gives rather an amusing illustration of how he softened the **ire**[12] of a disappointed and ambitious mother.

"A lady in Washington," writes Taft, "whose husband had some political influence, came and labored with me for six weeks or more to appoint her son to a position. She secured the aid of Senators and Congressmen in formidable number and came with them to see that they spoke with emphasis. The place was one requiring technical qualification, and following the recommendation of the head of the Bureau, I **appoint**ed[13] somebody else. I then received a letter from the mother, saying that I was most ungrateful, since I declined to make her a happy woman as I could have done by a turn of my hand. She complained further that she had labored with her state delegation and got all the votes for an administration bill in which I was especially interested and this was the way I had rewarded her.

When you get a letter like that, the first thing you do is to think how you can be severe with a person who has committed an **impropriety**[14], or even been a little **impertinent**[15]. Then you may compose an answer.

Then if you are wise, you will put the letter in a drawer and lock the drawer. Take it out in the course of two days—such communications will always bear two days' delay in answering—and when you take it out after that interval, you will not send it. That is just the course I took. After that, I sat down and wrote her

리칠 때 얻을 수 있는 즐거움과는 비교도 할 수 없을 만큼의 더 큰 즐거움을 얻었다.

백악관의 주인이 된 사람은 누구나 거의 매일 인간관계와 관련된 **골치 아픈**[10] 문제들과 부닥치게 된다. 태프트 대통령도 예외는 아니었는데, 그는 경험을 통해 악감정이라는 산(酸)을 중화시키는 데는(**중화하다**[11]) 공감만큼 큰 가치를 갖는 화학 물질이 없다는 것을 알게 되었다. 태프트 대통령은 자신의 저서 『공직자의 윤리』에서 야심차지만 실망을 맛본 어느 어머니의 **분노**[12]를 가라앉힌 재미있는 사례를 이렇게 들려주고 있다.

"워싱턴에 어떤 부인이 살고 있었는데," 태프트는 이렇게 썼다. "남편은 정치적 영향력이 약간 있던 사람이었다. 그런데 그 부인이 자신의 아들에게 자리를 하나 내달라고 6주인가 그 이상인가를 내게 매달렸다. 상원과 하원 의원들도 수도 없이 데리고 와서 특별히 부탁하도록 만들었다. 하지만 그 자리는 기술적인 전문성을 요하는 자리인지라 나는 그 부처 주무장관의 추천을 통해 다른 사람을 임명했다(**임명하다**[13]). 그러자 그 부인은 내게 은혜를 모르는 사람이라는 편지를 써보냈다. 내가 마음만 먹으면 그녀를 행복하게 해줄 수 있는 데도 그러기를 거부했다는 게 이유였다. 게다가 자신이 주 의회 의원들을 열심히 설득해 내가 특별히 관심을 갖고 추진하던 법안을 통과시켜주었는데, 그 보답이 이런 거냐는 얘기도 했다.

이런 종류의 편지를 받으면 우선 적절치도 않을 뿐더러(**부적절함**[14]) 무례하다고(**무례한**[15]) 볼 수도 있는 행동을 한 이 사람을 어떻게 혼내줄 수 있을까 하고 궁리하게 된다. 그런 다음에는 편지를 쓴다.

하지만 현명한 사람이라면 쓴 편지를 서랍에 넣고 잠그는 쪽을 택한다. 이런 편지 왕래는 이틀 정도의 시간이 걸리는 게 일반적이므로 이틀 후 편지를 꺼내보면 보내지 않게 된다. 내가 선택한 것도 바로 이 방법이었다. 그래서 자리에 앉아 가능한 정중한 어조로, 이런 상황에서 부인이 실망하시는 것은 이해하지만 이번 임명 건은 내 개인적 판단으로 할 수 있는 게 아니

just as polite a letter as I could, telling her I realized a mother's disappointment under such circumstances, but that really the appointment was not left to my mere personal preference, that I had to select a man with technical qualifications, and had, therefore, to follow the recommendations of the head of the Bureau. I expressed the hope that her son would go on to accomplish what she had hoped for him in the position which he then had. That **mollified**[16] her and she wrote me a note saying she was sorry she had written as she had.

But the appointment I sent in was not confirmed at once, and after an interval I received a letter which purported to come from her husband, though it was in the same handwriting as all the others. I was therein advised that, due to the nervous prostration that had followed her disappointment in this case, she had to take to her bed and had developed a most serious case of cancer of the stomach. Would I not restore her to health by withdrawing the first name and replacing it by her son's? I had to write another letter, this one to the husband, to say that I hoped the diagnosis would prove to be inaccurate, that I sympathized with him in the sorrow he must have in the serious illness of his wife, but that it was impossible to withdraw the name sent in. The man whom I appointed was confirmed, and within two days after I received that letter, we gave a musicale at the White House. The first two people to greet Mrs. Taft and me were this husband and wife, though the wife had so recently been **in articulo mortis**[17]."

S. Hurok is probably America's number one music manager. For a fifth of a century he has been handling artists—such world-famous artists as Chaliapin, Isadora Duncan, and Pavlova. Mr. Hurok told me that one of the first lessons he learned in dealing with his temperamental stars was the necessity for sympathy, sympathy,

고 기술적 전문성을 요하는 자리인지라 부처 주무장관의 추천을 따라야 한다는 요지의 편지를 썼다. 또한 부인이 기대하는 바를 아드님은 지금의 자리에서도 충분히 이룰 수 있으리라 생각한다는 말도 적었다. 이 편지로 마음이 진정되었는지(**진정시키다**[16]) 부인은 내게 지난번 편지를 보낸 데 대해 미안하다는 말을 전해왔다.

하지만 그 자리에 대한 임명안이 즉시 승인되지 않고 시간을 끄는 사이 다시 편지를 한 통 받았는데, 필적은 이전 편지와 같지만 보낸 이는 부인의 남편이라고 돼 있었다. 편지에는 부인이 이번 일로 크게 상심한 나머지 신경쇠약에 걸려 자리에 눕게 되었는데, 아주 심각한 위암으로 발전했다는 내용이 적혀 있었다. 그러니 부인이 건강을 되찾을 수 있도록 임명을 철회하고, 자신의 아들을 임명해줄 수 없겠느냐는 얘기였다.

나는 부인의 남편을 수신인으로 해서 다시 한 번 편지를 써야 했다. 그리고 진단이 오진으로 판명나기를 기대하며 부인의 건강 때문에 심려가 크신 것은 알지만 임명 철회는 불가능하다는 말을 전했다. 결국 임명 건은 원안대로 승인됐다.

내가 그 편지를 받은 지 이틀 후 백악관에서는 작은 음악회가 열렸다. 거기에서 나와 내 집사람에게 가장 먼저 인사를 건넨 두 사람은 바로 그 남편과 며칠 전만 해도 사경을 헤매고 있다던(**죽음의 순간의**[17]) 부인이었다."

솔 휴로크는 아마 미국 음악계 최고의 감독일 것이다. 그는 20년에 걸쳐 샬리아핀, 이사도라 덩컨, 파블로바와 같은 세계 유명 예술가들과 함께 작업했다. 언젠가 휴로크는 내게 성미가 까다로운 스타들을 접하면서 가장 먼저 배운 교훈은, 그들의 우스꽝스러울 정도의 **개성**[18]을 이해하고, 이해하고, 또 이해해야 한다는 점이었다고 털어놓았다.

and more sympathy with their ridiculous **idiosyncrasies**[18].

For three years, he was **impresario**[19] for Feodor Chaliapin—one of the greatest **bassos**[20] who ever thrilled the **ritzy**[21] boxholders at the Metropolitan. Yet Chaliapin was a constant problem. He carried on like a spoiled child. To put it in Mr. Hurok's own inimitable phrase: "He was a hell of a fellow in every way."

For example, Chaliapin would call up Mr. Hurok about noon of the day he was going to sing and say, "Sol, I feel terrible. My throat is like raw hamburger. It is impossible for me to sing tonight." Did Mr. Hurok argue with him? Oh, no. He knew that an **entrepreneur**[22] couldn't handle artists that way. So he would rush over to Chaliapin's hotel, dripping with sympathy. "What a pity," he would mourn. "What a pity! My poor fellow. Of course, you cannot sing. I will cancel the engagement at once. It will only cost you a couple of thousand dollars, but that is nothing in comparison to your reputation."

Then Chaliapin would sigh and say, "Perhaps you had better come over later in the day. Come at five and see how I feel then."

At five o'clock, Mr. Hurok would again rush to his hotel, dripping with sympathy. Again he would insist on canceling the engagement and again Chaliapin would sigh and say, "Well, maybe you had better come to see me later. I may be better then."

At 7:30 the great basso would consent to sing, only with the understanding that Mr. Hurok would walk out on the stage of the Metropolitan and announce that Chaliapin had a very bad cold and was not in good voice. Mr. Hurok would lie and say he would do it, for he knew that was the only way to get the basso out on the stage.

Dr. Arthur I. Gates says in his splendid book, *Educational Psychology:* "Sympathy the human species universally craves. The child eagerly displays his injury; or even inflicts a cut or bruise in

그는 3년간 표도르 샬리아핀의 **흥행 담당자**[19]였던 적이 있었다. 샬리아핀은 굵직한 저음으로 메트로폴리탄 오페라극장을 찾은 상류층(**최고급의**[21]) 청중들에게 전율을 선사하던 세계적인 **베이스 가수**[20]였다. 하지만 샬리아핀은 항상 말썽을 일으켰다. 그의 행동은 마치 버릇없는 아이 같았다. 휴로크의 독특한 표현을 빌리면 '그는 모든 면에서 구제불능인 친구였다.'

한 가지 일화를 보기로 하자. 샬리아핀은 공연이 있는 날 낮에 휴로크에게 전화를 해서 이렇게 말하곤 했다. "솔, 나 몸이 안 좋아. 목구멍이 굽지 않은 햄버거처럼 꺼칠꺼칠해. 오늘 밤 공연에서 노래하기 힘들겠는데?" 휴로크가 안 된다며 그와 다투었을까? 절대 그러지 않았다. **흥행사**[22]는 예술가를 그렇게 다루어서는 안 된다는 것을 그는 잘 알고 있었다. 휴로크는 샬리아핀이 묵고 있는 호텔로 달려가서 지나칠 정도로 그에게 동정심을 표시했다. "이 불쌍한 친구, 정말 안됐네. 물론 노래하면 안 되지. 당장 공연을 취소하겠네. 몇 천 달러 정도 손해 보기야 하겠지만 자네의 명성이 떨어지는 것에 비하면 그야 아무것도 아니지."

그러면 샬리아핀은 한숨을 내쉬며 이렇게 말했다. "있다가 다시 와주면 좋겠네. 5시에 와서 다시 상태를 봐주게."

5시가 되면 휴로크는 다시 호텔로 가서 동정심을 표시했다. 그리고 다시 한 번 더 공연을 취소하자고 하면 샬리아핀은 한숨을 쉬면서 이렇게 말했다. "한 번 더 와주지 않겠나. 그때가 되면 조금 나아질지도 모르니 말이야."

7시 30분이 되면 샬리아핀은 노래하는 데 동의한다. 다만 휴로크가 메트로폴리탄 오페라극장 무대에 나가서 샬리아핀이 지금 지독한 감기에 걸려 목 상태가 좋지 않다는 것을 청중들에게 알려야 한다는 조건하에서 동의하는 것이다. 휴로크는 실제로는 안 했지만 일단은 그렇게 하겠다고 대답했다. 왜냐하면 그것만이 이 베이스 가수를 무대에 세우는 유일한 길임을 알고 있었기 때문이다.

아서 I. 게이츠 박사는 그의 명저 『교육 심리학』에서 이렇게 말했다.

"동정심은 모든 인간이 동일하게 갈망하는 것이다. 아이들은 자신의 상처를 보여주려고 애쓰기도 하고, 심지어는 더 많은 동정심을 얻기 위해 자

order to reap abundant sympathy. For the same purpose adults show their **bruises**[23], relate their accidents, illnesses, especially details of surgical operations. 'Self-pity' for misfortunes real or imaginary is, in some measure, practically a universal practice."

So, if you want to win people to your way of thinking, Rule 9 is:

Be sympathetic with the other person's ideas and desires.

해를 하기도 한다. 같은 이유로 어른들도 자신의 상처(**타박상**[23])를 드러내 보이고 사건이나 질병에 대해, 특히 외과 수술의 경우에는 세세한 부분까지 이야기하려고 한다. 현실의 일이건 상상 속의 일이건 불행한 일에 대한 '자기 연민'은 어느 정도는 누구에게나 있는 법이다."

그러므로 상대를 설득하고 싶다면, 다음 방법과 같이 해보라!

상대의 생각과 욕구에 공감하라.

10 AN APPEAL THAT EVERYBODY LIKES

I WAS reared on the edge of the Jesse James country out in Missouri and I have visited the James farm at Kearney, Missouri, where the son of Jesse James is still living. His wife told me stories of how Jesse robbed trains and **held up**[1] banks and then gave money to the neighboring farmers to pay off their mortgages.

Jesse James probable regarded himself as an idealist at heart, just as Dutch Schultz, "Two Gun" Crowley, and Al Capone did two generations later. The fact is that every man you meet—even the man you see in the mirror—has a high regard for himself, and likes to be fine and unselfish in his own estimation.

J. Pierpont Morgan observed, in one of his analytical **interludes**[2], that a man usually has two reasons for doing a thing: one that sounds good and a real one.

The man himself will think of the real reason. You don't need to emphasize that. But all of us, being idealists at heart, like to think of the motives that sound good. So, in order to change people, appeal to the nobler motives.

Is that too idealistic to work in business? Let's see. Let's take the case of Hamilton J. Farrell of the Farrell-Mitchell Company of Glenolden, Pennsylvania.

Mr. Farrell had a **disgruntled**[3] tenant who threatened to move. The tenant's lease still had four months to run, at fifty-five dollars a month; nevertheless, he served notice that he was vacating immediately, regardless of lease.

"These people had lived in my house all winter—the most expensive part of the year," Mr. Farrell said as he told the story to

10 모든 사람이 좋아하는 호소법

나는 미주리 주의 변두리에서 자랐다. 마침 그곳은 미국 서부 역사상 가장 악명 높았던 갱인 제시 제임스가 활약하던 지역에서 가까운 곳이라, 커니에 있는 그의 농장을 방문했던 적이 있다. 농장에는 여전히 제시 제임스의 아들이 살고 있었다. 그의 아내는 내게 제시가 기차를 강탈하고 은행을 털던(**강도질을 하다**[1]) 얘기며, 그렇게 얻은 돈을 근처 농부들에게 나눠주고 빚을 갚도록 했던 일에 대해 자세히 얘기해주었다.

제시는 자신보다 1세기 후에 등장하는 더치 슐츠나 '쌍권총 크로울리', 아니면 알 카포네와 마찬가지로 내심 자신을 이상주의자라고 여기고 있었던 것 같다. 사실 여러분 자신을 포함해 우리가 만나는 모든 사람들은 스스로를 괜찮은 사람으로 여기고 있으며 자기 나름대로는 남을 생각할 줄 아는 괜찮은 사람이 되고 싶어한다.

미국의 대은행가이자 미술품 수집가로도 유명한 J. P. 모건은 이야기하는 도중에 **막간**[2]을 이용해 사람들이 어떤 행동을 하는 데는 대개 두 가지의 이유, 즉 그럴듯해 보이는 이유와 진짜 이유가 있다고 했다.

인간은 진짜 이유를 고려하게 마련이다. 그 점은 강조하지 않아도 된다. 하지만 모든 인간은 마음으로는 이상주의자이기 때문에 그럴듯해 보이는 동기도 고려하고 싶어한다. 그러므로 상대를 변화시키고 싶다면 고상한 동기에 호소해야 한다.

사업에 적용하기에는 너무 이상론적인 방법으로 보이는가? 그렇다면 예를 들어 살펴보자. 펜실베이니아 주 글레놀던에 있는 파렐 미첼 사의 사장 해밀턴 J. 파렐의 경우다.

파렐 씨는 세를 놓는데 무슨 일 때문인지 **불만을 품은**[3] 세입자 한 사람이 이사를 하겠다고 위협을 해왔다. 임대료는 한 달에 55달러였고, 계약 기간은 4개월이나 남아 있었다. 그런데도 그 세입자는 임대계약에 상관없이 즉시 방을 비우겠다고 통보해왔다.

"이 사람들은 내 집에서 겨울을 났습니다. 사실 겨울은 비용이 가장 많이 드는 계절입니다." 파렐 씨는 카네기 강좌에서 이때의 일을 이렇게 얘기했

the class, "and I knew it would be difficult to rent the apartment again before fall. I could see two hundred and twenty dollars going over the hill—and believe me, I saw red.

Now, ordinarily, I would have waded into that tenant and advised him to read his lease again. I would have pointed out that if he moved, the full balance of his rent would fall due at once—and that I could, *and would,* move to collect.

However, instead of **fly**ing **off the handle**[4] and making a scene, I decided to try other tactics. So I started like this: 'Mr. Doe,' I said, 'I have listened to your story, and I still don't believe you intend to move. Years in the renting business have taught me something about human nature, and I sized you up in the first place as being a man of your word. In fact, I'm so sure of it that I'm willing to take the **gamble**[5].

Now, here's my **proposition**[6]. Lay your decision on the table for a few days and think it over. If you come back to me between now and the first of the month, when your rent is due, and tell me you still intend to move, I give you my word I will accept your decision as final. I will privilege you to move, and admit to myself I've been wrong in my judgment. But, I still believe you're a man of your word and will live up to your contract. For after all, we are either men or monkeys—and the choice usually lies with ourselves!'

Well, when the new month came around, this gentleman came and paid his rent in person. He and his wife had talked it over, he said—and decided to stay. They had **conclude**d[7] that the only honorable thing to do was to live up to their lease."

When the late Lord Northcliffe found a newspaper using a picture of himself which he didn't want published, he wrote the editor a letter. But did he say, "Please do not publish that picture of me any more; *I* don't like it"? No, he appealed to a nobler

다. "그리고 지금 방이 비면 가을까지는 방을 세놓기가 힘들다는 것을 나는 알고 있었습니다. 220달러가 날아가는 것이 눈에 훤하더군요. 사실 정말로 화가 났습니다.

다른 때 같았으면 당장 세입자에게 달려가서 계약서를 잘 읽어보라고 말했을 것입니다. 만일 지금 이사하면 전체 계약 기간에 대한 임대료를 즉시 내야 한다는 점을 명확히 해주었을 것입니다. 그리고 당연히 받아낼 수 있고, 또 *받아낼 것이라고* 못 박아 두었을 테죠.

하지만 자제심을 잃고(**자제심을 잃다**[4]) 소란을 부리는 대신에 다른 방법을 쓰기로 마음먹었습니다. 그래서 이렇게 말을 시작했습니다. '선생님 말씀은 잘 들었습니다. 하지만 이사하실 거라고 믿고 싶지는 않군요. 오랫동안 임대사업을 해봐서 사람 보는 눈이 좀 있다고 생각하는데, 선생님은 한눈에 약속을 잘 지키시는 분으로 보였습니다. 사실 그런지 아닌지 **내기**[5]를 걸어도 좋을 정도로 확신하고 있습니다.

제가 한 가지 **제안**[6]을 하죠. 며칠 시간을 두고 어떻게 하실지 생각해보십시오. 다음 달 1일이 임대료 납입일이니까 그때까지 오셔서 여전히 이사하실 생각이라고 하시면 그게 최종 결정이라고 알고 받아들이겠습니다. 이사할 권리를 드리고, 제 판단이 틀렸다고 저 스스로 인정하면 됩니다. 하지만 아직도 전 선생님이 약속을 잘 지키는 분이라서 계약 기간까지 계속 계시리라 믿습니다. 우리가 사람이 되느냐 원숭이가 되느냐 하는 것은 어쨌거나 우리 선택에 달려 있는 일 아니겠습니까?'

다음 달이 되자 그 신사분은 직접 찾아와 임대료를 지불했습니다. 그의 얘기로는 부인과 상의해보았는데 계속 있기로 결정했다더군요. 명예를 지키는 방법은 계약 기간이 끝날 때까지 사는 것밖에 없다는 결론을 내린(**~라고 결론을 내리다**[7]) 것이죠."

작고한 노스클리프 경은 자신이 공개하고 싶지 않은 사진이 신문에 실린 것을 보고는 편집장 앞으로 편지를 보냈다. 그런데 경이 편집자에게 편지를 보내 "그 사진을 더 이상 사용하지 말아주십시오. *저는 그것을 원치 않습니다*"라고 했을까? 아니다. 그는 더 고상한 동기에 호소하는 방법을 썼다.

motive. He appealed to the **respect**[8] and love that all of us have for motherhood. He wrote, "Please do not publish that picture of me any more. *My mother* doesn't like it."

When John D. Rockefeller, Jr., wished to stop newspaper photographers from snapping pictures of his children, he, too, appealed to the nobler motives. He didn't, say: "*I* don't want their pictures published." No, he appealed to the desire, deep in all of us, to **refrain**[9] from harming children. He said: "You know how it is, boys. You've got children yourselves, some of you. And you know it's not good for youngsters to get too much publicity."

When Cyrus H. K. Curtis, the poor boy from Maine, was starting on his meteoric career, which was destined to make him millions as owner of *The Saturday Evening Post* and the *Ladies Home Journal*—when he first started, he couldn't afford to pay the prices that other magazines paid. He couldn't afford to hire first-class authors to write for money alone. So he appealed to their nobler motives. For example, he persuaded even Louisa May Alcott, the immortal author of *Little Women*, to write for him when she was at the flood tide of her fame; and he did it by offering to send a check for a hundred dollars, not to her, but to her favorite **charity**[10].

Right here the **skeptic**[11] may say: "Oh, that stuff is all right for Northcliffe and Rockefeller or a sentimental novelist. But, boy! I'd like to see you make it work with the tough babies I have to collect bills from!"

You may be right. Nothing will work in all cases—and nothing will work with all men. If you are satisfied with the results you are now getting, why change? If you are not satisfied, why not experiment?

At any rate, I think you will enjoy reading this true story told by

사람이면 누구나 갖고 있는 어머니에 대한 **존경**[8]과 사랑에 호소했다. 그는 이렇게 썼다. "그 사진을 더 이상 사용하지 말아주십시오. 어머님께서 좋아하시지 않으십니다."

존 D. 록펠러 2세가 사진기자들이 자신의 아이들을 쫓아다니며 사진을 찍어대는 것을 막을 때 쓴 방법도 이 고상한 동기에 호소하는 것이었다. 그는 "나는 우리 애들 사진이 신문에 실리는 것을 원치 않소"라고 하지 않았다. 그는 우리 모두가 근본적으로 갖고 있는, 아이들을 해롭게 하는 일을 삼가달라는(**삼가다**[9]) 욕구에 호소하는 방법을 썼다. 그는 이렇게 말했다. "왜 그런지는 여러분도 잘 아시잖습니까? 여러분 중에도 자녀를 둔 분이 있을 텐데, 아이들 얼굴이 너무 알려지면 별로 좋지 않다는 건 다 아는 얘기 아닌가요?"

〈새터데이 이브닝 포스트〉, 〈레이디스 홈 저널〉 등을 소유한 백만장자 사이러스 H. K. 커티스 씨도 처음에는 메인 주 출신의 가난한 소년이었을 뿐이다. 그가 백만장자로 가는 화려한 경력을 쌓기 시작하던 초창기 시절, 그는 다른 잡지사처럼 원고료를 지불할 수가 없었다. 그리고 돈을 주어야만 글을 써주던 1급 작가들을 고용할 수도 없었다. 그래서 그는 고상한 동기에 호소하는 방법을 사용했다. 예를 들면, 그는 단지 1백 달러만 들이고도 당시 최고의 명성을 날리던 『작은 아씨들』의 작가 루이자 메이 올컷 여사의 글을 받아내는 데 성공했다. 그 비결은 여사 본인이 아니라 여사가 가장 소중히 생각하는 **자선단체**[10] 앞으로 수표를 발행하는 것이었다.

이 얘기를 듣고 **의심이 많은 사람**[11]들은 "그런 건 노스클리프나 록펠러나 감상적인 소설가에게나 통하는 얘기지. 내가 돈을 받아내야 하는 억센 인간들한테 그런 방법이 통하기나 하겠어?" 하고 말할지도 모르겠다.

그 말이 맞을지도 모른다. 모든 경우, 모든 사람에게 통하는 것은 이 세상에 없다. 만일 지금 거두고 있는 결과에 만족한다면 바꿀 필요가 없다. 하지만 만족하지 못한다면 시도해볼 만하지 않은가?

아무튼 편안한 마음으로 예전에 카네기 강좌 수강생이던 제임스 L. 토머

James L. Thomas, a former student of mine:

Six customers of a certain automobile company refused to pay their bills for servicing. No customer protested the entire bill but each one claimed that some one charge was wrong. In each case, the customer had signed for the work done, so the company knew it was right—and said so. That was the first mistake.

Here are the steps the men in the credit department took to collect these overdue bills. Do you suppose they succeeded?

1. They called on each customer and told him bluntly that they had come to collect a bill that was long past due.

2. They made it very plain that the company was absolutely and unconditionally right; therefore he, the customer, was absolutely and unconditionally wrong.

3. They intimated that they, the company, knew more about automobiles than he could ever hope to know. So what was the argument about?

4. Result: They argued.

Did any of these methods reconcile the customer and settle the account? You can answer that one yourself.

At this stage of affairs, the credit manager was about to open fire with a battery of legal talent, when fortunately the matter came to the attention of the general manager. The manager **investigated**[12] these defaulting clients and discovered that they all had the reputation of paying their bills promptly. Something was wrong here—something was **drastically**[13] wrong about the method of collection. So he called in James L. Thomas and told him to collect these "uncollectible" accounts.

These are the Mr. Thomas took.

1. "My visit to each customer," says Mr. Thomas, "was **likewise**[14] to collect a bill long past due—a bill that we knew was absolutely right. But I didn't say a word about that. I explained I had called

스 씨가 들려주는 실제 경험담을 들어보기 바란다.

한 자동차 회사의 고객 여섯 명이 이용료를 내는 것을 거절했다. 청구서 전부를 거부한 사람은 한 사람도 없고, 다들 어떤 항목이 잘못 계산되었다고 주장했다. 고객들 전부가 서비스를 받을 때 확인하고 서명했으므로 회사가 보기에는 회사가 옳았다. 그리고 그것을 고객들에게 얘기했다. 하지만 이것이 첫 번째 실수였다.

회사의 채권 파트 직원은 과다 청구되었다는 금액을 회수하기 위해 다음과 같은 조치를 취했다. 여러분이 보기에는 성공했을 것 같은가?

1. 각 고객을 방문해 납기일이 많이 지난 대금을 회수하기 위해 왔다고 퉁명스럽게 말했다.

2. 청구서는 완벽하며, 조금도 의심할 여지가 없으니 고객이 완벽히, 조금도 의심할 여지도 없이 틀렸다는 점을 명확히 했다.

3. 자동차에 대해서는 회사가 고객이 꿈도 꾸지 못할 정도로 잘 알고 있다는 점을 은근히 비추었다. 그러니 다투어봐야 무슨 소용이 있겠는가?

4. 결과: 다툼이 일어났다.

이 중 하나라도 고객의 마음을 돌리고 분쟁을 종결시켰을까? 여러분도 답을 알 수 있을 것이다.

상황이 이렇게 흘러 채권 파트 과장이 막 법적인 절차에 돌입하려는 찰나 다행스럽게도 부장이 이 일을 알게 됐다. 부장이 이 미납 고객들을 조사해보았더니(**조사하다**[12]) 지금까지 한 번도 체납한 적이 없는 사람들이었다. 대금 회수 방식에 **철저하게**[13] 잘못이 있는 게 틀림없었다. 그래서 부장은 제임스 L. 토머스에게 이 '악성 채권'을 회수해달라고 요청했다.

토머스 씨가 취한 방법을 그의 말을 통해 직접 들어보자.

1. 고객 방문의 목적은 전과 **마찬가지로**[14] 우리가 보기에는 아주 정확히 청구되었는데 오랫동안 납부되지 않고 있는 대금을 회수하는 것이었습니다. 하지만 나는 그런 말은 한마디도 꺼내지 않았습니다. 나는 회사가 어

to find out what it was the company had done, or failed to do."

2. "I made it clear that, until I had heard the customer's story, I had no opinion to offer. I told him the company made no claims to being **infallible**[15]."

3. "I told him I was interested only in his car, and that he knew more about his car than anyone else in the world; that he was the **authority**[16] on the subject."

4. "I let him talk, and I listened to him with all the interest and sympathy that he wanted—and had expected."

5. "Finally, when the customer was in a reasonable mood, I put the whole thing up to his sense of fair play. I appealed to the nobler motives. 'First,' I said, 'I want you to know that I also feel this matter has been badly mishandled. You have been inconvenienced and annoyed and irritated by one of our representatives. That should never have happened. I'm sorry and, as a representative of the company, I apologize. As I sat here and listened to your side of the story, I could not help being impressed by your fairness and patience. And now, because you are **fairminded**[17] and patient, I am going to ask you to do something for me. It's something that you can do better than anyone else, something you know more about than anyone else. Here is this bill of yours; I know that it is safe for me to ask you to adjust it, just as you would do if you were the president of my company. I am going to leave it all up to you. Whatever you say goes.'

"Did he adjust the bill? He certainly did, and **got** quite **a kick out of it**[18]. The bills ranged from $150 to $400—but did the customer give himself the best of it? Yes, one of them did! One of them refused to pay a penny of the disputed charge; but the other five all gave the company the best of it! And here's the cream of the whole thing—we delivered new cars to all six of these customers within the next two years!"

떤 서비스를 했고 어떤 점이 부족했는지 확인하러 왔다고 설명했습니다.

2. 나는 고객의 얘기를 듣기 전에는 어떤 판단도 내리지 않겠다는 점을 명확히 했습니다. 고객에게 회사가 절대 오류가 없음을(**절대 오류가 없는**[15]) 주장하는 게 아니라고 얘기했습니다.

3. 나는 고객에게 내 관심은 오로지 고객이 사용하는 차인데, 그 차에 대해서는 고객이 누구보다도 더 잘 알고 있으며, 고객이 그 주제에 대해서는 **권위자**[16]라고 얘기했습니다.

4. 나는 고객이 얘기를 하도록 하고는 주의 깊게, 그리고 공감을 하며 그의 얘기에 귀를 기울였습니다. 이것이야말로 고객이 그토록 기대하고 원하던 것이었습니다.

5. 마침내 고객이 냉정을 찾자 그의 페어플레이 정신에 호소했습니다. 고상한 동기에 호소한 것입니다. 나는 이렇게 얘기했습니다. "우선 제 생각에도 이 일의 처리 절차가 아주 잘못되있다는 점을 말씀드리고 싶습니다. 저희 직원 때문에 불편을 겪고, 짜증나고 화도 나셨던 것으로 알고 있습니다. 절대 있을 수 없는 일인데 말입니다. 정말 죄송스럽고, 회사를 대표해 사과드립니다. 여기 앉아서 선생님 말씀을 듣고 있자니 너무 공정하고 참을성 있으신 분이라는 생각을 금할 수 없었습니다. 이렇게 공정하고(**공정한**[17]) 참을성 있으신 분이시니 한 가지 부탁드리고자 합니다. 선생님보다 이 일을 잘하거나 더 잘 아는 사람은 아무도 없기 때문입니다. 여기 선생님에 대한 청구서가 있는데, 선생님이 저희 회사 사장이라 생각하시고 이 청구서를 정정해주시면 저도 안심할 수 있을 것 같습니다. 전적으로 선생님께 맡기고, 어떤 말씀을 하시든 그대로 하겠습니다."

"고객이 청구서를 정정했을까요? 물론 그랬습니다. 그리고 그러면서 자못 즐거운(~**이 매우 재미있다**[18]) 것 같았습니다. 청구서 금액은 150달러에서 400달러까지 있었는데 고객이 자기에게 유리하게만 했을까요? 맞습니다. 한 사람은 그렇게 했습니다. 그 사람은 논란이 된 부분에 대해서는 한 푼도 낼 수 없다고 거절했습니다. 하지만 나머지 다섯 사람은 전액을 납부했습니다. 그리고 이 이야기의 가장 재미있는 대목은 그 후 2년 안에 고객여섯 명이 모두 새로 차를 주문했다는 점입니다."

"Experience has taught me," says Mr. Thomas, "that when no information can be secured about the customer, the only sound basis on which to proceed is to assume that he is sincere, honest, truthful and willing and anxious to pay the charges, once he is convinced they are correct. To put it differently and perhaps more clearly, people are honest and want to discharge their obligations. The exceptions to that rule are **comparatively**[19] few, and I am convinced that the individuals who are inclined to **chisel**[20] will in most cases react favorably if you make him feel that you consider him honest, upright, and fair."

So, if you want to win people to your way of thinking, it is a fine thing, in general, to follow Rule 10:

Appeal to the nobler motives.

토머스 씨의 말을 더 들어보자. "고객에 관한 아무런 정보가 없을 때, 고객은 진지하고 양심적이며 믿을 만하고 계산이 제대로 됐다는 확신이 들기만 하면 언제든 대금을 지급하고자 하는 사람이라고 전제하는 게 일을 해나가는 데 있어 가장 중요한 출발점이라는 사실을 나는 경험을 통해 배웠습니다. 이 말을 조금 바꿔 좀 더 정확하게 말하자면 사람들은 정직하며 자신들의 의무를 다하고자 한다는 것입니다. 이 원칙에서 벗어나는 사람들은 **비교적**[19] 드물며, 여러분을 속이려 드는(**속이다**[20]) 사람도 여러분이 그를 정직하고 똑바르며 공정한 사람으로 봐주면 대부분 호의적으로 반응할 거라 확신합니다."

그러므로 상대를 설득하고 싶다면, 다음 방법과 같이 해보라!

상대의 고상한 동기에 호소하라.

11 THE MOVIES DO IT. RADIO DOES IT. WHY DON'T YOU DO IT?

A FEW years ago, the *Philadelphia Evening Bulletin* was being slandered[1] by a dangerous whispering campaign. A malicious rumor was being circulated. Advertisers were being told that the newspaper carried too much advertising and too little news, that it was no longer attractive to readers. Immediate action was necessary. The gossip had to be squelched[2]. But how? This is the way it was done.

The *Bulletin* clipped from its regular edition all reading matter of all kinds on one average day, classified it, and published it as a book. The book was called *One Day*. It contained 307 pages—as many as a two-dollar book; yet the *Bulletin* had printed all this news and feature[3] material on one day and sold it, not for two dollars, but for a two cents. The printing of that book dramatized the fact that the *Bulletin* carried an enormous amount of interesting reading matter. It conveyed the facts more vividly, more interestingly, more impressively, than days of figures and mere talk could have done.

Read *Showmanship in Business* by Kenneth Goode and Zenn Kaufman—an exciting panorama of how showmen are ringing the cash register. It tells how Electrolux sells refrigerators by lighting matches at prospects' ears to dramatize the silence of their refrigerator. How Personality enters Sears Roebuck catalogs with $1.95 hats autographed by Ann Sothern. How George Wellbaum reveals that when a moving window display is stopped 80% of the audience is lost. How Mickey Mouse nibbles his way into the Encyclopedia and how his name on toys pulls a factory out of bankruptcy. How Eastern Air Lines packs them in on the sidewalk with a window reproducing the actual control panels of a Douglas Airliner. How Harry Alexander excites his salesmen with a

11 영화와 TV에서도 사용하는 방법

수년 전 〈필라델피아 이브닝 불리튼〉은 위험한 소문에 명예가 훼손되었다(**명예를 훼손하다**[1]). 악의적인 소문이 유포되고 있었던 것이다. 광고주들에게 문제의 신문이 광고는 너무 많고 뉴스는 너무 적어 독자를 잃고 있다는 얘기가 들어갔다. 소문을 잠재우기(**진압하다**[2]) 위해 즉각 조치를 취해야 했다. 하지만 과연 어떻게 해야 하는가? 신문은 다음과 같은 방법을 썼다.

〈불리튼〉지는 어느 하루를 택해 그날 정규판 신문에 들어 있는 모든 종류의 읽을거리를 골라내고 분류해 한 권의 책으로 만든 뒤 책 제목을 『하루』라고 정했다. 〈불리튼〉지에 하루에 실린 뉴스와 **특집 기사**[3]를 뽑아낸 이 책은 무려 307쪽으로 꽤 두툼해 2달러를 받아도 충분했으나, 불리튼 지는 이 책을 단돈 2센트에 팔았다. 이 책의 출간은 〈불리튼〉지가 엄청나게 많은 양의 재미있는 기사를 싣고 있다는 사실을 극적으로 보여주었다. 이 책은 몇 날 며칠 동안 숫자를 대고 주장하는 것보다 더 생생하게, 더 재미있게, 그리고 더 인상적으로 사실을 전달했다.

케네스 구드와 젠 카우프만이 지은 『사업과 쇼맨십』이라는 책에는 연출을 통해 매출을 신장한 다양한 사례가 생생하게 그려져 있다. 예를 들면, 일렉트로룩스가 냉장고를 팔 때 얼마나 조용한지를 극적으로 보여주기 위해 고객의 귀에 성냥 긋는 소리를 들려준 일, 1.95달러짜리 모자에 명배우 앤 소던의 자필 서명을 넣음으로써 유명인을 활용한 사례가 된 시어즈 로벅사의 카탈로그, 움직이는 윈도 디스플레이가 멈출 경우 관심도가 80퍼센트나 감소한다는 것을 보여준 조지 웰바움, 미키 마우스가 백과사전에 이름이 오르게 된 사연과 장난감에 미키 마우스의 이름을 붙임으로써 망해가던 회사가 기사회생한 일, 이스턴 항공이 창가를 더글러스 항공의 실제 조종간처럼 만들어 고객들을 창가에 앉도록 유도한 일, 헤리 알렉산더가 자사 제품과 경쟁사 제품이 벌이는 가상의 복싱 시합을 방송해 세일즈맨들의 사기를 북돋워주던 일, 우연히 캔디 디스플레이에 조명을 비추었더니 매상이

broadcast of an imaginary boxing bout between his product and a competitor's. How a spotlight accidentally falls on a candy display—doubles sales. How Chrysler stands elephants on his cars to prove toughness.

Richard Borden and Alvin Busse of New York University analyzed 15,000 sales interviews. They wrote a book entitled *How to Win an Argument*, then presented the same principles in a lecture, "Six Principles of Selling." This was subsequently made into a movie and shown before the sales forces of hundreds of large corporations. They not only explain the principles uncovered by their research—but they actually enact them. They wage verbal battles in front of an audience, showing wrong and right ways to make a sale.

This is te day of dramatization. Merely stating a truth isn't enough. The truth has to be made vivid, interesting, dramatic. You have to use showmanship. The movies do it. Radio does it. And you will have to do it if you want attention.

Experts in window display know the **trenchant**[4] power of dramatization. For example, the manufacturers of a new rat poison gave dealers a window display that included two live rats. The week the rats were shown, sales zoomed to five times their normal rate.

James B. Boynton of *The American Weekly* had to present a lengthy market report. His firm had just finished an **exhaustive**[5] study for a leading brand of cold cream. Data was needed immediately on the menace of cut-rates; the prospect was one of the biggest—and most formidable—men in the advertising business. And already his first approach had failed.

"The first time I went in," Mr. Boynton admits, "I found myself **sidetrack**ed[6] into a futile discussion of the methods used in the **investigation**[7]. He argued and I argued. He told me I was wrong,

두 배나 늘어났던 사례, 크라이슬러사가 자기 회사 자동차가 얼마나 튼튼한지를 보여주기 위해 차 위에 코끼리를 올려놓은 일 등등이 그것이다.

뉴욕대의 리처드 보든과 앨빈 뷔스는 1만 5천 건에 달하는 매출 상담을 분석하고는 『토론에서 이기는 법』이라는 책을 썼고, 같은 주제로 '판매의 여섯 가지 원칙'이라는 강의를 했다. 이후에 이 책은 영화로도 만들어져 수백 개 대기업의 판매사원들이 이 영화를 보았다. 이것들은 그들이 발견해 낸 원칙을 설명할 뿐 아니라 실제로 구현해서 보여주기도 한다. 관객들을 앞에 두고 논쟁을 붙여 판매를 하는 좋은 방법과 나쁜 방법을 보여주는 것이다.

요즘은 연출의 시대다. 단순히 사실을 말하는 것만으로는 부족하다. 사실을 생생하고, 재미있게, 극적으로 제시해야 한다. 쇼맨십을 사용하지 않으면 안 된다. 영화나 라디오, TV에서도 그렇게 하고 있다. 관심을 끌고 싶으면 여러분도 그렇게 하지 않으면 안 된다.

쇼윈도 디스플레이 전문가들은 극적 연출의 **강력한**[4] 힘을 잘 알고 있다. 예를 들면, 새로 쥐약을 개발한 어느 업체는 대리점 쇼윈도에 살아 있는 쥐 두 마리를 전시하도록 했다. 그러자 그 주 매출이 평소보다 5배나 증가했다.

〈아메리칸 위클리〉지의 제임스 B. 보인튼은 상세한 시장조사 보고서를 브리핑해야 하는 상황에 있었다. 그의 회사는 유명한 콜드크림 브랜드에 대한 **철저한**[5] 조사를 막 마친 상태였다. 경쟁업체의 가격 인하에 대응하기 위한 자료를 즉시 제공해줘야 했다. 자료를 요청한 사람은 광고업계에서 막강하고 가장 영향력이 가장 컸다. 더구나 첫 번째 브리핑에서 이미 한 번 실패를 맛본 상황이었다.

보인튼의 말을 들어보자. "지난번 브리핑에서는 주제에서 벗어나(**곁길로 새다**[6]) 쓸데없이 **조사**[7] 방법론에 대해 다투느라 시간을 다 보내고 말았습니다. 그도 우기고 나도 우겼죠. 그는 내 방법이 틀렸다고 말하고, 나는

and I tried to prove that I was right. I finally won my point, to my own satisfaction—but my time was up, the interview was over, and I still hadn't produced results.

The second time, I didn't bother with tabulations of figures and data. I went to see this man, I **dramatize**d[8] my facts. As I entered his office, he was busy at the phone. While he finished his conversation, I opened a suitcase and dumped thirty-two jars of cold cream on top of his desk—all products he knew—all competitors of his cream.

On each jar, I had a tag itemizing the results of the trade investigation. And each tag told its story briefly, dramatically.

What happened?

There was no longer an argument. Here was something new, something different. He picked up first one and then another of the cold-cream jars and read the information on the tag. A friendly conversation developed. He asked additional questions. He was intensely interested. He had originally given me only ten minutes to present my facts, but ten minutes passed, twenty minutes, forty minutes, and at the end of an hour we were still talking.

I was presenting the same facts this time that I had presented previously. But this time I was using **dramatization**[9], showmanship—and what a difference it made."

Therefore, if you want to win people to your way of thinking, Rule 11 is:

Dramatize your ideas.

내 방법이 옳다는 것을 보여주려고 노력했습니다. 결국 내가 이겨서 만족스럽기는 했지만 시간이 다 가버려 회의가 끝나버렸습니다. 본론은 아직 시작도 안 했는데 말입니다.

두 번째 갈 때는 숫자나 데이터를 도표화하는 데는 신경도 쓰지 않았습니다. 나는 그 사람을 찾아가서 사실을 극적으로 제시했습니다(**극적으로 보이게 하다**[8]). 사무실에 들어갔더니 그 사람은 전화 중이었습니다. 그가 전화로 얘기를 하는 사이 나는 가방에서 콜드크림 32개를 꺼내 그의 책상 위에 늘어놓았습니다. 다 그가 아는 제품이었죠. 그의 경쟁사 제품들이었으니까요.

콜드크림 병마다 시장 조사 결과가 적힌 메모지를 붙여놓았습니다. 각각의 메모지가 간단하게 자신의 얘기를 하고 있었습니다. 극적인 방식으로 말입니다.

그래서 어떻게 되었냐고요?

다툴 일이 하나도 없었습니다. 기존과 다른 신선한 방식이었으니까요. 그는 하나씩 콜드크림 병을 들어올리며 붙어 있는 메모지의 내용을 읽었습니다. 그러면서 대화가 편하게 오갔습니다. 추가적인 질문도 있었습니다. 그는 상당히 관심을 보였습니다. 원래 보고서 설명에 허락된 시간은 10분이었지만 그 10분이 지나고, 20분이 지나고, 40분이 지나더니 결국 1시간이 지날 때에도 우리는 대화를 계속하고 있었습니다.

이번에 갖고 온 자료는 지난번과 똑같은 것이었습니다. 하지만 극적인 효과(**극화, 각색**[9])와 쇼맨십을 사용한 이번과 지난번의 결과는 너무나 달랐습니다."

그러므로 상대를 설득하고 싶다면, 다음 방법과 같이 해보라!

당신의 생각을 극적으로 표현하라.

12 WHEN NOTHING ELSE WORKS, TRY THIS

CHARLES SCHWAB had a mill manager whose men weren't producing their quota of work.

"How is it," Schwab asked him, "that a man as capable as you can't make this mill turn out what it should?"

"I don't know," the man replied. "I've **coax**ed[1] the men; I've pushed them; I've sworn and cussed; I've threatened them with damnation and being fired. But nothing works. They just won't produce."

It happened to be the end of the day, just before the **night shift**[2] came on. "Give me a piece of chalk," Schwab said. Then, turning to the nearest man: "How many heats did your shift make today?"

"Six." Without another word, Schwab chalked a big figure six on the floor, and walked away.

When the night shift came in, they saw the 6" and asked what it meant. "The big boss was in here today," the day men said. "He asked us how many heats we made, and we told him six. He chalked it down on the floor."

The next morning Schwab walked through the mill again. The night shift had rubbed out "6" and replaced it with a big "7."

When the day shift **report**ed[3] for work the next morning, they saw a big "7" chalked on the floor. So the night shift thought they were better than the day shift, did they? Well, they would show the night shift a thing or two. They pitched in with enthusiasm, and when they quit that night, they left behind them an enormous, **swaggering**[4] "10." Things were stepping up.

Shortly this mill, that had been lagging way behind in production, was turning out more work than any other mill in the plant. The principle?

12 방법이 통하지 않을 때는 이렇게 하라

찰스 슈워브가 경영하는 공장 중에 생산량이 기대에 미치지 못하는 공장이 있었다.

슈워브가 공장장에게 "당신처럼 유능한 사람이 있는데, 왜 실적은 기대에 미치지 못하는 거요?" 하고 물었습니다.

그러자 공장장은 "저도 모르겠습니다. 달래 봐도(**달래다¹**), 밀어붙여 봐도, 화를 내거나 심지어 다 해고해버리겠다고 위협해도 통하지를 않습니다. 직원들이 일을 하려고 하지 않습니다"라고 대답했다.

마침 저녁 시간이라 **야간 근무조²**가 투입될 시간이었다. 슈워브는 분필을 하나 달라고 하고는 근처 직원에게 "이번 조는 오늘 용해 작업을 몇 번 했소?"라고 묻더니 직원이 여섯 번이라고 대답하자 아무 말 없이 바닥에 '6'이라고 크게 쓰고는 가버렸다.

야간 근무조가 들어와서는 바닥에 '6'이라는 숫자가 있는 것을 보고 이게 뭐냐고 묻자, 주간 근무조 직원은 "사장님이 오늘 다녀가셨는데, 오늘 용해 작업을 몇 번 했느냐고 묻기에 여섯 번 했다고 말씀드렸더니, 바닥에 '6'이라고 쓰고는 가버리셨다"고 대답했다.

다음 날 아침 슈워브가 다시 공장으로 갔다. 전날 야간 근무조가 '6'이라는 숫자를 지우고 '7'이라고 써놓았었다.

그날 출근한(**출근하다³**) 주간 근무조는 바닥에 '7'이라는 숫자가 커다랗게 쓰여 있는 것을 보았다. '야간 근무조가 주간 근무조보다 더 낫다고 생각한다 이거지?' 주간 근무조는 야간 근무조의 콧대를 꺾어주고 싶었다. 그래서 정열적으로 작업에 매달렸다. 마침내 그날 일을 끝내고 나가면서 그들은 '10'이라는 엄청난 숫자를 으스대며(**뻐기는⁴**) 커다랗게 써놓았다. 상황이 개선되고 있었다.

얼마 전까지만 해도 다른 공장에 비해 생산량이 한참 떨어지던 이 공장은 순식간에 다른 공장보다도 더 많은 생산을 해내기 시작했다. 비결이 무엇이었을까?

Let Charles Schwab say it in his own words: "The way to get things done," said Schwab, "is to stimulate competition. I do not mean in a **sordid**[5], money-getting way, but in the desire to excel."

The desire to excel! The challenge! **Throwing down the gauntlet**[6]! An infallible way of appealing to men of spirit.

Without a challenge, Theodore Roosevelt would never have been President of the United States. The Rough Rider, just back from Cuba, was picked for Governor of New York State. The opposition discovered he was no longer a legal resident of the state; and Roosevelt, frightened, wished to **withdraw**[7]. Then Thomas Collier Platt, **threw down the gage**[8]. Turning suddenly on Theodore Roosevelt, he cried in a ringing voice: "Is the hero of San Juan Hill a coward?"

Roosevelt stayed in the fight—and the rest is history. A challenge not only changed his life; it had a real effect upon the history of his nation.

Charles Schwab knew the enormous power of a challenge. So did Boss Platt and so does Al Smith. When Al Smith was Governor of New York, he was up against it. Sing Sing, the most **notorious**[9] **penitentiary**[10] west of Devil's Island, was without a warden. Scandals had been sweeping through the prison walls, scandals and ugly rumors. Smith needed a strong man to rule Sing Sing—an iron man. But who? He sent for Lewis E. Lawes of New Hampton.

"How about going up to take charge of Sing Sing?" he said **jovially**[11], when Lawes stood before him. "They need a man up there with experience."

Lawes was **stumped**[12]. He knew the dangers of Sing Sing. It was a political appointment, subject to the **vagaries**[13] of political whims. Wardens had come and gone—one had lasted only three weeks. He had a career to consider. Was it worth the risk?

찰스 슈워브는 이렇게 말했다. "일이 되게 하려면 경쟁심을 자극해야 합니다. 돈벌이에 급급한, **치사한**[5] 경쟁심이 아니라 남보다 앞서고 싶다는 경쟁심 말입니다."

남보다 앞서고 싶다는 욕구! 도전! 과감히 덤비기(**도전하다**[6])! 이런 것이야 말로 용감한 사람들에게 호소할 수 있는 절대적인 방법이다.

도전하지 않았다면 시어도어 루스벨트는 결코 미국 대통령이 되지 못했을 것이다. 러프라이더 연대를 모집해 스페인과의 전쟁에 참전했던 루스벨트는 전쟁이 끝나고 쿠바에서 귀국하자마자 뉴욕 주지사로 선출됐다. 하지만 반대파가 그가 더 이상 뉴욕 주의 법적 거주자가 아님을 발견해내자 지레 겁을 먹은 루스벨트는 사퇴하고자 했다(**물러나다, 철수하다**[7]). 이때 뉴욕 출신의 거물급 상원의원인 토머스 콜리어 플래트가 루스벨트에게 도전 의욕을 불러일으켰다(**도전하다**[8]). 그는 갑자기 루스벨트를 찾아가 이렇게 호통을 쳤다. "스페인전의 영웅이 갑자기 겁쟁이가 되었단 말인가?"

루스벨트는 싸우기로 마음을 굳혔고, 그 결과 부통령을 거쳐 대통령까지 될 수 있었다. 도전은 그의 삶을 바꾸어놓았을 뿐 아니라 미국 역사에까지 지대한 영향을 끼쳤다.

찰스 슈워브는 도전이 가진 엄청난 힘을 알고 있었다. 플래트 상원의원도 그랬고, 알 스미스도 그랬다. 알 스미스가 뉴욕 주지사였을 때 그는 어려운 문제에 봉착한 적이 있었다. 데블스 아일랜드 서쪽에 자리한 가장 **악명높은**[9] 싱싱 **교도소**[10]에는 소장이 없었다. 스캔들과 추잡한 소문들이 교도소 안팎에 넘쳐나고 있었다. 스미스 주지사는 싱싱 교도소를 관리할 강력한 사람, 철인이 필요했다. 누구를 보낼 것인가? 그는 뉴 햄프턴에 있던 루이스 E. 로스를 불렀다.

"싱싱 교도소를 맡아주는 게 어떤가?" 로스가 오자, 그는 **쾌활하게**[11] 말을 꺼냈다. "경험 많은 사람이 필요하다네."

로스는 난감했다(**쩔쩔매게 하다**[12]). 그는 싱싱 교도소의 위험을 잘 알고 있었다. 그것은 정치적 인사였고, 정치 동향에 따라 **예측 불허의 변화**[13]가 일어나는 자리였다. 교도소장은 수시로 바뀌었다. 어떤 때는 3주 만에 바뀌기도 했다. '앞으로의 경력도 생각해야 하는데, 과연 위험을 감수할 만한 일일까?'

And then Smith, who saw his **hesitation**[14], leaned back and smiled. "Young fellow," he said, "I don't blame you for being scared. It's a tough spot. It'll take a big man to go up there and stay."

So Smith was throwing down a challenge, was he? Lawes liked the idea of attempting a job that called for a big man.

So he went. And he stayed. He stayed, to become the most famous warden alive. His book, *20,000 Years in Sing Sing*, sold into the hundred of thousands of copies. He has broadcast on the air; his stories of prison life have inspired dozens of movies. And his "humanizing" of criminals has wrought miracles in the way of prison reform.

"I have never found," said Harvey S. Firestone, founder of the great Firestone Tire & Rubber Company, "that pay and pay alone would either bring together or hold good men. I think it was the game itself."

That is what every successful man loves: the game. The chance for self-expression. The chance to prove his worth, to excel, to win. That is what makes foot races and hog-calling and pie-eating contests. The desire to excel. The desire for a feeling of importance.

So, if you want to win men—spirited men, men of **mettle**[15]—to your way of thinking, Rule 12 is this:

Throw down a challenge.

그가 망설이는 것을(**망설임**14) 보고 스미스는 몸을 뒤로 기대고는 웃음을 지으며 이렇게 말했다. "겁먹는 거 가지고 탓하지는 않겠네. 그 자리가 힘든 자리긴 하지. 그 자리를 책임져줄 거물급 인사를 찾아보기로 하겠네."

이렇게 스미스는 로스의 도전 의욕을 자극하고 있었다. 로스는 거물급 인사를 필요로 하는 자리에 도전한다는 생각이 마음에 들었다.

결국 그는 싱싱 교도소로 갔다. 그리고 거기서 교도소장으로 오랫동안 재임하며 살아 있는 교도소장으로는 가장 유명한 사람이 되었다. 그가 쓴 『싱싱 교도소에서 보낸 2만 년』이라는 책은 수십만 부나 팔렸다. 그는 방송에도 나갔으며 교도소 생활에 대한 그의 얘기를 토대로 수십 편의 영화가 만들어졌다. 수감자들을 '인간적으로 대하는' 그의 방식은 교도소 개혁이란 측면에서 기적을 만들어냈다.

파이어스톤 타이어 앤드 러버 컴퍼니를 설립한 하비 S. 파이어스톤은 이렇게 말했다. "돈만으로는 좋은 사람들을 데려오거나 붙들 수 없습니다. 게임 자체가 중요하다고 생각합니다."

이 말은 성공한 사람이라면 누구나 좋아한다. 게임! 자기 표현의 기회! 자신의 가치를 증명하고, 남보다 앞서고, 이길 수 있는 기회! 도보 경주나 고함지르기 시합, 파이 먹기 대회 등이 열리는 이유가 바로 여기에 있다. 남보다 앞서고자 하는 욕망, 남에게 인정받고자 하는 욕망 말이다.

그러므로 다른 사람, 그중에서도 **패기**15 있는 사람, 정열이 넘치는 사람을 설득하고 싶다면, 다음 방법과 같이 해보라!

도전 의욕을 불러일으켜라.

TWELVE WAYS OF WINNING PEOPLE TO YOUR WAY OF THINKING

RULE 1 : The only way to get the best of an argument is to avoid it.

RULE 2 : Show respect for the other man's opinions. Never tell a man he is wrong.

RULE 3 : If you are wrong, admit it quickly and emphatically.

RULE 4 : Begin in a friendly way.

RULE 5 : Get the other person saying "yes, yes" immediately.

RULE 6 : Let the other man do a great deal of the talking.

RULE 7 : Let the other man feel that the idea is his.

RULE 8 : Try honestly to see things from the other person's point of view.

RULE 9 : Be sympathetic with the other person's ideas and desires.

RULE 10 : Appeal to the nobler motives.

RULE 11 : Dramatize your ideas.

RULE 12 : Throw down a challenge.

상대방을 설득하는 12가지 방법

1 논쟁에서 이기는 방법은 논쟁을 피하는 것뿐이다.

2 상대의 의견을 존중하라. 상대의 잘못을 지적하지 말라.

3 잘못을 했을 경우에는 빨리, 그리고 분명하게 잘못을 인정하라.
4 우호적으로 시작하라.
5 상대가 선뜻 "네, 네"라고 대답할 수 있게 만들어라.
6 나보다도 상대가 더 많이 얘기하게 하라.
7 상대가 스스로 생각해냈다고 느끼게 하라.
8 상대의 처지에서 사물을 보려고 진심으로 노력하라.

9 상대의 생각과 욕구에 공감하라.

10 상대의 고상한 동기에 호소하라.
11 당신의 생각을 극적으로 표현하라.
12 도전 의욕을 불러일으켜라.

PART 4

NINE WAYS TO CHANGE PEOPLE WITHOUT GIVING OFFENSE OR AROUSING RESENTMENT

반감이나 반발 없이
상대를 변화시키는
9가지 방법

1 IF YOU MUST FIND FAULT, THIS IS THE WAY TO BEGIN

A FRIEND of mine was a guest at the White House for a weekend during the administration of Calvin Coolidge. Drifting into the President's private office, he heard Coolidge say to one of his secretaries, "That's a pretty dress you are wearing this morning, and you are a very **attractive**[1] young woman."

That was probably the most **effulgent**[2] praise Silent Cal had ever bestowed upon a secretary in his life. It was so unusual, so unexpected, that the girl blushed in confusion. Then Coolidge said, "Now, don't **get stuck-up**[3]. I just said that to make you feel good. From now on, I wish you would be a little bit more careful with your **punctuation**[4]."

His method was probably a bit obvious, but the psychology was superb. It is always easier to listen to unpleasant things after we have heard some praise of our good points.

A barber lathers a man before he shaves him; and that is precisely what McKinley did back in 1896, when he was running for President. One of the prominent Republicans of that day had written a campaign speech that he felt was just a trifle better than Cicero and Patrick Henry and Daniel Webster all rolled into one. With great glee, this chap read his immortal speech aloud to McKinley.

The speech had its fine points, but it just wouldn't do. It would have raised a tornado of criticism. McKinley didn't want to hurt the man's feelings. He must not kill the man's splendid enthusiasm, and yet he had to say "no." Note how adroitly he did it.

"My friend, that is a splendid speech, a magnificent speech," McKinley said. "No one could have prepared a better one. There are many occasions on which it would be precisely the right thing

1 칭찬과 감사의 말로 시작하라

캘빈 쿨리지 대통령의 초청으로 내 친구 한 명이 백악관에서 주말을 보내게 되었다. 내 친구는 대통령 개인 서재로 들어서다가 대통령이 비서에게 이렇게 말하는 것을 들었다. "오늘 아침은 옷이 참 예쁘군. 자네는 정말 **매력적인**[1] 아가씨야."

그 비서에게는 '침묵의 캘빈'이라고 불릴 정도로 말이 없는 대통령이 이 정도로 대단하게(**눈부신**[2]) 칭찬하는 일이 생전 처음이었을 것임에 틀림없었다. 전에 없던 일이고 예상 밖의 일인지라 비서는 당황해 얼굴을 붉혔다. 그러자 대통령이 이렇게 말했다. "그렇다고 너무 거드름 부리지는(**거드름 부리다**[3]) 말게. 기분 좋아지라고 일부러 한 말이니까. 그런데 말이야 앞으로 **구두점**[4]에 좀 너 신경을 써주면 좋겠네."

쿨리지 대통령의 경우는 약간 노골적으로 보이긴 하지만, 그래도 인간 심리에 대한 그의 이해는 훌륭한 것이었다. 언제나 장점에 대해 칭찬을 받고 나면 안 좋은 소리를 듣기가 훨씬 편해지는 법이다.

이발사는 면도를 하기 전에 비누칠을 한다. 매킨리가 1896년 대통령 선거에 출마했을 때 사용한 방법이 바로 이런 것이었다. 당시 공화당의 열렬 당원 한 사람이 선거 연설문을 써왔다. 그 사람은 자신의 글이 키케로와 자유가 아니면 죽음을 달라던 패트릭 헨리, 그리고 대니얼 웹스터 같은 명연설가를 다 합친 것보다도 더 잘 쓴 연설문이라고 생각하고 있었다. 뿌듯해진 그 친구는 자신이 쓴 불멸의 연설문을 매킨리에게 큰 소리로 읽어주었다.

연설문에 장점이 없지는 않았지만, 그대로 사용하기는 어려웠다. 비판의 화살이 쏟아질 게 뻔했다. 매킨리는 그의 감정을 상하게 하고 싶지 않았다. 그의 뛰어난 열정을 죽이지 않으면서도 안 된다는 말을 해야만 했다. 그가 얼마나 멋지게 이 일을 해냈는지 한번 살펴보자.

매킨리는 그에게 이렇게 말했다. "여보게, 정말 멋진 연설이야. 훌륭한 연설이야. 누구도 이보다 더 잘 쓰지 못할 거야. 아주 정확한 지적들을 많이 했군. 그런데 이번 대선과 같은 상황에선 그런 말이 적당할지 잘 모르겠군.

to say; but is it quite suitable to this particular occasion? Sound and sober as it is from your standpoint, I must consider its effect from the party's standpoint. Now you go home and write a speech along the lines I indicate, and send me a copy of it."

He did just that. McKinley blue-penciled and helped him rewrite his second speech; and he became one of the effective speakers of the campaign.

Here is the second most famous letter that Abraham Lincoln ever wrote. (His most famous one was written to Mrs. Bixby, expressing his sorrow for the death of the five sons she had lost in battle.) Lincoln probably dashed this letter off in five minutes; yet it sold at public auction in 1926 for twelve thousand dollars. And that, by the way, is more money than Lincoln was able to save by half a century of hard work.

This letter was written on April 26, 1863, during the darkest period of the Civil War. For eighteen months, Lincoln's generals had been leading the Union Army from one tragic defeat to another. Nothing but futile, stupid human butchery.

The nation was **appalled**[5]. Thousands of soldiers **deserted**[6] from the army, and even the Republican members of the Senate had revolted and wanted to force Lincoln out of the White House. "We are now on the brink of destruction," Lincoln said. "It appears to me that even the Almighty is against us. I can hardly see a ray of hope." Such was the period of black sorrow and chaos out of which this letter came.

I am printing the letter here because it shows how Lincoln tried to change an **obstreperous**[7] general when the very fate of the nation might depended upon the general's action.

This is perhaps the sharpest letter Abe Lincoln wrote after he became President; yet you will note that he praised General

개인의 관점에서 보면 합리적이고 건전한 발언이지만, 나는 당의 관점에서 그 효과를 고려해야 한다네. 돌아가서 내가 한 말을 염두에 두고 다시 한 번 연설문을 써서 보내주게나."

그는 매킨리가 시키는 대로 했다. 매킨리는 그의 두 번째 연설문을 검토하고 그가 다시 고쳐 쓸 수 있도록 도와주었다. 이런 결과 그는 선거 기간 동안 훌륭한 연사로 활약했다.

다음에 볼 것은 에이브러햄 링컨 대통령이 쓴 편지 중에 두 번째로 유명한 편지다(링컨의 가장 유명한 편지는 빅스비 여사에게 보낸 것으로 여사가 전쟁으로 다섯 아들을 잃은 것을 애도하는 내용을 담고 있다). 링컨은 이 편지를 5분 안에 써내려 간 것으로 보인다. 하지만 이 편지는 1926년 경매에 붙여졌을 때 1만 2천 달러에 낙찰되었다. 참고로 말하면, 이 금액은 링컨이 50년간 열심히 일해 모을 수 있던 돈보다도 더 많은 금액이었다.

링컨이 이 편지를 쓴 1863년 4월 26일은 남북전쟁에서 북군이 가장 고전 중이던 때였다. 무려 1년 6개월 동안 링컨이 임명한 북군 사령관들은 패배에 패배를 거듭하고 있었다. 그것은 아무런 소득도 없는 미련한 인간 학살에 불과했다.
전국이 공포에 질렸고(**섬뜩하게 하다**[5]) 수천의 병사들이 탈영했다(**탈영하다**[6]). 심지어 자신이 소속된 공화당 의원들까지 반발해 링컨의 퇴진을 요구하기에 이르렀다. 당시 링컨은 "우리는 지금 파멸 직전에 있습니다. 하느님도 우리를 버린 것으로 여겨질 정도입니다. 희망의 빛은 조금도 보이지 않습니다"라고 말했다. 이 편지는 이처럼 어두운 슬픔과 혼란이 가득 찬 시기에 쓰였다.

여기서 이 편지를 인용하는 이유는, 국가의 운명이 장군 한 사람의 행동에 의해 결정될 수 있던 시기에 **제멋대로 날뛰는**[7] 장군을 바꿔놓기 위해, 링컨 대통령이 어떤 노력을 했는지 알아보기 위해서이다.
이 편지는 아마 에이브러햄 링컨이 대통령이 된 후 쓴 편지 중 가장 비판적인 편지일 것이다. 하지만 여러분은 이런 편지에서조차 링컨은 중대한

Hooker before he spoke of his grave faults.

Yes, they were grave faults; but Lincoln didn't call them that. Lincoln was more conservative, more **diplomatic**[8]. Lincoln wrote: "There are some things in regard to which I am not quite satisfied with you." Talk about tact! And diplomacy!

Here is the letter addressed to General Hooker:

I have placed you at the head of the Army of the Potomac. Of course, I have done this upon what appears to me to be sufficient reasons, and yet I think it best for you to know that there are some things in regard to which I am not quite satisfied with you.

I believe you to be a brave and skillful soldier, which, of course, I like. I also believe you do not mix politics with your profession, in which you are right. You have confidence in yourself, which is a valuable if not an indispensable quality.

You are ambitious, which, within **reasonable**[9] bounds, does good rather than harm. But I think that during General Burnside's command of the army you have taken counsel of your ambition and thwarted him as much as you could, in which you did a great wrong to the country and to a most **meritorious**[10] and honorable brother officer.

I have heard, in such a way as to believe it, of your recently saying that both the army and the Government needed a dictator. Of course, it was not for this, but in spite of it, that I have given you command. Only those generals who gain successes can set up as dictators. What I now ask of you is military success and I will risk the **dictatorship**[11].

The Government will support you to the utmost of its ability, which is neither more nor less than it has done and will do for all commanders. I much fear that the spirit which you have aided to infuse into the army, of criticizing their commander and withholding confidence from him, will now turn upon you. I shall assist you, as far

잘못에 대해 언급하기 전에 먼저 장군을 칭찬하고 있음을 보게 될 것이다.

후커 장군이 저지른 것은 분명 중대한 잘못이었다. 하지만 링컨은 그렇게 말하지 않았다. 링컨은 더 온건했고 더 **외교적**[8]이었다. 링컨은 이렇게 썼다. "장군에게 충분히 만족할 수 없는 점이 몇 가지 있습니다." 은근하거나 외교적인 말이란 바로 이런 것을 말하는 것이다.

링컨이 후커 장군에게 보낸 편지는 다음과 같다.

나는 장군을 포토맥 부대의 지휘관으로 임명했습니다. 물론 충분한 이유가 있어서 그렇게 했지만, 그럼에도 불구하고 장군에게 충분히 만족할 수 없는 점이 몇 가지 있음을 장군도 알아주셨으면 합니다.

나는 장군이 용감하고 유능한 군인이라고 믿고 있으며, 그런 점이 마음에 듭니다. 또한 장군이 정치와 자신의 본분을 혼동하지 않는다고 믿고 있으며, 그런 면에서 장군을 바르게 생각하고 있습니다. 장군은 스스로에 대한 확신이 있고, 그런 점은 필수적이라 할 수 없을지는 몰라도 소중한 자질입니다.

장군이 야심을 갖고 있는 것은 **합리적인**[9] 한도 내에서라면 도움이 되는 일입니다. 하지만 번사이드 장군 휘하에 있는 동안, 장군은 야심에 사로잡혀 최대한 그의 명령을 불이행함으로써 혁혁한 전공을 쌓은(**공훈이 있는**[10]) 명예로운 동료 장군과 국가에 중대한 잘못을 저질렀습니다.

나는 장군이 최근 군대와 국가에는 모두 독재자가 필요하다고 말했음을 전해 들어 알고 있습니다. 내가 장군을 지휘관으로 임명한 것은 그 말을 했기 때문이 아니라, 그 말을 했음에도 불구하고 임명한 것임을 당연히 알고 있으리라 생각합니다. 성공을 거둔 장군들만이 독재자로 자처할 수 있습니다. 내가 지금 장군에게 요구하는 것은 군사적 성공이며, 그렇게만 할 수 있다면 **독재**[11]라도 감수할 생각이 있습니다.

정부는 최선을 다해 장군을 도울 것입니다. 지금까지도 그렇게 해왔고, 어떤 지휘관에게라도 그렇게 할 것입니다. 장군은 병사들 사이에 지휘관을 비판하고, 지휘관을 신뢰하지 않는 풍조가 생기도록 했습니다. 이제 그 결과가 장군에게 되돌아오지 않을까 심히 걱정됩니다. 나는 그러한 사태를 방지하기 위해 최선을 다해 도울 생각입니다.

as I can, to put it down.

Neither you nor Napoleon, if he were alive again, could get any good out of an army while such spirit prevails in it, and now beware of rashness. Beware of rashness, but with energy and sleepless vigilance go forward and give us victories.

You are not a Coolidge, a McKinley or a Lincoln. You want to know whether this philosophy will operate for you in everyday business contacts. Will it? Let's see. Let's take the case of W. P. Gaw of the Wark Company, Philadelphia.

Mr. Gaw is an ordinary citizen like you and me. He was a member of one of the courses I conducted in Philadelphia, and he related this incident in one of the speeches given before the class.

The Wark Company had contracted to build and complete a large office building in Philadelphia by a certain specified date. Everything was going along **according to Hoyle**[12], the building was almost finished, when suddenly the subcontractor making the **ornamental**[13] bronze work to go on the exterior of this building declared that he couldn't make delivery on schedule. What! An entire building held up! Heavy penalties! Distressing losses! All because of one man!

Long-distance telephone calls. Arguments! Heated conversations! All in vain. Then Mr. Gaw was sent to New York to **beard the bronze lion in his den**[14].

"Do you know you are the only person in Brooklyn with your name?" Mr Gaw asked as he entered the president's office. The president was surprised. "No, I didn't know that."

"Well," said Mr. Gaw, "when I got off the train this morning, I looked in the telephone book to get your address, and you are the only man in the Brooklyn phone book with your name."

"I never knew that," the president said. He examined the phone book with interest. "Well, it's an unusual name," he said proudly.

장군은 물론 나폴레옹이 다시 살아난다 해도 그런 분위기가 팽배한 군대를 가지고 좋은 결과를 만들어낼 수는 없을 것입니다. 그러니 경솔한 언동을 삼가시기 바랍니다. 경솔한 언동은 삼가고, 전심전력을 다해 전투에 임함으로써 우리에게 승리를 안겨주시기 바랍니다.

여러분은 쿨리지도 아니고 매킨리도 아니며, 링컨도 아니다. 여러분은 이런 철학이 여러분의 실제 사업 관계에서도 유효한 것인지 알고 싶을 것이다. 과연 유효할까? 사례를 들어 살펴보자.

W. P. 고 씨는 여러분이나 나와 마찬가지로 평범한 시민으로 필라델피아에 있는 와크 컴퍼니에서 일하고 있다. 그는 필라델피아에서 진행된 카네기 강좌의 수강생이었는데, 아래 얘기는 강의 시간에 들려준 그의 얘기 중 하나다.

와크 컴퍼니는 필라델피아에서 정해진 기한까지 대형 사무용 빌딩을 완공하기로 하는 계약을 따냈다. 공사는 일정대로(**규칙대로**[12]) 잘 진척되어 완공을 눈앞에 두고 있었는데 갑자기 빌딩 외벽에 붙일 청동 장식(**장식용의**[13])을 납품하기로 한 업체에서 정해진 날까지 납품을 할 수 없다고 알려왔다. 큰일이었다. 공사가 전면 중단될 위기였다. 만약 공사가 중단될 경우, 막대한 배상금을 포함한 손해가 이만저만이 아니었다. 모든 게 단 한 사람 때문이었다.

장거리 통화를 몇 번씩이나 걸고 논쟁을 벌이며 열띤 대화를 나누었지만, 소용이 없었다. 그래서 하청업체와 담판을 벌이기 위해(**벽찬 상대에게 대담하게 덤비다**[14]) 고 씨가 뉴욕으로 가게 되었다.

"브루클린에 사장님 성함을 가진 사람이 딱 한 사람뿐이란 것 알고 계신가요?" 고 씨는 하청업체의 사장실로 들어서면서 이렇게 말했다. 사장은 깜짝 놀란 표정이었다. "아뇨, 전혀 몰랐습니다."

"오늘 아침 기차에서 내려서 사장님 회사 주소를 알기 위해 전화번호부를 펼쳐보았는데, 브루클린 지역에 사장님 성함을 가진 사람은 사장님 딱 한 사람밖에 없더군요."

"전혀 몰랐네요." 사장은 이렇게 대답하고는 흥미로운 듯 전화번호부를 뒤져보았다. "정말, 흔치 않은 이름이네요." 사장은 자랑스럽게 말했다. "우

"My family came from Holland and settled in New York almost two hundred years ago." He continued to talk about his family and his ancestors for several minutes. When he finished that, Mr. Gaw complimented him on how large a plant he had, and compared it favorably with a number of similar plants he had visited. "It is one of the cleanest and neatest bronze factories I ever saw," said Gaw.

"I have spent a lifetime building up this business," the president said, "and I am rather proud of it. Would you like to take a look around the factory?"

During this tour of inspection, Mr. Gaw complimented him on his system of fabrication, and told him how and why it seemed superior to those of some of his **competitor**s[15]. Mr. Gaw **comment**ed[16] on some unusual machines, and the president announced that he himself had invented those machines. He spent considerable time showing Mr. Gaw how they operated, and the superior work they turned out. He insisted on taking Mr. Gaw to lunch. So far, mind you, not a word had been said about the real purpose of Mr. Gaw's visit.

After lunch, the president said, "Now, to get down to business. Naturally, I know why you are here. I did not expect that our meeting would be so enjoyable. You can go back to Philadelphia with my promise that your material will be **fabricate**d[17] and shipped, even if other orders have to be delayed."

Mr. Gaw got everything that he wanted without even asking for it. The material arrived on time, and the building was completed on the day the completion contract expired. Would this have happened had Mr. Gaw used the hammer and dynamite method generally employed on such **occasion**s[18]?

To change people without giving offense or arousing resentment, Rule 1 is:

Begin with praise and honest appreciation.

리 집안이 네덜란드를 떠나 여기 뉴욕에 정착한 지 거의 2백 년이 지났습니다"라고 하면서 그는 자신의 집안과 선조들에 대해 몇 분간 더 얘기를 이어나갔다. 그가 얘기를 마치자 고 씨는 공장이 정말 크다는 칭찬을 하며 그가 가본 여타 공장들과 비교해봤을 때 훨씬 더 낫다는 얘기를 했다. "정말 제가 본 공장 중에서 가장 깨끗하고 정돈이 잘되어 있는 공장입니다."

그러자 사장은 "이 사업을 이렇게 일으키는 데 평생을 바쳤습니다. 지금은 무척 자랑스럽답니다. 공장을 좀 둘러보시겠습니까?"라고 말을 했다.

공장을 둘러보면서 고 씨는 제작 시스템을 칭찬하면서 경쟁업체(**경쟁자**[15])들의 시스템에 비해 어떤 점에서 더 뛰어나 보이는지 들려주었다. 고 씨가 몇 가지 처음 보는 기계들에 대해 언급하자(**언급하다**[16]), 사장은 자신이 직접 그 기계들을 발명했노라고 자랑하면서 상당한 시간 동안 그 기계들이 어떻게 작동하는지, 그리고 얼마나 좋은 결과가 나오는지 설명해주었다. 그러고는 자기와 점심 식사를 같이하자고 굳이 우겨댔다. 지금까지 고 씨가 방문한 진짜 목적에 대해서는 한마디도 나오지 않았다는 점을 유의해보기 바란다.

점심 식사 후 사장은 이렇게 말했다. "자 이제 사업 얘기를 하시죠. 무슨 일로 오셨는지 물론 알고 있습니다. 하지만 우리의 만남이 이렇게 즐거울 줄은 전혀 예상치 못했습니다. 필라델피아로 돌아가셔서 다른 작업을 제쳐놓더라도 주문하신 물건은 제 시간에 제작해서(**제작하다**[17]) 납품하겠다고 약속하더라고 말씀하셔도 좋습니다."

고 씨는 요청하지도 않았는데 원하던 모든 것을 얻게 되었다. 물건은 제 시간에 납품되었고, 건물은 완공 계약 기간이 끝나는 날 완공되었다. 만일 고 씨가 그런 **상황**[18]에서 대개 사용하는 고압적인 방법을 썼더라면 이런 결과가 나올 수 있었을까?

반감이나 반발을 사지 않으면서 다른 사람을 변화시키고 싶다면, 다음 방법과 같이 해보라!

칭찬과 솔직한 감사의 말로 시작하라.

2 HOW TO CRITICIZE—
AND NOT BE HATED FOR IT

CHARLES SCHWAB was passing through one of his steel mills one day at noon when he came across some of his employees smoking. Immediately above their heads was a sign which said "No Smoking." Did Schwab point to the sign and say, "Can't you read?" Oh, no, not Schwab.

He walked over to the men, handed each one a cigar, and said, "I'll appreciate it, boys, if you will smoke these on the outside." They knew that he knew that they had broken a rule—and they admired him because he said nothing about it and gave them a little present and made them feel important. Couldn't keep from loving a man like that, could you?

John Wanamaker used the same technique. Wanamaker used to make a tour of his great store in Philadelphia every day. Once he saw a customer waiting at a counter. No one was paying the slightest attention to her. The sales people? Oh, they were in a **huddle**[1] at the far end of the counter laughing and talking among themselves. Wanamaker didn't say a word. Quietly slipping behind the counter, he waited on the woman himself and then handed the purchase to the sales people to be wrapped as he went on his way.

On March 8, 1887, the **eloquent**[2] Henry Ward Beecher died, or changed worlds, as the Japanese say. The following Sunday, Lyman Abbott was invited to speak in the pulpit left silent by Beecher's passing. Eager to do his best, he wrote, rewrote and **polish**ed[3] his **sermon**[4] with the **meticulous**[5] care of a Flaubert. Then he read it to his wife. It was poor—as most written speeches are.

2 원망받지 않고 비판하는 방법

어느 날 점심 무렵, 찰스 슈워브는 한 제철공장을 돌아보다 담배를 피우고 있는 직원들을 보았다. 직원들 머리 바로 위에는 '금연' 표시가 붙어 있었다. 그 즉시 그들 머리 위에 있는 '금연' 표시를 가리키며 "글 읽을 줄 모르나?" 하고 말했을까? 절대 그렇게 하지 않았다. 그건 슈워브의 방식이 아니었다.

그는 직원들에게 다가가서 시가를 하나씩 손에 쥐어주며 이렇게 말했다. "어이 친구들, 밖으로 나가서 이 시가를 태워주면 정말 고맙겠네." 자신들이 규칙을 어겼음을 슈워브가 알고 있다는 것을 직원들도 알았다. 하지만 거기에 대해서는 일언반구도 없이 오히려 작은 선물까지 주면서 자신들이 인정받고 있다고 느끼도록 해주었기 때문에 직원들은 이런 슈워브를 존경하게 되었다. 여러분이라 하더라도 어찌 이런 사람을 좋아하지 않을 수 있겠는가?

존 워너메이커도 똑같은 방법을 사용했다. 워너메이커는 필라델피아에 있던 자신의 대형 매장을 매일 돌아보았다. 그러던 어느 날 그는 고객이 계산대에서 기다리고 있는 것을 보게 되었다. 하지만 어느 누구도 그 고객에게 조금의 신경도 쓰지 않고 있었다. 판매 사원들? 그들은 계산대 한쪽 구석에 모여서(**옹기종기 모임**[1]) 자기들끼리 잡담을 하며 키득거리고 있었다. 워너메이커는 아무런 말도 하지 않았다. 그는 조용히 계산대로 들어가 자신이 직접 고객의 계산을 처리한 뒤, 판매 사원들에게 물건을 건네주어 포장하게 하고는 자리를 떴다.

1887년 3월 8일, 설교 잘하기로(**연설을 잘하는**[2]) 소문난 헨리 워드 비처가 사망했다. 동양식 표현을 빌리자면 유명을 달리했다. 라이먼 애벗은 비처의 사망으로 인해 비어 있는 설교대에서 그 다음 일요일에 설교를 해달라는 요청을 받았다. 최선을 다하기 위해 그는 플로베르처럼 엄청나게 꼼꼼하게(**꼼꼼한**[5]) 신경을 써서 설교문(**설교**[4])을 쓰고 또 고쳐 썼다(**다듬다**[3]). 그리고서 설교문을 아내에게 읽어주었다. 종이에 쓴 연설문이 대부분 그렇듯 그의 설교문도 형편없었다.

She might have said, if she had had less judgment, "Lyman, that is terrible. That'll never do. You'll put people to sleep. It reads like an encyclopedia. You ought to know better than that after all the years you have been preaching. For heaven's sake, why don't you talk like a human being? Why don't you act natural? You'll **disgrace**[6] yourself if you ever read that stuff."

That's what she might have said. And, if she had, you know what would have happened. And she knew too. So, she merely remarked that it would make an excellent article for the *North American Review*. In other words, she praised it and at the same time subtly suggested that it wouldn't do as a speech. Lyman Abbott saw the point, tore up his carefully prepared **manuscript**[7] and preached without even using notes.

To change people without giving offense or arousing resentment, Rule 2 is:

Call attention to people's mistakes indirectly.

만일 판단력이 떨어지는 아내였다면 이렇게 말했을지도 모르겠다. "여보, 아주 형편없어요. 그거로는 안 되겠어요. 사람들을 다 졸게 할 참이에요? 마치 백과사전을 읽는 것 같아요. 그렇게 오랫동안 설교했는데 이 정도밖에 못 하나요? 세상에, 왜 사람이 말하는 것처럼 말하지 않는 거예요? 좀 더 자연스러울 수 없어요? 그걸 읽으면 톡톡히 망신당할(**망신시키다**[6]) 것 같네요."

그의 아내는 이런 식으로 말할 수도 있었다. 만일 그랬다면 어떤 일이 벌어졌을지 여러분도 알 것이다. 그의 아내도 물론 알고 있었다. 그래서 그녀는 〈노스 아메리칸 리뷰〉에 싣는다면 정말 좋은 글이 될 것 같다고 얘기해주었다. 달리 말하면 그의 글을 칭찬하면서도 동시에 연설로는 그리 좋지 않다는 것을 넌지시 암시했던 셈이다. 라이먼 애벗은 말뜻을 알아듣고는 정성스레 준비한 **원고**[7]를 찢어버리고 심지어 메모 하나 없이 설교했다.

반감이나 반발 없이 상대를 변화시키고자 한다면, 다음 방법과 같이 해보라!

상대의 실수를 간접적으로 지적하라.

3 TALK ABOUT YOUR OWN MISTAKES FIRST

A FEW years ago, my niece, Josephine Carnegie, left her home in Kansas City and came to New York to act as my secretary. She was nineteen, had graduated from high school three years previously, and her business experience was a trifle more than zero. Today she is one of the most perfect secretaries west of Suez; but, in the beginning, she was—well, **susceptible to**[1] improvement.

One day when I started to criticize her, I said to myself: "Just a minute, Dale Carnegie; just a minute. You are twice as old as Josephine. You have had ten thousand times as much business experience. How can you possibly expect her to have your viewpoint, your judgment, your initiative—**mediocre**[2] though they may be? And just a minute, Dale, what were you doing at nineteen? Remember the **asinine**[3] mistakes and blunders you made? Remember the time you did this ······ and that ······ ?"

After thinking the matter over, honestly and **impartially**[4], I concluded that Josephine's **batting average**[5] at nineteen was better than mine had been—and that, I'm sorry to confess, isn't paying Josephine much of a **compliment**[6].

So after that, when I wanted to call Josephine's attention to a mistake, I used to begin by saying, "You have made a mistake, Josephine, but the Lord knows, it's no worse than many I have made. You were not born with judgment. That comes only with experience; and you are better than I was at your age. I have been guilty of so many stupid, silly things myself I have very little inclination to criticize you or anyone. But don't you think it would have been wiser if you had done so and so?"

It isn't nearly so difficult to listen to a recital of your own faults

3 자신의 잘못에 대해 먼저 얘기하라

  수년 전 캔자스 시에서 살던 조카딸인 조세핀 카네기가 내 비서가 되겠다고 집을 떠나 뉴욕으로 왔다. 조세핀은 당시 열아홉 살이었고 고등학교를 졸업한 지 3년이 되었지만, 사회생활에 대한 경험은 거의 없었다. 조세핀이 지금은 서구 사회에서 가장 완벽한 비서가 됐지만, 처음에는 뭐랄까, '개선의 여지가(~에 민감한[1]) 상당했다.'

  그런데 하루는 조세핀을 야단치려고 하다가 스스로에게 말해보았다. '잠깐만. 데일 카네기, 잠깐만. 자네는 조세핀보다 나이가 두 배는 많고, 사회 경험은 만 배 많지. 어떻게 걔가 자네가 가진 관점, 판단력, 적극성 등을 가질 수 있겠어? 자네도 그다지 좋지 않은데(보통밖에 안 되는[2]) 말이야. 그리고 잠깐만, 데일. 자네는 19세 때 무얼 하고 있었지? 그때 자네가 저지른 어리석은(우둔한, 나귀의[3]) 잘못들과 미련한 실수들을 기억하지? 이런 실수도 있었고, 저런 잘못도 있었고 ……'

  솔직하고 공정하게[4] 이런 생각을 하고 나자 나는 19세로 볼 때 조세핀의 타율[5]이 적어도 나보다는 높고, 이런 말 하기 부끄럽지만, 조세핀이 마땅히 받아야 할 칭찬[6]도 내가 제대로 못 해주고 있다는 결론을 내리게 되었다.

  그래서 그 후 조세핀의 잘못을 지적하고자 할 때는 나는 이렇게 말을 시작했다. "조세핀, 여기 실수한 게 있구나. 하지만 내가 그보다 더 큰 실수를 더 많이 했다는 건 하느님도 아신단다. 판단력은 태어날 때부터 갖고 나오는 게 아니라 경험을 통해 얻어지는 것이야. 그리고 너는 내가 너만 할 때보다 훨씬 낫다. 나는 멍청하고 바보 같은 짓을 너무 많이 저질렀기 때문에, 너든 누구든 비판하고픈 생각이 조금도 없다. 하지만 네가 이러저러한 식으로 했다면 훨씬 더 현명한 일이었을 것이라고 생각하지 않니?"

  비판을 하는 사람이 먼저 겸손하게 자신 또한 결점 없는[7] 사람이 아니라

if the criticizing begins by humbly admitting that he, too, is far from **impeccable**[7].

The polished Prince von Bulow learned the sharp necessity of doing this back in 1909. Von Bulow was then the Imperial **Chancellor**[8] of Germany, and on the throne sat Wilhelm II— Wilhelm, the haughty; Wilhelm, the arrogant; Wilhelm, the last of the German Kaisers, building an army and navy which he boasted could whip their weight in wild cats.

Then an astonishing thing happened. The Kaiser said things, incredible things, things that rocked the continent and started a series of explosions heard around the world. To make matters infinitely worse, the Kaiser made these silly, **egotistic**[9], **absurd**[10] announcements in public, he made them while he was a guest in England, and he gave his royal permission to have them printed in the *Daily Telegraph.* For example, he declared that he was the only German who felt friendly toward the English; that he was constructing a navy against the **menace**[11] of Japan; that he, and he alone, had saved England from being humbled in the dust by Russia and France; that it was *his* plan of campaign that enabled England's Lord Roberts to defeat the Boers in South Africa; and so on and on.

No other such amazing words had ever fallen from the lips of a European king in peace time within a hundred years. The entire continent buzzed with the fury of a hornet's nest. The Kaiser became **panicky**[12] and suggested to Prince von Bulow, the Imperial Chancellor, that he take the blame. Yes, he wanted von Bulow to announce that it was all his responsibility, that he had advised his monarch to say these incredible things.

"But Your Majesty," von Bulow protested, "it seems to me utterly impossible that anybody either in Germany or England could suppose me capable of having advised Your Majesty to say any

는 것을 인정하면서 시작한다면, 잘못을 되풀이해 지적하는 경우라도 조금은 받아들여지기가 수월할 것이다.

기품 있기로 알려진 프린스 폰 뷜로는 이미 1909년에 이런 방식의 필요성을 절감했다. 폰 뷜로는 빌헬름 2세가 다스리는 독일 제국의 **총리⁸**였다. 당시 독일 황제 빌헬름 2세는 어떤 나라든 쓸어버릴 수 있을 만큼 강력한 육군과 해군을 보유하고 있다고 자랑했기에 '오만한 빌헬름', '도도한 빌헬름', '최후의 독일 황제 빌헬름' 등으로 불리고 있었다.

그런데 그때 놀라운 일이 발생했다. 황제가 어떤 얘기를 했는데, 그것은 믿기 힘든 얘기였지만 그 말로 인해 유럽 대륙이 요동치고 세계 각처에서 폭발음이 일어나기 시작했다. 황제는 어리석고 이기적이며(**이기적인⁹**) **어처구니없는¹⁰** 그 발언을 영국 방문 길에 공개적으로 했으며, 또한 그 발언을 〈데일리 텔레그래프〉에 실어도 좋다고 허락했기 때문에 상황은 걷잡을 수 없이 악화됐다. 그가 한 말은 다음과 같았다. 황제 자신은 영국에 우호적인 유일한 독일 사람이다. 일본의 **위협¹¹**에 대비하기 위해 해군을 양성하고 있다. 황제 자신이, 그리고 자신만이, 영국이 러시아와 프랑스에 짓밟혀 나뒹구는 것을 막아주었다. 남아프리카에서 영국의 로버츠 경이 보어인을 물리칠 수 있었던 것도 황제 *자신이* 세운 전투 작전 때문이었다 ……

그 이전 100년 동안 유럽에 있는 어떤 왕들도 평화적인 시기에 이처럼 놀라운 말을 쏟아낸 적이 없었다. 온 유럽 대륙이 벌집을 쑤신 듯 소란스러웠다. 예기치 않은 대소동에 겁을 집어먹은(**공황 상태에 빠진¹²**) 황제는 프린스 폰 뷜로에게 대신 책임져달라고 요청했다. 황제는 폰 뷜로가 "모든 책임은 황제에게 잘못 조언한 나에게 있다"고 발표하기를 원했던 것이다.

그에 대해 폰 뷜로는 이렇게 대꾸했다. "황제 폐하, 독일인이나 영국인 중에 제가 황제 폐하에게 그런 말을 하도록 조언했다고 믿을 사람은 하나도 없을 것으로 보입니다."

such thing."

The moment those words were out of von Bulow's mouth, he realized he had made a grave mistake. The Kaiser blew up.

"You consider me a donkey," he shouted, "capable of blunders you yourself could never have committed!"

Von Bulow knew that he ought to have praised before he condemned; but since that was too late, he did the next best thing. He praised after he had criticized. And it worked a miracle—as praise often does.

"I'm far from suggesting that," he answered respectfully. "Your Majesty **surpass**es[13] me in many respects; not only of course, in naval and military knowledge, but, above all, in natural science. I have often listened in admiration when Your Majesty explained the barometer, or wireless telegraphy, or the Röentgen rays. I am shamefully ignorant of all branches of natural science, have no notion of chemistry or physics, and am quite incapable of explaining the simplest of natural phenomena. But," von Bullow continued, "in **compensation**[14], I possess some historical knowledge and perhaps certain qualities useful in politics, especially in diplomacy."

The Kaiser beamed. Von Bulow had praised him. Von Bulow had **exalt**ed[15] him and humbled himself. The Kaiser could forgive anything after that. "Haven't I always told you," he exclaimed with enthusiasm, "that we complete one another famously? We should stick together, and we will!"

He shook hands with von Bulow, not once, but several times. And later in the day he **wax**ed[16] so enthusiastic that he exclaimed with doubled fists, "If anyone says anything to me against Prince von Bulow, *I shall punch him in the nose.*"

Von Bulow saved himself in time—but, canny diplomat that he was, he nevertheless had made one error: he should have *begun* by talking about his own shortcomings and Wilhelm's superiority—not

폰 빌로는 이 말을 뱉는 순간 자신이 커다란 실수를 저질렀음을 깨달았다. 황제는 불같이 화를 냈다.

"당신은 내가 어리석어서 당신이라면 절대 저지르지 않을 잘못을 저질렀다고 생각하는구려."

폰 빌로는 비판을 하기 전에 칭찬을 해야만 했음을 알고 있었다. 하지만 이미 너무 늦어버렸으므로 그는 차선책을 택했다. 비판한 후에 칭찬을 하는 것이었다. 그리고 종종 칭찬이 그러는 것처럼 그 결과는 놀라웠다.

그는 겸손하게 이렇게 대답했다. "절대 그런 뜻이 아닙니다. 여러 면에서 황제 폐하가 저보다 훨씬 뛰어나십니다(~**보다 뛰어나다**[13]). 해군이나 육군에 대한 지식은 물론이거니와, 무엇보다도 자연과학에 뛰어나신 분입니다. 황제 폐하께서 기압계나 무선 전신, 혹은 뢴트겐 광선(X선)에 대해 설명하실 때 저는 감탄하며 들었던 적이 종종 있습니다. 저는 부끄럽게도 어떤 분야의 자연과학에도 무지해 화학이나 물리학이 뭔지 알지도 못하고 가장 단순한 자연 현상도 설명하지 못합니다. 하지만 그에 대한 **보상**[14]인지 모르지만 역사에 대해서는 약간의 지식이 있고, 정치 특히 외교에 유용한 어떤 자질도 갖고 있지 않나 생각하고 있습니다."

황제의 얼굴이 밝아졌다. 폰 빌로가 황제를 칭찬했다. 폰 빌로는 황제를 높이 세우고(~**를 격상시키다**[15]) 스스로 몸을 낮추었던 것이다. 그러자 황제는 어떤 것이라도 용서할 수 있을 것 같았다. 황제가 열띤 목소리로 감탄하듯 말했다. "우리는 놀라울 정도로 서로 보완적인 관계라고 내가 말하지 않았소? 우리는 함께 가야지. 그러고 말고."

황제는 폰 빌로의 손을 잡고 흔들었다. 그것도 한 번이 아니라 여러 번이었다. 그리고 그날 오후 황제는 열정에 넘쳐서(**커지다, 길어지다**[16]) 주먹을 불끈 쥐며 이렇게 소리쳤다. "누구든 내 앞에서 프린스 폰 빌로에 대해 안 좋은 얘기를 하면 주먹으로 콧대를 부러뜨려놓을 것이오."

폰 빌로는 너무 늦지 않게 화를 모면할 수 있었다. 하지만 빈틈없는 외교관인 그도 한 가지 실수를 저질렀다. 그는 황제가 좀 모자란 사람이라 누가 돌봐줘야 한다는 암시를 풍기기 이전에, 자신의 부족한 점과 황제의 뛰어

by intimating that the Kaiser was a half-wit in need of a guardian.

If a few sentences **humbling oneself**[17] and praising the other party can turn a haughty, insulted Kaiser into a **staunch**[18] friend, imagine what humility and praise can do for you and me in our daily contacts. Rightfully used, they will work **veritable**[19] miracles in human relations.

To change people without giving offense or arousing resentment, Rule 3 is:

Talk about your own mistakes before criticizing the other person.

난 점을 언급하는 것으로 *시작해야* 했었다.

자신을 낮추고(**겸손하게 굴다**[17]) 상대를 칭찬하는 말 몇 마디만으로도 모욕당했다고 느끼는 오만한 황제를 믿음직한(**철두철미한**[18]) 친구로 만들 수 있다면, 겸양과 칭찬이 우리 일상생활에서 얼마만 한 일을 할 수 있는지 상상해보라. 제대로 사용한다면 겸양과 칭찬은 인간관계에서 **진정한**[19] 기적을 만들어낼 것이다.

반감이나 반발 없이 상대를 변화시키고자 한다면, 다음 방법과 같이 해보라!

상대를 비판하기 전에 자신의 잘못에 대해 먼저 얘기하라.

4 NO ONE LIKES TO TAKE ORDERS

I RECENTLY had the pleasure of dining with Miss Ida Tarbell, the **dean**[1] of American **biographer**s[2]. When I told her I was writing this book, we began discussing this all-important subject of getting along with people, and she told me that while she was writing her biography of Owen D. Young she interviewed a man who had sat for three years in the same office with Mr. Young. This man declared that during all that time he had never heard Owen D. Young give a direct order to anyone.

He always gave suggestions, not orders. Owen D. Young never said, for example, "Do this or do that," or "Don't do this or don't do that." He would say, "You might consider this," or "do you think that would work?" Frequently he would say, after he had dictated a letter, "What do you think of this?" In looking over a letter of one of his assistants, he would say, "Maybe if we were to phrase it this way it would be better." He always gave a person an opportunity to do things himself; he never told his assistants to do things; he let them do them, let them learn from their mistakes.

A technique like that makes it easy for a person to correct errors. A technique like that saves a man's pride and gives him or her a feeling of importance. It makes him want to co-operate instead of **rebel**[3].

To change people without giving offense or arousing resentment, Rule 4 is:

Ask questions instead of giving direct orders.

4 명령받고 싶은 사람은 아무도 없다

최근 나는 미국의 **최고참[1]** 전기 작가[2]라 할 수 있는 아이다 타벨 여사와 식사를 함께할 기회가 있었다. 그 자리에서 나는 여사에게 이 책을 쓰고 있다고 말했다. 우리는 '사람들과 사이좋게 어울리는 법'이라는 지고의 주제에 관해 활발한 의견을 교환했으며, 이와 관련한 여사의 경험도 들을 수 있었다. 여사가 오웬 D. 영의 전기를 쓰고 있을 때였다. 여사는 영과 3년째 같은 사무실을 쓰는 사람을 인터뷰한 적이 있었다. 그 사람은 자기가 죽 봐왔는데 오웬 D. 영이 다른 사람에게 직접 명령을 내리는 걸 본 적이 한 번도 없다고 단언했다.

영은 언제나 명령이 아니라 제안을 했다. 이를 테면 오웬 D. 영은 절대로 "이렇게 하시오", "저렇게 하시오", 아니면 "이렇게 하지 마시오", "저렇게 하지 마시오"라고 하지 않았다. 그는 언제나 "이런 것도 고려해야 하지 않을까요?" "이렇게 하면 될 것 같습니까?" 하고 말했다. 편지를 구술시키고 난 후에는 종종 "이렇게 쓰는 게 어떤가요?"라고 얘기하곤 했다. 비서가 써온 편지를 검토한 후에는 "이런 식으로 고치면 더 좋을 것 같네요"라고 말했다. 그는 언제나 사람들에게 본인이 직접 일을 처리할 수 있도록 기회를 주었다. 그는 비서들에게 결코 일을 시키는 법이 없었다. 비서들이 일을 하도록 놔두고, 실수를 통해 배우도록 했다.

이와 같은 테크닉은 상대로 하여금 쉽게 자신의 실수를 바로잡을 수 있게 만들어준다. 또한 상대의 자존심을 살려주고 상대에게 인정받고 있다는 생각이 들도록 한다. 반발(**반역자[3]**) 대신에 협력하려는 마음이 생기게 한다.

반감이나 반발 없이 상대를 변화시키고자 한다면, 다음 방법과 같이 해보라!

직접적으로 명령하지 말고 질문을 하라.

5 LET THE OTHER MAN SAVE HIS FACE

YEARS ago the General Electric Company was faced with the delicate task of removing Charles Steinmetz from the head of a department. Steinmetz, a genius of the first magnitude when it came to electricity, was **a failure**[1] as the head of the calculating department. Yet the company didn't dare offend the man. He was indispensable—and highly sensitive. So they gave him a new title. They made him Consulting Engineer of the General Electric Company—a new title for work he was already doing—and let someone else head up the department.

Steinmetz was happy. So were the officers of the G. E. They had gently maneuvered their most **temperamental**[2] star, and they had done it without a storm—by letting him save his face.

Letting one save his face! How important, how vitally important that is! And how few of us ever stop to think of it! We **ride roughshod over**[3] the feelings of others, getting our own way, finding fault, issuing threats, criticizing a child or an employee in front of others, without even considering the hurt to the other person's pride! Whereas a few minutes' thought, a considerate word or two, a genuine understanding of the other person's attitude would go so far toward alleviating the sting!

Let's remember that the next time we are faced with the distasteful necessity of discharging a servant or an employee.

"Firing employees is not much fun. Getting fired is even less fun.(I'm quoting now from a letter written me by Marshall A. Granger, a certified public accountant.) Our business is mostly **seasonal**[4]. Therefore we have to let a lot of men go in March.

5 체면을 세워줘라

오래전 제너럴 일렉트릭 컴퍼니(GE)는 찰스 스타인메츠를 부서장 자리에서 끌어내려야 하는 까다로운 문제에 봉착했다. 스타인메츠는 전기에 관해서는 타의 추종을 불허했지만 회계 파트의 부서장으로는 **실패자**[1]였다. 하지만 회사로서는 그의 감정을 상하게 하고 싶지 않았다. 그는 여전히 필요한 존재였다. 하지만 그는 대단히 예민한 사람이기도 했다. 그래서 회사에서는 'GE 컨설팅 엔지니어'라는 새로운 직위를 만들어 그에게 부여했다. 그가 예전에 하던 일과 같은 일이었다. 그리고 회계 파트에는 새로운 부서장을 임명했다.

스타인메츠는 만족했다. 회사 간부들도 만족스럽기는 마찬가지였다. 체면을 세워주는 방법으로 무척 **신경질적인**[2] 유명 인사의 문제를 깔끔히, 아무런 잡음 없이 처리했기 때문이다.

상대의 체면을 세워줘라! 이 얼마나 중요한, 절대적으로 중요한 일인가! 그럼에도 불구하고 잠시라도 짬을 내어 그런 생각을 하는 사람은 몇이나 되는가! 우리는 상대의 감정 따윈 거들떠보지도 않고(**남을 생각지 않고 함부로 굴다**[3]) 우리 고집대로 한다. 흠을 잡고, 위협을 하고, 다른 사람들 앞에서 자녀나 종업원을 나무란다. 심지어는 상대의 자존심에 상처를 입히는 것인 데도 전혀 개의치 않는다. 잠시 생각을 가다듬거나 사려 깊은 말 한두 마디만 하면, 그리고 상대의 태도에 대한 진정한 이해를 보여주기만 하면 상대가 받는 아픔이 훨씬 줄어드는 데도 말이다.

앞으로 하인이나 종업원을 해고하는 것과 같은 편치 않은 상황이 닥칠 경우 이 점을 기억하도록 하자.

"해고당하는 일이야 더 말할 것도 없겠지만, 직원을 해고하는 일도 그다지 유쾌한 일은 아닙니다(나는 지금 공인회계사인 마셜 A. 그레인저가 내게 보낸 편지를 인용하고 있다). 우리 일은 한 철(**계절적인**[4]) 장사가 대부분이라 3월이 되면 많은 사람들을 내보내야 합니다.

It's a **byword**[5] in our profession that no one enjoys wielding the ax. Consequently, the custom has developed of **get**ting it **over**[6] as soon as possible, and usually in the following way:

'Sit down, Mr. Smith. The season's over, and we don't seem to see any more assignments for you. Of course, you understood that you were employed only for the busy season anyhow, etc. etc.'

The effect on these men was one of disappointment, and a feeling of being 'let down'[7] Most of them were in the accounting field for life, and they retained no particular love for the firm that dropped them so casually.

I recently decided to let our **extra men**[8] go with a little more tact and consideration. So I have called each man in only after carefully thinking over his work during the winter. And I've said something like this:

'Mr. Smith, you've done a fine job (if he has). That time we sent you over to Newark, you had a tough assignment. You were on the spot, but you came through with flying colors, and we want you to know the firm is proud of you. You've got the stuff—you're going a long way, wherever you're working. This firm believes in you, and is rooting for you, and we don't want you to forget it!'

Effect? The men go away feeling a lot better about being fired. They don't feel 'let down.' They know if we had work for them, we'd keep them on. And when we need them again, they come to us with a keen personal **affection**[9]."

The late Dwight Morrow possessed an uncanny ability to **reconcile**[10] belligerents who wanted to fly at each other's throats. How? He scrupulously sought what was right and just on both sides —he praised it, emphasized it, brought it carefully to the light—and no matter what the settlement, he never placed any man in the wrong.

That's what every **arbitrator**[11] knows—let men save their faces.

사람을 자르는 일이 유쾌하지 않다는 **상투적인 말⁵**은 우리 직종에 있는 사람들은 누구나 다 아는 얘기입니다. 따라서 가능하면 간단히 해치우는(**처리하다, 극복하다⁶**) 관습이 자리 잡게 되었는데, 대개는 다음과 같습니다.

'스미스 씨, 앉으시죠. 시즌이 끝나서 더 이상 일을 드릴 수가 없을 것 같습니다. 물론 시즌 동안만 일한다는 조건으로 채용되었다는 점은 이미 알고 있으리라 생각합니다. 등등 …….'

이 말을 들으면 상대는 실망감과 함께 '모멸감(**체면 등을 떨어뜨리다⁷**)'을 갖게 됩니다. 그들 대부분은 평생 회계 분야에서 일한 사람들이지만, 자신들을 그토록 아무렇지도 않은 듯이 해고하는 회사에 대해서는 손톱만큼의 애착을 가지지 않습니다.

최근 나는 **잉여 인력⁸**을 내보낼 때 좀 더 지혜롭고 사려 깊은 방법을 써야겠다고 마음먹었습니다. 그래서 면담을 하기 전에는 반드시 그가 겨울 동안 한 일을 꼼꼼히 살펴보았습니다. 그러고 나서 이런 식으로 얘기했습니다.

'스미스 씨, 일을 정말 잘해주셨습니다(실제로 일을 잘한 경우의 얘기입니다). 지난번 뉴욕 출장 건은 힘든 일이었더군요. 어려우셨을 텐데도 잘 끝내고 오신 점에 대해 회사로서는 자랑스럽게 생각하고 있습니다. 능력이 있으신 분이니 어디에서 일을 해도 잘하실 수 있을 것입니다. 우리가 스미스 씨를 믿고 있으며 언제나 성원을 보내고 있다는 점을 잊지 말아주시기 바랍니다.'

그 결과 사람들은 해고당하는 것에 대해 전보다 훨씬 편한 마음을 가지게 되었습니다. '모멸감'도 느끼지 않게 되었습니다. 만일 일이 있기만 했다면 해고하지 않았으리란 점을 그들도 압니다. 그리고 다시 그들이 필요할 때 그들은 우리 회사에 개인적으로 상당한 **애정⁹**을 가지고 와줍니다."

작고한 드와이트 머로는 핏대를 세우며 다투기를 좋아하는 사람들을 화해시키는(**화해시키다¹⁰**) 데 비상한 재주를 갖고 있었다. 어떻게 했을까? 그는 양측에서 정당하고 옳은 부분을 세심하게 찾아내, 그 부분을 칭찬하고, 강조하며, 조심스럽게 드러나게 했다. 그리고 어떤 식으로 해결이 되더라도 어느 쪽도 틀린 편이 되지 않도록 만들었다.

상대의 체면을 세워줘야 한다는 것은 진정한 **중재자¹¹**라면 누구나 알고

Really big men, the world over, are too big to waste time gloating over their personal triumphs. To illustrate:

In 1922, after centuries of bitter **antagonism**[12], the Turks determined to drive the Greeks forever from Turkish territory. Mustapha Kemal made a Napoleonic speech to his soldiers, saying, "Your goal is the Mediterranean," and one of the bitterest wars in modern history was on. The Turks won; and when the two Greek generals, Tricoupis and Dionis, made their way to Kemal's headquarters to surrender, the Turkish people called down the curses of heaven upon their **vanquish**ed[13] **foe**s[14].

But Kemal's attitude was free from triumph.

"Sit down, gentlemen," he said, grasping their hands. "You must be tired." Then, after discussing the campaign in detail, he softened the **blow**[15] of their defeat. "War," he said, as one soldier to another, "is a game in which the best men **are** somtimes **worsted**[16]."

Even in the full flush of victory, Kemal remembered this important rule(Rule 5 for us):

Let the other person save his face.

있는 것이다. 진짜 위대한 사람, 즉 평범한 세계를 넘어선 사람은 자신의 개인적인 승리에 희희낙락하며 시간을 보내지 않는다. 예를 들어보자.

1922년, 수백 년에 걸친 극심한 **대립**[12] 끝에 터키 사람들은 자국 영토에서 그리스 사람들을 영원히 몰아내야 한다는 결정을 내렸다. 무스타파 케말은 병사들에게 나폴레옹처럼 원대한 포부를 담은 연설을 했다. "여러분의 목표는 지중해다." 이 연설과 함께 현대사에서 가장 치열한 전쟁이 일어났다. 승리한 쪽은 터키였다. 그리스의 두 장군, 트리코피스와 디오니스가 항복하기 위해 케말이 있는 곳으로 가는 동안 터키 사람들은 굴복한(**완파하다**[13]) **적**[14]에게 끝없는 저주를 퍼부어댔다.

하지만 케말의 태도는 전혀 승리자의 것이 아니었다.

"여러분, 앉으십시오." 케말이 그들의 손을 잡으며 말했다. "피곤하시죠." 그런 후 전쟁에 대해 상세히 의견을 교환하고 나서, 그는 그들이 패배를 심각한 **타격**[15]으로 받아들이지 않도록 했다. 그는 군인 대 군인의 처지에서 이렇게 말했다. "전쟁이란 게임과 같아서 뛰어난 사람이 패배하는(**패배하다**[16]) 경우도 가끔 있습니다."

주체할 수 없는 승리의 기쁨 속에서도 케말은 이 중요한 규칙을 기억하고 있었다.

상대의 체면을 세워줘라.

6 HOW TO SPUR PEOPLE ON TO SUCCESS

I USED to know Pete Barlow. Pete had a dog-and-pony act and he spent his life traveling with circuses and **vaudeville**[1] shows. I loved to watch Pete train new dogs for his act. I noticed that the moment a dog showed the slightest improvement, Pete patted and praised him and gave him meat and made a great **to-do**[2] about it.

That's nothing new. Animal trainers have been using that same technique for centuries.

Why, I wonder, don't we use the same common sense when trying to change people that we use when trying to change dogs? Why don't we use meat instead of a **whip**[3]? Why don't we use praise instead of condemnation? Let's praise even the slightest improvement. That inspires the other fellow to keep on improving.

Warden Lewis E. Lawes has found that praising the slightest improvement pays, even with crime-hardened men in Sing Sing.

"I have found," Warden Lawes said in a letter which I received while writing this chapter, "that the voicing of proper appreciation for the efforts of the **inmate**s[4] secures greater results in obtaining their cooperation and furthering their ultimate **rehabilitation**[5] than harsh criticism and condemnation for their **delinquencies**[6]."

I have never been **incarcerate**d[7] in Sing Sing—at least not yet— but I can look back in my own life and see where a few words of praise have sharply changed my entire future. Can't you say the same thing about your life? History is **replete**[8] with striking illustrations of the sheer **witchery**[9] of praise.

For example, half a century ago, a boy of ten was working in a factory in Naples. He longed to be a singer, but his first teacher

6 사람들을 성공으로 이끄는 방법

피트 발로는 내 오랜 친구다. 그는 동물 쇼를 하면서 오랫동안 서커스단과 **곡예단**[1]을 따라 떠돌아다녔다. 나는 피트가 새로운 개를 데려다가 쇼에 내보낼 수 있게 훈련시키는 것을 구경하길 좋아했다. 나는 그가 개가 조금이라도 더 잘하면 쓰다듬으며 칭찬하고 고기를 주는 등 **야단법석**[2]을 떠는 것을 보았다.

그것은 새로운 방법이 아니었다. 동물 조련사들은 그와 같은 방법을 수백 년 전부터 사용해왔다.

그런데 왜 우리는 개를 훈련시킬 때 사용하는 것과 똑같은 상식을 사람을 변화시키고자 할 때는 쓰지 않는 것일까? 왜 우리는 **채찍**[3] 대신에 고기를 쓰지 않는 것일까? 왜 우리는 비난 대신에 칭찬을 사용하지 않는 것일까? 조그마한 진전이라도 보이면 칭찬을 해주도록 하자. 그러면 상대는 더욱 분발하게 되는 법이다.

루이스 E. 로스 교도소장은 범죄 행위에 대한 가책조차 느끼지 않는 싱싱 교도소의 수감자들이라 하더라도 조그마한 발전에 칭찬을 해주면 변화가 생긴다는 사실을 발견했다.

바로 이 부분을 쓰는 도중에 루이스 소장으로부터 편지를 받았다. 내용을 보면 다음과 같다. "**재소자**[4]들의 노력에 대해 적절하게 칭찬하는 것이 그들의 **범죄**[6]를 심하게 비판하거나 비난하는 것보다 그들의 협력을 얻어내고, 그들이 최종적으로 사회에 재적응하는 것(**갱생**[5])을 증진시키는 데 훨씬 더 나은 결과를 가져온다는 사실을 발견했습니다."

나는 '싱싱'에 투옥되어(**투옥하다**[7]) 본 적이 없다. 적어도 지금까지는 그렇다. 하지만 내 자신의 삶을 돌아보며 몇 마디 칭찬의 말이 그 후의 내 인생을 송두리째 바꿔놓은 때가 있음을 알 수 있다. 여러분의 인생에서도 이와 똑같은 일을 볼 수 있지 않은가? 역사에는 칭찬이 부리는 **마술**[9]을 보여주는 놀라운 예가 가득하다(~**으로 가득한**[8]).

예를 들면, 50년 전 열 살 난 소년이 나폴리에 있는 공장에서 일을 하고 있었다. 그는 가수가 되고 싶었으나 그의 첫 번째 선생님이 기를 꺾어놓았다.

discouraged him. "You can't sing," he said. "You haven't any voice at all. It sounds like the wind in the shutters."

But his mother, a poor **peasant**[10] woman, put her arms about him and praised him and told him she knew he could sing, she could already see an improvement, and she went barefoot in order to save money to pay for his music lessons. That peasant mother's praise and encouragement changed that boy's life. You may have heard of him. His name was Caruso.

Years ago, a young man in London **aspired**[11] to be a writer. But everything seemed to be against him. He had never been able to attend school more than four years. His father had been flung in jail because he couldn't pay his debts, and this young man often knew the pangs of hunger. Finally, he got a job pasting labels on bottles of **blacking**[12] in a rat-**infest**ed[13] warehouse; and he slept at night in a dismal attic room with two other boys—**guttersnipe**s[14] from the slums of London.

He had so little confidence in his ability to write that he **sneak**ed[15] out and mailed his first manuscript in the dead of night so nobody would laugh at him. Story after story was refused. Finally the great day came when one was accepted. True, he wasn't paid a shilling for it, but one editor had praised him. One editor had given him recognition. He was so thrilled that he wandered aimlessly around the streets with tears rolling down his cheeks.

The praise, the recognition, that he received through getting one story in print, changed his whole career, for if it hadn't been for that encouragement, he might have spent his entire life working in rat-infested factories. You may have heard of that boy, too. His name was Charles Dickens.

Half a century ago, another boy in London was working as a clerk in a dry-goods store. He had to get up at five o'clock, sweep out the

그 선생님은 소년에게 얘기했다. "넌 노래를 할 수 없어. 네 목소리에는 울림이 전혀 없어. 네 목소리는 꼭 문틈으로 새는 바람 소리처럼 들린다."

하지만 가난한 **농부**[10]였던 소년의 어머니는 자신의 팔로 소년의 어깨를 감싸 안으며 칭찬하고, 소년이 노래를 잘할 수 있으며 벌써 나아지고 있다고 얘기해주었다. 그리고 돈을 아껴 소년의 음악수업 비용에 충당하려고 맨발로 걸어다니기도 했다. 농부였던 어머니의 칭찬과 격려가 소년의 인생을 바꿔놓았다. 여러분도 그에 대해 들어보았을 것이다. 그의 이름은 카루소였다.

오래전 런던에 작가가 되기를 열망한(**열망하다**[11]) 소년이 있었다. 그러나 그에게 우호적인 조건은 하나도 없었다. 그가 학교를 다닌 기간은 4년에 불과했다. 아버지는 빚에 시달리다 감옥에 들어갔고, 소년은 굶주림에 시달려야 했다. 마침내 일자리를 삽았으나, 그 일은 쥐가 들끓는(**들끓다**[13]) 공장에서 **검정색 안료**[12] 깡통에 상표를 붙이는 일이었다. 그는 밤이면 런던 빈민가를 떠돌아다니던 **부랑아 소년**[14] 둘과 함께 음침한 다락방에서 잠을 잤다.

그는 자기의 글 쓰는 능력에 자신이 없었기 때문에, 다른 사람의 비웃음을 사지 않으려고 한밤중에 몰래 나가(**몰래 나가다**[15]) 초고를 출판사로 보내곤 했다. 계속해서 작품을 보냈지만 모두 다 반송되어왔다. 그러다 마침내 기념비적인 날이 왔다. 작품 하나가 받아들여진 것이다. 원고료는 한 푼도 받지 못했지만, 그는 편집장 한 사람의 칭찬을 받았다. 한 사람의 편집장은 그를 인정했던 것이다. 그는 너무 기쁜 나머지 뺨에 눈물이 흘러내리는 것도 아랑곳하지 않고 거리를 정처 없이 헤매고 다녔다.

작품 한 편이 인쇄되어나옴으로써 그 소년이 받은 칭찬과 인정은 그의 생을 완전히 바꾸어놓았다. 그 격려가 없었더라면 그는 쥐가 득실대는 공장에서 일을 하면서 생애를 마쳤을지도 모를 일이기 때문이다. 여러분은 그 소년의 이름도 들어보았을 것이다. 그의 이름은 찰스 디킨스였다.

지금부터 50년 전, 또 한 소년이 런던의 한 포목점에서 점원으로 일하고 있었다. 그는 아침 5시에 일어나 가게를 청소한 후 하루 14시간 동안 노예

store, and slave for fourteen hours a day. It was sheer **drudgery**[16] and he despised it. After two years, he could stand it no longer, so he got up one morning, and, without waiting for breakfast, tramped fifteen miles to talk to his mother, who was working as a housekeeper.

He was **frantic**[17]. He pleaded with her. He wept. He swore he would kill himself if he had to remain in the shop any longer. Then he wrote a long, pathetic letter to his old schoolmaster, declaring that he was heartbroken, that he no longer wanted to live. His old schoolmaster gave him a little praise and assured him that he really was very intelligent and fitted for finer things and offered him a job as a teacher.

That praise changed the future of that boy and made a lasting impression on the history of English literature. For that boy his since written seventy-seven books and made over a million dollars with his pen. You've probably heard of him. His name is H. G. Wells.

Back in 1922, a young man was living out in California having a hard time trying to support his wife. He sang in a church choir on Sundays and picked up five dollars now and then by singing "Oh Promise Me" at a wedding. He was so **hard up**[18] he couldn't live in town, so he rented a **rickety**[19] house that stood in the middle of a vineyard. It cost him only $12.50 a month; but, low as this rent was, he couldn't pay it, and he got ten months behind. He worked in the vineyard picking grapes to pay off his rent. He told me there were times when he had very little else to eat but grapes. He was so discouraged that he was about ready to **forego**[20] a career as a singer to sell automobile trucks for a living when Rupert Hughes praised him. Rupert Hughes said to him, "You have the makings of a great voice. You ought to study in New York."

That young man recently told me that that little bit of praise, that slight encouragement, proved to be the turning point in his career, for it inspired him to borrow $2,500 and start East. You may have

처럼 일해야만 했다. 그것은 매우 **고된 노역**[16]이었고, 소년은 그게 너무나 싫었다. 2년 정도가 흐르자 소년은 더 이상 참을 수가 없었다. 그래서 어느 날 아침 일어나자마자 소년은 해가 뜨기를 기다리지도 않고 15마일을 걸어서 가정부로 일하고 있던 어머니를 찾아갔다.

소년은 미쳐 날뛰기도(**미친 듯이 날뛰는**[17]) 하고, 애원하기도 하고, 울기도 했다. 더 이상 가게에 있을 바에는 차라리 죽는 게 낫다고 어머니에게 호소했다. 그리고 나서 그는 모교의 교장 선생님께 자신은 너무 상심이 커서 더는 살고 싶지 않다는 애절한 내용의 긴 편지를 써 보냈다. 교장 선생님은 먼저 그를 칭찬하고 난 뒤, 그가 매우 똑똑할 뿐 아니라 지금보다 나은 일을 할 만한 사람이라고 확신시켜주면서 그에게 선생님이 되는 게 어떠냐고 제안했다.

이때의 칭찬이 그 소년의 미래를 바꿔놓았을 뿐 아니라, 영국 문학사에 흔적을 길이 남길 수 있게 만들었다. 그 소년은 그 후 77권의 책을 저술하고, 펜으로만 1백만 달러 이상의 부를 쌓았다. 아마 그 소년의 이름도 들어보았을 것이다. 그는 『타임머신』의 작가 H. G. 웰스였다.

1922년 캘리포니아 주 외곽에 아내를 부양하며 힘든 시절을 보내고 있던 어떤 남자가 있었다. 그는 일요일에는 교회 성가대에서 노래를 했고, 가끔 결혼식에서 '오 프라미스 미'를 불러 5달러를 벌기도 했다. 돈에 몹시 궁했기(**돈에 몹시 궁한**[18]) 때문에 시내에 살 수 없었던 그는 포도농장 한가운데 있는 낡아빠진(**곧 무너질 듯한**[19]) 집을 세내어 살았다. 월세가 12달러 50센트밖에 안 드는 집이었다. 이렇게 월세가 싼 데도 불구하고 그는 돈이 없어 이미 열 달째 월세를 못 내고 있었다. 그는 포도농장에서 포도 따는 일을 함으로써 밀린 월세를 조금씩 갚아나갔다. 그는 내게 포도 말고는 먹을 게 없던 시절도 있었다고 얘기해주었다. 너무 의기소침해진 그는 가수로서의 꿈을 버리고(**버리다**[20]) 생계를 위해 트럭을 팔 생각을 하고 있었는데, 그때 마침 루퍼트 휴스의 칭찬을 들었다. 루퍼트 휴스는 그에게 이렇게 말했다. "자네는 위대한 가수가 될 자질이 있네. 자네는 뉴욕에 가서 공부해야 해."

그 젊은 친구는 최근 내게 그 자그마한 칭찬이, 그 약간의 격려가 인생에 전환점이 되었다고 털어놓았다. 그 말을 듣고 그는 2천 5백 달러를 빌려 동부로 갔기 때문이다. 여러분도 그의 이름을 들어보았을 것이다. 그는 바로

heard of him too. His name is Lawrence Tibbett.

Talk about changing people. If you and I will inspire the people with whom we come in contact to a realization of the hidden treasures they possess, we can do far more than change people. We can literally transform them.

Exaggeration? Then listen to these sage words from the late Professor William James of Harvard, perhaps the most distinguished psychologist and philosophers America ever produced:

> Compared with what we ought to be, we are only half awake. We are making use of only a small part of our physical and mental resources. Stating the thing broadly, the human individual thus lives far within his limits. He possesses powers of various sorts which he habitually fails to use.

Yes, you who are reading these lines possess powers of various sorts which you habitually fail to use; and one of these powers which you are probably not using to the fullest extent is your magic ability to praise people and inspire them with a realization of their **latent**[21] possibilities.

So, to change people without giving offense or arousing resentment, Rule 6 is:

Praise the slightest improvement and praise every improvement. Be "hearty in your approbation and lavish in your praise."

미국 서부 출신의 전설적인 바리톤 로렌스 티베트였다.

우리는 지금 사람을 변화시키는 방법에 대해 얘기하고 있다. 하지만 여러분이나 내가 상대에게 영감을 불어넣어 그가 숨겨진 보물을 갖고 있다는 사실을 깨닫게 한다면, 우리는 사람을 단순히 변화시키는 것을 넘어서서 문자 그대로 완전히 다른 사람이 되게 할 수도 있다.

과장으로 들리는가? 그렇다면 하버드 대학 교수이며 미국이 낳은 가장 뛰어난 심리학자이자 철학가인 윌리엄 제임스의 말을 들어보자.

우리가 가진 잠재성에 비추어볼 때 우리는 단지 절반 정도만 깨어 있다. 우리는 우리가 가진 육체적 정신적 자원의 일부만을 사용하고 있을 뿐이다. 이것을 일반화해 얘기해보자면 개개인의 인간은 그럼으로써 자신의 한계에 한참 못 미치는 삶을 영위하고 있다. 인간은 습관상 활용하지 못하고 있는 다양한 종류의 능력을 소유하고 있다.

지금 이 책을 읽고 있는 여러분에게도 여러분이 습관적으로 활용하지 않고 남겨둔 다양한 종류의 능력이 있다. 그리고 여러분이 충분히 활용하지 않고 있는 능력 중에는 상대를 칭찬하고 영감을 불어넣어 상대로 하여금 스스로의 잠재(**잠재된**[21]) 능력을 깨닫도록 하는 마법의 능력도 있다.

반감이나 반발을 사지 않으면서 상대를 설득하고자 한다면, 다음 방법과 같이 해보라!

아주 조금의 진전이라도 칭찬하라. 어떤 진전이든 칭찬하라.
"진심으로 인정하고 아낌없이 칭찬하라."

7 GIVE THE DOG A GOOD NAME

A FRIEND of mine, Mrs. Ernest Gent, 175 Brewster Road, Scarsdale, New York, hired a servant girl, telling her to report for work the following Monday. In the meantime, Mrs. Gent telephoned a woman who had formerly employed this girl. All was not well. When the girl came to start work, Mrs. Gent said: "Nellie, I telephoned the other day to a woman you used to work for. She said you were honest and reliable, a good cook and good at caring for the children. But she also said you were **sloppy**[1] and never kept the house clean. Now I think she was lying. You dress neatly. Anybody can see that. And I'll bet you keep the house just as neat and clean as your person. You and I are going to get along fine."

And they did. Nellie had a reputation to live up to; and believe me, she did live up to it. She kept the house shining. She would gladly have scrubbed and dusted an extra hour a day rather than be untrue to Mrs. Gent's ideal of her.

"The average man," said Samuel Vauclain, president of the Baldwin Locomotive Works, "can be led readily if you have his respect and if you show that you respect him for some kind of ability."

In short, if you want to improve a person in a certain respect, act as though that particular trait were already one of his outstanding **characteristics**[2]. Shakespeare said: "Assume a virtue if you have it not." And it might be well to assume and state openly that other party has the virtue you want him to develop. Give him a fine reputation to live up to, and he will make **prodigious**[3] efforts rather than see you **disillusioned**[4].

Georgette Leblanc, in her book, *Souvenirs, My Life with Maeterlinck*, describes the startling transformation of a humble

7 개에게도 착한 개라고 말해줘라

내 친구 어니스트 겐트 부인은 뉴욕 스카스데일에서 살고 있었다. 그녀는 어느 날 하녀를 고용해서 다음 월요일부터 출근하라고 했다. 그 사이 그녀는 하녀가 전에 일하던 집에 전화를 걸어 그녀에 대해 물어보았다. 그런데 무척 문제가 많았다. 하녀가 일을 하러 오자 그녀는 이렇게 말했다. "넬리, 전에 네가 일하던 집에 전화를 해보았단다. 그 집 안주인은 네가 정직하고 믿을 만하며 요리도 잘하고 아이들도 잘 돌본다고 하더구나. 하지만 네가 지저분하고(**지저분한**[1]) 집을 잘 정리하지 않는다는 말도 했단다. 하지만 나는 그 사람이 거짓말을 했다고 생각한다. 너는 복장이 단정해. 그건 누가 봐도 알 수 있지. 네가 옷 입는 거와 마찬가지로 집도 깨끗하게 정돈할 것이라고 믿어 의심치 않는다. 너랑 나는 좋은 관계가 될 것 같구나."

그래서 실제로 그렇게 됐다. 넬리에 대한 좋은 평가는 그녀가 지켜야 할 기준이 되었다. 그리고 넬리는 그 기준에 맞추어 행동했다. 집 안은 언제나 반짝반짝 하게 유지되었다. 겐트 부인의 기대를 저버리기보다 차라리 일과 후에라도 집 안을 닦고 털고 하는 데 한 시간을 더 들이려 했다.

볼드윈 로코모티브 웍스사의 사장 새뮤얼 보클레인은 이렇게 말했다. "대개의 사람들은 그들이 존경하는 사람이 자신들이 가진 어떤 능력을 높이 평가하고 있음을 보여주는 경우, 그가 이끄는 대로 쉽게 움직인다."

간단히 말해 상대의 어떤 부분을 개선하고자 한다면, 문제의 특성이 이미 상대의 뛰어난 점(**특징**[2]) 중에 하나인 것처럼 행동해야 한다. 셰익스피어는 "내가 못 가진 덕성은 갖고 있는 것처럼 행동하라"고 말했다. 그러니 상대에게 어떤 장점을 개발시켜주고 싶다면 공개적으로 상대가 그런 장점을 갖고 있다고 생각하면서 말하는 것이 좋다. 상대에게 그가 지키고 싶을 만한 괜찮은 평판을 주어라. 그러면 상대는 여러분이 실망하는(**환멸을 느낀**[4]) 것을 보지 않기 위해서라도 열심히(**거대한**[3]) 노력하는 편을 택할 것이다.

조제트 르블랑은 저서 『추억, 마테를링크와 함께한 내 인생』에서 벨기에 출신의 미천한 여자애가 고귀한 모습으로 변해가는 놀라운 과정을 묘사하

Belgian Cinderella.

"A servant girl from a neighboring hotel brought my meals," she wrote. "She was called 'Marie the Dishwasher' because she had started her career as a **scullery**[5] assistant. She was a kind of monster, **cross-eyed**[6], **bandy-legged**[7], poor in flesh and spirit.

One day, while she was holding my plate of macaroni in her red hands, I said to her point-blank, 'Marie, you do not know what treasures are within you.'

Accustomed to **hold**ing **back**[8] her emotion, Marie waited a few moments, not daring to risk the slightest gesture for fear of a catastrophe. Then she put the dish on the table, sighed and said **ingenuously**[9], 'Madame, I would never have believed it.' She did not doubt, she did not ask a question.

She simply went back to the kitchen and repeated what I had said, and such is the force of faith that no one made fun of her. From that day on, she was even given a certain consideration. But the most curious change of all occurred in the humble Marie herself. Believing she was the **tabernacle**[10] of unseen marvels, she began taking care of her face and body so carefully that her starved youth seemed to bloom and modestly hide her plainness.

Two months later, as I was leaving, she announced her coming marriage with the nephew of the chef. 'I'm going to be a lady,' she said, and thanked me. A small phrase had changed her entire life."

Georgette Leblanc had given "Marie the Dishwasher" a reputation to live up to—and that reputation had transformed her.

Henry Clay Risner used the same technique when he wanted to influence the conduct of American **doughboy**s[11] in France. General James. G. Harbord, one of the most popular American generals, had

고 있다.

"이웃 호텔의 하녀가 내게 식사를 날라다 주는 일을 맡았다." 그녀는 이렇게 썼다. "호텔에 들어와 처음 한 일이 **식기실**[5] 보조였기 때문에 그녀는 '접시닦이 마리'라는 별명을 갖고 있었다. 눈은 사팔뜨기(**사팔뜨기의**[6])이고 다리는 안짱다리(**안짱다리의**[7])여서 보기에도 흉했다. 육체와 영혼 모두가 별 볼일 없는 아이였다.

하루는 내 식사로 마카로니를 가져왔는데 그녀의 손이 마카로니 소스가 잔뜩 묻어 빨개져 있었다. 그것을 보고 나는 그녀에게 대뜸 이렇게 말을 했다. '마리, 너는 네 안에 어떤 보물이 들어 있는지 전혀 모르고 있구나.'

감정을 숨기는(**~을 비밀로 하다**[8]) 데 익숙해 있던 마리는 야단맞을까 두려운 듯 조금도 움직이지 못하고 마냥 서 있었다. 그렇게 몇 분이나 흘렀을까. 이윽고 마리는 탁자 위에 접시를 내려놓고 나서 한숨을 내쉬고는 **솔직하게**[9] 다음과 같이 말했다. '마님, 마님께서 말씀해주시지 않았다면 저는 결코 그렇게 생각하지 못했을 거예요.' 그녀는 의심을 품지도 않았고 의문을 제기하지도 않았다.

그녀는 그저 부엌으로 되돌아가서 내가 한 말을 두고두고 되풀이했다. 그녀가 너무나 확고하게 그 말을 믿고 있었기에 아무도 그녀를 놀리지 않았다. 더 나아가 그날부터 그녀를 눈여겨보게 되었다. 하지만 무엇보다도 신비한 변화는 그 보잘것없던 마리 자신에게서 일어나고 있었다. 자신의 육체(**임시 가옥**[10]) 안에 보이지 않는 경이로움이 있다고 믿게 되자, 그녀는 자신의 용모와 신체를 정성스레 가꾸기 시작했다. 그러자 지금껏 감추어져 있던 젊음이 피어나기 시작했고, 못생긴 외모도 어느 정도 감추어졌다.

두 달 뒤 내가 그곳을 떠날 때 마리는 주방장의 조카와 결혼하게 되었다는 소식을 전해주었다. '저도 이제 어엿한 귀부인이 될 거예요'라고 말하며 마리는 내게 감사의 말을 했다. 몇 마디 말이 한 소녀의 인생을 통째로 바꾸어놓았던 것이었다."

조제트 르블랑은 '접시닦이 마리'에게 지키고 싶은 좋은 평판을 주었고, 그 평판은 그녀의 삶을 변모시켜놓았다.

헨리 클레이 리스너가 프랑스에 주둔 중인 미 **보병**[11]부대 병사들의 품행을 개선하고자 했을 때도 이와 똑같은 방법을 사용했다. 미국에서 가장 유명한 장군 제임스 G. 하보드가 한번은 리스너에게 프랑스에 주둔 중인 2백

told Risner that in his opinion the two million doughboys in France were the cleanest and most idealistic men of whom he had ever read, or with whom he had ever come in contact.

Extravagant[12] praise? Perhaps. But see how Risner used it.

"I never failed to tell the soldiers what the General had said," Risner writes. "Not for a moment did I question whether it was true or not, but I knew that, even were they not, the knowledge of General Harbord's opinion would inspire them to **strive**[13] toward that standard."

There is an old saying: "Give a dog a bad name and you may as well hang him." But give him a good name—and see what happens!

Almost everyone—rich man, poor man, beggar man, thief—lives up to the reputation of honesty that is bestowed upon him.

"If you must deal with a **crook**[14]," says Warden Lawes of Sing Sing,—and the warden ought to know what he's talking about,— "If you must deal with a crook, there is only one possible way of getting the better of him—treat him as if he were an honorable gentleman. Take it for granted he is on the level. He will be so flattered by such treatment that he may answer to it, and be proud that someone trusts him."

So, if you want to influence the conduct of a man without arousing resentment or giving offense, remember Rule 7:

Give the other person a fine reputation to live up to.

만의 미군 보병들이 자신이 직접 보거나 아니면 책에서 읽은 군인 중에서 가장 깨끗하고 이상적이라고 생각한다고 얘기했다.

과장된[12] 칭찬일까? 그럴지도 모른다. 하지만 리스너가 이 말을 듣고 어떻게 했는지 살펴보자. 그는 이렇게 쓰고 있다.

"나는 기회가 있을 때마다 병사들에게 장군이 이렇게 얘기했다고 말하고 다녔습니다. 한 번도 그 말이 사실인지 아닌지 의심을 품지 않았습니다. 설혹 사실이 아니라고 하더라도 하보드 장군이 그렇게 생각한다는 것을 아는 것만으로도 병사들이 그 기준에 맞추고자 노력할(**분투하다**[13]) 것이라는 점을 나는 알고 있었기 때문입니다."

옛말에 이런 말이 있다. '미친개라고 낙인을 찍는 것은 그 개의 목을 매다는 것이나 마찬가지다.' 그렇다면 좋은 개라고 말해주면 어떻게 될까?

부자이건 가난뱅이건, 거지이건 도둑이건, 대다수 사람은 자신이 정직하다는 평판이 나면 그 평판대로 살려고 한다.

싱싱 교도소 소장으로 죄수들에 대해서라면 누구보다도 잘 아는 로스는 이렇게 얘기한다. "**악당**[14]을 다뤄야만 하는 상황에서 그를 이길 수 있는 유일한 방법은 그 사람을 존경할 만한 사람처럼 대해주는 것뿐이다. 그는 그 정도 대우를 당연히 받을 만하다고 여겨라. 그렇게 대해주면 누군가 자신을 믿어준다는 것에 뿌듯한 그도 기분이 좋아져 그런 대우에 걸맞게 행동하게 된다."

반감이나 반발을 사지 않으면서 상대의 행동에 영향을 미치고자 한다면, 다음 방법과 같이 해보라!

상대가 지키고 싶은 좋은 평판을 주라.

8 MAKE THE FAULT
SEEM EASY TO CORRECT

A SHORT time ago a bachelor friend of mine, about forty years old, became engaged, and his fiancée persuaded him to take some **belated**[1] dancing lessons. "The Lord knows I needed dancing lessons," he confessed as he told me the story, "for I danced just as I did when I first started twenty years ago. The first teacher I engaged probably told me the truth. She said I was all wrong; I would just have to forget everything and begin all over again. But that took the heart out of me. I had no **incentive**[2] to go on. So I quit her.

The next teacher may have been lying; but I liked it. She said nonchalantly that my dancing was a bit old-fashioned perhaps, but the fundamentals were all right, and she assured me I wouldn't have any trouble learning a few new steps.

The first teacher had discouraged me by emphasizing my mistakes. This new teacher did the opposite. She kept praising the things I did right and minimizing my errors. 'You have a natural sense of rhythm,' she assured me. 'You really are a natural born dancer.' Now my common sense tells me that I always have been and always will be a fourth-rate dancer; yet, deep in my heart, I still like to think that *maybe* she meant it. To be sure, I was paying her to say it; but why bring that up?

At any rate, I know I am a better dancer than I would have been if she hadn't told me I had a natural sense of rhythm. That encouraged me. That gave me hope. That made me want to improve."

Tell a child, a husband, or an employee that he is stupid or dumb at a certain thing, that he has no gift for it, and that he is doing it all wrong, and you have destroyed almost every incentive to try to

8 고치기 쉬운 잘못이라고 말하라

얼마 전 마흔쯤 된 내 친구가 독신 생활을 접고 약혼을 했는데, 약혼녀의 설득으로 다 늦게(뒤늦은¹) 댄스 교습을 받게 되었다. 그리고 나서 내게 그때의 일을 얘기해주었다. "내가 댄스 교습을 받아야 한다는 건 누구나 알 만한 일이었지. 내 춤은 내가 20년 전에 춤을 추기 시작했을 때 그대로니까 말이야. 내 첫 번째 선생은 아마도 내게 진실을 말해주었을 거야. 그녀는 내 춤이 정말 엉망이라서 모두 다 잊고 처음부터 다시 시작해야 한다고 말했지. 하지만 그 말을 듣자 배우고 싶은 마음이 싹 달아나버리고 말았다네. 의욕(동기²)이 생기지가 않더군. 그래서 그만두고 말았지.

그 다음 만난 선생은 아마 거짓말을 했을지도 모르지만 내 마음에는 들었다네. 그녀는 별일 아니라는 듯이 내 춤이 조금 구식이긴 하지만 기본은 제대로 되어 있으니 새로 몇 가지 스텝 정도 배우는 건 그리 어렵지 않을 거라고 확신시켜주더군.

첫 번째 선생은 잘못을 지적해 내 의욕을 꺾어놓았는데 새로운 선생은 그와는 정반대였어. 내가 잘한 건 칭찬을 하고 실수는 가볍게 넘겨주었지. '리듬 감각을 타고나셨네요.' '정말 타고난 춤꾼이시네요.' 그녀는 이렇게 얘기해주더라고. 나도 상식이 있으니 내가 4류 댄서이고, 앞으로도 그럴 것이라는 것 정도는 알지. 하지만 내 마음 깊은 곳에서는 그녀의 말이 사실일 수도 있다고 생각하고 싶었다네. 분명한 건 내가 돈을 내니까 그녀가 그런 말을 한다는 건데, 그걸 들춰내봐야 뭐하겠나?

어쨌거나 내가 리듬 감각을 타고났다는 얘기를 듣기 전보다는 이제 춤을 더 잘 추게 된 것 같다네. 그 얘기가 용기를 북돋워주고 희망을 주며, 나를 분발하도록 만들었다네."

여러분이 자녀나 배우자나 종업원에게 '멍청하다, 무능하다, 재능이 없다, 엉망이다'라고 한다면, 그것은 그들이 개선을 위해 노력하고자 하는 의욕을 모조리 꺾어놓는 일이다. 그러나 그 반대의 방법을 사용해보라. 격려

improve. But use the opposite technique; be **liberal**[3] with your encouragement; make the thing seem easy to do; let the other person know that you have faith in his ability to do it, that he has an undeveloped flair for it—and he will practice until the dawn comes in at the window in order to excel.

That is the technique that Lowell Thomas uses; and believe me, he is a superb artist in human relations. He **build**s you **up**[4]. He gives you confidence. He inspires you with courage and faith. For example, I recently spent the weekend with Mr. and Mrs. Thomas; and, on Saturday night, I was asked to sit in on a friendly bridge game before a roaring fire. Bridge? I? Oh, no! No! No! Not me. I knew nothing about it. The game had always been a black mystery to me. No! No! Impossible!

"Why, Dale, it is no trick at all," Lowell replied. "There is nothing to bridge except memory and judgment. You once wrote a chapter on memory. Bridge will be a **cinch**[5] for you. It is **right up your alley**[6]."

And presto, almost before I realized what I was doing, I found myself for the first time at a bridge table. All because I was told I had a natural **flair**[7] for it and the game was made to seem easy.

Speaking of bridge reminds me of Ely Culbertson. Culberson's name is a household word wherever bridge is played; and his books on bridge have been translated into a dozen languages and a million copies have been sold. Yet he told me he never would have made a profession out of the game if a young woman hadn't assured him he had a flair for it.

When he came to America in 1922, he tried to get a job teaching philosophy and sociology, but he couldn't.

Then he tried selling coal, and he failed at that. Then he tried selling coffee, and he failed at that, too.

It never occurred to him in those days to teach bridge. He was

를 아끼지 말라(**아끼지 않는**³). 쉽게 할 수 있는 일이라고 말해주어라. 상대가 그 일을 할 수 있는 능력이 있다고 여러분이 믿고 있음을 상대에게 보여주고, 상대에게 감춰진 재능이 있음을 상대가 알게 하라. 그러면 그는 더 나아지기 위해 밤낮을 가리지 않고 노력할 것이다.

로웰 토머스가 이용하는 방법도 바로 이것이다. 그가 인간관계의 대가라는 사실은 두말할 필요도 없다. 그는 상대를 칭찬한다(**개발하다, 더 높이다**⁴). 상대에게 자신감을 심어준다. 상대가 용기와 믿음을 갖게 한다. 예를 들어보자. 나는 최근 토머스 부부와 함께 주말을 보낸 적이 있다. 토요일 밤이었는데 그는 내게 따뜻한 화롯가에 앉아 편하게 브리지 게임이나 즐기자고 청했다. 브리지 게임이라니. 내가? 절대로, 절대로 나는 브리지 게임을 즐기지 않는다. 나는 그 게임에 대해 하나도 모른다. 그 게임은 내게는 영원한 수수께끼 그 자체다. 못 한다. 불가능하다.

그러자 로웰이 이렇게 말했다. "여보게 데일. 브리지 게임은 별거 아닐세. 기억력과 판단력만 잘 연결하면 된다네. 자네는 언젠가 기억력에 관한 책도 쓰지 않았나. 이 정도는 자네에게 **식은 죽 먹기**⁵일 거야. 자네 취향에 꼭 맞는(**기호에 맞는**⁶) 게임이라네."

그리고 내가 무얼 하는지 미처 깨닫기도 전에 나는 생전 처음으로 브리지 게임을 하고 있었다. 그것은 순전히 내가 타고난 **재능**⁷이 있다는 말을 듣기도 했거니와, 게임이 쉬워 보였기 때문이다.

브리지 게임에 대해 얘기를 하자니 일리 컬버트슨이란 사람이 생각난다. 컬버트슨이란 이름은 브리지 게임을 하는 곳에서는 어디서나 나오는 이름이다. 그가 지은 브리지 게임에 대한 책은 수십 종류의 언어로 번역되었으며 수백만 부가 팔렸다. 하지만 그가 내게 털어놓은 바에 따르면, 한 젊은 여인이 자기에게 게임에 대한 재능이 있다고 확신시켜주지 않았더라면, 자기는 결코 브리지 게임에 정통해지지 않았을 것이라고 했다.

그는 1922년 미국에 도착했다. 그때 그는 철학과 사회학을 가르칠 수 있는 자리를 찾아보았으나 찾을 수가 없었다.

그래서 석탄 판매를 시작했으나 실패했다. 커피 판매업에 도전했지만, 그 일에서도 역시 실패했다.

당시 그는 브리지 게임을 직업으로 삼는 것은 전혀 생각지도 않았었다.

not only a poor card player, but he was also very **stubborn**[8]. He asked so many questions and held so many post mortem examinations that no one wanted to play with him.

Then he met a pretty bridge teacher, Josephine Dillon, fell in love and married her. She noticed how carefully he analyzed his cards and persuaded him that he was a potential genius at the card table. It was that encouragement and that alone, Culbertson told me, that caused him to make a profession of bridge.

So, if you want to change people without giving offense or arousing resentment, Rule 8 is:

Use encouragement. Make the fault you want to correct seem easy to correct; make the thing you want the other person to do seem easy to do.

그는 카드놀이에 서툴렀을 뿐 아니라, 고집도 무척 셌다(**고집이 셈**[8]). 하나하나 물어보는 데다가 게임이 끝나고 나면 왜 그렇게 되었는지 분석하려 들었기 때문에 아무도 그와 게임을 하려고 하지 않았다.

그러다가 조세핀 딜론이라는 예쁜 브리지 게임 교사를 만나 사랑에 빠지고 결국 결혼을 했다. 그녀는 그가 카드 게임을 세세히 분석하는 것을 보고는 그가 카드 게임에 천재적인 잠재력을 갖고 있음을 확신시켜주었다. 그의 말에 따르면 그 말 때문에, 오로지 그 말 때문에 그는 브리지 게임을 직업으로 선택하게 되었다고 했다.

반감이나 반발을 사지 않으면서 사람을 변화시키고자 한다면, 다음 방법과 같이 해보라!

격려하라. 고쳐주고 싶은 잘못이 있으면 그것이 고치기 쉬운 것으로 보이게 하라. 상대가 하기를 바라는 것은 하기 쉬운 것으로 보이게 하라.

9 MAKING PEOPLE GLAD TO DO WHAT YOU WANT

Back in 1915, America was **aghast**[1]. For more than a year, the nations of Europe had been slaughtering one another on a scale never before dreamed of in all the bloody annals of mankind. Could peace be brought about? No one knew. But Woodrow Wilson was determined to try. He would send a personal representative, a peace **emissary**[2], to counsel with the war lords of Europe.

William Jennings Bryan, Secretary of State, Bryan, the peace advocate, longed to go. He saw a chance to perform a great service and make his name immortal. But Wilson appointed another man, his intimate friend, Colonel House; and it was House's thorny task to break the unwelcome news to Bryan without giving him offense.

"Bryan was distinctly disappointed when he heard I was to go to Europe as the peace emissary," Colonel House records in his diary. "He said he had planned to do this himself.

I replied that the President thought it would be unwise for anyone to do this officially, and *that his going would attract a great deal of attention* and people would wonder why he was there."

You see the intimation? House practically told Bryan that he is *too important* for the job—and Bryan is satisfied.

Colonel House, adroit, experienced in the ways of the world, was following one of the important rules of human relations: *Always make the other man happy about doing the thing you suggest.*

Woodrow Wilson followed that policy even when inviting William Gibbs McAdoo to become a member of his cabinet. That was the highest honor he could confer upon anyone, and yet Wilson

9 내가 원하는 바를
기꺼이 하도록 만드는 방법

지난 1915년 무렵, 미국은 놀라움을 금치 못하고(**경악한**[1]) 있었다. 인류가 흘린 피의 역사를 통틀어 볼 때 전에는 꿈도 꾸지 못할 정도로 규모가 큰 학살이 이미 1년이 넘도록 유럽 국가들 간에 진행되고 있었다. 과연 평화는 찾아올 것인가? 아무도 알 수 없었다. 하지만 우드로 윌슨은 평화를 위해 노력하겠다고 결심했다. 그는 자신을 대리하는 평화 **사절**[2]을 유럽에 파견해 전쟁 중인 각국 지도자들과 협의하고자 했다.

'평화의 대변자, 브라이언'으로 알려져 있던 열렬한 평화론자인 윌리엄 제닝스 브라이언 국무장관이 그 역할을 맡고 싶어했다. 그는 그 시기 인류 평화에 기여하는 업적을 세움으로써 자신의 이름을 영원토록 남길 수 있는 기회라고 생각했다. 하지만 윌슨 대통령은 그가 아니라 자신의 가까운 친구인 하우스 대령을 지명했다. 하우스에게는 브라이언이 기분 상하지 않도록 하면서 이 반갑잖은 소식을 전해야 하는 곤란한 임무가 떨어졌다.

"내가 평화 사절단으로 유럽에 가게 되었다는 얘기를 듣고 브라이언은 실망감을 감추지 않았다." 이때의 일을 하우스 대령은 그의 일기에 이렇게 적고 있다. "그는 자신이 그 일을 할 준비를 하고 있었다고 말했다.

나는 그에게 대통령은 누구든 이 일을 공식적으로 하는 것은 그리 바람직하지 않으며, *만일 그가 가게 된다면 너무 많은 관심이 쏠릴 것이고, 그가 왜 왔는지에 대해 사람들이 이상하게 볼 것*이라고 말해주었다."

여러분은 이 말이 암시하는 바를 알 수 있을 것이다. 하우스는 사실상 브라이언이 그 임무를 맡기에는 *지나치게 중요한 인물*이라는 얘기를 했던 것이다. 브라이언은 만족했다.

현명하고 세상사에 대한 경험이 많은 하우스 대령은 인간관계의 중요한 원칙 하나를 충실히 이행했다. '*언제나 내가 제안하는 것을 상대가 기꺼이 하게 만들어라.*'

우드로 윌슨은 심지어 윌리엄 깁스 맥아두에게 자신의 내각에서 일해달라고 요청할 때도 이 원칙을 지켰다. 각료가 되어달라고 요청하는 것은 그가 누군가에게 줄 수 있는 최고의 영예였지만 윌슨은 그럴 때에도 상대가

did it such a way as to make the other man feel doubly important. Here is the story in McAdoo's own words: "He[Wilson] said that he was making up his cabinet and that he would be very glad if I would accept a place in it as Secretary of the Treasury. He had a delightful way of putting things; he created the impression that by accepting this great honor I would be doing him a favor."

Unfortunately, Wilson didn't always employ such tact. If he had, history might have been different. For example, Wilson didn't make the Senate and the Republican Party happy about putting the United States in **the League of Nations**[3]. Wilson refused to take Elihu Root or Hughes or Henry Cabot Lodge or any other prominent Republican to the peace conference with him. Instead, he took along unknown men from his own party.

He **snub**bed[4] the Republicans, refused to let them feel that the League was their idea as well as his, refused to let them **have a finger in the pie**[5]; and, as a result of this crude handling of human relations, Wilson wrecked his own career, ruined his health, shortened his life, caused America to stay out of the League, and **alter**ed[6] the history of the world.

The famous publishing house of Doubleday Page always followed this rule: *Make the other person happy about doing the thing you suggest.* This firm was so expert at it that O. Henry declared that Doubleday Page could refuse one of his stories and do it with such graciousness, such appreciation, that he felt better when Doubleday refused a story than when another publisher accepted one.

I know a man who had to refuse many invitations to speak, invitations extended by friends, invitations coming from people to whom he is obligated; and yet he does it so adroitly that the other person is at least contented with his refusal. How does he do it? Not by merely talking about the fact that he is too busy and too this and too that. No, after expressing his appreciation of the invitation and

인정받고 있다고 두 배나 더 많이 느끼도록 만들었다. 맥아두 자신이 직접 한 얘기를 들어보자. "윌슨 대통령은 자신이 내각을 구성하고 있는데, 내가 재무장관을 맡는 것을 승낙해주면 더할 나위 없이 기쁘겠다고 말했다. 그는 다른 사람이 듣기 좋게 말을 하는 재주가 있었다. 그런 영광스러운 제안을 받으면서도 내가 호의를 베푸는 듯한 인상이 들게 만들었다."

불행히도 윌슨은 항상 그런 방법을 사용하지는 않았다. 만일 그가 항상 그런 방법을 사용했더라면 역사가 바뀌었을지도 모른다. 예를 들면, 미국이 UN의 전신인 **국제연맹**³에 가입하려 했을 때 윌슨은 상원과 공화당이 기쁘게 느낄 수 있도록 만들어주지 않았다. 윌슨은 국제연맹을 구성하기 위해 평화 회담을 하러 가면서 엘리후 루트나 휴스, 혹은 헨리 캐보트 로지 같은 쟁쟁한 공화당 의원들 중 한 사람을 데리고 가는 대신, 자기 당에서 이름 없는 의원들을 선발해 데리고 갔다.

그는 공화당 사람들을 무시했다(**무시하다**⁴). 그럼으로써 그들이 대통령과 함께 연맹을 구상해냈다고 생각하면서 그 설립에 관여하려고(**관여하다**⁵) 하는 것을 막았다. 이렇게 형편없게 인간 관계를 처리한 결과 윌슨은 결국에는 실각하게 되고, 건강이 나빠지면서 결국 수명이 짧아지게 되었다. 그리고 미국이 연맹에 가입하지 않게 됨으로써 세계 역사도 바뀌었다(**바꾸다**⁶).

더블데이 페이지라는 유명한 출판사는 이 규칙, 즉 '*언제나 내가 제안하는 것을 상대가 기꺼이 하게 만들어라*'는 규칙을 언제나 충실히 지켰다. 이 회사가 어찌나 이 규칙을 잘 사용했던지 오 헨리는 다른 출판사가 출판하겠다고 할 때보다 더블데이 페이지사가 거절할 때 더 기분이 좋다고 말할 정도였다. 더블데이 페이지사는 작품을 거절할 때도 그 가치를 잘 인정해주면서도 아주 정중하게 거절했기 때문이다.

내가 아는 사람 중에 시간이 없어서 많은 강연 초청을 거절해야만 하는 사람이 있다. 그가 거절한 초청 중에는 친구들이 부탁한 것도 있고, 신세를 진 사람들이 부탁한 것도 있다. 하지만 그는 거절을 하더라도 상대가 만족할 수 있도록 만드는 재주가 있다. 그는 어떻게 그럴 수 있을까? 너무 바쁘다거나 이런저런 사정이 있어서라고 얘기만 하는 방식은 아니다. 초청에 대한 감사의 뜻과 초청을 받아들일 수 없는 자신의 상황에 대한 유감의 뜻

regretting his inability to accept it, he suggests a **substitute**[7] speaker. In other words, he doesn't give the other person any time to feel unhappy about the refusal. He immediately gets the other person thinking to some other speaker he may obtain.

"Why don't you get my friend, Cleveland Rodgers, the editor of the *Brooklyn Eagle,* to speak for you?" he will suggest. "Or have you thought about trying Guy Hickok? He lived in Paris fifteen years and has a lot of astonishing stories to tell about his experiences as a European **correspondent**[8]. Or why not get Livingston Longfellow? He has some grand motion pictures of hunting big game in India."

J. A. Want, head of the J. A. Want Organization, one of the largest Hooven letter and photo-offset printing houses in New York, was faced with the necessity of changing a mechanic's attitude and demands without arousing resentment. This mechanic's job was to keep scores of typewriters and other hard-driven machines functioning smoothly night and day. He was always complaining that the hours were too long, that there was too much work, that he needed an assistant.

J. A. Want didn't give him an assistant, didn't give him shorter hours or less work, and yet he made the mechanic happy. How? This mechanic was given a private office. His name appeared on the door, and with it his title—"Manager of the Service Department."

He was no longer a repair man to be ordered about by every Tom, Dick, and Harry. He was now the manager of a department. He had **dignity**[9], recognition, a feeling of importance. He worked happily and without complaint.

Childish? Perhaps. But that is what they said to Napoleon when he created the Legion of Honor and distributed 1,500 crosses to his soldiers, and made eighteen of his generals "Marshals of France" and called his troops the "Grand Army." Napoleon was criticized

을 표한 뒤 그는 자신을 대신할(**대신하는[7]**) 만한 강연자를 추천한다. 다시 말해 그는 절대로 상대에게 거절당했다고 기분 나빠할 틈을 주지 않는다. 순식간에 상대의 생각을 자기 대신 구할 수 있는 다른 강연자에게로 돌려놓는 것이다.

"제 친구 중에 〈브루클린 이글〉지의 편집장으로 있는 클리블랜드 로저스가 있는데, 그 친구에게 강연을 부탁하는 게 어떨까요?" 그는 제안했다. "아니면 가이 히콕에 대해서는 생각해보셨나요? 그는 유럽 **특파원[8]**으로 파리에서 15년간 근무한 경험이 있기 때문에 놀랄 만큼 화제가 풍부합니다. 아니면 인도에서 맹수 사냥에 관한 영화를 제작한 적이 있는 리빙스턴 롱펠로는 어떠신가요?"

뉴욕에서도 가장 큰 인쇄회사인 J. A. 원트 오가니제이션을 경영하고 있는 J. A. 원트에게는 고민거리가 하나 있었다. 그것은 기계공 한 사람의 태도를 바로잡아주는 것이었는데, 그러면서도 그가 반발하지 않도록 만드는 것이 문제였다. 그 기계공은 타자기를 비롯해 밤낮으로 쉴 새 없이 돌아가는 수십 대의 기계를 관리하는 일을 맡고 있었다. 그런데 그는 언제나 일이 너무 많다거나 일하는 시간이 너무 길다거나 조수를 붙여달라고 하면서 불평을 터뜨리고 있었다.

J. A. 원트는 조수를 붙여주지도 않고, 시간을 줄이거나 일을 줄이지도 않으면서도 그 기계공이 만족하도록 만들었다. 어떻게 했을까? 그는 기계공에게 개인 사무실을 내주었다. 문에는 그의 이름이 적혀 있었는데 이름 옆에는 '서비스 파트 매니저'라는 직함이 붙어 있었다.

이제 그는 누구나 불러서 일을 시킬 수 있는 수리공이 아니었다. 서비스 파트의 매니저였다. **위엄[9]**도 생겼고 인정도 받으니 자신이 중요한 존재가 된 듯한 느낌이 들었다. 그는 아무런 불평도 하지 않고 만족스럽게 일했다.

유치한가? 그럴지도 모른다. 나폴레옹이 레지옹 도뇌르 훈장을 만들어 1천 5백 명의 군인들에게 수여하고 18명의 장군에게 '프랑스 대원수'라는 직위를 하사하며, 자신의 군대는 '대육군'이라고 불렀을 때도 사람들은 유치하다고 말했다. 역전의 **참전 용사[10]**들에게 어떻게 유치하게 '장난감'이나

for giving "toys" to war-hardened **veteran**s[10], and Napoleon replied, "Men are ruled by toys."

This technique of giving titles and authority worked for Napoleon and it will work for you. For example, a friend of mine, Mrs. Gent of Scarsdale, New York, whom I've already mentioned, was troubled by boys running across and destroying her lawn. She tried criticism. She tried coaxing. Neither worked.

Then she tried giving the worst sinner in the gang a title and a feeling of authority. She made him her "detective" and put him in charge of keeping all **trespasser**s[11] off her lawn. That solved her problem. Her "**detective**[12]" built a **bonfire**[13] in the backyard, heated an iron red hot, and threatened to brand any boy who stepped on the lawn.

Such is human nature. So, if you want to change people without arousing resentment or giving offense, Rule 9 is:

Make the other person happy about doing the thing you suggest.

줄 수 있느냐고 비판하자 나폴레옹은 이렇게 대답했다. "장난감으로 지배 당하는 게 인간이다."

이처럼 직위와 권위를 부여하는 방식은 나폴레옹에게 유용한 수단이 되어주었다. 그리고 이런 방식은 여러분에게도 유용한 수단이 되어줄 것이다. 예를 들면, 내가 이미 여러분에게 소개한 바 있는 뉴욕 스카스데일에 사는 내 친구 겐트 부인의 경우에도 이런 방식은 유용한 수단이 됐다. 그녀는 한때 아이들이 잔디밭으로 마구 뛰어다니며 잔디를 망가뜨려서 골치를 썩은 적이 있었다. 야단치기도 하고 달래보기도 했지만 소용이 없었다.

그래서 그 다음번엔 그 아이들 중에 대장 노릇을 하는 꼬마에게 권위가 생겼다고 느낄 수 있도록 직위를 부여하는 방법을 써보기로 했다. 그녀는 꼬마에게 '**탐정**[12]'이라는 칭호를 주고 아이들이 잔디밭에 들어가지 못하도록(**무단 침입자**[11]) 하는 일을 맡겼다. 그러자 문제는 깨끗이 해결되었다. 그 '탐정'이 뒤뜰에 **모닥불**[13]을 피워 쇠꼬챙이를 빨갛게 달구고는 이떤 녀석이든 잔디밭에 들어가기만 하면 뜨거운 맛을 보여주겠다고 겁을 주었던 것이다.

이런 게 인간 본성이다. 그러므로 반감이나 반발 없이 상대를 변화시키고자 한다면, 다음 방법과 같이 해보라!

내가 제안하는 것을 상대가 기꺼이 하게 만들어라.

NINE WAYS TO CHANGE PEOPLE WITHOUT GIVING OFFENSE OR AROUSING RESENTMENT

RULE 1 : Begin with praise and honest appreciation.

RULE 2 : Call attention to people's mistakes indirectly.

RULE 3 : Talk about your own mistakes before criticizing the other person.

RULE 4 : Ask questions instead of giving direct orders.

RULE 5 : Let the other person save his face.

RULE 6 : Praise the slightest improvement and praise every improvement. Be "hearty in your approbation and lavish in your praise."

RULE 7 : Give the other person a fine reputation to live up to.

RULE 8 : Use encouragement. Make the fault seem easy to correct

RULE 9 : Make the other person happy about doing the thing you suggest.

반감이나 반발 없이
상대를 변화시키는 9가지 방법

1 칭찬과 솔직한 감사의 말로 시작하라.

2 상대의 실수를 간접적으로 지적하라.

3 상대를 비판하기 전에 자신의 잘못에 대해 먼저 얘기하라.

4 직접적으로 명령하지 말고 질문을 하라.

5 상대의 체면을 세워줘라.

6 아주 조금의 진전이라도 칭찬하라. 어떤 진전이든 칭찬하라. "진심 으로 인정하고 아낌없이 칭찬하라."

7 상대가 지키고 싶은 좋은 평판을 주어라.

8 격려하라. 고쳐주고 싶은 잘못이 있으면 그것이 고치기 쉬운 것으로 보이게 하라.

9 내가 제안하는 것을 상대가 기꺼이 하게 만들어라.

WORDS & PHRASES

1 **sensational** [senséiʃənəl] 세상을 놀라게 하는, 선풍적인

2 **bay** [bei] 궁지

3 **siege** [si:dʒ] 포위 공격

4 **desperado** [dèspəréidou] 불량자, 물불을 가리지 않는 무법자

5 **trail** [treil] 자국, (수사상의) 단서

6 **necking** [nékiŋ] 《구어》 목을 껴안고 하는 애무, 네킹

7 **prostrate** [prástreit] 엎드린, 쓰러진

8 **public benefactor** 사회의 은인

9 **crumple** [krʌmpl] 찌부러뜨리다, (지쳐서) 늘어지다 《up》

10 **fallacious** [fəléiʃəs] 그릇된, 논리적 오류가 있는

11 **blunder** [blʌ́ndər] 실수하다

12 **grudge** [grʌdʒ] 원한

13 **obnoxious** [əbnákʃəs] 역겨운

14 **demolish** [dimáliʃ] 무너뜨리다

15 **reiterate** [ri:ítərèit] 되풀이하다

16 **indignation** [ìndignéiʃən] 분개

17 **oil reserves** 석유 매장량

18 **bidding** [bídiŋ] 입찰

19 **juicy contract** 수의계약

20 **adjacent** [ədʒéisənt] 이웃의, 인접한

21 **stench** [stentʃ] 불쾌한 냄새, 악취

22 **intimate** [íntəmit] 암시하다, 넌지시 알리다

23 **betray** [bitréi] 배반하다

24 **tempt** [tempt] 유혹하다

25 **the slaughter** 도살장

26 **the crucified** 박해당한 사람(들)

27 **homing** [hóumiŋ] 귀소(회귀)성을 가진

28 **justify** [dʒʌ́stəfài] 정당화하다

29 **hall bedroom** 《미》현관 옆방, 문간 방 《여관 등의 제일 싼 방》

30 **exhaustive** [igzɔ́:stiv] 철저한

31 **indulge** [indʌ́ldʒ] 빠지다, 즐겁게 하다

32 **once too often** 또 다시

33 **pugnacious** [pʌgnéiʃəs] 싸우기 좋 아하는

34 **lampoon** [læmpú:n] 풍자문[시], 풍 자문[시]으로 비방하다, 풍자하다

35 **sandbar** [sǽndbà:r] 모래톱

36 **second** [sékənd] 입회인

37 **lurid** [lú:rid] 〈이야기·범죄 등이〉소 름이 끼치는

38 **malice** [mǽlis] 악의, 원한

39 **deluge** [délju:dʒ] 밀어닥치다, 쇄도 하다

40 **violation** [vàiəléiʃən] 위반

41 **hesitate** [hézətèit] 망설이다

42 **procrastinate** [proukrǽstənèit] 지체하다, 미루다

43 **point blank** 정면으로의, 노골적인

44 **defeat** [difít] 이기다, 패배시키다

45 **conservative** [kənsə́:rvətiv] 보수적 인, 조심스러운

46 **restrain** [ri:stréin] 억제하다

47 **phraseology** [frèiziálədʒi] 말씨, 어법

48 **tantamount to** ~에 상당하는

49 **magnitude** [mǽgnətjù:d] 큼, 거대 함, 중요함, 위대함

50 **distress** [distrés] 고통, 괴롭히다

51 **temperament** [témpərəmənt] 성격

52 **water under the bridge [over the dam]** 《미》 지나간 일

53 **invariably** [invɛ́əriəbli] 언제나

54 **futility** [fju:tíləti] 무익, 무의미한

55 **Hail Columbia** 미국의 국가, 《미·속 어》 심한 꾸지람, 질책

56 **notation** [noutéiʃən] 표기, 표시, 주 석, 기록

57 **scribble** [skríbəl] (급히) 갈겨쓰다, 날 려쓰다

58 **blunderer** [blʌ́ndərər] 큰 실수를 저지 르는 사람

59 **resentment** [rizéntmənt] 분노

60 **rankle** [rǽŋkəl] 상처가 아프다, 〈원한 등이〉 마음에 사무치다

61 **liable**[láiəbəl] 책임 있는, ~하기 쉬운

62 **magazine**[mǽgəzíːn] 화약고

63 **bitter**[bítər] 고난, 냉엄한

64 **adroit**[ədrɔ́it] 능숙한, 솜씨 있는

65 **figure out** 생각하다, 계산하다

66 **intriguing**[intríːgiŋ] 흥미를 자아내는

1 **whip**[hwip] 채찍

2 **crude**[kruːd] 원래 그대로의, 미숙한

3 **repercussion**[rìːpərkʌ́ʃən] (간접적) 영향, 반격, 반발

4 **distinguished**[distíŋgwiʃt] 유명한

5 **crave**[kreiv] 원하다, 갈망하다

6 **gratification**[grӕ̀təfikéiʃən] 만족 시키기, 만족(감)

7 **imperious**[impíəriəs] 거만한, 긴급한

8 **longing**[lɔ́(ː)ŋiŋ] 열망, 동경

9 **gnawing**[nɔ́ːiŋ] 신경을 갉아먹는, 괴롭히는

10 **unfaltering**[ʌnfɔ́ːltəriŋ] 흔들리지 않는, 단호한

11 **undertaker**[ʌ̀ndərtéikər] 장의사

12 **blue ribbon** (가터 훈장의) 푸른 리본, 최고의 명예[상]

13 **lure**[luər] 미끼, 유혹물, 유혹하다

14 **erect**[irékt] 세우다, 짓다

15 **G-man**[dʒíːmæn] (Government man) 《미·구어》지맨, FBI 수사관

16 **viceroy**[váisrɔi] (왕의 대리로 타국을 통치하는) 부왕, 총독, 태수

17 **expedition**[èkspədíʃən] 탐험

18 **range**[reindʒ] 범위, 산맥

19 **coat of arms** 문장이 든 덧옷, 문장(紋章)

20 **invalid**[ínvəlid] 병약한, 병자

21 **insane**[inséin] 미친

22 **harsh**[haːrʃ] 각박한, 가혹한

23 **syphilis**[sífəlis] 매독

24 **lesion**[líː3ən] (조직·기능의) 장애, 손상, 정신적 상해

25 **postmortem**[poustmɔ́ːrtəm] 사후의, 부검

26 **covet**[kʌ́vit] 〈남의 물건 등을〉몹시 탐내다, 갈망하다

27 **barkentine**[báːrkəntìːn] = 바컨틴 BARQUENTINE 《세 돛대의 범선》

28 **billow**[bílou] 큰 물결, 〈돛 등이〉 부풀다 (out), 부풀어 오르다

29 **manufacture**[mӕ̀njəfӕ́ktʃər] 제조, 제작, 제품

30 **conjugation**[kɑ̀ndʒəgéiʃən] 동사 변화

31 **hearty**[háːrti] 열성적인, 열렬한

32 **approbation**[ӕ̀proubéiʃən] 허가, 승인, 찬성, 인정

33 **lavish**[lǽviʃ] 후한, 아낌 없는

34 **phenomenal**[finámənəl] 놀라운

35 **boner**[bóunər] 《미·속어》(학생의) 얼빠진 실수

36 **dazzle**[dǽzəl] 눈이 부시다, 번쩍번쩍 빛나다

37 **subtle**[sʌ́tl] 신비한, 절묘한

38 **seduction**[sidʌ́kʃən] 유혹

39 **gallantry**[gǽləntri] 정중함

40 **fad**[fӕd] 변덕, 일시적 유행

41 **stellar**[stélər] 별의, 《미》 화려한, 주요한, 뛰어난

42 **discerning**[disə́ːrniŋ] 분별력이 있는

43 **appreciation**[əprìːʃiéiʃən] 감탄, 감사

44 **matrimonial**[mӕ̀trəmóuniəl] 결혼의

45 **susceptible**[səséptəbəl] 민감한

46 **flattery**[flǽtəri] 아첨

47 **maxim**[mǽksim] 격언, 금언

48 **proffer**[práfər] 내놓다, 제공하다, 제언하다

49 **cease**[siːs] 그치다, 끝나다, 멈추다

50 **lavish**[lǽviʃ] 풍부한, 풍성한

51 **cherish**[tʃériʃ] ~을 소중히 하다

1 **strawberries and cream** 딸기빙수
2 **oust** [aust] 내쫓다
3 **bait** [beit] 미끼, 미끼를 달다
4 **predicament** [pridíkəmənt] 곤경, 궁지
5 **horse sense** 《미·구어》 (일상적) 상식, 양식
6 **eager** [í:gər] 열망하는, 간절한
7 **neglect** [niglékt] ~을 무시하다, 게을리하다
8 **distribute** [distríbju:t] 분배하다
9 **accrue** [əkrú:] 생기다, 누적되다
10 **letterhead** [létərhèd] 편지 윗부분
11 **sputter** [spʌ́tər] 식식거리며 말하다, 흥분하여 말하다
12 **at a glance** 한 번 보아, 한눈에
13 **violate** [váiəléit] 범하다, 방해하다, 위반하다
14 **hollyhock** [hálihàk] 접시꽃
15 **neuritis** [njuəráitis] 신경염
16 **dandruff** [dǽndrəf] (머리의) 비듬
17 **whippersnapper** [hwípərsnæpər] 얄미운 놈, 건방진 녀석
18 **yap** [jɑp] 시끄럽게 짖어대다, 투덜대다
19 **general staff** (사단·군단 등의) 참모(부)
20 **half-witted** 얼빠진
21 **hummingbird** [hʌ́miŋbə̀:rd] 벌새
22 **unmitigated** [ʌnmítəgèitid] 완화되지 않은, 진짜의, 완전한
23 **insignificant** [ìnsignífikənt] 사소한
24 **mortgage** [mɔ́:rgidʒ] 저당, 담보, 주택금융, 대출
25 **drivel** [drívəl] 철없는 소리(를 하다), 〈시간 등을〉 낭비[허비]하다
26 **medulla oblongata** 연수(延髓) 숨골
27 **iodine** [áiədàin] 요오드, 옥소
28 **thyroid gland** 갑상선
29 **devote** [divóut] 바치다
30 **superintendent** [sù:pərinténdənt] 관리자, 지배인
31 **congestion** [kəndʒéstʃən] (화물 등의) 폭주, (거리·교통의) 정체
32 **forenoon** [fɔ́:rnù:n] 오전, 아침나절
33 **inconvenience** [ìnkənví:njəns] 불편
34 **antagonism** [æntǽgənìzəm] 반대, 적대, 반감
35 **patronage** [péitrənidʒ] 후원, 성원
36 **prompt** [prɑmpt] 촉발하다, 신속한
37 **shipment** [ʃípmənt] 선적, 화물
38 **pound** [paund] 마구 치다, 힘차게 나아가다
39 **tonsil** [tánsil] 편도선
40 **exchequer** [ikstʃékər] (개인·회사 등의) 자금, 재력, 국고
41 **tendency** [téndənsi] 경향, 성향
42 **pep** [pep] 원기, 활기
43 **nag** [næg] 성가시게 잔소리하다, 바가지 긁다
44 **menace** [ménəs] 협박, 위협적인 존재, 말썽꾸러기
45 **make-up** [méikʌp] 성질, 기질
46 **wallop** [wáləp] 호되게 때리다, 철저히 참패시키다
47 **dietetics** [dàiətétiks] 영양학, 식이요법(학)
48 **sauerkraut** [sáuərkràut] 소금에 절인 양배추 《발효 시킨 독일의 김치》
49 **mackerel** [mǽkərəl] 고등어
50 **nocturnal** [nɑktə́:rnl] 야간의, 밤의
51 **iniquity** [iníkwəti] 부정[불법] 행위, 죄
52 **persuade** [pə:rswéid] 설득하다, 납득시키다
53 **injunction** [indʒʌ́ŋkʃən] 명령, 경고
54 **coax** [kouks] 구슬리다, 달래다
55 **psychological moment** 절호의 순간[기회], 위기
56 **Maltex** 시리얼 제조회사명

1 **jump[fly] out of one's skin** (기쁨·놀람 등으로) 펄쩍 뛰다

2 **buck brush** 갈매나무과의 관목 (buckthorn의 일종)

3 **constant**[kάnstənt] 변함없는, 불변의

4 **divine**[diváin] 신의, 신이 주신

5 **instinct**[ínstiŋkt] 선천적인, 본능

6 **genuine**[dʒénjuin] 진실로

7 **blunder**[blΛndər] 실수하다

8 **wigwag**[wígwæg] 이리저리 휘두르다, 흔들다

9 **pronoun**[próunàun] 대명사

10 **funeral**[fjú:nərəl] 장례식

11 **impress**[imprés] 인상을 주다

12 **rely**[rilái] 믿다, 의지하다

13 **erudite**[érʃudàit] 학식 있는, 박식한

14 **tome**[toum] 큰 책, 학술서적

15 **repetition**[rèpətíʃən] 반복

16 **hard-boiled** 냉철한

17 **trebly**[trébəli] 3배로

18 **dean**[di:n] 학장, 단체의 최고참자

19 **legerdemain**[lèdʒərdəméin] 손으로 하는 마술

20 **illusion**[ilú:ʒən] 환영, 착각 환상

21 **gasp**[gæsp] 숨이 막히다, 헐떡거리다

22 **hobo**[hóubou] 부랑자, 룸펜

23 **haystack**[héistæk] 큰 건초 더미

24 **scores of** 수십(의), 다수의, 다량의

25 **the footlights** 무대

26 **intonation**[ìntənéiʃən] 억양, 어조

27 **agreeable**[əgrí:əbəl] 기분이 좋은, 마음에 드는

28 **over and over** 몇 번이고 되풀이해서 (= again and again)

29 **distinguished**[distíŋgwiʃt] 저명한

30 **intensely**[inténsli] 강렬하게, 열심히, 저명하게

31 **valet**[vǽlit] 시종, 하인

32 **humble**[hΛmbəl] 하찮은, 겸손한

33 **servant**[sə́:rvənt] 하인, 사원

34 **scullery-maid**[skΛlərimeid] 식기 닦는 하녀

35 **lavorer**[léibərər] 노동자, 일꾼

36 **grant**[grænt] 승인하다

37 **veal**[vi:l] 송아지 고기 《식용》

38 **sought-after**[sɔ́:tæ̀ftər] 수요가 있는, 인기 있는

39 **prominent**[prάmənənt] 두드러진, 저명한, 유명한

40 **hatred**[héitrid] 강한 혐오, 증오심

41 **not have the foggiest (idea)** 《영·구어》 전혀 모르다

42 **disposition**[dìspəzíʃən] 기질

43 **natal**[néitl] 출생의

44 **bespeak**[bispí:k] 〈어떤 일을〉 나타내다, ~이라는 증거이다

45 **confidential**[kὰnfidénʃəl] 비밀의, 기밀의, 믿을 만한

46 **vague**[veig] 막연한, 애매한

47 **nebulous**[nébjələs] 성운(모양)의, 〈기억·표현 등이〉 불명료한

48 **fondle**[fάndl] 애지중지하다, 지나치게 소중히 여기다

49 **parlance**[pά:rləns] (특유한) 어법

50 **scoop**[sku:p] 국자, 《구어》【신문】특종 기사

51 **tactic**[tǽktik] 전략, 방책

52 **headway**[hédwèi] 진보, 전진

53 **goody-goody**[gúdigùdi] 선인(善人) 같이 행동하는 (사람), 착한 사람

1 **squander**[skwάndər] 낭비하다, 탕진하다

2 **sable**[séibəl] 검은담비, 검은담비 모피 옷

3 **glum**[glΛm] 무뚝뚝한

4 **taciturn**[tǽsətə̀:rn] 말 없는, 과묵한

5 **adage** [ǽdidʒ] 금언, 격언, 속담

6 **rip-roaring** [rípprɔ̀:riŋ] 떠들썩한, 활발한

7 **mug** [mʌg] 《속어》 얼굴, 찌푸린 얼굴

8 **scowl** [skaul] 얼굴을 찌푸리다, 찌푸린 얼굴

9 **bewilder** [biwíldər] 당황하게 하다, 놀라 어쩔 줄 모르게 하다

10 **Curb Exchange** 《구어》 미국 증권거래소

11 **grievance** [grí:vəns] 불평, 고충

12 **elate** [iléit] 의기양양하게 하다

13 **grouch** [grautʃ] 잔소리, 불평꾼

14 **condemnation** [kàndəmnéiʃən] 험담, 비난

15 **hum** [hʌm] 콧노래를 부르다

16 **sit up** 정신 차리다, 분발하다

17 **coolie** [kú:li] 쿨리, (아시아 출신의) 저임금 미숙련 노동자

18 **crutch** [krʌtʃ] 목다리, 목발

19 **distraught** [distrɔ́:t] 정신이 혼란하여, 미친

20 **serene** [sərí:n] 차분한

21 **triumphant** [traiʌ́mfənt] 당당한, 의기양양한

22 **honest-to-goodness[God]** 《구어》 진짜로, 진심 어린

23 **extraordinary** [ikstrɔ́:rdənèri] 엄청난, 대단한

PART 2-3

1 **hitch up** 말 등을 마차에 매다

2 **snappy** [snǽpi] 살을 에는 듯한

3 **trough** [trɔ(:)f] 구유, 여물통

4 **brickyard** [bríkjà:rd] 벽돌 공장

5 **geniality** [dʒì:niǽləti] 상냥[싹싹]함

6 **uncanny** [ʌnkǽni] 초인적인

7 **Postmaster General** 우정 공사 총재

8 **gypsum** [dʒípsəm] 석고, 깁스

9 **town clerk** 읍사무소 서기

10 **acquaintance** [əkwéintəns] 지인, 아는 사람

11 **following** [fálouiŋ] 지지자, 팬

12 **buggy** [bʌ́gi] 《미》 4륜 경마차, 《미·속어》 고물차

13 **skiff** [skif] 작은 보트 《한 사람이 젓는》

14 **scathing** [skéiðiŋ] 가차 없는, 통렬한

15 **misspell** [misspél] 철자를 잘못 쓰다

16 **flair** [flɛər] 천부적인 재능

17 **dandelion** [dǽndəlàiən] 민들레

18 **bunny** [bʌ́ni] 토끼, 어린 토끼

19 **mill** [mil] 제조공장, 제작소

20 **slash** [slæʃ] 깎다, 베다

21 **merger** [mɔ́:rdʒər] 합병, 합동

22 **attentively** [əténtivli] 주의 깊게

23 **palace car** 【철도】 호화 특별차

24 **be proud of** ~을 자랑으로 여기다

25 **boast** [boust] 자랑하다

26 **disturb** [distə́:rb] 혼란시키다, 어지럽히다, 방해하다

27 **strive** [straiv] 노력하다, 분발하다, 애쓰다

28 **perpetuate** [pə(:)rpétʃuèit] ~를 영속시키다, 불멸시키다

29 **blustering** [blʌ́stəriŋ] 호통치는, 시끄러운, 고함치는

30 **concentrate** [kɑ́nsəntrèit] 집중하다, 전심하다

31 **gadget** [gǽdʒit] 솜씨 있게 만든 작은 도구, 장치

32 **upholstery** [ʌphóulstəri] 실내 장식품, 실내 장식 재료

33 **particularly** [pərtíkjələrli] 특별히

34 **Federal Reserve Board [the]** 《미》 FRB, 연방준비제도이사회

35 **perfunctory** [pərfʌ́ŋktəri] 형식적인, 겉치레의

36 **obvious** [ábviəs] 명백한, 뻔한

37 **oblivion** [əblíviən] 망각, 잊혀지다

38 **concentrate** [kɑ́nsəntrèit] 집중하

다, 전심하다

39 **sacrifice**[sǽkrəfàis] 희생, 희생하다

PART 2-4

1 **deliver**[dilívər] 배달하다, 잘해내다

2 **botanist**[bátənist] 식물학자

3 **hashish**[hǽʃiːʃ] 해시시《인도 대마(大麻) 잎으로 만든 마취제》

4 **violate**[váiəléit] 위반하다, 깨뜨리다, 어기다

5 **canon**[kǽnən] 규범, 법

6 **compliment**[kámpləmənt] 칭찬, 듣기 좋은 말, 칭찬하다

7 **botany**[bátəni] 식물학, 식물

8 **anatomy**[ənǽtəmi] 해부, 해부학

9 **rapt**[ræpt] 넋[마음]을 빼앗긴, 열중한

10 **approbation**[æ̀proubéiʃən] 허가, 인정, 찬동

11 **lavish**[lǽviʃ] 아낌없이 주다, 아낌없는, 낭비하다

12 **contradict**[kàntrədíkt] 반박하다, 부인하다

13 **enterprising**[éntərpràiziŋ] 진취적인, 기업심이 있는

14 **dye**[dai] 염료

15 **exaggeration**[igzæ̀dʒəréiʃən] 과장

16 **retort**[ritɔ́ːrt] 반박[항변]하다, 말대꾸하다

17 **belligerent**[bəlídʒərənt] 호전적인, 교전 중인

18 **put it[something] over on a person** 《미·구어》~을 속이다

19 **sizzling**[sízəliŋ] 지글지글 소리내는, 《구어》몹시 뜨거운[더운, 화난]

20 **intimate**[íntəmit] 친밀한, 친밀하다, 넌지시 말하다, 알리다

21 **air**[ɛər] 〈의견을〉발표하다, 〈불평을〉늘어놓다

22 **confound**[kənfáund] 혼동하다, 저주하다

23 **It is small[Small] wonder (that)** ~라 해도 별로 이상한 일이 아니다

24 **chronic**[kránik] 만성적인, 상습적인

25 **kicker**[kíkər] 《구어》끈질긴 반항[반대]자, 불평가

26 **irate**[áireit] 노한, 성난

27 **spew**[spjuː] 토하다, 분출하다, 털어놓다

28 **curse**[kəːrs] 욕설, 저주, 욕설을 퍼붓다

29 **rave**[reiv] (미친 사람처럼) 지껄이다, 고함치다

30 **stormy petrel** 분쟁을 불러일으키는 사람

31 **cantankerous**[kæntǽŋkərəs] 잘 싸우는, 다루기 힘든

32 **old boy** 《구어》정정한 노인, 원기 있는 중년 남자

33 **tirade**[táireid] 긴 열변, 장광설

34 **charter member** 《미》(단체 등의) 창립 위원

35 **holy crusader** 성스러운 십자군

36 **grip**[grip] = gripsack 《미》손가방, 여행 가방

37 **simmer down** 식어가다, 흥분이 가라앉다

38 **scrap**[skræp] 다툼, 다투다

39 **undoubtedly**[ʌndáutidli] 의심할 여지 없이, 확실히

40 **reluctantly**[rilʌ́ktəntli] 마지못해

41 **afterward**[ǽftərwərd] 뒤에, 나중에, 이후

42 **eventually**[ivéntʃuəli] 결국, 마침내(= finally)

43 **encyclopedia**[ensàikloupíːdiə] 백과사전, 전문사전

44 **messenger boy** 사환

45 **imbue**[imbjúː] 침투시키다, 물들이다, (사상 등을 ~에게) 불어넣다

46 **invaluable**[invǽljuəbəl] 극히 귀중한, 평가할 수 없는

47 **celebrity** [səlébrəti] 명사, 유명인

48 **discuss** [diskʌ́s] 토의하다, 의논하다

49 **advisability** [ædvàizəbíləti] 권할 수 있음, 타당함, 적당함

50 **proclamation** [pràkləméiʃən] 선언, 공포, 발표

51 **unburden** [ʌnbə́:rdn] 짐을 내리다, (마음)의 짐을 풀다, 편히 하다

52 **shun** [ʃʌn] ~를 피하다, 꺼리다

53 **incessantly** [insésəntli] 계속해서 끊임없이, 계속적으로

54 **interrupt** [intərʌ́pt] 방해하다, 중단하다, 중단시키다

55 **accomplishment** [əkʌ́mpliʃmənt] 업적, 성과, 수행

1 **diversity** [divə́:rsəti] 상이, 다양성

2 **Rough Rider** 미국-스페인 전쟁 때 미국의 의용 기병대원

3 **erstwhile** [ə́:rsthwàil] 이전의

4 **skirmish** [skə́:rmiʃ] 작은 논쟁

5 **corporation** [kɔ̀:rpəréiʃən] 기업, 회사, 법인, 조합

6 **fortunately** [fɔ́:rtʃənətli] 운 좋게, 다행히

7 **branch** [bræntʃ] 가지, 갈라져 나온 것, 지사, 분과

8 **affair** [əféər] 사건, 일, 업무

9 **resolve** [rizálv] 결심, 결심하다, 분해하다

10 **tactic** [tǽktik] 순서의, 전술 상의, 방책, 전략

11 **response** [rispáns] 응답, 반응

12 **vibrant** [váibrənt] 힘찬, 활기찬

13 **in terms of** ~에 의하여, ~의 견지에서

1 **grind** [graind] 《구어》 고되고 단조로운 일

2 **head of hairs** (풍성한) 머리털, 두발

3 **pristine** [prísti:n] 원래의, 자연 그대로의, 원시 시대의

4 **walk[tread, float] on air** 기뻐 어쩔 줄 모르다

5 **radiate** [réidièit] 빛내다, (빛 따위를) 방사하다, 발산하다, (기쁨 따위를) 퍼뜨리다

6 **crab apple** 돌능금, 야생 능금

7 **obey** [oubéi] 따르다, 복종하다

8 **constant** [kánstənt] 불변의, 끊임없는, 확고한

9 **speculate** [spékjəlèit] 사색하다, 깊이 생각하다, 숙고하다

10 **disciple** [disáipəl] 제자, 문하생

11 **insincere** [ìnsinsíər] 성의 없는, 불성실한, 위선의

12 **flattery** [flǽtəri] 아첨, 아부

13 **dispense** [dispéns] 분배하다, 나누어 주다, (법령이나 의식 등)을 시행하다, 집행하다

14 **clambake** [klǽmbèik] 《미》 (조개를 구워 먹는) 해안 피크닉

15 **cog** [kɑg] (톱니바퀴의) 이

16 **devour** [diváuər] 탐독하다, 게걸스럽게 먹다

17 **emblazon** [imbléizən] 문장(紋章)으로 꾸미다, (아름다운 색으로) 그리다, 장식하다

18 **stupendous** [stju:péndəs] 엄청난, 굉장한

19 **privilege** [prívəlidʒ] 특권, 권리

20 **befoul** [bifául] 더럽히다, 헐뜯다

21 **condescend** [kàndisénd] 거들먹거리다

22 **heathen** [hí:ðən] 이방인, 이교도의

23 **bum** [bʌm] 부랑자, 게으름뱅이, 건달

24 **bolster** [bóulstər] 보강하다, 튼튼한

게 하다

25 **inadequacy**[inゔdikwəsi] 부적당한, 불충분한

26 **tumult**[tjúːmʌlt] 소란, 소동

27 **attorney**[ətə́ːrni] 변호사

28 **rush off** 쏜살같이 달아나다, 가버리다

29 **gad**[gæd] 쏘다니다 《about》

30 **cherish**[tʃériʃ] 소중히 하다

31 **overwhelm**[òuvərhwélm] 난처하게 하다, 당황하게 하다, 압도하다

32 **generosity**[dʒènərásəti] 관대, 마음씨 좋음, 너그러움

33 **isolated**[áisəlèitid] 고립된

34 **rhododendron**[ròudədéndrən] 진달래속(屬)의 각종 화목

35 **azalea**[əzéiljə] 진달래

36 **kennel**[kénəl] 개집, (개·고양이 등의) 사육[훈련]장

37 **pedigree**[pédəgriː] 혈통표

38 **be tickled pink[silly, to death]** 《구어》 크게 기뻐하다

39 **transparent**[trænspɛ́ərənt] 투명한

40 **amass**[əmǽs] (재산을) 모으다, 쌓다

41 **tremendous**[triméndəs] 터무니 없이 큰, 엄청난

42 **stand[have] a show** 《구어》(희미한) 가망성이 있다

43 **martinet**[màːrtənét] 규율에 까다로운 사람

44 **usher**[ʌ́ʃər] 안내원, ~을 안내하다

45 **proportion**[prəpɔ́ːrʃən] 비례, 균형 잡히게 하다

46 **institution**[ìnstətjúːʃən] 기구, 기관

47 **homeopathic**[hòumiəpǽθik] 동종[유사] 요법의

48 **alleviate**[əlíːvièit] (고통)을 완화시키다, 경감하다

49 **widow**[wídou] 과부, [과거분사형으로] ~을 과부가 되게 하다

50 **haunt**[hɔːnt] 자주 가다, 자주 나타나다, 괴롭히다

51 **at a stretch** 단숨에

52 **sun porch** 유리를 두른 일광욕실[베란다]

53 **peel**[piːl] 벗다, 벗기다

54 **headwaters**[hédwɔ̀ːtərz] (강의) 원류, 상류

55 **Blarney Stone** 블라니 돌 《아일랜드 Cork 부근의 Blarney Castle 안에 있는 돌, 여기에 키스하면 아첨을 잘하게 된다고 함》

56 **inclination**[ìnklənéiʃən] 경사, 버릇, 기질, 기호

57 **candor**[kǽndər] 솔직, 공평, 담백함

58 **diplomacy**[diplóuməsi] 외교, 외교술, 술책

59 **knock**[nɑk] 《구어》 깎아내리다, 흠잡다

60 **invidious**[invídiəs] 비위에 거슬리는, 질투심을 일으키는

61 **domesticity**[dòumestísəti] 가정적인, 가사

62 **cinder**[síndər] (석탄 등의) 탄 재

63 **offering**[ɔ́(ː)fəriŋ] 봉납, 헌납

64 **affection**[əfékʃən] 애정, 사랑, 호의

65 **shatter**[ʃǽtər] 부수다, 부서지다, 망치다, 좌절시키다

66 **bigamist**[bígəmist] 중혼자

PART 3-1

1 **astonish**[əstániʃ] 놀라게 하다

2 **divinity**[divínəti] 신, 신성

3 **raconteur**[rækantə́ːr] 이야기꾼, 이야기 잘하는 사람

4 **stick to one's guns** 입장[주장]을 고수하다, 굴복하지 않다

5 **inveterate**[invétərit] 〈병·습관 등이〉 뿌리 깊은, 습관적인

6 **argumentation**[àːrgjəməntéiʃən] 변론, 토론

7 **contestant** [kəntéstənt] 경쟁자, 경기 참가자

8 **non compos mentis** 옳은 정신이 아닌, 정신이상의

9 **inferior** [infíəriər] 열등한, 낮은

10 **resent** [rizént] 노하다, 분개하다

11 **definite** [défənit] 일정한, 명확한, 한정적인

12 **belligerent** [bəlídʒərənt] 교전적인, 호전적인, 싸움을 좋아하는

13 **scrap** [skræp] 다툼, 승강질

14 **antagonize** [æntǽɡənàiz] 적으로 만들다, ~의 반감을 사다

15 **derogatory** [dirágətɔ́:ri] 권위를 떨어뜨리는, 경멸적인

16 **see red** 격노하다

17 **bird** [bə:rd] 《속어》 (어떤 특징을 가진) 사람, 녀석, 놈

18 **refrain from** ~을 삼가다, 억제하다

19 **sell something on** ~을 되팔다

20 **rankle** [rǽŋkəl] 끊임없이 마음을 괴롭히다

21 **doggerel** [dɔ́(:)ɡərəl] (운율이 맞지 않는) 광시(狂詩), 졸렬한[엉터리] 시

22 **futile** [fjú:tl] 쓸데없는, 하찮은

23 **joust** [dʒaust] 말 타고 하는 창 시합 verbal joust 말싸움

24 **dispute** [dispjú:t] 논쟁하다

25 **wrangle** [rǽŋgəl] 말다툼하다, 논쟁하다

26 **bad debt** 악성 채권, 회수 불능의 대출금

27 **comparison** [kəmpǽrisən] 비교

28 **firing line** 사선(射線), (활동의) 제일선, 최선봉

29 **frailty** [fréilti] 약함, 약점

30 **conciliation** [kənsìliéiʃən] 위로, 달램, 조정

31 **vitiate** [víʃièit] 타락시키다, 가치를 떨어뜨리다 [파생 명사형 vitiation]

PART 3-2

1 **expectation** [èkspektéiʃən] 기대

2 **intonation** [ìntənéiʃən] 억양, 어조

3 **blow** [blou] (바람이) 불다, 타격

4 **tantamount to** ~와 동등한, 같은

5 **benign** [bináin] 우호적인, 상냥한

6 **multiplication table** 구구단(미국·영국에서는 12진법으로 12×12=144까지 있음)

7 **bluntly** [blʌ́ntli] 무뚝뚝하게, 무디게

8 **statute of limitations** 공소 시효, 법정 기한

9 **admiralty law** = MARITIME LAW 해사법(海事法), 해상법(海商法)

10 **hush** [hʌʃ] 조용하게 하다, 침묵

11 **biased** [báiəst] 편견을 지닌, 편향된

12 **be inclined to** ~할 마음이 들다

13 **resent** [rizént] 노하다, 분개하다, 원망하다

14 **imputation** [ìmpjutéiʃən] 비방, 비난, 죄 따위를 남에게 전가

15 **heedless** [hí:dlis] 무관심한, 경솔한

16 **reckon with** ~와 직면[대립]하다, ~을 고려에 넣다

17 **shabby** [ʃǽbi] 초라한, 낡아 빠진

18 **put it[something] over on a person** 《미·구어》 ~을 속이다

19 **bargain-basement** 값싼, 헐값의

20 **exquisite** [ikskwízit] 절묘한, 매우 아름다운

21 **ram** [ræm] 쑤셔 넣다, 밀어 넣다, 억지로 밀어붙이다

22 **unpalatable** [ʌnpǽlətəbəl] 입에 맞지 않는, 맛없는, 불쾌한

23 **esophagus** [isάfəɡəs] 식도

24 **brutal** [brú:tl] 야만의, 거친, 잔인한

25 **sarcastic** [sɑ:rkǽstik] 빈정대는

26 **iniquitous** [iníkwitəs] 부정[불법]의, 사악한

27 **suave** [swɑ:v] 정중한, 상냥한

28 **slap**[slæp] 찰싹, 모욕

29 **right-about-face** 180도 전환, 【군사】 뒤로 돌아

30 **bigoted**[bígətid] 고집불통인, 완고한

31 **sentiment**[séntəmənt] 감정, 생각

32 **assertion**[əsə́:rʃən] 주장, 단언

33 **forbid**[fərbíd] 금하다, 불허하다

34 **adopt**[ədápt] 채용하다, 택하다

35 **assert**[əsə́:rt] 주장하다, 단언하다

36 **abruptly**[əbrʌ́ptli] 갑자기, 불쑥

37 **absurdity**[əbsə́:rdəti] 불합리, 어리석음, 터무니없음

38 **mortification**[mɔ̀:rtəfikéiʃən] 굴욕, 수치, 억울함

39 **blueprint**[blú:prìnt] 청사진, 설계도

40 **fabrication**[fæ̀brikéiʃən] 제작, 제조

41 **positively**[pázɔtivli] 적극적으로, 명확히

42 **fist**[fist] 주먹, ~을 때리다

43 **condemn**[kəndém] 비난하다

44 **inspector**[inspéktər] 검사관, 검열관

45 **unloading**[ʌ̀nlóud] 하역, 짐을 부리다

46 **inspection**[inspékʃən] 검사, 시찰

47 **strong suit** 높은 끗수의 패, 장점, 장기

48 **thaw**[θɔ:] 녹다, 누그러지다, 풀리다

49 **adversary**[ǽdvərsèri] 적, 반대자

PART 3-3

1 **leash**[li:ʃ] (개 등을 매어 두는) 가죽끈 [줄], 사슬

2 **muzzle**[mʌ́zəl] 주둥이, (동물의) 입마개, 재갈

3 **mounted**[máuntid] 말에 탄, 기마의

4 **itching**[itʃiŋ] 근질근질한

5 **tinker's damn** 《속어》 쓸모없는[보잘것없는] 것

6 **be in for it** 어쩔 도리가 없게 되다, (벌 등을) 면할 수 없게 되다

7 **beat a person to it** 《미》 선손쓰다, 선수치다, 앞지르다

8 **red-handed** 손이 피투성이의, 현행범의

9 **remonstrate**[rimánstreit] 충고하다, 항의하다

10 **nourish**[nə́:riʃ] ~을 기르다, 자양분을 주다, 강화하다

11 **magnanimous**[mægnǽniməs] 관대한, 도량이 넓은

12 **break a lance with** ~와 시합[경쟁, 논쟁]하다

13 **terminate**[tə́:rmənèit] 끝내다, 폐지하다

14 **take the wind out of a person's sails** 기선(機先)을 제하다, 상대를 꼼짝 못하게 하다

15 **goodwill**[gúdwíl] 호의, 쾌락

16 **petulant**[pétʃələnt] 발끈하는, 화를 잘 내는

17 **dread**[dred] 두려워하다, 걱정하다

18 **eagerness**[í:gərnis] 갈망, 열망

19 **nobility**[noubíləti] 고귀함

20 **exultation**[èɡzʌltéiʃən] 기쁨

21 **charge**[tʃɑ:rdʒ] 돌격, 돌진

22 **picturesque**[pìktʃərésk] 그림 같은, 아름다운

23 **auburn**[ɔ́:bərn] 적갈색의, 다갈색의

24 **lock**[lɑk] 타래, 머리채

25 **jaunty**[dʒɔ́:nti] 명랑한, 쾌활한 [부사형 jauntily]

26 **rakish**[réikiʃ] 멋진, 경쾌한

27 **bayonet**[béiənit] 총검

28 **behold**[bihóuld] 보다, 주시하다

29 **rank**[ræŋk] 대열, 나란히 서다

30 **grim**[grim] 단호한, 무서운

31 **crest**[krest] 산꼭대기, 산등성이 (모양의 것)

32 **a sheet of** 온통 ~, ~의 벌판[바다]

33 **slaughterhouse**[slɔ́:tərhàus] 도살장

34 **plunge**[plʌndʒ] 돌진, 돌입

35 **penetrate**[pénətrèit] 돌파하다, 꿰

뚫다
36 **sublime** [səbláim] 숭고한, 장엄한

PART 3-4

1 **riddle** [rídl] 탄환 등으로 〈배·벽·사람 등을〉 구멍투성이로 만들다, 벌집으로 만들다, be riddled with ~투성이다
2 **tempestuous** [tempéstʃuəs] 맹렬한, 난폭한
3 **engulf** [engʌ́lf] 휩말아 들이다, 삼키다
4 **missionary** [míʃənèri] 선교사, 전도사
5 **courtesy** [kɔ́:rtəsi] 정중함, 예의
6 **hurl** [hə:rl] 던지다
7 **devastating** [dévəstèitiŋ] 황폐화시키는, 압도적인
8 **insinuation** [insìnjuéiʃən] 슬며시 들어감, 넌지시 말하기
9 **revolt** [rivóult] 폭동, 반역하다
10 **gall** [gɔ:l] (동물의) 담즙, 쓸개즙
11 **tyranny** [tírəni] 폭정, 학대
12 **idle** [áidl] 게으른, 쉬고 있는
13 **Jehovah** [dʒihóuvə] 여호와
14 **bulldoze** [búldóuz] ~을 밀어붙이다
15 **lease** [li:s] 임대, 임대하다
16 **expire** [ikspáiər] 만료되다, 죽다
17 **tenant** [ténənt] 임차인, 차용하다
18 **occasion** [əkéiʒən] 기회
19 **greasy** [grí:si] 기름투성이의
20 **wrath** [ræθ] 분노, 화
21 **fable** [féibəl] 우화, 꾸민 이야기
22 **mop** [mɑp] 자루걸레, 청소하다, 〈눈물·땀 등을〉 닦다
23 **abortion** [əbɔ́:rʃən] 낙태[낙태 시술자 aborionist]
24 **pound** [paund] 마구 치다[두드리다]
25 **pulpit** [púlpit] 설교, 설교단
26 **damn** [dæm] 비난하다, 저주하다
27 **denounce** [dináuns] 규탄하다
28 **graft** [græft] 수회(收賄), 부정 이득물

---

29 **sensational** [senséiʃənəl] 선정적인, 세상을 떠들썩하게 하는
30 **editorial** [èdətɔ́:riəl] 사설
31 **feel under obligation to** ~에게 갚아야 할 의무를 느끼다
32 **inst.** = instant 이달의 《略 inst.》 the 13th inst. 이달 13일
33 **expurgate** [ékspərgèit] 불온한[외설적인] 부분을 삭제하다
34 **syringe** [səríndʒ] 세척기, 관장기(灌腸器)

PART 3-5

1 **outset** [áutsèt] 시초, 시작
2 **overcome** [òuvərkʌ́m] 극복하다, 이겨내다
3 **observable** [əbzə́:rvəbəl] 눈에 띄는, 주목할 만한
4 **withdrawal** [wiðdrɔ́:əl] 물러나기, 취소
5 **readiness** [rédinis] 준비, 신속
6 **brethren** [bréðrən] (같은 사회에 사는) 사람들
7 **bristle** [brísəl] 〈머리칼 등이〉 곤두서다, 성내다, 초조해 하다
8 **affirmative** [əfə́:rmətiv] 긍정(의)
9 **willingly** [wíliŋli] 기꺼이, 자진해서
10 **ultimatum** [ʌ̀ltiméitəm] 최후통첩
11 **flout** [flaut] 모욕하다, 업신여기다
12 **resolve** [rizɑ́lv] 결심하다
13 **next of kin** [법] (유산 상속권이 있는) 최근친자
14 **sake** [seik] 목적, 이유, 이익
15 **beneficiary** [bènəfíʃièri] 수익자(受益者), 신탁 수익자
16 **territory** [térətɔ̀:ri] 영토, 담당 구역
17 **remainder** [riméindər] 나머지, 잔여
18 **properly designed motor** 정격 모터
19 **scald** [skɔ:ld] 데게 하다, 데다

20 **gadfly** [gǽdflài] 등에, 귀찮은[성가신] 사람

21 **Socratic method** [the] 소크라테스식 문답법

22 **garner** [gáːrnər] 모으다, 획득하다

23 **perspicacity** [pə̀ːrspəkǽsəti] 통찰력

PART 3-6

1 **executive** [igzékjətiv] 행정부, 중역, 행정적인

2 **laryngitis** [lærəndʒáitis] 후두염

3 **squeak** [skwiːk] 〈쥐 등이〉 찍찍 울다, 끽끽거리며 말하다

4 **exhibit** [igzíbit] 보이다

5 **upholstery** [ʌphóulstəri] 가구, 실내 장식품

6 **aggregate** [ǽgrigèit] 합계

7 **proposition** [prὰpəzíʃən] 건의, 사업

8 **tightwad** [táitwὰd] 구두쇠

9 **peer** [piər] 응시하다, 주의해서 보다

10 **representative** [rèprizéntətiv] 대표자, 외판원

11 **pique** [piːk] 돋우다, 자극하다
　pique curiosity 호기심을 돋우다

12 **amiable** [éimiəbəl] 우호적인

13 **contraption** [kəntrǽpʃən] 새 고안물, 기묘한 장치

14 **cluck** [klʌk] 꼬꼬 우는 소리, 〈암탉이〉 꼬꼬 울다

15 **box number** (우편의) 사서함 번호

16 **stenographer** [stənágrəfər] 속기사

17 **reminisce** [rèmənís] 추억하다, 추억에 잠기다

18 **excel** [iksél] 능가하다

19 **inferiority** [infíəriɔ́(ː)rəti] 열등, 하위

20 **brag** [bræg] 자랑하다, 자랑하며 말하다

21 **idiot** [ídiət] 백치, 바보

PART 3-7

1 **on a (silver) platter** 수월하게, 전혀 애쓰지 않고

2 **throat** [θrout] 목구멍

3 **conclusion** [kənklúːʒən] 결론

4 **confront** [kənfrʌnt] 직면하다

5 **initiative** [iníʃiətiv] 솔선, 처음의

6 **phenomenal** [finάmənəl] 놀랄 만한, 경이적인

7 **a shot in the arm** 자신감을 주는 계기, 자극

8 **rut** [rʌt] 상투적인 방법, 상례(常例)

9 **resolve** [rizάlv] 결심하다

10 **utter** [ʌ́tər] 말하다, 언급하다

11 **scores of** 수십(의), 다수의, 다량의

12 **feat** [fiːt] 뛰어난 솜씨

13 **bitterly** [bítərli] 몹시

14 **party** [pάːrti] 모임, 정당

15 **hack** 악착스럽게 일하는 사람, (보수만을 목적으로 하는) 고용 전문가

16 **kilter** [kíltər] 《미·구어》 정상 상태
　in[out of] kilter 〈엔진 등이〉 좋은[나쁜] 상태에

17 **juncture** [dʒʌ́ŋktʃər] 시기, 경우

18 **Sandy** [sǽndi] 스코틀랜드 사람의 별명

19 **shrewd** [ʃruːd] 빈틈없는

20 **in charge of** ~를 담당해서

21 **install** [instɔ́ːl] 설치하다, 임명하다

22 **colonel** [kə́ːrnəl] 대령

23 **wield** [wiːld] (무기, 권력 따위를) 휘두르다

24 **convert** [kənvə́ːrt] 개조하다, 바꾸다

25 **trot out** 〈물품·고안 등을〉 자랑삼아 내놓다, 〈제안을〉 제시하다

26 **adroit** [ədrɔ́it] 교묘한

27 **patronage** [péitrənidʒ] 애호, 단골손님

28 **testimonial** [tèstəmóuniəl] 추천서

29 **sage** [seidʒ] 현자, 철인

30 **homage** [hάmidʒ] 존경

1 **tolerant** [tálərənt] 관대한
2 **ferret** [férit] 흰족제비, 찾아내다, 색출하다
3 **irritation** [ìrətéiʃən] 짜증, 성남
4 **shrub** [ʃrʌb] 관목
5 **frankfurter** [fræŋkfərtər] 쇠고기·돼지고기가 섞인 소시지
6 **conflagration** [kànfləgréiʃən] 큰화재
7 **nonchalantly** [nànʃəlá:ntli] 무관심하게, 태연하게
8 **precinct** [prí:siŋkt] 경찰 관할 구역
9 **jail** [dʒeil] 감옥, 형무소
10 **trifle** [tráifəl] 약간의
11 **bossy** [bɔ́(:)si] 두목 행세를 하는
12 **friction** [fríkʃən] 마찰
13 **milestone** [máilstòun] 이정표

1 **cantankerous** [kæntæŋkərəs] 심술궂은, 성미 고약한
2 **rattlesnake** [rǽtlsnèik] 방울뱀
3 **poor devil** 불쌍한 사람, 파산자
4 **bum** [bʌm] 부랑자, 술고래
5 **stagger** [stǽgər] 비틀거리다
6 **immortal** [imɔ́:rtl] 불멸의
7 **cannibal** [kǽnəbəl] 식인종
8 **hostility** [hastíləti] 적의, 적개심
9 **prominent** [prámənənt] 현저한, 저명한
10 **thorny** [θɔ́:rni] 가시가 있는, 골치 아픈
11 **neutralize** [njú:trəlàiz] 중화하다, 중립화하다
12 **ire** [áiər] 분노, 성내다
13 **appoint** [əpɔ́int] 정하다, 임명하다
14 **impropriety** [ìmprəpráiəti] 부적당, 적절하지 않은 행동

15 **impertinent** [impə́:rtənənt] 건방진, 무례한
16 **mollify** [málifài] 완화시키다, 달래다, 진정시키다
17 **in articulo mortis** 죽음의 순간에[의], 임종에[의]
18 **idiosyncrasies** [ìdiəsíŋkrəsi] 특징, 특이성, 개성
19 **impresario** [ìmprəsá:riòu] 흥행주, 감독, 지휘자
20 **basso** [bǽsou] 저음 (가수)
21 **ritzy** [rítsi] 최고급의, 호화로운
22 **entrepreneur** [à:ntrəprəná:r] 가극의 흥행주
23 **bruise** [bru:z] 타박상, 상처

1 **hold up** 강도질을 하다
2 **interlude** [íntərlù:d] 사이, 막간
3 **disgruntled** [disgrʌ́ntld] 불만인
4 **fly off the handle** 자제심을 잃다
5 **gamble** [gǽmbəl] 도박
6 **proposition** [pràpəzíʃən] 제안
7 **conclude** [kənklú:d] 결정하다
8 **respect** [rispékt] 존경, 존경하다
9 **refrain** [rifréin] 삼가다, 억누르다
10 **charity** [tʃǽrəti] 박애, 자선
11 **skeptic** [sképtik] 의심이 많은 사람들, 회의론자
12 **investigate** [invéstəgèit] 조사하다, 연구하다
13 **drastically** [drǽstikəli] 철저하게
14 **likewise** [láikwàiz] 마찬가지로
15 **infallible** [infǽləbəl] 절대 오류가 없는, 절대 확실한
16 **authority** [əθɔ́:riti] 권위, 권위자
17 **fairminded** [fɛərmáindid] 공평한, 공정한
18 **get a kick out of[from] something**

~이 자극적이다, ~이 아주 재미있다

19 **comparatively**[kəmpǽrətivli] 비교적, 꽤, 상당히

20 **chisel**[tʃízl] 부정행위를 하다

PART 3-11

1 **slander**[slǽndər] 중상하다, ~의 명예를 훼손하다

2 **squelch**[skweltʃ] 진압하다, 끽소리 못 하게 하다

3 **feature**[fíːtʃər] 특별 기사, 특집 기사

4 **trenchant**[tréntʃənt] 효과적인, 강력한

5 **exhaustive**[igzɔ́ːstiv] 철저한

6 **sidetrack**[sáidtræk] (주제에서) 벗어나다

7 **investigation**[invèstəgéiʃən] 연구, 조사

8 **dramatize**[drǽmətàiz] 극적으로 보이게 하다

9 **dramatization**[dræ̀mətizéiʃən] 극화, 각색한 것

PART 3-12

1 **coax**[kouks] 구슬리다, 달래다

2 **night shift** (주야 교대제의) 야간 근무 (시간)

3 **report**[ripɔ́ːrt] 출근하다 《for》

4 **swaggering**[swǽgəriŋ] 뽐내며 걷는, 뻐기는

5 **sordid**[sɔ́ːrdid] 더러운, 치사한

6 **throw[fling] down the gauntlet** 도전하다

7 **withdraw**[wiðdrɔ́ː] 사퇴하다

8 **throw down the gage** 도전하다

9 **notorious**[noutɔ́ːriəs] 악명 높은

10 **penitentiary**[pènəténʃəri] 교도소

11 **jovial**[dʒóuviəl] 명랑한, 즐거운

12 **stump**[stʌmp] 괴롭히다, 쩔쩔매게 하다

13 **vagary**[véigəri] 예측 불허의 변화, 변덕

14 **hesitation**[hèzətéiʃən] 주저, 망설임

15 **mettle**[métl] 용기, 기개 a man of mettle 기개가 있는 사람

PART 4-1

1 **attractive**[ətrǽktiv] 매력 있는

2 **effulgent**[efʌ́ldʒənt] 광채가 나는, 눈부시게 빛나는

3 **get stuck-up** 거드름 부리다

4 **punctuation**[pʌ̀ŋktʃuéiʃən] 구두점

5 **appall**[əpɔ́ːl] 섬뜩하게 하다

6 **desert** 사막[dézərt], 탈영하다[dizə́ːrt]

7 **obstreperous**[əbstrépərəs] 제멋대로 날뛰는, 제어할 수 없는

8 **diplomatic**[dìpləmǽtik] 외교적, 외교의

9 **reasonable**[ríːzənəbəl] 합리적인, 사리를 분별하는

10 **meritorious**[mèritɔ́ːriəs] 가치[공적, 공훈] 있는

11 **dictatorship**[díkteitərʃip] 독재의

12 **hoyle**[hɔil] 카드 놀이법(의 책) according to hoyle 규칙대로, 공정하게

13 **ornamental**[ɔ̀ːrnəméntl] 장식용의

14 **beard the lion[a man] in his den** 벅찬 상대에게 대담하게 덤비다

15 **competitor**[kəmpétətər] 경쟁자

16 **comment**[kámənt] 주해, 언급하다

17 **fabricate**[fǽbrikèit] 제조하다, 제작하다

18 **occasion**[əkéiʒən] 기회

1 **huddle**[hʌdl] 모임, (떼지어) 몰리다
2 **eloquent**[éləkwənt] 웅변의, 말 잘하는
3 **polish**[páliʃ] 닦다, 윤이 나다, 문장을 고치다
4 **sermon**[sə́:rmən] 설교, 훈계
5 **meticulous**[mətíkjələs] 꼼꼼한, 세심한
6 **disgrace**[disgréis] 망신, 망신시키다
7 **manuscript**[mǽnjəskrìpt] 원고

1 **susceptible to** ~에 민감한,
2 **mediocre**[mì:dióukər] 평범한, 보통의
3 **asinine**[ǽsənàin] 나귀 같은, 어리석은, 고집 센
4 **impartial**[impá:rʃəl] 공정한, 정당한 [부사형 impartially]
5 **batting average** 타율
6 **compliment**[kámpləmənt] 인사하다, 칭찬
7 **impeccable**[impékəbəl] 죄 없는, 결점 없는
8 **Chancellor**[tʃǽnsələr] (독일 등의) 총리
9 **egotistic**[èɡətístik] 자기중심의
10 **absurd**[əbsə́:rd] 터무니없이
11 **menace**[ménəs] 위협
12 **panicky**[pǽniki] 공황 상태에 빠진, 전전긍긍하는
13 **surpass**[sərpǽs] ~보다 뛰어나다
14 **compensation**[kàmpənséiʃən] 보상
15 **exalt**[igzɔ́:lt] ~을 높이다
16 **wax**[wæks] (달이) 차다, 커지다
17 **humble oneself** 겸손하게 굴다
18 **staunch**[stɑ:ntʃ] 믿음직한, 철두철미한
19 **veritable**[vérətəbəl] 진실의, 진정한

1 **dean**[di:n] 학장, 최고참
2 **biographer**[báiagrəfər] 전기 작가
3 **rebel** 반감을 가지다[ribél], 반역자 [rébəl]

1 **failure**[féiljər] 실패자
2 **temperamental**[tèmpərəméntl] 신경질적인
3 **roughshod**[rʌ́fʃɑ̀d] 〈말이〉 편자에 스파이크를 단, 포악한, ride roughshod over 남을 생각지 않고 함부로 굴다, 거칠게 다루다
4 **seasonal**[síːzənəl] 계절적인, 주기적인
5 **byword**[báiwə̀:rd] 속담, 상투적인 말
6 **get over** 〈싫은 일 등을〉 처리하다
7 **let down** 〈명예·체면·위신 등을〉 떨어뜨리다, 〈사람을〉 실망시키다
8 **extra men** 잉여 인력
9 **affection**[əfékʃən] 애정, 사랑
10 **reconcile**[rékənsàil] ~을 화해시키다
11 **arbitrator**[á:rbitrèitər] 중재자
12 **antagonism**[æntǽɡənìzəm] 대립
13 **vanquish**[vǽŋkwiʃ] 완파하다
14 **foe**[fou] 적, 적수
15 **blow**[blou] 타격, 쇼크
16 **be worsted** 패배하다

1 **vaudeville**[vɔ́:dəvil] 보드빌(《영》 variety) 《노래·춤·곡예·촌극 등》
2 **to-do**[tədú] 법석, 소동
3 **whip**[hwip] 매, 채찍
4 **inmate**[ínmèit] 피수감자, 입원 환자
5 **rehabilitation**[rì:həbílətéiʃən] 갱

생, 명예 회복
6 **delinquency**[dilíŋkwənsi] 범죄, 비행
7 **incarcerate**[inkáːrsərèit] 투옥하다
8 **replete**[riplíːt] 충만한
9 **witchery**[wítʃəri] 마술
10 **peasant**[pézənt] 농부
11 **aspire**[əspáiər] 열망하다
12 **blacking**[blǽkiŋ] 흑색 도료(塗料)
13 **infest**[infést] 들끓다
14 **gutter**[gʌ́tər] 하층 사회, 빈민굴
　　guttersnipe (도시의) 최하층민, 집 없는
　　아이, 부랑아
15 **sneak**[sniːk] 몰래 나가다
16 **drudgery**[drʌ́dʒəri] 천역, 고역
17 **frantic**[frǽntik] 미친 듯이 날뛰는
18 **hard up** 돈에 몹시 궁한
19 **rickety**[ríkiti] 곧 무너질 것 같은, 낡
　　아빠진
20 **forego**[fɔːrgóu] = FORGO 버리다,
　　그만두다
21 **latent**[léitənt] 잠재된, 숨은

PART 4-7

1 **sloppy**[slápi] 〈일·복장 등이〉너절한
2 **characteristic**[kæ̀riktərístik] 특징
3 **prodigious**[prədídʒəs] 거대[막대]한
4 **disillusion**[dìsilúːʒən] ~의 미몽을
　　깨우치다
5 **scullery**[skʌ́ləri] (식기를 닦거나 넣
　　어두는) 방, 식기실
6 **cross-eyed**[krɔ́ːsàid] 내사시의, 모
　　들뜨기의
7 **bandy-legged**[bǽndilègid] 안짱다
　　리의
8 **hold back** 비밀로 하다, 자제하다
9 **ingenuously**[indʒénjuːəsli] 솔직하게
10 **tabernacle**[tǽbəːrnæ̀kəl] 가건물, (영
　　혼의 임시 거처로서의) 육체
11 **doughboy**[dóubɔ̀i] 보병

12 **extravagant**[ikstrǽvəgənt] 과장된,
　　낭비하는
13 **strive**[straiv] 분투하다, 애쓰다
14 **crook**[kruk] 사기꾼, 악당

PART 4-8

1 **belated**[biléitid] 늦어진, 뒤늦은
2 **incentive**[inséntiv] ~할 의욕, 자극
　　적인
3 **liberal**[líbərəl] 대범한, 아끼지 않는
4 **build up** 칭찬하다, 개발하다
5 **cinch**[sintʃ] 쉬운 일, 식은 죽 먹기
6 **(right) up[down] one's alley** 기
　　호[성미]에 맞는, 전문에 속하는
7 **flair**[flɛər] 재능
8 **stubborn**[stʌ́bərn] 고집이 센

PART 4-9

1 **aghast**[əgǽst] 놀라서, 경악한
2 **emissary**[éməsèri] 사절, 사자, 밀사
　　(密使)
3 **the League of Nations** 국제연맹
　　(1919~1946년)
4 **snub**[snʌb] 냉대하다, 무시하다
5 **have a finger in the pie** 몫에 참여
　　하다, 관여하다
6 **alter**[ɔ́ːltər] 바꾸다, 변경하다
7 **substitute**[sʌ́bstitjùːt] 대신하다,
　　대용하다
8 **correspondent**[kɔ̀ːrəspándənt]
　　특파원, 통신원
9 **dignity**[dígnəti] 위엄
10 **veteran**[vétərən] 참전 용사
11 **trespasser**[tréspəsər] 무단 침입자
12 **detective**[ditéktiv] 탐정, 형사, 탐
　　정의
13 **bonfire**[bánfàiər] 모닥불, 횃불